D1113830

NOUVEAUX REGARDS EN HISTOIRE SEIGNEURIALE AU QUÉBEC

SOUS LA DIRECTION DE
Benoît Grenier et Michel Morissette

AVEC LA COLLABORATION
d'Alain Laberge et Alex Tremblay Lamarche

NOUVEAUX REGARDS EN HISTOIRE SEIGNEURIALE AU QUÉBEC

Pour effectuer une recherche libre par mot-clé à l'intérieur de cet ouvrage, rendez-vous sur notre site Internet au www.septentrion.qc.ca

Les éditions du Septentrion remercient le Conseil des Arts du Canada et la Société de développement des entreprises culturelles du Québec (SODEC) pour le soutien accordé à leur programme d'édition, ainsi que le gouvernement du Québec pour son Programme de crédit d'impôt pour l'édition de livres.

Illustration de la couverture : Le Grand escalier du Séminaire de Québec. Grand propriétaire seigneurial depuis le Régime français, le Séminaire de Québec possède encore en toute propriété de vastes étendues forestières dans la « Seigneurie de Beaupré ». Du Séminaire, à la haute-ville de Québec, on continue d'administrer ces terres qui constituent une part de l'héritage de François de Laval. Crédit : Benoît Grenier (février 2015).
Illustrations de la quatrième de couverture : Objets appartenant à Madame Anita Rioux, connue comme la « seigneuresse » de Trois-Pistoles. Coffre des archives familiales, canne seigneuriale de Joseph-Magloire Riou et livre de compte du début du XXe siècle. Ces objets témoignent de la persistance de la propriété et de la distinction de la famille seigneuriale bien après l'abolition. Crédit : Benoît Grenier et Michel Morissette (mai 2015).

Éditrice : Sophie Imbeault
Révision : Solange Deschênes
Maquette de couverture : Olivia Grandperrin
Mise en pages : Pierre-Louis Cauchon

835, av. Turnbull
Québec (Québec)
G1R 2X4

Diffusion au Canada :
Diffusion Dimedia
539, boul. Lebeau
Saint-Laurent (Québec)
H4N 1S2

Dépôt légal :
Bibliothèque et Archives
nationales du Québec, 2016
ISBN papier : 978-2-89448-849-2
ISBN PDF : 978-2-89664-968-6
ISBN EPUB : 978-2-89664-969-3

Ventes en Europe :
Distribution du Nouveau Monde
30, rue Gay-Lussac
75005 Paris

PRÉFACE

FAIRE L'HISTOIRE SOCIALE, culturelle et juridique du Québec, c'est remettre vingt fois sur le métier sa réflexion sur le sens de ses institutions fondatrices, telles que la propriété, la religion, le droit et la famille. Au même titre que la paroisse catholique ou la codification du droit, la seigneurie est une institution de longue durée dont les bases s'enfoncent dans le tuf préindustriel du féodalisme et de la Coutume de Paris. Observatrice sagace, Louise Dechêne insistait naguère sur le fait que, dans la colonisation de la Nouvelle-France, la seigneurie avait « précédé tout le reste ».

Véritable lacis mêlant le cens, le banc seigneurial, le serment de foi et hommage, les droits banaux et, plus tard, la commutation, le régime seigneurial a lié la Couronne, l'Église, les seigneurs et la paysannerie par un délicat contrat social qui a profondément infléchi le caractère du Québec. Patriarcal, exploiteur, hégémonique, inégalitaire et antilibéral, il n'en fut pas moins une force structurante du passé commun du Canada français. Dans sa forme classique le long du Saint-Laurent, le régime seigneurial s'est institué au cœur d'une tradition ancestrale de vie collective, il s'est fait agent de la constitution d'un paysage rural mythique et il a servi de marqueur de différence ethnique. Guy Frégault, qui voyait dans le régime seigneurial l'« antithèse » de la tenure franche anglaise, plus individualiste, l'a décrit comme un mode de tenure dans lequel des gens « partagent, à des titres divers, un ensemble de droits et de charges ». Au tournant du XXe siècle, Wilfrid Laurier se remémorait pour sa part les manoirs et leurs seigneurs en ces termes : « Quand je vais dans mon pays natal, et que je vois le domaine seigneurial en ruine, les bois coupés, les jardins rasés, le parc devenu pâturage, [...] je me sens pris d'un invincible sentiment de tristesse, je voudrais encore voir le manoir aux mains de ses anciens maîtres [...][1]. »

Le tableau quelque peu idyllique de cette institution rurale a commencé à se fissurer dans les années 1960. Sous l'influence des *Annales* et des sciences sociales, Fernand Ouellet s'est servi du régime seigneurial pour polémiquer avec les historiens nationalistes. La réforme agraire est l'essence même des révolutions paysannes, a-t-il fait valoir, alors que le principal moment révolutionnaire du Québec (1837) a été dirigé par Louis-Joseph Papineau, à la fois seigneur et opposant farouche à l'abolition d'une institution critique pour le maintien de son propre train de vie et d'un équilibre social conservateur. Dans la même veine, Louise Dechêne a déploré que la représentation nostalgique du régime seigneurial ait « perverti notre vision du passé » et insisté, dans son chef-d'œuvre *Habitants et marchands de Montréal au XVIIe siècle*, sur le fait que cette institution a été aussi un phénomène urbain. Allan Greer, au milieu des années 1980, s'est lui aussi intéressé à l'exploitation économique caractéristique du régime seigneurial, soulignant que des marchands montréalais avaient utilisé la main-d'œuvre de la campagne seigneuriale de la vallée du Richelieu pour développer le commerce de la fourrure dans l'Ouest canadien. À l'échelle de l'économie locale, Robert Sweeny a montré comment les marchands de bois de chauffage de Montréal avaient imposé des carcans contractuels dans les campagnes aux alentours de Châteauguay. Faisant mienne la problématique marxiste du passage du féodalisme au capitalisme, j'ai étudié le régime seigneurial sur les terres du Grand Séminaire de Montréal, mais, plus préoccupé par l'argent que la culture, j'ai sous-estimé l'importance de la structure paroissiale des Sulpiciens, de leur collège classique et de leurs rapports de genre avec les communautés religieuses féminines.

Les collaborateurs au présent ouvrage se sont largement inspirés des travaux d'Alain Laberge et de Benoît Grenier pour, en quelque sorte, propulser l'étude du régime seigneurial dans le XXIe siècle.

---

1 Cité dans Brian Young, *Patrician Families and the Making of Quebec. The Taschereaus and the McCords*, Montréal et Kingston, McGill-Queen's University Press, 2014, p. 386.

Leur approche du régime seigneurial ne néglige pas la question fondamentale de la propriété et de l'autorité, mais elle bouleverse la chronologie convenue. Insistant sur la persistance du régime seigneurial bien au-delà de son abolition théorique en 1854, les auteurs en observent le lent déclin s'étirer jusqu'à l'ère de l'automobile, dans le Québec duplessiste. Les directeurs de publication de ces *Nouveaux regards en histoire seigneuriale au Québec*, Benoît Grenier et Michel Morissette, se sont résolument éloignés de la vallée du Saint-Laurent pour étudier le régime seigneurial à la périphérie, par exemple sur l'île d'Anticosti ou en Nouvelle-Beauce, là où l'économie était axée sur la chasse au phoque et la foresterie, respectivement. L'ouvrage nous apprend aussi que la jeune république des États-Unis a avalé quelques-unes des seigneuries constituées tout autour du lac Champlain.

Ces informations se rattachent à la volonté des auteurs d'insister sur le fait que le régime seigneurial, loin d'être réduit à ce qu'en a dit Philippe Aubert de Gaspé dans *Les Anciens Canadiens*, fut une sorte de régime multiculturel adaptable, voire adaptatif, où les uns et les autres pouvaient y trouver leur compte. En revanche, la jurisprudence seigneuriale à l'européenne a toujours échoué à assigner une place claire aux autochtones, omniprésents dans le paysage québécois et porteurs à la fois de revendications territoriales, de droits de propriété à titre de premiers occupants et de cultures de subsistance autres. Ces *Nouveaux regards* nous apprennent que des chefs iroquois et abénaquis ont agi comme seigneurs en remplacement des Jésuites exilés. Pour leur part, après la Conquête, des censitaires irlandais, allemands et américains ont donné aux contestations paysannes traditionnelles de l'ordre seigneurial une inflexion culturelle particulière. Au sommet de la hiérarchie seigneuriale, des entrepreneurs et des seigneurs écossais et anglais ont rejeté les droits banaux et les privilèges de l'Église catholique. Chose remarquable, enfin : en 1895, le chocolatier français Henri Menier a créé une réserve de chasse sur sa seigneurie isolée de l'île d'Anticosti.

Les auteurs explorent avec application les zones où l'histoire des genres et celle du régime seigneurial se chevauchent. Les Ursulines, seigneuresses et administratrices, mais handicapées de ce point de vue par la règle de clôture que suit leur ordre, sont l'exemple le plus visible des importantes contradictions que les femmes en soi, furent-elles héritières, chefs de famille, veuves ou artistes, ont représentées au sein d'une structure seigneuriale creusée dans le patriarcat.

Le collectif *Nouveaux regards en histoire seigneuriale au Québec* insiste sur l'existence du régime seigneurial dans la longue durée. Au fil de ses pages, les lecteurs s'imprègnent complètement de cette institution associée depuis des siècles à l'autorité, aux privilèges et à l'hégémonie assortis de reproduction de classe, de même qu'au versement de rentes et aux honneurs ostentatoires. Considérant la force de cette association, d'aucuns verront peut-être une certaine ironie à ce que l'imaginaire populaire québécois se représente le régime seigneurial comme une tradition folklorique bénigne ne souffrant aucune remise en question, tandis qu'à l'autre bout du spectre le Québec postmoderne en célèbre les manoirs, chapelles, jardins seigneuriaux et autres vestiges matériels, érigés du coup au rang de biens patrimoniaux, de musées et de destinations touristiques.

Brian Young

Traduction par Frédéric Demers, Anglocom inc.

INTRODUCTION

DEPUIS BIENTÔT QUATRE SIÈCLES, le paysage du Québec porte l'empreinte de la seigneurie. Malgré l'importance de ce système dans l'occupation du territoire depuis les années 1620, celui-ci a marqué beaucoup plus que le paysage. En effet, faire de l'histoire seigneuriale[1], c'est faire l'histoire du Québec dans toutes ses dimensions : société, économie, politique, culture, droit et, bien sûr, géographie. Non seulement la seigneurie a « précédé tout le reste[2] », mais elle a survécu au changement d'Empire (1763) et même à sa propre abolition (1854) pour s'éteindre à petit feu au cours du XXe siècle. Qui plus est, ses traces matérielles continuent d'être visibles dans le Québec du XXIe siècle sous la forme de manoirs et de moulins qui rappellent aux visiteurs comme aux populations locales le monde des « Anciens Canadiens ».

Si ce régime a eu la vie longue, on peut en dire autant de son étude par les historiens. En effet, avant même l'abolition du régime seigneurial, l'historien François-Xavier Garneau, dans son *Histoire du Canada*[3], traitait de cette question incontournable. Depuis, les historiens n'ont cessé d'étudier et d'interpréter les acteurs seigneuriaux et les fondements de cette institution remontant au Moyen Âge et transposée en Nouvelle-France au XVIIe siècle. Pendant plus d'un siècle, entre 1850 et 1970, va se construire une interprétation

1. L'intitulé de ce livre postule l'existence de l'« histoire seigneuriale » comme un champ d'étude à part entière au Québec. L'historiographie, tout comme la diversité des aspects et des approches déployées par les auteurs du présent ouvrage, plaide en ce sens.

2. Louise Dechêne, *Habitants et marchands de Montréal au XVIIe siècle,* Montréal, Boréal, 1988 (1974), p. 241.

3. François-Xavier Garneau, *Histoire du Canada (Première édition),* Québec, Aubin, 1845, p. 314.

essentiellement favorable au régime seigneurial dans l'histoire nationale. Cette perspective trouve justement son fondement chez Garneau, pour qui le seigneur est un « fermier » et un agent de colonisation[4]. En 1859, dans la même veine, l'historien français Edme Rameau de Saint-Père parle « d'une grande famille patriarcale[5] » pour décrire les relations seigneur/censitaires. L'image du seigneur colonisateur et celle de relations harmonieuses entre les acteurs seigneuriaux sont également reprises par l'abbé Henri-Raymond Casgrain[6] et par Benjamin Sulte[7] au cours des années 1880. Pour Sulte, le régime seigneurial est « mille fois plus doux » qu'en France à la même époque[8]. Il ajoute que les seigneurs canadiens furent « des fondateurs, des travailleurs, des patriotes[9] ». L'antériorité de ces travaux fait dire aux historiens Serge Jaumain et Matteo Sanfilippo que « Garneau, Rameau, Casgrain et Sulte jouent assurément le rôle de définisseurs d'idéologie[10] » du régime seigneurial. Ces historiens du XIXe siècle contribuent à créer le mythe du seigneur-colonisateur, défricheur de terres et « bon père de famille ».

Cependant, la compréhension de la paternité de cette tradition historiographique serait incomplète sans mentionner l'influence de l'auteur et seigneur Philippe Aubert de Gaspé[11]. En effet, c'est

---

4. Garneau, *Histoire du Canada*, *op. cit.*

5. Edme Rameau de Saint-Père, *La France aux colonies, études sur le développement de la race française hors de l'Europe*, Paris, A. Jouby, 1859, p. 63.

6. Henri-Raymond Casgrain, *Une paroisse canadienne au XVIIe siècle,* Québec, Léger Brousseau, 1880.

7. Benjamin Sulte, *Histoire des Canadiens français, 1608-1880 : origine, histoire, religion, guerres, découvertes, colonisation, coutumes, vie domestique, sociale et politique, développement, avenir*, Montréal, Wilson & cie, 1882-1884, 8 volumes.

8. *Ibid.*, vol. 2, p. 93.

9. *Ibid.*, p. 104-105.

10. Serge Jaumain et Matteo Sanfilippo, « Le régime seigneurial en Nouvelle-France : un débat historiographique », *The Register*, vol. 2, n° 5 (1980), p. 228.

11. Benoît Grenier, « L'influence de l'œuvre de Philippe Aubert de Gaspé sur l'historiographie du régime seigneurial québécois (1863-1974) », dans Claude La Charité et collab., *Les Anciens Canadiens, 150 ans après. Préfigurations, représentations et réfractions*, Québec, Presses de l'Université du Québec, à paraître.

avec ses *Mémoires*[12] et, surtout, son roman *Les Anciens Canadiens*[13] que celui-ci pousse la vision de l'harmonie seigneuriale à son paroxysme. Allant beaucoup plus loin que les historiens de son temps, il peut être considéré comme le créateur de « l'ancienne famille seigneuriale[14] » dans la mémoire collective. Sa vision, conjuguée à celle des historiens du XIXe et du début du XXe, va influencer l'historiographie du régime seigneurial au moins jusque dans les années 1960[15].

Jusqu'au milieu du XXe siècle, la paysannerie sous l'institution seigneuriale est effectivement représentée comme « l'une des plus libres au monde[16] », pour citer le chanoine Groulx. Le notaire et historien amateur Victor Morin[17] écrira, dans la droite lignée de Philippe Aubert de Gaspé, que seigneurs et censitaires œuvraient en commun « à l'édification [...] de la colonisation » et qu'ils vivaient « en sympathie constante[18] ». L'historien Marcel Trudel propose, quant à lui, un modèle au sein duquel se retrouverait un équilibre quasi parfait entre les droits et les devoirs réciproques du seigneur et des censitaires[19]. Comme Sulte et Morin avant lui, Trudel affirme que le régime seigneurial en Nouvelle-France n'était « pas de la féodalité[20] ». La vision proposée par Trudel dans sa brochure de

---

12. Philippe Aubert de Gaspé, *Mémoires*, Ottawa, Desbarats imprimeur-éditeur, 1866.

13. Philippe Aubert de Gaspé, *Les Anciens Canadiens*, Québec, Desbarats et Derbishire, 1863.

14. Jaumain et Sanfilippo, *loc. cit.*, p. 229.

15. Jean Bruchési, *Histoire du Canada pour tous*, Montréal, Lévesque, 1933 ; Gérard Filteau, *Histoire du Canada. Synthèse publiée dans la revue « Mes fiches »*, Montréal et Paris, Fides, 1964 ; Jean-Pierre Wallot, « Le régime seigneurial et son abolition au Canada », *Canadian Historical Review* (1969), p. 367-393.

16. Lionel Groulx, *Histoire du Canada français depuis la découverte*, Montréal, L'Action nationale, 1950, p. 110.

17. Morin était également, en 1941, vice-président du Syndicat national du rachat des rentes seigneuriales. Voir respectivement les textes de Benoît Grenier et de Michel Morissette dans le présent ouvrage.

18. Victor Morin, *Seigneurs et censitaires, castes disparues*, Montréal, Éditions des Dix, 1941, p. 25.

19. Propos qu'il tient dans Marcel Trudel, *Initiation à la Nouvelle-France*, Montréal, Holt, Rinehart et Winston, 1968 ; Marcel Trudel et collab., *Canada : unité et diversité*, Toronto, Holt, Rinehart et Winston, 1971.

20. Marcel Trudel, *Le régime seigneurial*, Ottawa, La Société historique du Canada, Brochure historique no 6, 1971 (1956), p. 17.

1956 a été abondamment diffusée et continue d'imprégner les manuels scolaires[21] et la mémoire collective[22] : signe, donc, de l'importance et de la pérennité de ce courant.

À la suite de cette période, une rupture survient dans l'interprétation du régime seigneurial avec l'entrée en scène de nouveaux historiens, influencés par l'École des Annales et prêts à remettre en perspective les travaux de leurs prédécesseurs ; le régime seigneurial devient un système oppressant et inégalitaire. Précurseur, Maurice Séguin démontre, dès 1947, que l'augmentation des rentes seigneuriales durant le XIXe siècle a entraîné un surendettement de la classe paysanne[23]. Mais c'est véritablement avec Fernand Ouellet, quelques années après Séguin, que l'on assiste à une réelle critique de l'interprétation traditionnelle. Antinationaliste, Ouellet prétend, entre autres, que la Nouvelle-France était une société d'Ancien Régime similaire à ce que l'on aurait pu trouver en Europe à cette époque[24]. Il veut ainsi exposer tout l'archaïsme de la société canadienne de l'époque, dont la seigneurie est l'exemple par excellence. Signalons aussi la contribution du géographe Richard Cole Harris qui, en 1966, propose un rééquilibrage de l'influence de la seigneurie dans l'occupation du territoire québécois[25].

À la même époque, nous voyons s'appliquer à la question seigneuriale certaines notions propres au cadre d'analyse marxiste, lequel s'était déjà imposé en France, entre autres avec les

---

21. Michel Morissette et Olivier Lemieux, « Le régime seigneurial : un regard historiographique (partie 1) », *Traces*, vol. 51, nº 1 (hiver 2013), p. 32-35 ; Michel Morissette et Olivier Lemieux, « Le régime seigneurial : un regard sur les manuels (partie 2) », *Traces*, vol. 51, nº 2 (printemps 2013), p. 38-42.

22. Voir le texte de Jean-Michel Daoust dans le présent ouvrage.

23. Maurice Séguin, « Le régime seigneurial au pays du Québec, 1760-1854 », *Revue d'histoire de l'Amérique française*, vol. 1, nº 3 (1947), p. 382-402.

24. Fernand Ouellet, « Le régime seigneurial dans le Québec (1760-1854) », dans *Éléments d'histoire sociale du Bas-Canada*, Montréal, HMH, 1972 (1966), p. 91-110 ; Fernand Ouellet, « Propriété seigneuriale et groupes sociaux dans la vallée du Saint-Laurent (1663-1840) », *Revue de l'Université d'Ottawa*, vol. 47, nº 1-2 (1977), p. 182-213.

25. Richard C. Harris, *The Seigniorial System in Early Canada. A Geographical Study*, Montréal et Kingston, McGill-Queen's University Press, 1984 (1966).

travaux d'Albert Soboul[26] et de Guy Lemarchand[27], c'est-à-dire une classe dominante (les seigneurs) et une classe dominée (les censitaires) qui n'ont, bien entendu, que des intérêts divergents. L'historienne Louise Dechêne, qui réalise sa thèse de doctorat à Paris au moment où émerge cette interprétation, représente sans aucun doute la principale figure de contestation de l'historiographie du régime seigneurial au Québec. Elle a montré, dans *Habitants et marchands de Montréal au XVIIe siècle*, que le régime seigneurial était bel et bien un système d'exploitation féodal[28]. Cette vision renouvelée, qui fait des censitaires les grands perdants du régime, fut reprise par de nombreux historiens. Dans un ouvrage collectif, Sylvie Dépatie, Christian Dessureault et Mario Lalancette, en étudiant trois seigneuries (Île-Jésus, Lac-des-Deux-Montagnes et Île-aux-Coudres) possédées par le Séminaire de Québec et les Sulpiciens de Montréal, entérinent l'interprétation selon laquelle le régime seigneurial a été un cadre d'exploitation[29]. En centrant leurs problématiques autour de l'application des droits seigneuriaux et des sources de revenus des seigneurs, ces trois auteurs en arrivent à la conclusion que le régime seigneurial « apparaît comme une source d'inégalités sociales, non pas parce qu'il représente une structure idéologique contraire à l'esprit de profit, mais bien plutôt parce qu'il permet aux seigneurs de retirer des revenus sans même devoir intervenir dans le procès de production[30] ». À son tour, Thomas Wien, par l'étude de la seigneurie de la Rivière-du-Sud (Montmagny), montre que la relation seigneur/censitaires, au Canada comme en France, n'a pas toujours été au beau fixe. En

---

26. Albert Soboul, « La Révolution française et la féodalité », *Annales historiques de la Révolution française*, vol. 40, n° 193 (juillet-septembre 1968), p. 190-198.

27. Guy Lemarchand, « Le féodalisme dans la France rurale des Temps modernes. Essai de caractérisation », *Annales historiques de la Révolution française*, vol. 41, n° 1 (janvier-mars 1969), p. 77-108.

28. Louise Dechêne, « L'évolution du régime seigneurial au Canada : le cas de Montréal aux XVIIe et XVIIIe siècles », *Recherches sociographiques*, vol. 12, n° 2, 1971, p. 143-184 ; Dechêne, *Habitants et marchands de Montréal*, *op. cit.*

29. Sylvie Dépatie, Mario Lalancette et Christian Dessureault, *Contributions à l'étude du régime seigneurial canadien*, LaSalle, Hurtubise, 1987.

30. *Ibid.*, p. 229.

analysant les conflits relatifs aux moulins seigneuriaux des Couillard, Wien conclut à la « puissance de la seigneurie canadienne[31] ».

C'est cependant Allan Greer, toujours dans le sillon de Dechêne, qui pousse le plus loin cette interprétation. Ce dernier affirme que le système seigneurial est un régime d'« exploitation » des paysans qui n'a « pu que servir les intérêts de ces classes supérieures [les seigneurs, mais également le clergé][32] ». L'étude de Greer est intéressante à plus d'un niveau. Tout en présentant le régime sous un aspect contraignant, il démontre toute la diversité des seigneuries du Bas-Richelieu. La qualité des sols, la présence de marchands et l'importance que les seigneurs accordaient à leur fief ont fait en sorte que Sorel, Saint-Ours et Saint-Denis ont évolué de manières bien différentes. Dans un bilan publié en 2009, Christian Dessureault résume bien les changements que l'historiographie a connus, surtout depuis les années 1960, en disant que « le durcissement du régime seigneurial, ses causes et son influence sur l'économie et la société représentent la trame dominante de cette production historique[33] ».

Depuis la fin des années 1980, on remarque un éclatement des champs de recherche concernant la seigneurie qui sert souvent de cadre d'observation dans les études d'histoire rurale[34]. Parmi les

---

31. Thomas Wien, « Les conflits sociaux dans une seigneurie canadienne au XVIIIe siècle : les moulins des Couillard », dans Gérard Bouchard et Joseph Goy (dir.), *Famille, économie et société rurale en contexte d'urbanisation (XVIIe-XXe siècles)*, Montréal et Paris, Presses de l'Université de Montréal et Éditions de l'École des hautes études en sciences sociales, 1990, p. 225.

32. Allan Greer, *Habitants, marchands et seigneurs. La société rurale du bas Richelieu 1740-1840*, Sillery, Septentrion, 2000 (1985), p. 299.

33. Christian Dessureault, « L'évolution du régime seigneurial canadien de 1760 à 1854 », dans Alain Laberge et Benoît Grenier (dir.), *Le régime seigneurial au Québec 150 ans après : bilans et perspectives de recherches à l'occasion de la commémoration du 150e anniversaire de l'abolition du régime seigneurial*, Québec, CIEQ, 2009, p. 24.

34. Christian Dessureault, *Les fondements de la hiérarchie sociale au sein de la paysannerie : le cas de Saint-Hyacinthe, 1760-1815*, Thèse (Ph. D.), 1985 ; André LaRose, *La seigneurie de Beauharnois, 1729-1867 : les seigneurs, l'espace et l'argent*, Thèse (Ph. D.), Université d'Ottawa, 1987 ; Alain Laberge, *Mobilité, établissement et enracinement en milieu rural : le peuplement des seigneuries de la Grande Anse sous le Régime français, 1672-1752*, Thèse (Ph. D.), Université York, 1987 ; Thomas Wien, *Peasant Accumulation in a Context of Colonization, Rivière-du-Sud, Canada, 1720-1775*, Thèse (Ph. D.), Université McGill, 1988 ; Sylvie Dépatie, *L'évolution d'une société rurale : l'île Jésus au XVIIIe siècle*,

auteurs de cette période, Françoise Noël démontre, par l'exemple du Bas-Richelieu, la diversité des pratiques de gestion seigneuriale[35]. Dans cet ouvrage, elle fait également quelques rapprochements entre le régime seigneurial et la tenure en franc et commun socage, ce qui ouvre de nouvelles perspectives de recherche en matière d'occupation du territoire québécois, seigneuries et cantons confondus. Il faut ici souligner l'apport essentiel d'Alain Laberge qui a contribué, en collaboration avec Jacques Mathieu, à l'interprétation et à la diffusion de sources cruciales de l'histoire seigneuriale au Québec : les aveux et dénombrements du Régime français[36]. Depuis ses premiers travaux sur les seigneuries du Bas-Saint-Laurent[37], jusqu'à son récent *Portraits de campagnes*[38], atlas historique prenant appui sur les données des aveux et dénombrements, Laberge fait figure de pilier des études sur la seigneurie, contribuant d'ailleurs à former une relève dont témoigne cet ouvrage.

Puis, au tournant du millénaire, la question seigneuriale resurgit sous la plume de Colin Coates qui se penche sur deux seigneuries du district de Trois-Rivières, Sainte-Anne-de-la-Pérade (propriété de seigneurs laïques) et Batiscan (propriété des Jésuites). Cette analyse comparative de deux fiefs voisins montre, entre autres choses, que l'absence des seigneurs sur leur fief vient à engendrer l'émergence d'une élite locale indépendante du groupe seigneurial[39]. Benoît Grenier poursuivra dans cette perspective en adoptant l'angle de la sociabilité seigneuriale par l'analyse de la présence des seigneurs

Thèse (Ph. D.), Université McGill, 1988 ; Louis Lavallée, *La Prairie en Nouvelle-France, 1647-1760, Étude d'histoire sociale,* Montréal et Kingston, McGill-Queen's University Press, 1992.

35. Françoise Noël, *The Christie Seigneuries. Estate, Management and Settlement in the Upper Richelieu Valley, 1760-1854,* Montréal et Toronto, McGill-Queen's University Press, 1992.

36. Jacques Mathieu et Alain Laberge (dir.), *L'occupation des terres dans la vallée du Saint-Laurent : les aveux et dénombrements, 1723-1745,* Sillery, Septentrion, 1991.

37. Alain Laberge, *Propriété et développement des seigneuries du Bas-St-Laurent : 1656-1790,* Mémoire (M.A.), Université York, 1981.

38. Alain Laberge (avec la collaboration de Jacques Mathieu et Lina Gouger), *Portraits de campagnes : la formation du monde rural laurentien au XVIIIe siècle,* Québec, Presses de l'Université Laval, 2010.

39. Colin M. Coates, *Les transformations du paysage et de la société au Québec sous le régime seigneurial,* Sillery, Septentrion, 2003 (2000).

sur leur fief[40]. Il révèle, chiffres à l'appui, que cette présence des seigneurs dans le monde rural était l'exception bien plus que la règle. Par la même occasion, il bat en brèche l'image d'Épinal du seigneur tenant « feu et lieu » en son manoir et souligne que, lorsqu'ils étaient présents, les seigneurs entretenaient avec leurs censitaires des rapports fortement teintés par leur statut social (noble ou roturier). L'ère est alors à comprendre et à caractériser les multiples facettes de l'histoire seigneuriale et de ses acteurs. C'est dans ce contexte que sont produites des recherches sur certains acteurs historiques, jadis marginalisés, tels que les Amérindiens[41] et les femmes[42]. Au terme de ce tour d'horizon qui ne peut recenser toute la production des historiens sur le sujet, il convient de souligner les contributions des chercheurs autonomes ou des généalogistes qui, adoptant une approche tantôt biographique, tantôt d'histoire locale ou régionale, ont permis de contribuer à élargir considérablement notre connaissance par des ouvrages d'une érudition souvent remarquable[43].

On le voit, le régime seigneurial fait l'objet de recherches depuis très longtemps. Sans faire un décompte exhaustif, on peut avancer qu'il s'agit probablement, avec la Conquête, d'un des sujets les plus

40. Benoît Grenier, *Seigneurs campagnards de Nouvelle-France. Présence seigneuriale et sociabilité rurale dans la vallée du Saint-Laurent à l'époque préindustrielle*, Rennes, Presses universitaires de Rennes, 2007.

41. Michel Lavoie, *C'est ma seigneurie que je réclame. La lutte des Hurons de Lorette pour la seigneurie de Sillery, 1650-1900*, Montréal, Boréal, 2010 ; Maxime Boily, *Les terres amérindiennes dans le régime seigneurial : les modèles fonciers des missions sédentaires de la Nouvelle-France*, Mémoire (M.A.), Université Laval, 2006 ; Arnaud Decroix, « Le conflit juridique entre les Jésuites et les Iroquois au sujet de la seigneurie du Sault-Saint-Louis : analyse de la décision de Thomas Gage (1762) », *Revue juridique Thémis*, vol. 41, n° 1 (janvier 2007), p. 279-297.

42. Benoît Grenier, « Réflexion sur le pouvoir féminin au Canada sous le Régime français : le cas de la "seigneuresse" Marie-Catherine Peuvret (1667-1739) », *Histoire sociale/Sociale History*, vol. 42, n° 84 (2009), p. 299-326.

43. Il serait impossible de produire ici une liste qui rende justice à ces contributions qui s'appuient sur une longue tradition d'érudits locaux. Contentons-nous d'énumérer quelques travaux récents : Jean-Claude Massé, *Malcolm Fraser. De soldat écossais à seigneur canadien, 1733-1815*, Sillery, Septentrion, 2006 ; Louis Pelletier, *La seigneurie de Mount Murray. Autour de La Malbaie, 1761-1860*, Sillery, Septentrion, 2008 ; Raymond Bélanger, *François Bellenger, seigneur de L'Islet-de-Bonsecours*, Québec, Presses de l'Université Laval, 2010 ; Lise Chartier, *L'Île Perrot 1672-1765*, Sillery, Septentrion, 2009 et *idem.*, *L'Île Perrot, 1765-1860*, Québec, Septentrion, 2014.

traités en histoire québécoise. Au moment du 150e anniversaire de l'abolition (2004), une journée d'étude tenue à l'Université Laval avait débouché sur un premier état des recherches[44]. La publication récente de *Brève histoire du régime seigneurial*[45] pourrait laisser croire que le sujet a livré tous ses secrets. Pourtant, une synthèse n'est qu'un état des lieux de la connaissance à un moment précis. Or, la tenue d'un colloque à Sherbrooke, le 14 mars 2014, a permis de prendre conscience de la vitalité autour de cet objet d'étude. C'est en partie dans le but de mieux connaître cette diversité actuelle et de montrer que ce champ historique vit un renouveau que nous réunissons ici des textes issus de ce colloque intitulé *La recherche sur le régime seigneurial, d'hier à demain.* Cette date coïncidait avec un autre 150e anniversaire, celui de la fin de la confection des cadastres seigneuriaux réalisés au cours des années 1850 et 1860, dans la foulée de l'Acte pour l'abolition des droits et devoirs féodaux dans le Bas-Canada, adopté en 1854. En effet, les derniers cadastres furent clos le 16 mars 1864. De manière à indemniser les seigneurs, la loi de 1854 dictait, entre autres, la création de ces cadastres qui marqueront, concrètement, la fin de ce mode de tenure. C'est que la loi de 1854 stipulait que l'abolition serait effective dans chacune des seigneuries une fois le cadastre terminé. On peut donc dire que le régime seigneurial s'est éteint progressivement entre 1854 et 1864.

Dans la réalisation de cet ouvrage, tout comme dans l'organisation du colloque qui en est la source, nous avons eu le souci de donner une voix, non seulement aux chercheurs établis, mais aussi aux jeunes chercheurs, de manière à stimuler l'intérêt pour l'histoire seigneuriale. La liste des collaborateurs au présent volume reflète ces préoccupations. On y retrouve des étudiants des cycles supérieurs en provenance de diverses universités québécoises, en plus de professeurs et chercheurs établis dans le milieu. Cet ouvrage, composé de treize textes,

---

44. Laberge et Grenier, *op. cit.*

45. Benoît Grenier, *Brève histoire du régime seigneurial*, Montréal, Boréal, 2012. Même si leur écho au Québec demeure limité pour des raisons linguistiques, il faut aussi mentionner les travaux de Matteo Sanfilippo, publiés en italien, qui font œuvre de synthèse de la question : *Il feudalesimo nella valle del San Lorenzo : un problema storiografico*, Viterbo, Sette Città, 2008, et *Dalla Francia al Nuovo Mondo : feudi e signorie nella valle del San Lorenzo*, Viterbo, Sette Città, 2008.

veut montrer la pluralité des approches qui sont mises à profit pour aborder différents aspects de l'histoire seigneuriale québécoise. Des textes traitent de sources encore très peu exploitées (les titres nouvels par exemple), d'acteurs seigneuriaux souvent négligés, comme les Amérindiens et les religieuses, de l'abolition du régime seigneurial, de ses représentations et bien plus encore. La qualité et la diversité des articles permettent de constater que ce sujet classique demeure d'actualité chez les historiens, jeunes comme plus aguerris. Après tout, faire l'histoire du « monde seigneurial », c'est faire l'histoire du Québec dans une trame pluriséculaire, dans toutes ses dimensions et jusqu'à une période beaucoup plus près de nous qu'on le croit généralement. D'ailleurs, par un retour du balancier, on se doit de constater que la période de la Nouvelle-France, laquelle a longtemps monopolisé les études sur la seigneurie, est presque absente des contributions du présent volume. Seuls deux textes concernent directement cette période, et encore, pas exclusivement. À l'inverse, le XIXe et même le XXe siècle sont très bien représentés. Faut-il y voir l'empreinte de notre époque très marquée par le présentisme et le reflet de l'intérêt croissant pour la période contemporaine qui semble même vouloir annexer l'histoire seigneuriale ? Le temps le dira, mais force est de constater un évident déséquilibre qui nous incite à inviter les jeunes chercheurs à réinvestir la période du Régime français dont on ne sait pas tout, tant s'en faut.

L'ouvrage est divisé en trois sections qui comptent chacune quatre contributions. La première partie présente des textes relatifs aux enjeux de la propriété seigneuriale. Elle s'amorce avec l'historien du droit David Gilles qui apporte un éclairage renouvelé sur le cadre juridique sur lequel repose le régime seigneurial qui est mis en place en Nouvelle-France. De plus, il montre toute la difficulté d'interprétation que vont occasionner certains particularismes coloniaux, à commencer par les concessions aux Amérindiens dans quelques seigneuries. Suit la contribution de Joseph Gagné qui s'intéresse à des seigneuries que l'on a jusqu'ici négligées, celles qui, au lendemain de la Conquête puis de l'indépendance américaine, se trouvent en territoire new-yorkais. Cette étude nous rappelle que les seigneuries ne se limitaient pas au territoire actuel du Québec, mais que le destin de ces propriétés ailleurs dans l'ancienne

Nouvelle-France (Acadie, Ontario, Terre-Neuve et États-Unis) sera scellé plus rapidement et marqué par l'impossibilité pour les seigneurs de faire valoir leurs droits de propriété. C'est la transmission de la propriété seigneuriale qui intéresse Jonathan Fortin dans une optique tout à fait originale qui cherche à comprendre la pratique, relativement fréquente chez les seigneurs, de la substitution fidéicommissaire. Cette mesure qui ne permettait aux héritiers que de jouir de l'usufruit de la seigneurie sans pouvoir la vendre réservait à la génération suivante, celle des petits-enfants, la propriété complète de la seigneurie. Plusieurs grands noms du XIXe siècle, dont Philippe Aubert de Gaspé, surgissent dans cet article qui pose la question de la confiance au sein de la famille. Finalement, la contribution d'André LaRose vient clore cette première partie en proposant une introduction très habile à une source négligée, mais omniprésente au XIXe siècle : les titres nouvels. Tout en livrant une convaincante analyse de cette source, LaRose observe le cas particulier de la seigneurie de Beauharnois, entre 1834 et 1842, alors que le seigneur Edward Ellice y fait refaire son terrier. Ce terrier, aujourd'hui disparu, peut être recomposé « en pièces détachées » grâce à ces titres nouvels.

La seconde partie regroupe des textes qui enrichissent notre compréhension du groupe des seigneurs. En premier lieu, on trouvera la contribution de Jessica Barthe sur une question absolument ignorée : les enjeux de la gestion d'une seigneurie par des religieuses cloîtrées. Si l'on connaît bien, grâce aux travaux des années 1970-1980, les pratiques seigneuriales des Jésuites, des Sulpiciens ou du Séminaire de Québec, on savait très peu de chose sur les seigneuresses-religieuses. Le texte de Jessica Barthe aborde cette question par le cas des Ursulines de Québec et de la seigneurie de Sainte-Croix. Isabelle Bouchard livre quant à elle un regard sur une autre catégorie longtemps négligée de l'historiographie seigneuriale, les Amérindiens. Dans un texte faisant écho à celui de David Gilles, elle s'intéresse, pour la période 1760-1820, dans la foulée de la Conquête et du départ des jésuites, au statut de seigneurs « collectifs » des Iroquois du Sault-Saint-Louis (Kahnawake) et des Abénaquis de Saint-François (Odanak). On comprend toute la complexité des enjeux liés au rôle de « seigneur » dont les chefs amérindiens héritent en quelque sorte du fait du départ de leurs anciens « tuteurs ». Avec les contributions de Katéri Lalancette et d'Alex Tremblay Lamarche, on revient à des « catégories » de seigneurs mieux desservies par l'historiographie (les nobles et les Britanniques). Lalancette se penche sur la représentation des seigneurs parmi les premiers députés de l'histoire parlementaire du Québec (1792-1814), tandis que Tremblay Lamarche brosse, pour la même période, un tableau des changements qui s'opèrent parmi le groupe seigneurial du point de vue de l'ethnicité, pour offrir un portrait précis de la part des Britanniques au sein de ce groupe dominant. Ces deux contributions appellent à poursuivre l'analyse pour la période qui suit, soit de 1815 à 1854.

La troisième et dernière partie est consacrée aux persistances et à la mémoire du monde seigneurial, témoignant du changement de perspective que représente l'étude du régime seigneurial au-delà de son abolition légale. Les persistances de la seigneurie seront abordées sous différentes facettes, allant du patrimoine aux représentations télévisuelles en passant par les conséquences économiques et sociales de l'abolition. Outre les deux textes des auteurs de ces lignes qui font état de nos travaux sur la lente agonie de la seigneurie entre 1854 et 1970, l'un dans l'optique des revenus que les seigneurs continueront de retirer de la propriété seigneuriale jusqu'au cœur du XXe siècle (Michel Morissette), l'autre orienté davantage sur la mémoire seigneuriale, faisant écho à une enquête orale en cours de réalisation (Benoît Grenier), deux autres textes composent cette partie. Jean-Michel Daoust s'intéresse aux représentations du seigneur et de la seigneurie dans la fiction historique, par l'exemple de la télésérie *Marguerite Volant*. Il y rappelle que la construction mémorielle d'une question historique, ici le régime seigneurial, n'est pas le produit que des travaux d'histoire et de l'enseignement, mais bien souvent aussi des œuvres de fiction. Quant à lui, Jean-René Thuot propose un tour d'horizon du patrimoine seigneurial au Québec, s'interrogeant, exemples à l'appui, sur la mémoire et aussi sur l'oubli de certaines traces du passé seigneurial. Du même coup, il ouvre des pistes de réflexion fécondes sur les divergences ou les convergences entre la recherche fondamentale, les initiatives touristiques et les mémoires communautaires, en matière de patrimoine seigneurial au Québec. Finalement, un texte d'Alain Laberge, qui propose une réflexion sur la temporalité de l'histoire seigneuriale, entre temps court et temps long, vient clore cet ouvrage en guise de postface.

L'ouvrage est complété par deux outils bibliographiques destinés aux chercheurs qui trouveront dans cet ouvrage, nous l'espérons, une ressource utile et à jour. D'abord, soulignons le travail d'André LaRose qui s'est employé à inventorier sous forme schématique toutes les publications relatives aux terriers et autres documents fonciers de l'aire seigneuriale au Québec. Ces ouvrages, souvent méconnus ou carrément ignorés, s'avèrent de précieux documents de recherche qui se trouveront ici recensés pour la première fois et pourront être plus aisément accessibles. Enfin, une bibliographie générale complète l'ouvrage, regroupant l'ensemble des références citées dans les contributions. Elle constituera un guide bibliographique pour quiconque amorcera des recherches sur une question liée de près ou de loin à la seigneurie au Québec.

Dans ce parcours qui a conduit à la réalisation du présent ouvrage, nous avons été entourés de nombreuses personnes qu'il convient de remercier ici. En premier lieu, Alex Tremblay Lamarche et Alain Laberge ont accepté de se joindre à nous dans le processus de sélection et d'évaluation des textes, ils ont été de précieux collaborateurs de cette publication, nous les en remercions. Un grand merci à tous les auteures et auteurs qui ont contribué, grâce à la qualité de leur texte, à la pertinence du présent ouvrage qui offre, nous le pensons, un véritable panorama des travaux en histoire seigneuriale. Il faut aussi souligner la diligence avec laquelle ils se sont pliés à notre calendrier exigeant. À Sophie Imbeault qui a rapidement vu le potentiel de ce projet et qui nous a accordé sa confiance, un merci chaleureux, ainsi qu'à toute l'équipe du Septentrion pour le travail d'édition. Nous ne pouvons passer sous silence le travail de préparation du manuscrit effectué minutieusement par Anne-Catherine Bélanger-Catta. Finalement, nous tenons à remercier Brian Young d'avoir accepté de rédiger une préface à cet ouvrage.

MICHEL MORISSETTE et BENOÎT GRENIER
Sherbrooke, mai 2015

PARTIE I

NOUVEAUX REGARDS SUR LA PROPRIÉTÉ SEIGNEURIALE

La souplesse et les limites du régime juridique seigneurial colonial : les concessions aux Abénaquis durant le Régime français

DAVID GILLES

DEVANT LES TRIBUNAUX CONTEMPORAINS, rares sont les occasions de souligner l'héritage du régime seigneurial. Toutefois, plus souvent qu'à leur tour, les notaires sont obligés, dans la recherche des titres de propriété, de gérer les résurgences du régime seigneurial, malgré son abrogation et sa transformation au XIXe siècle. Dans les revendications autochtones, l'intégration des implantations dans le modèle du droit commun du régime seigneurial interroge actuellement les historiens et les juristes. On se rend compte, à l'occasion de différentes causes pendantes devant les tribunaux canadiens, que les subtilités du régime seigneurial, les dérogations coloniales au droit commun telles qu'elles sont analysées par la doctrine de l'ancien droit français sont difficiles à appréhender et, somme toute, mal connues. Si les recherches historiques ont permis des progrès notables dans la compréhension sociale du régime seigneurial[1], son assise juridique est encore difficile à esquisser, notamment lorsqu'il a rapport à des situations non usuelles, comme des concessions aux communautés religieuses ou aux groupes autochtones. Outre les documents d'archives, parcellaires par définition, les outils permettant de connaître efficacement la jurisprudence et la pratique du régime seigneurial

1. Voir essentiellement les travaux de Benoît Grenier, et la bibliographie dans son brillant ouvrage de synthèse ; Benoît Grenier, *Brève histoire du régime seigneurial*, Montréal, Boréal, 2012, p. 225 et suivantes.

canadien sont les recueils d'Édits et ordonnances[2], les inventaires de concessions[3] et le recueil de pièces et documents relatifs à la tenure seigneuriale publiés au moment de l'abandon du régime seigneurial[4].

Plusieurs logiques ont gouverné l'implantation des colons et la mise en place du régime seigneurial sur le territoire de la Nouvelle-France. Deux périodes intéressent particulièrement l'historien des normes et de leur application. Durant la première moitié du XVIIe siècle, le peuplement de la Nouvelle-France est le fait d'initiatives privées. En 1628 la Compagnie des Cent-Associés[5] obtient la gestion d'un territoire qui s'étend de la Floride à l'Arctique et de Terre-Neuve au lac Huron[6]. Aux termes du contrat, la compagnie se doit de fournir des terres défrichées et des semences aux colons[7]. Le choix du cadre seigneurial est posé clairement, de même que le rapport éventuel avec les populations amérindiennes. Les Cent-Associés entament dès 1634 une politique de concessions de seigneuries, déclarant que leur désir est d'avancer la colonie en Nouvelle-France, suivant la volonté du roi, et souhaitent « recevoir ceux qui ont le moyen d'y contribuer » en vertu d'une politique de concessions permettant d'agréger des seigneurs collaborateurs à sa

2. *Édits, ordonnances royaux, Déclarations et Arrêts du Conseil d'État du Roi concernant le Canada*, Québec, E. R. Fréchette, 1854, t. 1 [ci-après É.O. I] ; *Arrêts et règlements du Conseil Supérieur de Québec, et Ordonnances et Jugements des Intendants du Canada*, Québec, E. R. Fréchette, 1855, t. 2 [ci-après É.O. II] ; *Complément des Ordonnances et Jugements des Gouverneurs et Intendants du Canada, précédée des Commissions desdits Gouverneurs et Intendants et des différents officiers civils et de justice...*, Québec, E. R. Fréchette, 1856, t. 3 [ci-après É.O. III] ; Pierre-Georges Roy, *Inventaire des ordonnances des intendants de la Nouvelle-France [1705-1760] conservées aux Archives provinciales de Québec*, Québec, L'Éclaireur, 1919.

3. Voir Pierre-Georges Roy, *Inventaire des concessions en fief et seigneurie [...] conservées aux Archives de la Province de Québec*, Beauceville, L'Éclaireur, 1927-1929, 6 vol.

4. *Pièces et documents relatifs à la tenure seigneuriale, demandés par une adresse de l'assemblée législative*, Québec, E.R. Fréchette, 1852 [ci-après *Pièces et documents*].

5. Voir Marcel Trudel, *Histoire de la Nouvelle-France. Vol. III : La seigneurie des Cent-Associés (1627-1663)*, Montréal, Fides, 1983.

6. William J. Eccles, *France in America*, Michigan, Michigan State University Press, 1990 (1972), p. 63-94.

7. Acte pour l'établissement de la Compagnie des Cent-Associés pour le commerce du Canada, contenant les articles accordés à ladite compagnie par M. le cardinal de Richelieu, le 29 avril 1627, ratifié le 6 mai 1628 par le Conseil du roi. É.O. I, p. 5 et suivantes.

mission colonisatrice[8]. Le rôle de la Compagnie est de concéder des terres afin de permettre la colonisation, en utilisant le véhicule juridique du régime seigneurial. Le choix des terres ainsi que de leur étendue est laissé à sa discrétion. La même logique gouvernera les compagnies qui lui feront suite.

À partir de 1664, et plus encore de 1674 – avec la dissolution de la Compagnie des Indes occidentales –, c'est le pouvoir royal directement – grâce à l'établissement de l'intendant et à l'appui du gouverneur – qui va gérer et développer les concessions et le régime seigneurial. Le droit commun colonial du régime seigneurial se met alors en place, les intendants favorisant globalement une adaptation souple du droit de la Coutume de Paris en matière de propriété foncière (première partie). La logique est double. D'une part, les autorités cherchent à reprendre l'essentiel de l'esprit du régime seigneurial et du droit qui gouverne la possession et l'exploitation de terre en ancienne France. Il s'agit alors d'organiser, plus qu'une propriété, une possession, un *dominium* partagé sur les terres favorables à la colonisation. D'autre part, les intendants et Versailles acceptent certaines adaptations au droit originel, pour des raisons sociales, géographiques ou politiques. Un droit commun colonial se met alors en place, propre à la colonie et dont les fameux arrêts de Marly de 1711 marquent l'intégration « officielle » dans l'ordonnancement juridique de la colonie.

Comme le souligne Gilles Havard, l'existence même de la Nouvelle-France reposait sur l'alliance avec les nations amérindiennes « domiciliées » du Saint-Laurent et « celles des Pays d'en Haut, c'est-à-dire des territoires situés en amont de Montréal jusqu'au Mississippi[9] ». La stratégie de colonisation s'appuie donc naturellement sur les communautés amérindiennes, clés de voûte de l'implantation française en Amérique du Nord. Au regard de

8. Marcel Trudel, *Les débuts du régime seigneurial au Canada*, Montréal, Fides, 1974, p. 9 ; Richard C. Harris, *The Seigneurial System in Early Canada. A Geographical Study*, Kingston et Montréal, McGill-Queen's University Press, 1984 (1966), p. 22.

9. Gilles Havard, « D'un Callières à l'autre, ou comment le protocole louis-quatorzien s'adaptait aux Amérindiens », dans Philippe Joutard et Thomas Wien (dir.), *Mémoires de Nouvelle-France. De France en Nouvelle-France*, Rennes, Presses universitaires de Rennes, 2005, p. 199-208.

celles-ci (deuxième partie), la plupart des actes d'intégration des groupes autochtones ont lieu après 1664 et se trouvent donc sous l'égide de l'intendant. Ils prennent place dans une politique de défense de la colonie et d'exploitation des terres sous l'impulsion du pouvoir politique. Paradoxalement, la plupart des concessions ne sont pas l'objet de concessions faites directement par le pouvoir royal aux groupes autochtones, mais font intervenir des « intermédiaires » soit comme représentants, soit comme parties à l'acte. Ce sont souvent des seigneurs qui vont concéder des terres aux autochtones, sous des cadres juridiques dérogeant au droit commun seigneurial, comme c'est le cas pour les concessions faites aux Abénaquis, qui forment l'objet de notre étude. D'autre part, ce sont souvent des communautés religieuses qui représentent, ou obtiennent, une concession à destination des Amérindiens. Il est alors nécessaire, pour bien comprendre les tenants et aboutissants de ces concessions, d'appréhender la réalité juridique et historique de l'adaptation du régime seigneurial au contexte colonial, dont les concessions aux autochtones constituent une importante singularité s'insérant dans un régime qui n'a pas été pensé pour elles.

Un système juridique de propriété foncière capable d'adaptation : un système seigneurial propre à la Nouvelle-France

L'administration du régime seigneurial évolue évidemment au gré des mutations juridiques de la colonie[10]. Ce n'est qu'en 1663 que la Nouvelle-France devient *de jure* une province royale et que le pouvoir monarchique décide de s'investir directement dans le développement de celle-ci[11]. Un des premiers actes est de prendre date auprès des concessionnaires en rappelant l'obligation de

---

10. Émile Salone, *La colonisation de la Nouvelle-France,* Paris, E. Guilmoto, 1970 (1906), p. 54-82.

11. Voir notamment Denys Delâge, « Modèles coloniaux, métaphores familiales et changements de régime en Amérique du Nord aux XVIIe et XVIIIe siècles », *Cahiers des Dix*, n° 60, 2006, p. 19-78.

défricher les terres sous peine de reprise des concessions[12]. Collaborant avec la Compagnie des Indes occidentales jusqu'en 1674[13], l'intendant est la cheville ouvrière de l'implantation du modèle juridique à la colonie. C'est donc une logique de collaboration qui préside aux années 1660 et 1670, aboutissant à une adaptation du modèle seigneurial métropolitain au contexte de l'Amérique du Nord. Cette logique s'approprie l'esprit juridique du régime seigneurial (A), s'assouplit sous la pratique de la colonie (B) jusqu'à incarner un système juridique adapté et singulier (C).

Possession, propriété, dominium *:* *l'essence juridique du régime seigneurial*

De manière générale, c'est le modèle féodal et seigneurial, connu et adapté en France depuis le Moyen Âge, qui est implanté dans la colonie. Il consiste largement dans la négation d'une propriété moderne, c'est-à-dire de l'*usus*, l'*abusus* et du *fructus* (l'usage, le droit de disposer et les fruits) dans les mains d'un seul titulaire. Au contraire, il y a en quelque sorte plusieurs possessions simultanées sur un même bien immeuble (les terres), chacune correspondant à une utilité particulière du fonds. Pour traduire une telle situation, le droit coutumier utilise le terme de saisine, forme de propriété médiévale, qui consiste dans « la jouissance durable d'une chose, acceptée par la collectivité et protégée comme telle, donc reconnue par le droit[14] ». À partir du XIIIe siècle, on a désigné les prérogatives du tenancier et celles du concédant sous le même mot : *dominium* (« puissance de possession »). Le *dominium* de chaque

12. Arrêt du Conseil d'État portant sur la révocation des concessions non défrichées, 21 mars 1663, É.O. I, p. 33.

13. Voir *Établissement de la compagnie des Indes occidentales*, É.O. I, p. 40 ; Talon, dans une lettre adressée à Colbert, dit ainsi « avoir favorisé l'établissement de la compagnie des Indes occidentales », notamment en s'efforçant de faire « tomber toutes les pelleteries entre les mains de ses commis », BAC, C11A, MG1, lettre de Talon au ministre, 13 novembre 1666, vol. 2, fol. 216-228.

14. Jean Bart, *Histoire du droit privé de la chute de l'Empire romain au XIXe siècle*, Paris, Montchrestien, 1998, p. 46 ; Anne-Marie Patault, *Introduction historique au droit des biens*, Paris, Presses universitaires de France, 1989, p. 23.

partie est précisé quant à l'action le sanctionnant. Ainsi le seigneur possède un *dominium directum*, et le tenancier, vassal ou censitaire, un *dominium utile*. La concession de fief est alors analysée comme une aliénation de la propriété utile au profit du vassal, le seigneur conservant la propriété dite « directe » ou éminente. On reconnaît donc l'existence de deux « propriétés » sur un même bien, chacune ayant son « utilité » propre.

Le possesseur du fief détient un domaine utile (qu'il gère directement) et il est amené à concéder une partie de sa tenure noble sur laquelle il conserve le « domaine direct » à un censitaire. Dès lors, l'organisation foncière féodale – et coloniale – se traduit par une longue superposition de droits réels – portant sur des choses, *res* en latin – correspondant à une cascade de concessions qui aboutit à une sorte de chevauchement continu des propriétés utiles et directes. La distinction entre domaine utile et domaine éminent (ou direct) transcende toutes les coutumes, notamment la logique foncière de la Coutume de Paris[15]. Un seigneur tient sa terre (son fief, tenure noble) d'un autre seigneur ou, ultimement, directement du roi comme c'est généralement le cas dans le contexte colonial d'après 1664. À ce titre, il possède un domaine éminent et un domaine utile, qu'il se doit de concéder pour partie dans la logique coloniale, à l'exception de la réserve seigneuriale.

Réalité du régime seigneurial en contexte colonial

Le régime seigneurial canadien de droit commun constitue le cadre juridique fondamental du statut foncier de la Nouvelle-France. L'existence de droit de certaines dérogations, ou de statuts juridiques particuliers, comme les alleux – des biens ne relevant pas d'un seigneur supérieur, ou suzerain – ou les biens de mainmorte – biens dans les mains de l'Église et des communautés religieuses –, ne doit pas occulter le statut général du rapport seigneurie/censives.

15. François-Olivier Martin, *Histoire de la coutume de la prévôté et vicomté de Paris*, Paris, Cujas, 1972 (1922), t. 1, p. 265-396 et 404-459.

Il existe un double système de concession : d'une part, un seigneur peut concéder un fief, c'est-à-dire une tenure (bien immeuble noble), la concession obligeant essentiellement le vassal à lui rendre foi et hommage. L'autre consiste dans la concession d'une censive, c'est-à-dire une tenure roturière (un bien immeuble non noble). La plupart du temps les deux parties passent contrat devant notaire, mais ce n'est pas une exigence coutumière, l'entente pouvant être verbale, bien que cela soit rare. En possession du titre définitif, le censitaire peut jouir de sa terre à perpétuité, la vendre et la léguer, pour autant qu'il remplisse les obligations inscrites dans le contrat. Il doit, entre autres, acquitter annuellement les « cens et rentes », redevances fixes et perpétuelles, de natures différentes, payées en argent ou en nature.

La Coutume de Paris est la norme coutumière exclusive à partir de 1663[16]. D'autres coutumes ont été antérieurement appliquées (la Coutume de Normandie sur la côte de Beaupré et la coutume du Vexin français[17] qui sont essentiellement utilisées afin de tirer des bénéfices particuliers en matière de mutation en vigueur selon ces coutumes particulières[18]). Au Canada, les représentants du roi attribuent en fief et seigneurie des territoires de superficie variable aux notables et aux communautés religieuses. Ainsi, au XVIIIe siècle, les seigneuries ecclésiastiques couvrent 25 % du territoire seigneurial et comptent parmi les fiefs les plus peuplés. La noblesse, la bourgeoisie et les anciens soldats constituent la majorité des autres seigneurs. Une dimension stratégique, proche de la logique de protection féodale, se

16. Édit de création du Conseil supérieur de Québec du 30 avril 1663, É.O. I, p. 37. Voir également Article XXXIII, établissement de la Compagnie des Indes occidentales, É.O. I, p. 40 ; Élise Frêlon, *Les pouvoirs du conseil souverain de la Nouvelle-France dans la création de la norme*, Paris, L'Harmattan, 2003, p. 36.

17. Voir par exemple BAnQ-VM, E1, S4, SS1, D77, P8, Acte d'érection en fief noble par Jean de Lauzon, en faveur du sieur Jean Bourdon, de ce qu'il possède en roture au lieu dit Saint-François, […], 25 avril 1655, Registre des titres de concession, de ratification et des autres actes représentés par les seigneurs des fiefs et les propriétaires d'emplacements à Monsieur Michel Bégon, intendant en Nouvelle-France, en conformité de ses ordonnances des 24 décembre 1722, 24 mai 1724 et 14 janvier 1725 (vers 1723-1725), vol. 1, fol. 252-252 v.

18. L'art. 4 de la Coutume de Paris exclut ainsi expressément le droit de relief en ligne directe, ascendante ou descendante. Par contre, selon la Coutume du Vexin français, en cas de succession en ligne directe, un relief est dû au seigneur dominant.

fait aussi jour dans certaines des concessions faites par l'intendant et le gouverneur. On cherche à concéder des terres stratégiques à des individus ou des groupes capables d'assurer une certaine défense[19], comme le long de la rivière Richelieu où des soldats et officiers du régiment de Carignan-Salières obtiennent des concessions. Dès le départ, la volonté de rendre les cours d'eau accessibles au plus grand nombre détermine l'emplacement et la forme des terres concédées.

Une personne ou une communauté qui se voit accorder une seigneurie est soumise à un certain nombre d'obligations : prêter foi et hommage, concéder des terres, tenir et faire tenir feu et lieu par ses tenanciers, conserver le bois de chêne pour la construction des vaisseaux royaux et reconnaître la propriété du sous-sol au roi de France[20]. Comme le souligne J.F. Niort, le seigneur s'appuie autant sur la réalité sociale que sur le droit, la Coutume de Paris et la législation locale[21]. Les seigneurs peuvent octroyer la terre qui leur a été concédée à titre de censive, mais ils ne peuvent « démembrer » le fief. Le prix d'une seigneurie est généralement proportionnel à son niveau de mise en valeur : plus les censitaires sont nombreux, plus le prix de vente est élevé.

D'un point de vue juridique, on peut dire que le seigneur canadien détient, selon les titres de concession, la « vraie et parfaite seigneurie » en « domaine, fief et justice ». La formule type est une concession en « fief et seigneurie[22], haute, moyenne et basse justice[23] ». Il a la charge « d'y faire tenir feu et lieu et des droits et redevances accoutumés selon la coutume de la Prévôté et vicomté de Paris[24] »

19. Voir par exemple BAC, MG1-B, Brevet d'une concession faite le 20 septembre 1694, 22 mars 1695, fol. 231v-232 sur microfilm, Mikan 2776933.

20. Sur les droits des seigneurs et des censitaires, voir Grenier, *Brève histoire*, *op. cit.*, p. 75-95.

21. Voir Jean-François Niort, « Aspects juridiques du régime seigneurial en Nouvelle-France », *Revue générale de droit*, n° 32, 2002, p. 515.

22. Voir par exemple : BAnQ-M, E1, S3, P128, Acte de concession par Louis de Buade, et Jean Bochart Champigny au sieur François Hazeur, [...] à titre de fief et seigneurie avec haute, moyenne et basse justice, 23 mars 1691.

23. Ainsi, l'acte de concession par Jean Talon au sieur Fortel, « à titre de fief, seigneurie et justice » le 29 octobre 1672 ; BAnQ-M, E1, S3, P28, Acte de concessions de fief, 27 octobre 1672.

24. BAnQ-M, E1, S4, SS1, D63, P1, Acte de concession par Jean Talon, intendant de la Nouvelle-France, au sieur Fortel, frère du sieur de Bécancour, 29 octobre 1672.

et de rendre foi et hommage ainsi qu'aveu et dénombrement au seigneur dominant, généralement le roi à partir de 1674 (dans les faits son représentant en la personne de l'intendant). Il faut souligner toutefois que la lecture des actes de concessions, qu'ils soient en fief ou en censive, laisse planer de nombreuses lacunes. La norme coutumière n'est pas toujours indiquée, les étendues des droits des uns et des autres ne sont pas clairement délimitées, le statut de la terre concédée (fief, arrière-fief, censives, alleu, biens de mainmorte) n'est pas toujours précisé. Un fort contentieux émerge alors devant les juridictions de la colonie, notamment dans les situations dérogeant au cadre général. Malheureusement, la doctrine juridique coloniale est quasi inexistante en la matière. Le seul document doctrinal faisant état du régime seigneurial tel qu'il était appliqué en Nouvelle-France par un contemporain et un juriste est le *Traité de la loi des fiefs*, de François-Joseph Cugnet, qui ne sera publié qu'après la Conquête en 1775[25]. Ce document, singulier, doit toutefois être analysé avec prudence. En effet, Cugnet est lui-même seigneur, et il semble relater, en 1775, une perspective juridique qui n'est pas totalement dénuée d'arrière-pensées et qui se trouve en outre peu étayée par des exemples concrets de la pratique coloniale[26] ou même par la doctrine française. Des juristes français comme Ferrières[27], Bourjon[28] ou Guyot[29] constitueront les auteurs

25. François-Joseph Cugnet, *Traité de la loi des fiefs*, Québec, chez G. Brown, 1775 [ci-après *Traité de la loi des fiefs*].

26. Voir Sylvio Normand, « François-Joseph Cugnet et la reconstitution du droit de la Nouvelle-France », *Cahiers aixois d'histoire des droits de l'Outre-Mer français*, n° 1, 2002, p. 127-145 ; David Gilles, « Les acteurs de la norme coloniale face au droit métropolitain : de l'adaptation à l'appropriation (Canada XVIIe-XVIIIe s.) », *Clio@Thémis*, n° 4, [En ligne], 2011, [www.cliothemis.com] ; David Gilles, « Le Traité des fiefs de F.-J. Cugnet annoté et commenté. Réalité et subjectivité de la doctrine juridique au regard de la pratique », [Sherbrooke].

27. Claude de Ferrière, Claude-Joseph Ferrière et Jean Le Camus, *Corps et compilations de tous les auteurs anciens et modernes sur la Coutume de Paris [...]*, Paris, chez M. Guignard, 1714, 4 vol. ; Claude de Ferrière, *Dictionnaire de droit et de pratique*, Paris, J. Saugrain, 1758 ; Claude de Ferrière, *Traité des fiefs*, 2e éd., Paris, chez J. Cochart, 1680.

28. François Bourjon, *Le droit commun de la France et la Coutume de Paris réduit en principe*, Paris, chez Grangé et Rouy, tome 1, 2 vol., vol. 1, Liv. II, Tit. III, p. 129 et suivantes [ci-après Bourjon, *Le droit commun*].

29. Germain Antoine Guyot, *Traité des fiefs*, Paris, Chez Saugrain, 1751, 6 vol.

de référence pour la pratique juridique seigneuriale dans la colonie durant le Régime français.

Adaptation du régime juridique de possession et d'exploitation des terres

La tenure seigneuriale en Nouvelle-France comporte des règles particulières, différentes de celles de la Coutume de Paris. Dans le régime seigneurial canadien, les droits et obligations des « propriétaires » de terre, en fait possesseurs des terres, sont fortement encadrés et soumis à de nombreuses obligations, que les seigneurs et censitaires de l'ancienne France ne connaissaient pas forcément. L'État a posé toute une série de droits, devoirs et obligations, dont les limites sont tracées par la volonté royale. Si, pour Marcel Trudel, il y a peu de place laissée à la dimension habituelle des concessions[30], on trouve néanmoins de nombreux accords conventionnels portant sur les servitudes, les droits de chasse, pêche, bûchage... Lié par contrat envers l'État et les censitaires, le seigneur « classique » n'a pas les attributs du seigneur « féodal ». Toutefois, comme le souligne Benoît Grenier, si le caractère politique s'est amoindri,

> [...] le système a conservé l'empreinte féodale. Le censitaire, en vertu du lien qui l'unit à son seigneur, c'est-à-dire le cens qu'il verse annuellement en reconnaissance de la propriété éminente que conserve le seigneur sur sa censive, est assujetti à ce supérieur[31].

Un seigneur possède donc des droits honorifiques, quelques préséances, mais surtout des droits « utiles », sources de revenus sur les terres et les activités économiques de la seigneurie sur l'ensemble de la seigneurie. Globalement, on peut rattacher ces derniers au caractère public, mais aussi privé de la seigneurie. En qualité de seigneur bannier – possédant le droit de ban, c'est-à-dire une

30. Trudel, *Les débuts du régime seigneurial, op. cit.*, p. 17.

31. Benoît Grenier, « Pouvoir et contre-pouvoir dans le monde rural laurentien aux XVIIIe et XIXe siècles : sonder les limites de l'arbitraire seigneurial », *Bulletin d'histoire politique*, vol. 18, n° 1, automne 2009, p. 145.

autorité publique sur les terres –, le seigneur canadien détient une compétence de justice publique (la moyenne et basse justice généralement dans le contexte canadien, même s'il obtient un titre de haute, moyenne et basse justice) dont il peut tirer des revenus, mais aussi un certain nombre de monopoles économiques, le droit de mouture, la chasse et la pêche. Les arrêts du Conseil souverain de 1667, 1675[32] et 1676[33] fixent ainsi les cadres de l'exercice du droit de ban relatif au moulin banal[34]. L'intendant intervient à de nombreuses reprises dans les contentieux relatifs aux banalités[35]. Le seigneur peut également jouer de sa supériorité pour négocier ou imposer des droits utiles dans le contrat d'acensement : corvées, retrait, servitudes, réserves.

En qualité de seigneur féodal lié à ses censitaires, le seigneur canadien jouit du cens, des rentes, des lods et ventes (un « droit dit de mutation », c'est-à-dire qui est dû lorsque la terre change de possesseur, soit transmise ou héritée) – dus par les censitaires en vertu de leurs contrats d'acensement. Les seigneurs peuvent fixer le taux des cens à leur gré[36], ils revendiquent longuement ce pouvoir, mais les habitants, appuyés ponctuellement par le pouvoir royal, visent à rendre le total des redevances relativement modéré[37]. L'intendant, dès 1686, ordonne à tous les seigneurs de faire construire un moulin banal dans l'année, à défaut de quoi le droit de banalité appartiendra à tout particulier qui en aurait construit un[38]. Le succès

32. É.O. II, p. 39 et 62.

33. *Ibid.*, p. 71.

34. Henri Des Rivières Beaubien, *Traité sur les Lois civiles du Bas-Canada*, Montréal, L. Duvernay, 1832-1833, vol. I, p. 233 ; Pierre-Georges Roy, « Le moulin banal dans la Nouvelle-France », *Bulletin des recherches historiques*, n° XLIX, 1943, p. 3.

35. Voir ainsi, à titre d'illustration de ces interventions de l'intendant, BAnQ-CM, E1, S1, P1321 ; BAnQ-CM, E1, S1, P1978 ; BAnQ-VM, E1, S1, P2800.

36. Marcel Trudel, « Les obligations du censitaire à l'époque des 100 associés », *Revue d'histoire de l'Amérique française*, vol. 27, n° 1, 1973, p. 11 ; Sylvie Dépatie, Mario Lalancette et Christian Dessureault, *Contributions à l'étude du régime seigneurial canadien*, LaSalle, Hurtubise HMH, 1987, p. 38 et 111.

37. Louise Dechêne, *Habitants et marchands de Montréal au XVIIe siècle*, Montréal, Boréal, 1988, p. 248. Ainsi, Bigot édicte une ordonnance fixant le cens et rentes à cinq sols et six deniers pour chaque terrain de la ville et des faubourgs de Québec, et le cens à un denier par arpent de superficie pour les censives de banlieue ; *Pièces et documents*, p. 222.

38. Arrêt du Conseil d'État au sujet des Moulins Banaux, É.O. I, p. 255, édit qui ne sera promulgué qu'en 1707.

de cette ordonnance sera mitigé. Les arrêts de Marly reprendront la même obligation avec plus de succès[39].

Pour le censitaire, ces droits du seigneur figurent comme autant d'obligations. Toutefois, la taille des concessions, le caractère modique de certains droits (le cens par exemple), l'absence ou le peu de pratique de certaines obligations (les corvées, l'absence de four banal) font de la situation du censitaire en Nouvelle-France une condition plus favorable au développement familial que celle des censitaires en ancienne France.

On connaît alors des adaptations du droit commun féodal à la logique et à l'esprit de la colonisation. Ainsi, si la doctrine de l'ancien droit français est unanime pour rejeter la commise en matière de roture, c'est-à-dire la confiscation définitive de la tenure par le seigneur, même pour non-paiement prolongé du cens, il n'en est pas de même dans la logique coloniale. Dans le contexte colonial, il est assez souvent prévu, à des fins d'exploitation optimale des terres, que le seigneur devra stipuler dans les contrats de censive l'obligation de défricher la terre et de tenir feu et lieu[40]. Le non-accomplissement de l'obligation de tenir feu et lieu au sens large peut légitimer le rattachement de la terre au domaine du seigneur, dérogeant ainsi au droit commun de l'ancienne France. L'absence d'exploitation effective des terres conduira notamment à un certain nombre de réunions au domaine des seigneurs, plus d'un quart de toutes les seigneuries de la Nouvelle-France étant touchées entre 1730 et 1760 par des ordres de défricher, de tenir feu et lieu et par des réunions de censives aux domaines seigneuriaux[41]. Cette pratique déroge totalement à l'esprit du régime seigneurial en ancienne France. Dans la colonie, des clauses sont parfois ajoutées à la concession du fief, demandant que celui-ci soit exploité et qu'on

39. *Pièces et documents,* p. 143, 155, 173 et 198.

40. Par exemple Titres du Fief de Cressé, ou Rivière Nicolet, 29 octobre 1672, *ibid.*, p. 17.

41. Jacques Mathieu, « Les réunions de terres au domaine du seigneur, 1730-1759 », dans François Lebrun et Normand Séguin (dir.), *Sociétés villageoises et rapports villes-campagnes au Québec et dans la France de l'Ouest, XVIIe-XXe siècles*, Trois-Rivières, Université du Québec à Trois-Rivières et Presses universitaires de Rennes 2, 1987, p. 84.

y tienne feu et lieu dans les deux ans ou dans les six ans[42]. Durant le XVIIe siècle, cette obligation s'installe comme une obligation coutumière propre à la colonie, actée dans les décisions de l'intendant puis par les arrêts de Marly en 1711, qui constituent le moment juridique de stabilisation et d'officialisation de plusieurs pratiques juridiques foncières coloniales[43].

Avant ce moment, l'intendant Jacques Raudot avait dressé en 1707 une longue liste des abus et des modifications qu'il faudrait apporter dans l'application de la Coutume de Paris, notamment au regard des droits et devoirs liés aux tenures roturières. Il estimait nécessaire de réduire le cens au taux uniforme de six deniers par arpent, qu'il serait bon de « retrancher le chapon gras en chapon vif », en laissant aux habitants le privilège « de le payer en argent à raison de 15 sols ». De même, il abolirait les corvées ou ne « permettrait de les exiger qu'à des époques déterminées », car il y voit une source de vexation indue dans les mains des seigneurs. Il retrancherait également « le droit que se donnent les seigneurs de prendre du bois à volonté sur la terre d'habitant ». À l'inverse, il considère que le droit relatif à la tenue du moulin banal est « généralement à l'avantage des deux parties », alors que les droits relatifs au four banal et de pêche devraient être abolis, du moins là où ce dernier « ne constitue pas le principal revenu ». La pratique reprendra en partie cette évidence, seule l'institution du moulin banal étant acceptée en Nouvelle-France. Enfin, il estime dans ce mémoire qu'il faut retirer « le droit [de retrait] roturier », celui-ci étant aussi exorbitant que le droit lignager et n'étant « pas conforme à la Coutume de Paris[44] ».

Des abus et des irrégularités dans les contrats de concession passés entre les seigneurs et leurs censitaires sont donc fréquemment dénoncés par les intendants. En 1717, l'intendant Bégon se plaint

---

42. Il en est ainsi dans l'Acte de confirmation par Sa Majesté de la concession accordée par MM. Lefebvre de la Barre et de De Meulles au sieur Laurent Philippe, 15 avril 1684, BAnQ-VM, Conseil supérieur, insinuations 1663-1758, cahiers 1 à 4, cahier n° 2, fol. 18, microfilm 1208.

43. Voir la note précédente.

44. BAC, C11A, MG11, Mémoire de l'intendant Jacques Raudot proposant divers changements par rapport aux droits et redevances établis par les seigneurs du Canada, vers 1707, vol. 27, fol. 118-119vo.

ainsi du non-respect de la Coutume de Paris par les seigneurs de la colonie, demandant au Conseil de la Marine de réaffirmer et de sanctionner clairement cette situation[45]. En 1727, dix ans après, c'est l'intendant Dupuy qui rapporte à nouveau à Paris l'attitude de certaines communautés religieuses qui prétendent imposer, contrairement à la Coutume de Paris, certaines servitudes à leurs censitaires[46].

On connaît des adaptations normatives au droit de la Coutume de Paris. Ainsi, la règle du Quint-denier[47] ainsi que le droit de relief[48], posé par l'article 47 de la Coutume de Paris, ne sont pas exigibles dans la colonie[49]. Toujours dans ce contexte, le non-respect de l'obligation de tenir feu et lieu par le seigneur vassal peut entraîner la commise au profit du seigneur possédant le domaine éminent, alors que la commise « traditionnelle, en cas de félonie », est sans application pratique dans la colonie[50]. Pour la saisie féodale[51], c'est-à-dire celle qui vise la reprise du fief pour des raisons autres que féodales (visées par la commise), Cugnet relève que « [c]ette saisie féodale a toujours eu lieu en cette colonie, au profit de sa Majesté, faute par les seigneurs et propriétaires de fiefs de porter foi et hommage, de donner leurs aveux et dénombrements, et faute par eux de payer à sa dite Majesté les droits qui lui étaient dûs [...][52] », renvoyant à plusieurs jugements et décisions des intendants de la

45. Arrêt du Conseil de Marine sur une lettre de Bégon du 14 octobre 1716 au sujet des servitudes, contraires à la Coutume de Paris, imposées par les seigneurs à leurs censitaires, 5 mai 1717, BAC, MG1-G1, bobine n° F-766, vol. 462, fol. 85-87v.

46. BAC, MG8, A1, Lettre de M. Dupuy au ministre, 20 octobre 1727, bobine n° C-13999, vol. 10, p. 1791-1793.

47. Il s'agit d'un droit de la cinquième partie du prix d'un fief qu'on payait au seigneur dont le fief était mouvant. Il peut y avoir, dans certaines situations et certaines coutumes, quint et requint, c'est-à-dire le cinquième, et le cinquième du cinquième du prix d'un fief qui est dû. Voir Bourjon, *Le droit commun*, vol. 1, Liv. II, Tit. III, chap. VI, p. 180-186.

48. Quand un fief devient vacant, l'héritier doit le droit de relief ou de rachat au seigneur, qui lui concède ensuite son héritage si la mutation n'est pas due à une succession en ligne directe ou à une vente. Le montant représentait une année de revenu du bien. Voir *ibid.*, Liv. II, Tit. III, chap. V, p. 166-180.

49. *Traité de la loi des fiefs*, chap. X, art. 38, p. 50.

50. *Ibid.*, chap. VI, art. 16, p. 22.

51. *Ibid.*, chap. IV, art. 8, p. 15.

52. *Ibid.*, chap. IV, art. 8, p. 16.

Nouvelle-France. La pratique de la province en matière de démembrement du fief[53] est plus laxiste que dans la métropole. Cugnet souligne qu'il est « constant et indubitable qu'un seigneur en cette province peut aliéner une partie de son fief avec démission de foi, et que ce n'est pas proprement un démembrement, et qu'en ce cas l'acquéreur est tenu d'en faire la foi et hommage au seigneur dominant, comme étant un fief séparé de l'autre[54] ».

Les particularités canadiennes par rapport au modèle de la Coutume de Paris, telle qu'elle était appliquée dans la région parisienne, seront reprises pour partie dans les arrêts du Conseil du roi de Marly (1711)[55]. Les arrêts du Conseil du roi du 6 juillet 1711 (arrêts de Marly) fixent pour le premier les obligations des seigneurs (défrichement, concession gratuite de terres aux colons, construction d'un moulin banal, tenir feu et lieu, etc.). L'arrêt du 15 mars 1732 vise les obligations des censitaires (défricher les parcelles concédées, tenir feu et lieu au sens large, c'est-à-dire défricher les terres, etc.)[56]. Les arrêts obligent les seigneurs à se conformer à l'usage local et colonial en matière de perception du cens[57]. L'obligation de tenir feu et lieu réaffirmée pèse aussi bien sur les seigneurs que sur les censitaires. Raudot, en 1706, oblige ainsi certains censitaires de l'île Jésus à montrer leurs titres, à payer les arrérages et à tenir feu et lieu sous peine de réunion[58]. L'exercice du droit de retrait censier et du droit de réunion est l'expression normative dominante de l'adaptation du régime seigneurial. Le droit de retrait censier est inspiré de

53. *Traité de la loi des fiefs*, chap. III, art. 7, p. 12.

54. *Ibid.*, chap. III, art. 7, p. 13.

55. Arrêt du Roi qui déchoit les habitants de la propriété des Terres qui leur auront été concédées, s'ils ne les mettent en valeur, en y tenant feu et lieu, dans un an et jour de la publication du dit Arrêt, 6 juillet 1711 (« Deuxième Édit de Marly » de 1711), É.O. I, p. 326 ; voir également BAnQ-VM, TP1, S35, D8, P2 ; Arrêt du Roi qui ordonne que les terres dont les concessions ont été faites soient mises en culture et occupées par des habitants, 6 juillet 1711, É.O. I, p. 324 ; Déclaration du roi autorisant les gouverneurs et les intendants à faire seuls les concessions et à procéder à la réunion au Domaine du roi des terres concédées qui se trouvent dans le cas d'y être réunies, faute d'avoir été mises en valeur, 15 juillet 1743, BAnQ-VM, CR301, P2460.

56. *Édits, ordonnances royaux, déclarations et arrêts du Conseil d'État du roi, Nouvelle-France*, Sainte-Eulalie, éd. du Chardonnet, 1991, 2 vol., vol. I, p. 323-324 et 486.

57. Arrêt du Roi qui ordonne que les terres dont les concessions ont été faites, soient mises en culture et occupées par des habitants, 6 juillet 1711, É.O. I, p. 324-325.

58. Dépatie, Lancette et Dessureault, *op. cit.*, p. 241.

la Coutume de Normandie alors que le droit de réunion est davantage une innovation coloniale qui a trouvé l'appui du pouvoir royal, ce dernier le jugeant favorable à la politique de colonisation. Le seigneur canadien, aux prises avec des arrérages trop importants des rentes et cens qui lui sont dus, a donc la possibilité de demander à l'intendant de réunir à son domaine une censive. De même, il peut en faire la demande si la terre n'a pas été défrichée. Rares sont, semble-t-il, les réunions de censive du fait du seigneur uniquement pour cause de non-défrichement[59] (même si l'intendant n'hésite pas, quant à lui, à réunir des seigneuries pour la même raison, ou l'absence de feu et lieu). Les réunions ont lieu surtout à la fin du Régime français, quand les terres se font plus rares pour la colonisation. Les seigneurs ont été très patients généralement, plusieurs années d'arrérages étant effectives avant d'entamer des procédures de réunion[60]. Concernant les fiefs non exploités, en amont et en aval des arrêts de Marly, le roi a demandé à son intendant de réunir au Domaine du roi les concessions pour lesquelles les seigneurs n'avaient pas rempli leurs obligations, essentiellement de tenir feu et lieu, mais aussi parfois en cas de déshérence d'un héritage[61]. Enfin, l'interprétation du droit de banalité est plus restrictive en Nouvelle-France qu'en région parisienne, celui-ci se limitant globalement au moulin à eau ou à vent.

Ainsi, plusieurs adaptations au cadre du droit commun métropolitain s'affirment dans la pratique, soulignant la souplesse du régime juridique mis en place. Celui-ci est donc capable, dès lors, d'intégrer une réalité aussi étrangère à une institution féodale née au Xe siècle, qu'est celle des communautés autochtones. S'appuyant sur le régime général du cadre seigneurial, son esprit, sa souplesse et ses acteurs, les autorités coloniales vont fondre les communautés domiciliées au sein de ce cadre, afin d'atteindre un double objectif: favoriser l'exploitation des terres et assurer la sécurité de la colonie.

---

59. Dechêne, *op. cit.*, p. 255.

60. Dépatie, Lalancette et Dessureault, *op. cit.*, p. 50 et 122.

61. Voir par exemple BAnQ-VM, E1, S3, P243, Réunion au Domaine opérée par Philippe de Rigaud, Marquis de Vaudreuil, et Michel Bégon, gouverneur et intendant de la Nouvelle-France, le 1er mars 1714. Voir également «Titre de la Seigneurie de l'Île-Verte», *Pièces et documents,* p. 17.

L'adaptation du régime seigneurial au contexte amérindien : les problématiques posées par les concessions aux Abénaquis

À partir de 1664, la plupart des concessions sont le fait de l'intendant de concert avec le gouverneur. Le rôle de celui-ci est plus important lorsque ces concessions ont une connotation stratégique ou politique, notamment lorsqu'il s'agit de concéder des terres aux membres du Conseil souverain[62]. Il en est ainsi des seigneuries le long de la rivière Richelieu. Le Conseil de la Marine et le Conseil d'État jouent parfois un rôle pour les concessions importantes ou dérogatoires au droit commun[63], comme les concessions faites aux communautés religieuses[64] ou celles qui sont à destination des Amérindiens. Comme le soulignent fort justement Benoît Grenier et Michel Lavoie[65], il y a une réminiscence de la dimension féodale dans ce dernier cas, car les Amérindiens s'inscrivent dans un contexte féodal d'engagement personnel envers le souverain, auquel ils apportent un appui militaire et duquel ils attendent protection. Ainsi, « en superposant des droits sur un même territoire, avec une hiérarchie culminant en la personne du roi, le mode seigneurial a favorisé la consolidation de la présence des Français, peu nombreux, dans les territoires amérindiens[66] ».

Les cadres multiples des concessions faites à destination des Amérindiens

Dans les premiers temps de la colonie, il était courant que les concessions constituent une récompense pour services rendus (services militaires notamment) et un appel au zèle colonisateur et

62. Voir BAnQ-VM, TP1, S777, D56, Extrait du mémoire du roi, 30 mai 1724-31 octobre 1725 ; BAnQ-VM, E1, S3, P73, Acte de concession au sieur Charles Denys (Denis) de Vitré, 6 janvier 1687.

63. Voir BAC, Mémoires généraux sur le Canada, Mikan 2469292.

64. Voir BAC, C11A, Lettre de l'intendant Claude-Thomas Dupuy au ministre, 20 octobre 1727, fol. 137-155v sur microfilm, Mikan 3073649.

65. Voir Michel Lavoie, *C'est ma seigneurie que je réclame. La lutte des Hurons de Lorette pour la seigneurie de Sillery, 1650-1900*, Montréal, Boréal, 2010.

66. Grenier, *Brève histoire, op. cit.*, p. 102.

religieux[67]. La présence à l'acte de concession du gouverneur et de l'intendant est un indice appuyant l'importance de la concession et, à notre sens, du caractère féodal de la concession, comme c'était le cas dans les relations vassaliques au Moyen Âge. Au regard du caractère politique de la concession et de la logique « postféodale » des concessions aux guerriers abénaquis et à leurs familles, la présence des deux autorités, soit comme partie, soit comme garant, soit encore comme acteur établissant les concessions, est compréhensible et appuie l'idée d'une nature différente d'une simple concession sous forme de tenure roturière ou de censive. La présence des représentants amérindiens et des autorités peut constituer symboliquement la réalisation *de facto* de la prestation des foi et hommage nécessaire au sous-fief. Toutefois, *de jure*, la participation des autorités gouvernementales n'était pas nécessaire lorsqu'un seigneur concédait une partie de sa seigneurie en arrière-fief – *a fortiori* en censive –, le vassal devant alors son hommage à son seigneur. Il n'était pas rare que l'intendant ou le gouverneur, en concédant un fief, intègre cette concession dans le contexte général de la colonisation.

Lors de la reprise en main de la colonie, Louis XIV délègue l'administration quotidienne des affaires amérindiennes aux communautés religieuses[68] et, parmi celles-ci, aux Jésuites tout particulièrement. Dorénavant, évangélisation et consolidation de l'influence française vont de pair[69]. De manière traditionnelle, les Jésuites ont joué un rôle de fiduciaire et de « protecteur » des Amérindiens sur la base juridique d'une « tutelle ». Les missions étaient un des moyens employés par la Couronne de France pour étendre ses frontières et consolider ses terres. Elles visaient en outre à subvertir le mode de vie des groupes nomades en les sédentarisant. Les premières missions développèrent chez les Amérindiens l'idée que l'œuvre de

67. Trudel, *Les débuts du régime seigneurial*, *op. cit.*, p. 9.

68. Auparavant, les expérimentations diverses par les Récollets ou les Jésuites avaient abouti à des conversions et une évangélisation importante, mais à une difficile sédentarisation. Voir Dominique Deslandres, *Le modèle d'intégration socio-religieuse, 1600-1650. Missions intérieures et premières missions canadiennes*, Thèse (Ph. D), Université de Montréal, 1990, p. 410-492.

69. Rémi Savard, *L'algonquin Tessouat et la fondation de Montréal; diplomatie franco-indienne en Nouvelle-France*, Montréal, L'Hexagone, 1996, p. 109.

conversion était partie prenante de l'alliance contractée avec les Français[70]. Après les années 1630, une politique d'établissement de réductions et de missions volantes commence à être systématisée[71]. L'établissement de réductions, comme à Sillery, « supposait la mise en place d'une autorité institutionnelle pour veiller au respect des nouvelles normes de conduites édictées par les missionnaires[72] ». Les concessions de terre à destination des Amérindiens viennent compléter la logique missionnaire.

Il faut être conscient que, durant tout le XVIIe siècle (jusqu'aux années 1680-1690), la plupart des seigneuries sont largement inoccupées, donc la logique d'occupation du sol par les Amérindiens s'avère un outil de développement des terres permettant d'augmenter leur valeur en l'attente de colons français, et fournissant en cas de départ des Amérindiens des terres presque immédiatement exploitables par des colons. De plus, les techniques d'exploitation des terres par les Amérindiens, sans enrichissement du sol, aboutissent à un épuisement des sols précoces, les communautés étant alors amenées à déplacer leur implantation au bout d'une quinzaine d'années. Ces déplacements des villages et des missions deviennent rapidement un enjeu, les seigneurs – et notamment les Jésuites et les Sulpiciens – cherchant à exploiter les terres défrichées et abandonnées en les concédant à des censitaires canadiens contre paiement de cens et rentes. Les autorités interviendront à plusieurs reprises afin de freiner les ardeurs des missionnaires dans le développement de leurs possessions. Comme le souligne Dominique Deslandres, l'Église ne pouvait être qu'une « indispensable colonisatrice » et, durant les premiers temps de la colonisation, les autorités laïques et religieuses favorisent les mariages entre convertis et Français, les Jésuites invitant les colons à participer à la sédentarisation[73]. Les autorités continueront à favoriser la mixité entre Français et

70. Deslandres, *op. cit.*, p. 401-402.

71. Alain Beaulieu, *Convertir les fils de Caïn. Jésuites et Amérindiens nomades en Nouvelle-France, 1632-1642*, Québec, Nuit blanche, 1990, p. 134.

72. *Ibid.*, p. 135.

73. Dominique Deslandres, « La mission en Nouvelle-France et les modalités d'une migration spirituelle », Philippe Joutard et Thomas Wien (dir.), *Mémoires de Nouvelle-France. De France en Nouvelle-France*, Rennes, Presses universitaires de Rennes, 2005, p. 228.

Amérindiens, mais, à partir de la fin du XVIIe siècle, ils le feront contre l'avis des communautés religieuses. En 1691, pour le gouverneur Frontenac, le bilan des stratégies coloniales de concessions aux Amérindiens s'avérait clair :

> L'expérience de douze années de séjour en ce pays m'a fait connaître que toutes ces missions ne devraient jamais être séparées comme elles le sont des Français, qu'on devrait toujours laisser les Sauvages avec eux afin de les franciser en les christianisant et qu'autrement elles seront plus nuisibles qu'utiles au service du roi et à celui de Dieu même. Mais c'est un Évangile que je n'ai jamais pu faire recevoir en ce pays et qu'il y a si longtemps que je prêche sans succès que j'en devrai être rebuté et m'en taire[74].

Une véritable politique de concession au bénéfice des Amérindiens, à géométrie variable, se développe donc à partir de la seconde moitié du XVIIe siècle. Le contexte juridique des concessions aux différentes communautés diffère largement en fonction des relations politiques, des incidences territoriales et militaires des concessions. Le spectre est large, allant de la véritable concession de fief à des Amérindiens (Sillery) à des concessions en censives (Pachirini), en passant par des concessions de terres et de fiefs à des communautés religieuses à destination des Amérindiens (Sault-Saint-Louis par exemple)[75].

Ces concessions prennent place dans la multiplicité des stratégies coloniales, d'évangélisation, de développement agricole, commercial ou de défense militaire. À plusieurs reprises, intendant ou gouverneur interviennent auprès des communautés de manière conjointe, que ce soit pour leur enjoindre de participer aux conflits militaires ou pour adopter une politique commune, par exemple au regard de l'appui accordé aux coureurs des bois[76]. Les Montagnais, les

---

74. « Lettre de Frontenac au ministre, 20 octobre 1691 », *RAPQ*, 1928, p. 69.

75. Grenier, *Brève histoire, op. cit.*, p. 101-107.

76. Ordonnance qui fait savoir aux Iroquois du Sault, à ceux du lac des Deux-Montagnes, aux Abénaquis de Saint-François et de Bécancour et aux Algonquins et Nepissingues domiciliés qu'ils ne doivent à l'avenir donner aucun asile aux Français, ni leur fournir des vivres, armes et canots pour sortir de ce pays. Ordonnance signée par le

Algonquins et, plus tard, les Hurons puis les Abénaquis chercheront la présence militaire française afin de les protéger contre les attaques iroquoises ou les dépossessions par les colons de la Nouvelle-Angleterre. Ils cherchent à alimenter les comptoirs de poste afin d'acquérir denrées et armes et, éventuellement, à s'implanter dans des lieux de carrefour ou d'anciens lieux d'implantation. L'emplacement stratégique de ces seigneuries incite donc grandement les Amérindiens à s'y installer.

Que ce soit à Sillery[77] ou dans la réduction éphémère de La Conception (1641)[78] – située près de Trois-Rivières –, les premières concessions ou implantations visant à intégrer les Amérindiens conduisent à une même réalité. Il y a juxtaposition des populations française et amérindienne dans le cadre du système seigneurial, aboutissant à la coexistence de deux modes de rapport à la terre : une agriculture (d'horticulture et d'élevage) permanente pour les Français et une horticulture amérindienne sans élevage, pratiquée de manière collective et semi-permanente[79]. Les concessions à destination des Amérindiens qui auront lieu dans la deuxième moitié du XVIIe siècle, comme celles du sault de la Chaudière, du sault au Récollet, ou du sault Saint-Louis[80], mettront plutôt de l'avant une réalité d'isolement des populations amérindiennes. Les premières implantations d'Amérindiens au sein du régime seigneurial (Sillery en 1646) visaient l'établissement de domiciliés montagnais et algonquins, puis de Hurons et d'Iroquois. À partir des années 1670, les autorités coloniales s'intéressent à d'autres nations,

---

gouverneur de Beauharnois et contresignée par l'intendant Hocquart, 1734, 31 mai, BAC, Fonds des ordonnances des intendants, MG8-A6, p. 335-336, nº Mikan 3060759.

77. Denys Delâge, « Les Iroquois chrétiens des "réductions", 1667-1770. I- Migration et rapport avec les Français », *Recherches amérindiennes au Québec*, vol. XXI, nºs 1-2, 1991, p. 68 ; Marc Jetten, *Enclaves amérindiennes : les « réductions » du Canada, 1637-1701*, Sillery, Septentrion, 1992, p. 48.

78. Sylvie Savoie, « Trois-Rivières, un lieu de passage », *Cap-aux-Diamants*, nº 62, été 2000, p. 34.

79. Maxime Boily, *Les terres amérindiennes dans le régime seigneurial : les modèles fonciers des missions sédentaires de la Nouvelle-France*, Maîtrise (M.A.), Université Laval, 2006, p. 20.

80. Arnaud Decroix, « Le conflit juridique entre les Jésuites et les Iroquois au sujet de la seigneurie du Sault-Saint-Louis : analyse de la décision de Thomas Gage (1762) », *Revue juridique Thémis*, nº 41, 2007, p. 285.

comme les Loups, les Sokokis[81] ou les Abénaquis qui obtiennent, afin de sédentariser leurs implantations sur les rives du Saint-Laurent, les premières concessions au début du XVIIIe siècle.

La singularité des concessions aux Abénaquis et aux Sokokis

Concernant les concessions faites aux Abénaquis, la dimension militaire constitue un facteur déterminant pour expliquer l'implantation, les communautés ayant déjà été évangélisées. Les lieux d'implantation et de circulation de ces derniers se trouvaient dans le sud du Québec, le nord de la Nouvelle-Angleterre (le Maine notamment) et en Acadie. C'est en réaction au conflit avec les Britanniques que les autorités coloniales françaises favorisent leur implantation le long du Saint-Laurent. Les actes des concessions s'insèrent alors dans la politique de défense et de développement de la colonie. On trouve dans les actes de concessions faites aux Abénaquis qui ont lieu au début du XVIIIe siècle un certain nombre de motivations politiques, justifiant l'abandon d'une partie de la seigneurie afin de « montrer le zèle qu'il [le seigneur] a pour le bien du service de sa Majesté » et pour se conformer à la volonté du gouverneur et de l'intendant. On ajoute que cela est fait pour se conformer à l'intention du gouverneur et de l'intendant, qui ont « pour le service du roi et l'avantage de la colonie jugé à propos de faire établir sur la terre et seigneurie de Saint-François les sauvages abénaquis [...] ».

Les terres octroyées aux Abénaquis à Bécancour, Saint-François et Pierreville ont été concédées à des seigneurs canadiens durant le XVIIe siècle. Les concessions faites pour Bécancour et Saint-François s'insèrent dans les schèmes traditionnels du régime seigneurial. La seigneurie de Bécancour fut concédée à Pierre Legardeur, sieur de Repentigny, le 16 avril 1647. La concession est faite par la Compagnie des Cent-Associés, dans un contexte où les seigneuries

81. Mémoire de Talon à Colbert sur le Canada, 10 novembre 1670, BAC, C11A, vol. 3, fol. 123, *RAPQ*, 1931, p. 131-139. Les Sokokis sont une nation appartenant à la confédération abénaquise, implantée notamment dans le Maine.

étaient relativement étendues, et pour lesquelles l'intervention des seigneurs comme « collaborateurs » de la colonisation était très forte. La seigneurie de Bécancour est octroyée selon le mode fief et seigneurie, avec les obligations seigneuriales d'usage (rendre foi et hommage, entretenir le chemin royal, etc.). Elle passe au sieur de Comporté en 1684[82].

Le fief de la Citière, dont une partie constituera le fief de Saint-François, en 1635 est concédé à Jean de Lauson, gouverneur de la colonie[83]. Une partie du fief passe dans les mains de Pierre Boucher de Grosbois en juillet 1638[84] à charge d'une rente noble de cinq minots de blé et froment, avec le revenu d'une année à chaque mutation de possesseur, suivant la Coutume du Vexin français[85]. Boucher vend la terre, sans la défricher ni l'occuper, à son beau-frère Jean Crevier le 23 juillet 1676[86]. Il s'agit alors d'un arrière-fief. Celui-ci est de peu de rendement, grevé par une rente conséquente. Crevier obtient alors une concession qui exclut la Coutume du Vexin français et qui transforme l'arrière-fief en seigneurie de haute justice, relevant directement du roi, par une ordonnance de Duchesneau du 28 octobre 1678[87]. À la mort de Jean Crevier en 1693, son épouse Marguerite Hertel et leur fils aîné Joseph héritent de la seigneurie.

Les héritiers Crevier concèdent une partie de la seigneurie aux Abénaquis et aux Sokokis le 23 août 1700. Dans le contexte d'une faible présence de censitaires sur les seigneuries concernées, voire

---

82. BAnQ-TR, TL1, S11, SS2, D13, Saisie et vente par criées du fief de Villiers, [...] du 21 octobre 1681 au 23 juin 1683, M27/1 ; BAnQ-TR, E1, S4, SS1, D121, P4, Sentence d'adjudication à Philippe Gautier (Gauthier), écuyer, sieur de Comporté, M7/3, 3 juillet 1684-9 octobre 1684.

83. Concession de la seigneurie, connue plus tard sous le nom de la Citière, à François de Lauson, 15 janvier 1635, dans *Mémoire de la société historique de Montréal*, Montréal, Berthiaume et Sabourin, 1880, p. xxvi.

84. BAnQ-Q, greffe du notaire Jean Guitet, 1637-1638, bobine 4M00-2468, Acte de prise de possession de la seigneurie de la Citière, 29 juillet 1638.

85. Thomas M. Charland, *Histoire de Saint-François-du-Lac*, Ottawa, Collège dominicain, 1942, p. 13.

86. BAnQ-VM, Vente d'un fief relevant de la seigneurie de la Citière par Pierre Boucher, sieur de Grosbois, à Jean Crevier, 23 juillet 1676, greffe de Bénigne Basset, MFILM 2037.

87. BAnQ-TR, Concession au Sr. Crevier, nº 27, 28 octobre 1678, fonds Jules Martel, boîte 2, 3A14-7104-B.

d'une absence totale de censitaires, les concessions faites aux Abénaquis soulignent l'importance de la contribution amérindienne au défrichement des parcelles, mais aussi l'importance de la question militaire, une terre qui n'est pas occupée ou défrichée ne constituant pas une ligne de défense efficace face à une éventuelle offensive vers les lieux de colonisation français. La protection par les Amérindiens des terres concédées est attendue dans l'esprit des colonisateurs. Ces nouvelles concessions dérogent alors au droit commun seigneurial.

Dans les concessions faites aux Abénaquis, certains particularismes se font jour, par rapport au régime seigneurial colonial et aux autres concessions faites aux Amérindiens. Les autorités sont généralement présentes, signataires, témoins ou impliquées en amont. Les concessions sont faites dans un contexte d'implantation coloniale et de sécurisation des frontières, établissant un rideau défensif composé d'implantations abénaquises. Les concessions sont faites hors du cadre formel du droit commun des censives, parce qu'elles ne sont pas faites contre le paiement de cens et rentes. Des avantages sont accordés aux seigneurs : défrichements et sécurisation des terres, monopole de traite, droit de bûchage... Contrairement aux contrats de censive, ou même aux concessions de fiefs ou d'arrière-fiefs, les Amérindiens usent d'un procureur, en la personne des missionnaires, comme représentant de leurs intérêts. Les avantages des concessionnaires se composent essentiellement de la possibilité d'exploiter leurs terres, d'y implanter des habitations, de choisir leur mode d'assolement sans la contrainte du paiement de cens et rentes, du droit de pêche et de bûchage pour l'alimentation. La principale obligation consiste dans la pérennité de l'implantation, la concession étant résolue de plein droit si les Abénaquis quittent les terres.

Lors de la concession de Saint-François en 1700, la dimension militaire semble prépondérante, comme elle le sera pour Bécancour. La présence du fort de la mission garantit une implantation solide et défensive des Amérindiens. L'acte de concession du 23 août 1700 est notamment signé par les seigneurs, l'intendant, le gouverneur et par le père jésuite Jacques Bigot, comme représentant des Abénaquis. Il est établi clairement en vertu d'une politique plus large de colonisation, afin de favoriser la colonie et l'implantation de la religion chrétienne au sein des communautés. Ce sont les autorités – « nosdits seigneurs » – qui incitent la veuve Crevier à contracter avec les Amérindiens :

> [...], Ayant pour le service du Roy et l'avantage de la Colonie jugé a propos de faire Etablir sur la terre et Seigneurie de St François les Sauvages Abénakis et Socokis avec des missionnaires Jésuites pour l'Exercice de la religion parmi lesd. sauvages dont la plupart sont Chrestiens, Nos dits Seigneurs ont présentement fait connaître leur intention a Dam[ois]elle Margueritte Hertel, veuve de Jean Crevier, seigneur de la dite terre de St François[88].

Autre caractéristique, les missionnaires jouent un rôle prépondérant, ici en tant que représentants ou procureurs des intérêts des Abénaquis. La concession vise la jouissance des terres « pendant tout le temps que la mission que les pères jésuites y vont établir pour lesd. Sauvages y subsistera », la terre retournant au seigneur si les Abénaquis la quittent. Comme dans la logique de l'exploitation traditionnelle des terres seigneuriales, on trouve une possession et un *dominium* partagé entre le seigneur et le concessionnaire :

> [par] ces présentes co[ncé]dé audits Sauvages abénakis et Sokokis et le Révérend père Jacques Bigot de la Comp.e [compagnie] de Jésus, [leur] Missionnaire a ce présent et acceptant [pour] eux, une demie Lieue de terre de front a prendre au bout d'en haut de la dite Seigneurie de St François, [...] pour en jouir par lesd. Sauvages pendant tout le temps que la mission que les pères jésuites y vont établir pour lesd. Sauvages y subsistera, Et ladite mission Cessante, ladite demie lieue présentement Concédée en l'Etat que lesd. terres seront alors, retournera a ladite damoiselle Crevier [3 mots illisibles], et aud. sr. son fils ou a leurs héritiers, pour leur ap[p]artenir [...][89].

88. BAnQ-VM, Concession de terre située au haut de la seigneurie de Saint-François [...] aux Sauvages Abénakis et Sokokis, 23 août 1700, greffe Antoine Adhémar 1668-1714, bobine 4639.

89. Voir la note précédente.

Détail particulier des concessions faites aux Amérindiens, les seigneurs du lieu se réservent l'équivalent du manoir seigneurial, mais ils en font, plutôt qu'un lieu de résidence, un lieu de commerce en s'octroyant le monopole du commerce avec les autochtones installés[90].

Le défaut de qualification de ce type de concession est un handicap. Ni concession en censive, ni arrière-fief, ni alleu, la qualification de ces concessions déroge au régime général seigneurial, tout en s'y inscrivant clairement. Malgré l'ambiguïté que recèle par exemple la notion d'arrière-fief en Nouvelle-France, comme l'a souligné Laurent Marien[91], il semble que l'on ne puisse faire entrer la réalité des concessions faites aux Abénaquis sous ce spectre, en l'absence de foi et d'hommage aux seigneurs dominants. À l'inverse, on ne peut parler de censive, en l'absence de toute charge grevant la terre, ni cens ni rentes. La capacité de concéder « à chef de cens », c'est-à-dire une terre contre le paiement d'un cens, est en principe exclusive au seigneur. Autrement dit, si l'on concède des terres à chef de cens, c'est qu'on est seigneur. Au regard de l'absence d'un tel pouvoir concédé aux Amérindiens – malgré le fait qu'ils concéderont sous le Régime anglais des censives –, il faudrait conclure que la concession faite aux Abénaquis déroge au régime du fief. Les règles de base du régime seigneurial ne permettent pas, en l'absence de mention de ce droit dans les actes de concession et de censive concédées *de facto* par les Abénaquis, de conclure à un droit implicite à concéder des censives. L'acte de concession de 1700 aux Abénaquis de Saint-François semble même exclure le droit de concéder en censive ou en bail à ferme : « [...] sans qu'aucun autre Français puisse avoir cette liberté [...] ni d'y faire aucun bâtiment [...][92] ». On peut considérer que le fait que les concessions soient

90. BAnQ-VM, Concession de terre située au haut de la seigneurie de Saint-François [...] aux Sauvages Abénakis et Sokokis, 23 août 1700, greffe Antoine Adhémar 1668-1714, bobine 4639.

91. Laurent Marien, « Les arrière-fiefs au Canada de 1732 à 1760. Un maillon socio-économique du régime seigneurial », *Histoire et sociétés rurales*, n° 19, 1er semestre 2003, par. 6-10.

92. BAnQ-VM, Concession de terre située au haut de la seigneurie de Saint-François par Marguerite Hertel, [...] 23 août 1700, greffe Antoine Adhémar 1668-1714, bobine 4639.

faites tant et aussi longtemps que les missions subsistent ou que les Abénaquis restent sur les terres constitue une « traduction », une adaptation de l'obligation de tenir feu et lieu, appliquée traditionnellement dans la colonie. Il s'agit globalement de concessions « sous condition résolutoire », c'est-à-dire dont la survenue d'un événement – ici le départ des Amérindiens des terres – entraînerait la résolution, donc la fin du contrat, dans une logique fortement féodale. Au regard des autres concessions faites à destination des Amérindiens, la concession peut se rapprocher de celle du Sault-Saint-Louis, exempte d'obligation seigneuriale. Si l'objectif affiché est également de favoriser l'établissement d'Amérindiens, la dimension commerciale et militaire semble renforcée ici.

Le cadre juridique choisi pour cette concession est donc relativement « flottant ». Certaines terres seront même concédées par des censitaires sur la seigneurie à la communauté amérindienne, à seule charge pour ces derniers « d'en jouir en bon père de famille[93] ». Les actions des parties montrent d'ailleurs qu'elles-mêmes s'interrogent sur l'étendue de leurs droits. La veuve Crevier fait valoir en 1722 auprès des autorités que « la mission des sauvages abénakis qui est établie sur sa seigneurie [...] l'empêche d'en tirer les rentes que lui produiraient les concessions qu'elle ferait si elle en pouvait jouir et qu'elle n'a [pu] percevoir les profits de ladite rente d'une île dépendant de cette seigneurie que le Roy a achetée par décret pour les sauvages de cette mission[94] ». L'idée de percevoir des rentes de l'île vendue au roi est assez surprenante..., aucune rente n'ayant été prévue dans l'acte de vente au roi. La réponse, cinglante de la part du Conseil de la Marine à Versailles, montre que les concessions faites aux Abénaquis, si elles avaient l'appui des autorités et étaient encouragées par celles-ci, sont aussi le fait des particuliers qui espèrent, par l'obtention d'un monopole de commerce, rentabiliser la seigneurie :

93. BAnQ-TR, greffe de Daniel Normandin 1686-1729, cote ZA48/11, bobine 379, François Bigot, Nicolas Leblanc-Labrie et Catherine Massé veuve de Pierre Petit-Milhomme aux Abénakis de Bécancour, cession du 30 avril 1708.

94. BAC, C11A, Délibération du Conseil de la Marine du 19 janvier 1722, vol. 124, fol. 443-446, MFILM 4M00-1155A.

> [o]n est persuadé que les sauvages Abénakis non été placés sur la seigneurie de St François que cette famille possède que pour lui faire plaisir et après qu'elle a eu demandé cette grâce[,] les plus proches des sauvages profitent de la plus grande partie de leur pelleterie et sous prétexte de leur vendre du pain à l'exclusion de [2 mots illisibles] français on leur vend des marchandises quoique ce commerce ne se doit faire que dans la ville.
>
> Quand on peut avoir des sauvages sur la terre une bonne partie se trouve défichée sans qu'il ne coute rien au seigneur, [...] le seigneur profite de ces terres défrichées, il en augmente son domaine ou les concède à cens et rentes[95].

Une partie des terres concédées par les seigneurs de Saint-François, en 1700, pour les Abénqukis et les Sokokis, s'étendent à l'intérieur de la seigneurie voisine de Pierreville. En 1701, par acte de concession, les seigneurs de Pierreville octroient aux Abénaquis et aux Sokokis les terres comprises sur leur seigneurie par l'acte de 1700 aux mêmes conditions que les seigneurs de Saint-François[96]. Une nouvelle concession en 1712 est établie dans la même logique. La concession est faite par le seigneur, les révérends pères stipulent pour les Abénaquis, les autorités sont présentes à l'acte. Il est clairement indiqué que la concession est faite à la réquisition du gouverneur, présent à l'acte[97]. La terre est cédée et délaissée aussi longtemps que la mission durera.

À nouveau, l'objectif et l'objet du contrat pour le seigneur concédant sont constitués par le fait de disposer, à terme, des déserts et des terres défrichées. Il n'est pas fait mention de monopoles commerciaux particuliers. La dimension stratégique est encore présente, puisque la concession doit permettre aux Abénaquis de « subsister afin de soutenir la colonie ». Du point de vue terminologique, la

95. *Ibid.*

96. Acte de concession par les seigneurs de Pierreville aux Abénakis, 10 mai 1701, dans Jacques Frenette, *Odanak et le régime seigneurial seigneurial (1662-1863),* Québec, 2003, p. 25. BANQ-TR 1699-1711, Transaction entre le R.P. Jacques Bigot et M. Antoine Plagnol, 10 mai 1701. Jean-Baptiste Pottier 1699-1711, cote ZA100/22, bobine 390.

97. BAnQ-VM, Acte de concession de Jean-Baptiste-René Crevier-Descheneaux aux Abénakis, 29 février 1712, J.-E. Dubreuil 1708-1734, cote CN301-87, bobine 4M01-3028.

concession est claire, mais sans qualification juridique, les terres sont concédées en pleine jouissance et possession aussi longtemps que la mission durera[98]. Une concession a lieu sur la seigneurie de Bécancour en avril 1708, avec une logique dérogatoire au droit commun similaire[99]. Le seigneur de Bécancour, Pierre Robinau, a combattu aux côtés des Abénaquis et leur concède libéralement une terre pour renforcer la défense de son fief. Dans l'aveu et dénombrement du 23 juillet 1724, il est fait mention d'un prêt de terre. Il est mentionné qu'au-dessus de la terre concédée à Nicolas Gaillou

> [...] est le village des sauvages Abénakis de la mission dudit lieu de Bécancour qui possèdent sur ladite rivière de Bécancour et dudit côté du sud ouest le restant des terres dudit fief [...]. Lesquelles terres, îles et îlets ont été seulement prêtées par ledit sieur comparant auxdits sauvages abénakis pour y rester tant que la mission subsistera, et à la charge qu'il rentrera dans la jouissance desdites terres, îles et îlets et en l'état qu'elles seront lorsque lesdits sauvages l'abandonneront suivant le contrat qu'il a passé avec le frère Sébastien Rasle missionnaire de la Compagnie de Jésus que ledit comparant ne nous a point rapporté [...][100].

Les difficultés inhérentes à un régime singulier

Les ambiguïtés des actes de concession et les intérêts divergents des parties sont sources de tensions durant le Régime français, et iront en augmentant à partir de la Conquête. Ainsi, dès 1703, soit trois ans après la concession, dans une plainte adressée au gouverneur général Charles de Beauharnois, Marguerite Hertel déplore déjà les requêtes des Abénaquis qui demandent un agrandissement

98. BAnQ-VM, Acte de concession de Jean-Baptiste-René Crevier-Descheneaux aux Abénakis, 29 février 1712, J.-E. Dubreuil 1708-1734, cote CN301-87, bobine 4M01-3028.

99. BAnQ-TR, Cession de Pierre Robineau aux Abénakis de Bécancour, 30 avril 1708, greffe de Daniel Normandin 1686-1729, ZA48/11, bobine 379.

100. BAnQ-VM, E1, S4, SS3, P93, Aveu et dénombrement de Pierre Robineau, chevalier, seigneur de Bécancour, baron de Portneuf et grand voyer de la Nouvelle-France, pour le fief de Bécancour situé au sud du fleuve Saint-Laurent, 23 juillet 1724.

de la mission et constate la diminution de ses rentes. « [...] est-il juste que les révérends pères qui ne demandent des terres que pour faire des déserts aux sauvages occupent la profondeur des bois qui leur est inutile et fassent commerce des pins et des cèdres qui se trouvent dessus, comme aussi du foin qu'ils vendent aux habitants [...][101] ». Si l'intérêt que peut constituer le défrichement des terres par les Amérindiens dans une période de faible peuplement constituait un atout pour ces seigneurs, encore faut-il que ces terres défrichées soient ensuite concédées à des censitaires pour qu'elles produisent des revenus. C'est pourquoi, dès les années 1710, des tensions apparaissent et des tentatives de limiter l'emprise des Amérindiens sur les seigneuries concédées se font jour. Toutefois, c'est au moment de la Conquête et à sa suite que les principaux conflits et interrogations sur le régime juridique de ces terres s'affirment. Ainsi, certains seigneurs vont purement et simplement spolier les Amérindiens en concédant des terres à des censitaires. À l'inverse, les Abénaquis vont agir comme seigneurs sur leurs terres[102], concéder des censives et obtenir le paiement des cens et rentes pour celles-ci. À l'abolition du régime, les Abénaquis seront d'ailleurs désignés dans certains cadastres comme seigneurs et récipiendaires de rentes constituées. Les concessions faites aux Abénaquis dérogent donc au droit commun des rapports entre seigneurs et censitaires. En effet, contrairement à un arrière-fief, ni les Abénaquis ni les représentants religieux n'ont rendu foi et hommage au seigneur pour les terres qu'ils ont obtenues, et pas davantage au souverain. De plus, ces terres concédées n'ont pas été inscrites dans les papiers terriers établis sous l'égide de l'intendant durant le Régime français en tant qu'arrière-fief. Dans les aveux et dénombrements, les communautés abénaquises sont évoquées sans identifications nominales, et sans évocation de cens et rente évidemment[103]. Dans ces

101. Lettre de Hertel à Beauharnois, 23 janvier 1703, ANC, MG 18G, vol. 2, fonds de la famille Beauharnois, bobine C-2925.

102. Voir Isabelle Bouchard, « Les chefs autochtones comme seigneurs : gestion des terres et de leurs revenus, 1760-1820 », dans ce même volume.

103. Aveu et dénombrement de Joseph Crevier, sieur de Saint-François, pour la moitié du fief vulgairement appelé de Saint-François, 2 juin 1723, M6/1, Registre des aveux, dénombrements et déclarations du Terrier du Domaine du Roy en la Nouvelle-France (15 février 1723 au 1er juin 1732), tome premier, f. 82-85v. ; BAnQ-M, Aveu et

actes, il n'y a pas trace, non plus, de droit de mutation qui aurait pu être exigé (ce qui se comprend, au vu de la transmission à une communauté, comme les communautés religieuses) ou de la réalisation de l'obligation de tenir feu et lieu, même si la nécessité de maintenir une présence sur ces terres et la clause de réversion pourraient rappeler cette obligation traditionnelle. *De facto*, il semble clair que les Abénaquis défrichent et occupent les terres, à charge pour eux de maintenir leur fidélité au roi et de remplir leurs « obligations » militaires. En ce sens, la possession des terres qu'ils occupent semble se rapprocher de la vieille possession « féodale » et d'un rapport vassalique qui a présidé à la formation du régime juridique seigneurial en ancienne France. En ce qui concerne la qualification de censive, les terres concédées ne se qualifient pas davantage. Les Abénaquis n'ont pas versé de droit de mutation, n'ont pas payé de cens, ni de lods et ventes. Ces terres ne relèvent donc pas *stricto sensu* d'une concession comme censive. Il semble s'agir alors, pour le régime juridique seigneurial, d'un « objet juridique non identifié », mais clairement appréhendé par le droit. Cela ne doit pas surprendre outre mesure. La pratique juridique de l'ancien droit français ainsi que la pratique coloniale conçoivent très bien une telle « souplesse ». En fait, l'idée d'une norme rigide, s'imposant partout et uniformément, constitue largement une création des droits modernes, postérieurs à la codification du droit du XIXe siècle.

---

dénombrement de Joseph Hertel, au nom et comme ayant épousé damoiselle Catherine Philippe, fille et héritière de feu Laurent Philippe, pour la moitié de la moitié du fief vulgairement appelé de Pierreville, 11 juillet 1723, M6/1, Registre des aveux, dénombrements et déclarations du Terrier du Domaine du Roy en la Nouvelle-France (15 février 1723 au 1er juin 1732), tome premier, f. 113-113v; BAnQ-M, Aveu et dénombrement de Christophe-Hilarion Dulaurent (Du Laurent), notaire royal en la Prévôté de Québec, fondé de procuration de Jean-Baptiste Jutras dit Desrosiers, pour le fief et seigneurie de Lussaudière (Lussodière, Lussière) ou Chenail-Tardif, 22 novembre 1736, M6/2, Registre des aveux, dénombrements et déclarations du Terrier du Domaine du Roy en la Nouvelle-France (1er juin 1732 au 27 août 1740), tome second, f. 512-518.

Conclusion

Ces concessions reposent sur une logique de concession de terre, sans redevance, sans cens, sans obligation formelle de la part des Abénaquis, si ce n'est de se maintenir dans les terres. Cependant, chaque fois, une dimension militaire et coloniale est présente, que les autorités soient parties à l'acte, comme signataires ou initiatrices de l'acte. Si les seigneurs concédants affirment leur bon vouloir au regard des intérêts de la colonie, ils visent, directement ou indirectement, un certain nombre d'avantages, comme le défrichement des terres, des gratifications ou une compensation sous forme pécuniaire, de titre, brevet militaire ou de prébendes, et jouissent d'une position stratégique en matière de commerce privilégié avec les autochtones, parfois formalisée dans les titres de concession sous forme de monopole.

Au regard du droit féodal, ces créations *sui generis* semblent réactiver la logique de défense des terres et la notion de lien vassalique. La particularité ici est que le lien existe entre la communauté abénaquise et les autorités représentant le roi, alors que ce sont des « particuliers », seigneurs, qui concèdent. La motivation de cette concession pour ces derniers repose essentiellement sur l'intérêt stratégique de défense personnelle, ainsi que sur les avantages financiers dus au commerce des pelleteries ainsi qu'à la vente de biens aux autochtones, auxquels s'ajoute le défrichement des terres, enjeu particulier de la colonie. Le fait que le commerce des fourrures périclite au XVIIIe siècle, que les terres sont désormais défrichées et que les enjeux sécuritaires s'estompent explique que l'avantage temporaire que trouvaient les seigneurs à la concession disparaisse petit à petit. Les enjeux sécuritaires diminuent également pour ces territoires, le recours aux troupes amérindiennes devenant un enjeu à l'échelle coloniale, dépassant la sécurité locale. Dans le même temps, il devient plus facile de trouver des habitants afin d'occuper les terres données à cens, ce qui renforce encore la volonté de revenir sur les accords passés.

Il s'agit donc d'un régime *ad hoc*, expression parfaite de la souplesse du régime seigneurial aux prises avec cette réalité singulière de la présence autochtone, pour un régime né en Europe. Ce sont des concessions faites sans paiement de rente ou de cens, permettant aux Abénaquis de jouir de la terre sans autre obligation que de demeurer présents sur celle-ci pour le maintien de la mission. Il s'agit d'un terme temporel dont les Amérindiens ne sont pas totalement maîtres, comme l'ont montré les autres concessions faites aux autochtones, puisque leur mode de culture originel les pousse à se déplacer afin de défricher d'autres terres. Toutefois, la dimension « féodale » et de *dominium* partagé sur les terres est flagrante, l'esprit du régime seigneurial étant sauvegardé. Les terres sont concédées essentiellement pour permettre un établissement pérenne des communautés amérindiennes, dans un objectif de défense du territoire, sous l'auspice et à la demande des autorités coloniales. Cette dimension rapproche les concessions faites aux Abénaquis de celles des fiefs faites durant la période féodale, à l'origine du régime seigneurial. En l'absence de qualification juridique claire, cette réalité semble constituer un des outils fondamentaux afin de caractériser les contestations judiciaires contemporaines.

Aujourd'hui, en effet, les singularités du régime de concession de terres faites aux Abénaquis et Sokokis au XVIIIe siècle posent de nombreuses difficultés de qualification juridique, notamment devant le Tribunal des revendications particulières où plusieurs revendications sont déposées. Il est alors nécessaire de caractériser le droit applicable, la réalité des concessions, les formes juridiques qu'elles ont revêtues, afin de déterminer l'existence d'éventuels droits sur ces terres et la compensation, le cas échéant, qui aurait dû en résulter au moment de l'abandon du régime seigneurial.

Entre revendication et résignation. Les seigneuries du lac Champlain et la frontière new-yorkaise, 1763-1783[1]

Joseph Gagné

Malgré son abolition en 1854, le système seigneurial au Québec survit bel et bien dans l'imaginaire populaire à travers la toponymie, le cinéma historique et même la bière[2]. Sans doute est-ce dû au fait que la seigneurie, au-delà de la mémoire, a également laissé une marque physique sur le paysage de la vallée du Saint-Laurent. Pourtant, cette région n'est pas la seule en Amérique où le système seigneurial français a été implanté. Sous une forme ou une autre, il a été établi au-delà des frontières de la province du Québec, soit en Acadie, à Terre-Neuve, dans les Pays d'en Haut, au pays des Illinois, en Louisiane et, l'objet de cette étude, au lac Champlain[3].

---

1. Ce texte reprend et révise un travail produit pour le séminaire HST-7031, *Le Québec préindustriel: seigneurs et seigneuries de la vallée du Saint-Laurent, 1774-1840*, sous la direction d'Alain Laberge à l'Université Laval à l'automne 2013. Nous tenons à remercier messieurs Joseph-André Sénécal, Alain Laberge, Mathieu Perron, Jean-Pierre Raymond, André LaRose et Nicolas Westbrook pour leur précieuse aide qui nous a permis de repérer des pistes solides dès le début de cette étude.

2. Nous pensons en particulier à la Seigneuriale, de la brasserie Unibroue.

3. Ceux qui s'intéressent au système seigneurial en Acadie peuvent consulter Gregory M. W. Kennedy, *Something of a peasant paradise?: Comparing Rural Societies in Acadie and the Loudunais, 1604-1755*, Montréal et Kingston, McGill-Queen's University Press, 2014. Pour Terre-Neuve, voir Nicolas Landry, *Plaisance (Terre-Neuve), 1650-1713: une colonie française en Amérique*, Québec, Septentrion, 2008. Pour l'Ontario, soit les seigneuries de Pointe-à-l'Orignal et de Katarakoüï et les arrière-fiefs de Toneguignon et Belle-Isle, consulter Lucie Lecompte, *Les seigneuries dans le territoire de l'Ontario*, Mémoire (M. A.), Université d'Ottawa, 2002. Pour la région de Détroit, consulter Lina Gouger, *Le*

Malgré leur proximité avec le Québec, les seigneuries du lac Champlain n'ont pas fait l'objet du même engouement historiographique et mémoriel que celles de la vallée du Saint-Laurent. À vrai dire, il ne faut pas s'en étonner : la grande majorité des fiefs de la région n'ont pas été exploités et se retrouvent, après 1763, au sud de la nouvelle frontière établie au 45e parallèle entre la province de Québec et celle de New York[4]. Par ce fait même la nouvelle *Province of Québec* se trouve donc amputée de ces terres. Dernier clou, la population anglophone qui s'installe éventuellement dans la région fait fi du découpage effectué par les arpenteurs français. Il semblerait donc que l'affaire est close et ne mérite plus d'attention, que les seigneurs du lac Champlain se sont simplement résignés face à la perte de leurs terres sur le lac Champlain après la Proclamation royale de 1763.

Mais est-ce vraiment le cas ?

En réalité, à une exception près, toutes les seigneuries de la région font l'objet d'une certaine continuité. Tant et aussi longtemps que la nouvelle frontière située entre la *Province of Québec* et la *Province of New York* n'aura pas été établie, les seigneurs continuent de disposer de leurs terres en les vendant, en les concédant et, ultimement, en les revendiquant directement auprès de la Couronne britannique lorsque la nouvelle frontière menace d'amputer ces terres. Bref, la fin de ces seigneuries n'est pas aussi nette qu'on

peuplement colonisateur de Détroit, 1701-1765, Thèse (Ph. D.), Université Laval, 2002. Pour le pays des Illinois, il faut spécifier que la seigneurie n'a qu'une courte vie. Alors que les autorités tentent d'implanter le système à l'image du Canada, Carl Ekberg nous rappelle : « It was [...] an embryo that did not mature ; it failed to evolve because after 1723 no more large concessions that might be construed as seigneuries were granted and because manorial dues never became wide-spread or permanent. [...] The nomenclature of manorial Canada – seigneur, roturier, censitaire, cens et rentes, lods et ventes – never took root in the Illinois Country. Within a short period of time, all property in the Illinois Country was de facto viewed as being held en franc alleu, with the owners neither obligated to pay dues nor conversely empowered to subdivide their land as seigneurs and collect dues. » Carl Ekberg, *French Roots in the Illinois Country : The Mississippi Frontier in Colonial Times*, Urbana et Chicago, University of Illinois Press, 1998, p. 45-46. Enfin, pour ceux qui s'intéressent aux seigneuries en Louisiane, voir Marcel Giraud, *Histoire de la Louisiane française*, Presses universitaires de France, 1953-1987, 5 t.

4. Rappelons que le Vermont ne devient un territoire distinct de New York qu'à partir de 1777.

aurait pu le croire, comme le démontrent ces prochains cas que nous avons relevés.

Pour procéder à leur repérage et à leur analyse, nous avons créé une base de données des seigneuries de la région fondée notamment sur l'inventaire des concessions de Pierre-Georges Roy[5], la carte de Louise Dechêne[6], l'œuvre de Guy Omeron Coolidge[7], les articles du *Dictionnaire biographique du Canada*, le fonds Collection Seigneuries de Bibliothèque et Archives nationales du Québec (BAnQ)[8] et enfin le répertoire d'Alain Laberge et François Cantara[9]. Pour naviguer dans les fonds d'archives, outre le moteur de recherche Pistard de BAnQ, nous avons utilisé l'outil de recherche Parchemin. Ce dernier en particulier relève une cinquantaine d'actes notariés avec le mot clef « lac Champlain[10] ». Toutefois, il faut se rappeler que les actes notariés retrouvés ne démontrent que l'issue d'une vente, d'une concession ou d'un abandon. C'est pourquoi on doit également consulter la *Gazette de Québec*[11] et ses annonces de ventes[12] : si celles-ci ne se soldent pas toujours en transaction, elles indiquent néanmoins *l'intention* de vendre. Ainsi, avec les

5. Pierre-Georges Roy, *Inventaire des concessions en fief et seigneurie, fois et hommages et aveux et dénombrements conservés aux Archives de la Province de Québec*, Beauceville, L'Éclaireur, 1927-1929, 6 vol.

6. Louise Dechêne, « Les seigneuries », dans Richard C. Harris et Louise Dechêne (dir.), *Atlas historique du Canada. Vol. I : Des origines à 1800*, Montréal, Presses de l'Université de Montréal, 1987, planche 51.

7. Guy Omeron Coolidge, *The French Occupation of the Champlain Valley from 1609 to 1759*, Harrison, New York, Harbor Hill Books, 1979 (1938).

8. BAnQ-Q, P240, Fonds Collection Seigneuries, 1626-1975.

9. Alain Laberge et François Cantara, « Répertoire des seigneuries du Canada, 1626-1854 », document inédit, Québec, Université Laval, 2000-.

10. Rappelons que ce mot clef n'est utile que s'il est présent dans la description de l'acte.

11. Alain Laberge a déjà évoqué cette source importante dans sa communication : « "Seigneuries à vendre" : la publicité du marché foncier dans la *Gazette de Québec*, 1764-1774 », Congrès annuel de l'Institut d'histoire de l'Amérique française, Rimouski, 13 octobre 2013.

12. La succursale de Bibliothèque et Archives nationales du Québec à Québec possède un index nominatif microfilmé. Cet outil permet de cerner rapidement les noms tant des seigneurs que des seigneuries. Notons toutefois que l'outil n'est pas parfait et ne recense pas nécessairement toutes les occurrences nominatives. N'empêche que cet index permet de sonder rapidement le potentiel de la *Gazette* comme source pour divers sujets.

actes notariés, ces annonces permettent de savoir si oui ou non les seigneurs du lac Champlain portent toujours attention à leurs terres.

Enfin, le chercheur qui s'intéresse à la question de la frontière du lac Champlain doit nécessairement consulter *The Documentary History of the State of New York*[13]. Cet ouvrage contient un chapitre entier consacré aux reproductions de correspondances entre l'administration de New York et celle de Londres sur la question de la frontière et la gestion des revendications des seigneurs du lac Champlain[14].

Le Régime français

La période qui nous intéresse est définie entre la Proclamation royale de 1763 et le traité de Paris de 1783, marquant la fin ultime de toute revendication possible de terres en sol new-yorkais par les anciens seigneurs du lac Champlain. Néanmoins, afin de comprendre les enjeux derrière la décision finale de la Couronne britannique concernant les revendications des seigneurs de la région, il faut d'abord revenir en arrière, aux débuts de ces seigneuries pendant le Régime français.

Géographie et premières explorations

Le lac Champlain est un plan d'eau dont la surface couvre 1 127 km^2 et se trouve relié au fleuve Saint-Laurent par la rivière Richelieu. Niché entre les monts Adirondacks et les montagnes Vertes (*Green Mountains*), il fait 172 km de long et 23 km à son point le plus large[15]. Le 14 juillet 1609, alors qu'il participe à une expédition

13. Edmund Baily O'Callaghan, *The Documentary History of the State of New York. Volume 1*, Albany, Weed, Parsons & Co., 1849.

14. En particulier au sujet des seigneuries appartenant à Chartier de Lotbinière, le plus « coriace » des seigneurs revendicateurs.

15. « Lake Champlain », *Encyclopaedia Britannica. Encyclopaedia Britannica Online Academic Edition*, Encyclopædia Britannica Inc., 2013.

militaire contre les Iroquois, Samuel de Champlain est le premier Européen à voir ce lac et lui donne son nom. Ses observations sur la région sont le présage d'une longue histoire tumultueuse à suivre : aucun Amérindien n'y habite à cause des guerres constantes dans la vallée[16].

Après Champlain, il faut attendre 1642 avant d'y retrouver une présence française, celle de missionnaires faits prisonniers par des partis iroquois. Devenus martyrs, ceux-ci inspirent d'autres religieux à venir implanter des missions dans la région. Malgré leurs efforts, l'expérience se solde par un échec en raison de la réticence des Iroquois à s'allier aux Français.

C'est d'ailleurs cette première présence missionnaire qui donne le nom de Saint-Sacrement au lac situé directement au sud du lac Champlain. Il est baptisé ainsi par le père Isaac Jogues, un des premiers missionnaires à le voir après avoir été fait prisonnier par les Iroquois (pour qui le lac porte le nom *Andiatarocte*)[17]. C'est le même lac Saint-Sacrement que les Britanniques renommeront lac George pendant la guerre de Sept Ans.

Un corridor de guerre

Malgré ses terres fertiles, le corridor du lac Champlain et de la rivière Richelieu est plus propice à la guerre qu'à l'agriculture ; après tout, il s'agit du lien direct entre la vallée du Saint-Laurent et le territoire des Iroquois. De ce fait, les conflits y persistent depuis des lustres, d'abord entre peuples amérindiens longtemps ennemis et ensuite avec les colons français. Tôt durant la colonisation de la Nouvelle-France, soit en 1641, les Français érigent sur la rivière Richelieu un fort qu'ils baptisent du même nom, sur ce qui deviendra Sorel[18]. Ce fort n'est que le premier d'une chaîne de fortifications qui voient le jour tout le long du corridor, et cela jusqu'à la fin du

16. David Hackett Fischer, *Champlain's Dream*, New York, Simon & Schuster, 2008, p. 263.
17. Coolidge, *op. cit.*, p. 18-19.
18. *Ibid.*, p. 16-17.

Régime français. Le premier fort sur le lac Champlain porte le nom de Sainte-Anne, érigé en 1665 et complété le 20 juillet 1666[19].

Ces premiers forts sont construits en réponse aux nombreux raids iroquois. Non seulement défensifs, ils servent de points stratégiques d'où lancer des réprimandes armées à leur tour. En 1666, pour la deuxième fois depuis le passage de Samuel de Champlain, une expédition française descend le lac Champlain : l'expédition Carignan-Salières. Celle-ci finit par un échec monumental[20]. Qu'importe le dénouement de l'expédition, les efforts de guerre continuent. À partir du fort Sainte-Anne sur l'île La Motte, plusieurs nouvelles expéditions seront lancées pour « punir » les Iroquois de raids passés et présents. Le fort va être délaissé dès que la région connaîtra une certaine stabilité après la paix de 1667[21].

Selon les observations de Coolidge, le lac Champlain figure peu dans les archives entre 1672 et 1689. Toutefois, cela ne veut pas dire que personne n'emprunte le corridor :

> Nous savons, cependant, que les Français n'avaient pas abandonné la vallée du lac. Dans la correspondance officielle, nous trouvons des rapports de plusieurs voyages en provenance du Canada à destination du fort Orange[22]. Les documents officiels de l'État de New York et les ouvrages historiques de la Nouvelle-Angleterre donnent de nombreuses preuves que la vallée fourmillait de voyageurs se déplaçant pour des affaires diplomatiques, de nombreuses missions militaires et parfois pour s'occuper d'intérêts commerciaux[23].

19. *Coolidge, op. cit.*, p. 24 et p. 30.

20. Louise Dechêne, *Le peuple, l'État et la guerre au Canada sous le Régime français*, Montréal, Boréal, 2008, p. 105-109.

21. Coolidge, *op. cit.*, p. 45.

22. Aujourd'hui Albany, New York.

23. Traduction libre de « We know, however, that the French had not abandoned the valley of the lake. In the Correspondance Officielle we find reports of frequent journeys from Canada to Fort Orange. The official documents of the State of New York and the histories of the New England colonies give many proofs that the valley swarmed with travelers intent on diplomatic affairs, often on military missions, and occasionally busied with commercial interests », Coolidge, *op. cit.*, p. 48-49.

Alors qu'aucune source ne semble indiquer l'existence de concessions françaises pour la période du XVIIe siècle, l'influence française y est sans doute importante. D'ailleurs, les Abénaquis, alliés des Français, viennent fonder le village de Missisquoi sur la baie homonyme à la pointe nord du lac. À l'instar du village de Saint-François-du-Lac, ce village accueille quelques habitants français dans la région, comme le suggère Coolidge[24].

Toutefois, les Français de la vallée du Saint-Laurent ont dorénavant plus que les Cinq-Nations iroquoises à craindre : depuis la cession de la Nouvelle-Néerlande à l'Angleterre en 1665, les Anglais lorgnent le lac Champlain. Leurs prétentions se concrétisent avec l'octroi d'une concession sur la rive ouest du lac au pasteur Godfrey Dellius. D'une longueur d'environ 113 sur 19 km de largeur, cette terre couvre une partie du lac Champlain à partir de la pointe du Rocher fendu (Split Rock, aujourd'hui près d'Essex, New York) vers le sud[25].

Armés par les Anglais, les Iroquois continuent leurs raids, qui découragent l'occupation française de la région, jusqu'à la Grande Paix de Montréal en 1701. Malgré cette dernière, la région n'a pas le temps de se dégager des tumultes des guerres iroquoises alors qu'un nouveau conflit éclate : la guerre de la Succession d'Espagne (*Queen Anne's War*) entre 1702 et 1713. La voie du lac Champlain permet aux Français de procéder à leur raid le plus célèbre pour cette période, soit l'attaque sur Deerfield le 28 février 1704. Ce qu'il faut retenir de ce conflit est que, malgré l'absence d'accord officiel entre les deux colonies, une limite frontalière contestée finit par se situer dans les faits à la pointe du Rocher fendu, marquant les environs de l'extrémité du premier tiers du lac à partir de sa pointe sud[26].

Établissement des seigneuries

Malgré une forte activité de guerre le long du corridor du lac Champlain, la région continue d'être convoitée par les Français.

24. *Ibid.*, p. 73 et 84.
25. *Ibid.*, p. 72.
26. *Ibid.*, p. 81.

Pour concrétiser les revendications de la France, l'ordre est donné de fortifier Pointe-à-la-chevelure, ou Crown Point, au sud de la frontière contestée. Le nouveau fort Saint-Frédéric, construit au milieu des années 1730, marque donc le début des efforts pour contrôler la région une fois pour toutes. C'est le même élan qui voit la création de seigneuries sur le lac Champlain dans le but de peupler le territoire, de consolider l'emprise française sur la région et de s'affirmer[27]. 1733 voit la concession de onze seigneuries[28], trois l'année suivante[29], deux en 1736[30] et enfin une dernière en 1737[31]. En tout, dix-sept seigneuries sont concédées pendant la période 1733-1737. Sur les dix-sept seigneurs, six sont des officiers militaires qui servent au fort Saint-Frédéric : Pierre-Jacques Payen de Noyan, Daniel Migeon de la Gauchetière, Claude-Pierre Pécaudy de Contrecœur, René Boucher de La Perrière, Paul-Louis Dazemard de Lusignan et Louis-Joseph Rocbert (dont le frère, Étienne Rocbert de La Morandière, dressa les plans du fort)[32]. Ce sont donc des seigneurs qui connaissent bien la région et qui sont théoriquement bien placés pour attirer des censitaires. Comme l'écrit P.-G. Roy : « Ces seigneuries, une fois peuplées, auraient été des points d'appui pour le fort Saint-Frédéric. Les terres, qui ne tarderaient pas à être cultivées, fourniraient amplement la subsistance des familles des colons, et peut-être aussi celle de la garnison du fort[33]. »

Si la volonté officielle cherche le développement de la région, les seigneurs ne démontrent pas un zèle semblable. Cependant, il n'y a pas nécessairement de négligence expresse de leur part. Comme le dit Guy Frégault : « Il ne faudrait pas trop se hâter de conclure

27. Guy Frégault, *La civilisation de la Nouvelle-France. 1713-1744,* Montréal, Fides, 1969, p. 158.

28. Il s'agit de Belcour, Noyan (ou Île-aux-Noix), Foucault, Lacolle (ou Beaujeu), Beaujeu (père), Livaudière (ou Bedout), La Gauchetière (ou Estèbe), Saint-Vincent, Boisfranc, Beauvais et Lusignan.

29. Grande-Île (ou Pancalon), La Pécaudière et La Perrière.

30. La Moinaudière et Dagneau-Douville. Curieusement, cette dernière ne figure pas sur la carte de 1740, bien que Pierre-Georges Roy indique bel et bien une concession.

31. Rocbert.

32. Pierre-Georges Roy, *Hommes et choses du fort Saint-Frédéric*, Montréal, Éditions des Dix, 1946, 351 p.

33. *Ibid.*, p. 314.

que tous les seigneurs étaient malhonnêtes, tracassiers ou négligents[34]. » Si aucun réel développement ces terres n'a lieu, il faut se rappeler que les terres de la vallée du Saint-Laurent font toujours l'objet d'un rapport positif entre la population et les terres disponibles. Pourquoi alors se déplacer en marge de la Nouvelle-France, dans une zone de conflit en sus ? Néanmoins, comme les seigneurs du Saint-Laurent, ceux du lac Champlain font l'objet de pression pour exploiter leurs terres. En vain : « Les administrateurs du Canada se décident à sévir et, d'un seul coup, le 10 mai 1741, ils réunissent vingt seigneuries [non exploitées] au domaine du roi[35]. » De celles-ci, quinze sont situées sur le lac Champlain. Alors que cette réunion sonne le glas de huit des seigneuries de la région, la plupart sont confiées à nouveau à leurs anciens détendeurs ou bien octroyées à de nouveaux seigneurs.

Outre ces premières concessions, six autres seigneuries et une augmentation sont concédées entre 1743 et 1758[36]. Alors que les premières seigneuries mesuraient en moyenne 2 lieues de front sur 3 lieues de profondeur, ces nouvelles concessions sont relativement immenses, soit le double des dimensions accordées initialement : la plus grande seigneurie de toutes, Ramezay-La-Gesse, fait 6 lieues de front sur 6 lieues de profondeur. Elle est suivie de la seigneurie d'Alainville avec ses 6 lieues de front et 3 de profondeur ; de Saint-Armand, Hocquart et La Moinaudière, chacune à 4 lieues de front et 3 de profondeur et enfin de Beaujeu et Daneau, respectivement à 4 et 3 lieues de front sur 4 de profondeur. À titre de comparaison, ce sont des concessions dont la taille a rarement été vue depuis la période des Cent-Associés[37]. Notons également que ces nouvelles concessions empiètent amplement sur le territoire revendiqué par les Britanniques au sud de la pointe du Rocher fendu ; à elle seule, la seigneurie d'Alainville enfourche le point où se joignent les lacs Champlain et George.

---

34. Frégault, *op. cit.*, p. 154.

35. *Ibid.*, p. 153-154.

36. S'ajoutent les seigneuries de Hocquart, Saint-Armand, Ramezay-La-Gesse, Daneau, Beaujeu (dont une augmentation) et Alainville.

37. Marcel Trudel, *Les débuts du régime seigneurial au Canada*, Montréal, Fides, 1974, p. 18-28.

Un bilan presque négatif à la fin du régime

Malgré la présence de nouvelles seigneuries, ce n'est pas la course effrénée pour peupler la région. Elle est toujours une zone de conflit, après tout. À la veille de la guerre de la Succession d'Autriche (1740-1748), « quatorze familles tiennent feu et lieu » près du fort Saint-Frédéric[38]. L'éclatement du conflit fait en sorte que la région sera vidée en grande partie de ses habitants, fuyant la guerre. Comme l'écrit Frégault : « Malgré le grand désir de Hocquart de fonder un puissant établissement sur le lac Champlain et de pousser la colonisation de la vallée du Richelieu jusqu'au fort Saint-Frédéric, la guerre vint interrompre l'œuvre de l'intendant au moment où le succès semblait devoir récompenser ses efforts[39]. »

La guerre de Sept Ans apporte à son tour un lot de nouveaux forts pour défendre la voie qui mène à Montréal. Ces ouvrages défensifs, dont le fort Carillon[40], sont les plus importantes manifestations de la présence française. Les raids et les batailles continuent de freiner le potentiel de développement. En se fiant aux témoignages de Pehr Kalm et de Robert Rogers entre 1749 et 1756, les civils n'habitent jamais loin des postes fortifiés, laissant la plus grande partie du lac inhabitée[41]. Comme le démontre Coolidge, certains seigneurs tentent malgré tout et du mieux qu'ils peuvent d'exploiter leurs terres. Alors que leurs seigneuries attirent quelques centaines d'habitants, leurs efforts n'aboutissent pas à ce qu'on peut qualifier de réussite spectaculaire. Ceux qui s'implantent sont sans doute pour la plupart d'anciens soldats de la région. Comme Coolidge le souligne pour la seigneurie de la Moinaudière, « jusqu'à ce que de nouvelles découvertes soient faites, le nombre de colons et leurs noms doivent rester inconnus, bien que leur présence est incontestable[42] ».

38. Frégault, *op. cit.*, p. 159.

39. *Ibid.*

40. Dont les plans ont été dessinés par un autre futur seigneur de la région, Michel Chartier de Lotbinière.

41. Walter Hill Crockett, *A History of Lake Champlain : The Record of Three Centuries, 1609-1909*, Burlington, Vermont, H. J. Shanley & co., 1909, p. 62-68.

42. Traduction libre de « until further discoveries are made, the numbers of settlers and their names must remain unknown, but their presence is undoubted », Coolidge, *op. cit.*, p. 92-93.

Si une présence civile demeure toujours autour du lac Champlain, le corps militaire, qui doit affronter « une armée presque trois fois plus nombreuse », finit par se retirer de la région au fur et à mesure qu'il détruit ses forts[43]. L'armée se replie à l'île aux Noix sur la rivière Richelieu, suivie d'une part importante des habitants, dont ceux de la seigneurie Hocquart[44]. Ceux qui restent, tout comme leurs confrères de la vallée du Saint-Laurent, doivent attendre le traité de Paris avant de connaître leur sort.

L'après-Conquête

Nul besoin de rappeler qu'à la fin de la guerre de Sept Ans la France perd le contrôle non seulement du lac Champlain, mais aussi de ses possessions sur le continent entier. Vainqueur, le roi d'Angleterre émet une proclamation qui inclut cet article au sujet de la nouvelle délimitation du territoire canadien :

> Le gouvernement de Québec sera borné sur la côte du Labrador par la rivière Saint-Jean et de là par une ligne s'étendant de la source de cette rivière à travers le lac Saint-Jean jusqu'à l'extrémité sud du lac Nipissin[g], traversant de ce dernier endroit, le fleuve Saint-Laurent et le lac Champlain par 45 degrés de latitude nord, pour longer les terres hautes qui séparent les rivières qui se déversent dans ledit fleuve Saint-Laurent de celles qui se jettent dans la mer, s'étendre ensuite le long de la côte nord de la baie de Chaleurs et de la côte du golfe Saint-Laurent jusqu'au cap Rozière, puis traverser de là l'embouchure du fleuve Saint-Laurent en passant par l'extrémité ouest de l'île d'Anticosti et se terminer ensuite à ladite rivière Saint-Jean[45].

43. Dechêne, *Le peuple, l'État et la guerre,* p. 424.

44. Certains vestiges des habitations peuvent être observés aussi tardivement que 1859. Coolidge, *op. cit.*, p. 98-99.

45. « The Government of Quebec bounded on the Labrador Coast by the River St. John, and from thence by a Line drawn from the Head of that River through the Lake St. John, to the South end of the Lake Nipissim; from whence the said Line, crossing the River St Lawrence, and the Lake Champlain, in 45. Degrees of North Latitude, passes along the High Lands which divide the Rivers that empty themselves into the said River St Lawrence from those which fall into the Sea; and also along the

Si sur papier la frontière semble pourtant claire, c'est une tout autre réalité sur le terrain. Où se trouve donc ce fameux 45e parallèle ? Nul ne le sait. Cette incertitude engendre une situation embarrassante pour les administrateurs des deux côtés de la « frontière ».

Des réactions variées de la part des seigneurs

Si la question de l'emplacement de la nouvelle frontière se pose dans l'esprit des seigneurs du lac Champlain, le droit aux biens, lui, ne se pose pas. Après tout, le trente-septième article de l'acte de capitulation de 1760 stipule clairement :

> Les Seigneurs de terre, les officiers militaires et de justice, les Canadiens, tant des villes que des Campagnes, les François établis ou commerçans dans toute l'étendu de la colonie de Canada, et toutes autres personnes que ce puissent être, &c. conserveront l'entiere paisible propriété et possession de leurs biens Seigneuriaux et roturiers, meubles et immeubles, marchandises, pelleteries et autres effets, même de leurs bâtiments de mer ; il n'y sera point touché ni fait le moindre dommage sous quelque pretexte que ce soit. Il leur sera loisible de la conserver, louer, vendre, soit aux François ou aux Anglois, d'en emporter le produit en lettres de change, pelleteries, especes sonnantes ou autres retours, lorsqu'ils jugeront à propos de passer en France, en payant le frêt [...][46].

Les seigneurs ne voient donc aucune entrave à la jouissance de leurs seigneuries et au droit d'en disposer comme bon leur semble.

North Coast of the Baye des Chaleurs, and the Coast of the Gulph of St Lawrence to Cape Rosieres, and from thence crossing the Mouth of the River St Lawrence by the West End of the Island of Anticosti, terminates at the aforesaid River of St John », « Proclamation of Oct. 7th, 1763 », dans Adam Shortt et Arthur George Doughty (ed.), *Documents relating to the constitutional history of Canada, 1759-1791. Vol. 1*, Ottawa, S.E. Dawson, 1907, p. 120.

46. Cité dans *A collection of the Acts Passed in the Parliament of Great Britain and of Other Public Acts Relative to Canada*, Québec, P.E. Desbarats, 1824, p. 19.

Certains vendent leurs seigneuries avant de retourner en France. C'est le cas de François Daine qui vend sa propriété sur le lac Champlain à Jean Martheille[47]. Ce dernier ne tarde pas à faire reconnaître sa seigneurie auprès du gouverneur de Montréal, Thomas Gage, le 28 septembre 1763, par l'entremise de son procureur, Jean Dumas Saint-Martin. Dans son acte de foi et hommage, Martheille (ou Marteilh) se dit seigneur d'« une isle située dans le lac Champlain vulgairement appellé la grande isle avec les isles islets et battures qui en dépendent à luy » pour laquelle il promet de présenter l'aveu et dénombrement[48]. Il y donnera des concessions au moins jusqu'en 1767[49].

C'est le cas aussi de Marie-Thérèse Migeon de La Gauchetière, épouse du défunt François-Marie Le Marchand de Lignery, qui passe devant notaire le 8 octobre 1764 afin de confier en don et cession la seigneurie de la Gauchetière à François MacKay et son épouse Marie-Anne Le Marchand de Lignery[50] avant son départ pour la métropole[51].

D'autres sont déjà en France lorsqu'ils vendent leurs seigneuries. Le 29 août 1765, le seigneur Claude Raimbault annonce que La Moinaudière est à vendre[52]. La vente de cette dernière est conclue

---

47. BAnQ-Q, CN301, S207, greffe de Jean-Claude Panet (1745-1775), Vente d'une île située dans le lac Champlain vulgairement appelée la Grande Isle; par François Daine, conseiller du Roi et lieutenant général de la Prévôté de Québec, à Jean Marteilh, négociant, de la ville de Québec, 22 septembre 1763.

48. BAnQ-Q, P240, Fonds Collection Seigneuries, 1626-1975, Grand-Ile (Pancalon), Foy & Homage Sieur Martheille a M. le Général Gage, le 28 7bre 1763. Copie typographiée.

49. Coolidge, *op. cit.*, p. 107.

50. Nous remercions Karine Pépin pour l'identification de l'épouse.

51. BAnQ-M, CN601, S308, greffe de Pierre Panet de Méru (1755-1778). Cession et abandon d'un fief et seigneurie situé dans le lac Champlain par Marie-Thérèse Migeon de Lagauchetière et François-Marie Marchant-Deslignery, écuyer, chevalier de l'Ordre royal et militaire de St. Louis et capitaine d'infanterie, à François MacKay et Marie de Lignery, son épouse, son gendre, 8 octobre 1764.

52. « La Seigneurie ou Fief de la Moinaudiére, située dans le Lac Champlain, du coté de l'Est, avec les isles, islettes, et batures adjacentes, de quatre lieuës de front sur cinq lieuës de profondeur, et dans laquelle est comprise la riviére dite la Moëlle. Ceux qui voudront acheter cette Seigneurie pourront s'adresser à Mr. *Perrault*, à Québec, ou à Mr. *Raimbault*, à Montréal, à qui la dite Seigneurie appartient. » *Gazette de Québec*, n° 72, 31 octobre 1765.

le 27 septembre de l'année suivante pour la somme de 90 000 livres par l'intermédiaire de ses procurateurs[53]. Les nouveaux propriétaires, Benjamin Price, Daniel Robertson et John Livingston, s'entendent pour payer Raimbault une moitié en or et en argent et l'autre en marchandises[54].

Ce ne sont pas tous les seigneurs qui vendent leurs seigneuries. En 1769, à son retour des Illinois où il a passé les huit dernières années, le seigneur Louis Liénard de Beaujeu reconnaît qu'il possède toujours une seigneurie sur le lac Champlain[55]. Déclarant en même temps qu'il est ruiné, il compte sans doute profiter de sa seigneurie pour renflouer ses coffres. Cependant, comme nous le verrons plus tard, il ne réussit pas à faire légitimer ses prétentions. Il doit plutôt se contenter d'habiter sur l'île aux Grues et de vivre des rentes de sa femme, Geneviève Le Moyne de Longueuil[56].

Il y a même un cas curieux, en 1772, où quelqu'un tente de profiter du nouveau régime pour essayer de ressusciter une ancienne concession : Claude-Pierre Pécaudy de Contrecœur présente une requête auprès du gouvernement britannique pour jouir de la seigneurie de Grande Isle. Celle-ci, qui avait été octroyée à son père, avait pourtant été réunie au domaine du roi en 1741 et reconcédée à François Daine en 1749. Les nouveaux dirigeants de la colonie ne sont pas dupes ; toutefois, ils ont accès à de nombreuses archives françaises. S'appuyant sur la réunion de 1741, le gouvernement refuse donc la demande[57].

Une seule seigneurie semble ne faire l'objet d'aucune attention, celle de Jacques-Pierre Daneau de Muy, décédé en 1758 à Détroit. Est-ce par désintéressement que sa famille ne réclame pas la seigneurie ? A-t-elle d'autres préoccupations avec le changement

---

53. Il s'agit de son frère et de son épouse qui, à ce que nous comprenons, sont eux-mêmes coseigneurs. Deed of sale of the seigniory of la Manaudière on the East side of Lake Champlain, 27 septembre 1766, cité dans O'Callaghan, *op. cit.*, p. 564-567.

54. Coolidge, *op. cit.*, p. 92 et Crockett, *op. cit.*, p. 58.

55. BAnQ-M, CN601, S308, greffe de Pierre Panet de Méru (1755-1778). Dépôt d'un état des biens de Louis Liénard de Beaujeu, 6 septembre 1769.

56. Au sujet de Beaujeu, voir Joseph Gagné, *« Fidèle à Dieu, à la France, et au Roi » : les retraites militaires de Beaujeu et La Chapelle vers la Louisiane après la perte du Canada 1760-1762*, Mémoire (M. A.), Université Laval, 2014.

57. Coolidge, *op. cit.*, p. 106.

de régime ? Aucun document trouvé pendant notre recherche ne permet d'élucider cette question.

Michel Chartier de Lotbinière est de loin le cas le plus intéressant des seigneurs qui vont revendiquer leurs fiefs. Après la reddition de Montréal en 1760, il est envoyé en France comme tous les officiers français[58]. Prévoyant ne plus pouvoir s'insérer dans la vie militaire du nouveau régime, il tente plutôt de se lancer dans l'achat de terres avant son retour au Canada. Parmi les seigneuries qu'il accumule se trouvent celles d'Hocquart et d'Alainville sur le lac Champlain. Suite aux évènements qui seront évoqués plus loin, Chartier de Lotbinière se voit dépossédé de celles-ci. Refusant ce dénouement, il va chercher à faire légitimer ces deux seigneuries par le gouvernement britannique. S'ensuit une quête qui devient presque légendaire dans les annales historiques[59] : effectivement, seule une « obsession[60] » peut expliquer les démarches de Chartier de Lotbinière qui s'étirent sur plusieurs décennies, le fait voyager entre deux continents lui fait perdre faveur auprès de quatre gouvernements et se mettre à dos tous ses proches, dont sa propre famille. Sa quête est d'autant plus étrange à la lumière de cette publicité parue en 1767 dans la *Gazette de Québec* qui annonçait son intention de vendre ses deux seigneuries :

> A VENDRE au plus offrant, majeure partie payable à Londres, [...]
>
> 3° La Seigneurie *d'Alainville*, qui commence à la *Pointe des Habitans* (à une lieuë et plus audessus du fort de la *Pointe à la Chevelure*, et du même coté et se termine à une pointe-basse

---

58. Lire à ce sujet Robert Larin, « Les Canadiens passés en France à la Conquête (1754-1770) », dans Philippe Joutard et Thomas Wien (dir.), *Mémoires de Nouvelle-France. De France en Nouvelle-France*, Rennes, Presses universitaires de Rennes, 2005, p. 145-151.

59. Pour une biographie complète de Chartier de Lotbinière, voir F. J. Thorpe et Sylvette Nicolini-Maschino, « Chartier de Lotbinière, Michel, marquis de Lotbinière », *Dictionnaire biographique du Canada*, vol. 4, Université Laval et University of Toronto, [En ligne], 1980, [http://www.biographi.ca/fr/bio/chartier_de_lotbiniere_michel_4F.html] ; Sylvette Nicolini-Maschino, *Michel Chartier de Lotbinière : l'action et la pensée d'un canadien du 18e siècle*, Thèse (Ph. D.), Université de Montréal, 1978, et André LaRose, *La seigneurie de Beauharnois, 1729-1867 : les seigneurs, l'espace et l'argent*, Thèse (Ph. D.), Université d'Ottawa, 1987.

60. LaRose, *op. cit.*, p. 83.

au-dessus de l'*Isle au Mouton*, à l'entrée du *Lac St. Sacrement*, ce qui fait une étendûe d'environ 4 lieuëes et demie de long de la riviere et lac, sur une profondeur de 5 lieuëes à l'Ouest, n'y aïant d'autres terrins reservés au Roi que celui occupé par la forteresse de *Carillon (Ticonderoga)* et des augmentations qu'on jugera nécessaires à la dite fortification.

4° La Se˙gneurie [sic] de *Hocquart* (vis-à-vis du fort de la *Pointe à la Chevelure*) de 4 lieuës de front, sur 5 lieuës de profondeur à l'Est, le terrein sans contredit le plus précieux de tous ceux sur le *Lac Champlain*.

Toutes ces Seigneuries ont, dans toute leur étenduë, droit de haute, moïenne, et basse justice, de chasse, de pêche, de traite, et tous autres droits seigneuriaux. [...][61].

Sans cette annonce, on pourrait supposer que le seigneur s'obstine à vouloir garder ses deux seigneuries pour jouir de leur emplacement sur le lac Champlain. Cette annonce, au contraire, augmente le degré d'excentricité que démontre Chartier de Lotbinière en refusant systématiquement toute offre de compensation ou d'échange foncier de la part du gouvernement britannique. Pourquoi ne se contente-t-il pas des nombreuses et généreuses offres de compensation s'il planifiait de se séparer de ces deux seigneuries de toute façon ? S'agit-il d'un orgueil trop prononcé ou d'un sens de l'honneur vexé par ce qu'il voit être un manquement aux promesses de la capitulation ? Mystère.

Bref, après 1760, toutes les seigneuries du lac Champlain continuent de faire partie des préoccupations de leurs seigneurs, sauf une qui semble sombrer dans l'oubli. Leurs actions correspondent à ce que Chartier de Lotbinière écrit justement au sujet de ses propres seigneuries dans la région : « Le seul fait d'avoir acquis de nouvelles possessions dans ce pays cédé à la Couronne de la Grande-Bretagne, au lieu d'essayer de vendre celles que j'y avais déjà, manifeste les dispositions que j'avais à m'attacher pour toujours

61. L'annonce conclut ainsi : « Pour tout l'exposé ci-dessus, on s'adressera à Monsieur De LOTBINIERE, propriétaire de tous ces biens, jusqu'à son départ pour *Londres* qui sera dans cinq à six semaines. » *Gazette de Québec*, n° 141, 10 septembre 1767.

[à mon nouveau pays] et à y attacher les miens, et par conséquent je ne peux qu'être compris dans l'appellation de sujets du Roi accordée à ceux du Canada par le traité[62]. »

Une frontière floue

En 1766, le problème de l'emplacement de la frontière entre New York et la province de Québec n'est toujours pas résolu. Pour élucider la question, sir Henry Moore, le gouverneur de New York, visite le lac Champlain en compagnie de Guy Carleton. Lorsqu'il rencontre des *French gentlemen* à Windmill Point[63] (à moins d'un mille au nord de Rouses Point), Moore est embarrassé du fait qu'il ne peut donner de réponse concernant la question de la jouissance des seigneuries du lac. Comme l'écrit le gouverneur de New York :

> À cette demande je ne pouvais offrir d'autre réponse que la suivante : Sa Majesté, par les instructions qu'elle m'avait données, avait imposé de telles règles pour l'octroi de terres dans cette Province qu'il m'était impossible d'y contrevenir sans provoquer son mécontentement, et que je ne disposais pas en ce moment du pouvoir de confirmer ce qu'ils me demandaient, puisque j'étais particulièrement limité dans l'octroi de terres de plus de mille acres par personne, alors qu'eux me demandaient la confirmation de concessions dont certaines consistaient en étendues de terres de 100 000 acres et d'autres de 150 000 acres ; de plus, je les ai informés qu'aucune terre n'avait été accordée dans cette province à quiconque parmi les sujets de Sa Majesté sans que cette personne ait payé à la Couronne une rente libératoire de deux shillings et six pence le cent acres, et j'ai voulu savoir s'ils s'attendaient à la confirmation

62. Traduction libre de : « The sole fact of having acquired new possessions in that Country ceded to the Crown of Great Britain, instead of endeavoring to sell those I already had there, manifests the dispositions I entertained to attach myself and mine for ever to [my new Country], and consequently I cannot but be comprehended under the denomination of King's Subjects granted to those of Canada by the Treaty », Chartier de Lotbinière à Sir Fletcher Norton, King's Attorney General. Le 15 juin 1764, cité dans O'Callaghan, *op. cit.*, p. 542-544.

63. Aujourd'hui au sud de la frontière entre le Canada et les États-Unis.

> de leurs concessions sans qu'ils aient à payer ladite rente libératoire ; ce à quoi ils ont répondu par l'affirmative et ont demandé que je ne concède plus aucune terre sur le lac tant que je n'aurais pas soumis leurs revendications aux ministres de Sa Majesté[64].

Effectivement, plusieurs des terres revendiquées par les seigneurs font déjà l'objet d'investissement et de développement par d'anciens soldats et officiers britanniques qui se sont fait promettre des concessions de terre par Cadwallader Colden, le lieutenant-gouverneur de New York. Comme le décrit plus loin le gouverneur Moore, confirmer les concessions françaises vouerait ces vétérans à la ruine.

Le statut des terres du lac Champlain stagne et inquiète donc les propriétaires potentiels des deux côtés de la frontière ambiguë. Comme le décrit le gouverneur Moore, « plusieurs autres personnes [...] sont déjà allées jusqu'à faire arpenter les terres, mais maintenant, elles n'osent pas en faire davantage de crainte d'en être dépossédées, après avoir fait une si grande dépense[65] ». Aux prises avec cette situation, le gouverneur presse le pas pour faire recenser le territoire et les prétentions de tous.

La Couronne britannique tranche la question de la frontière dans une lettre à l'intention de Moore datée du 25 février 1768. D'abord, l'Angleterre précise qu'elle ne reconnaît pas les titres des

64. Traduction libre de : « [...] to this demand I could make no other answer than, that His Majesty had by his instructions to me laid down such rules for the granting of lands in this Prov^{ce} that I could not deviate from them without incurring his displeasure, and that the power of confirming what they now requested from me, was not at present lodged in my hands, as I was particularly restrained from granting to any one person more than one thousand acres, whereas they demand confirmation of Grants, some of which consisted of Tracts containing 100,000 acres and others of 150,000 acres ; I further informed them that no land was granted in this Prov^{ce} to any of His Maj^{tys} subjects without their paying a quit-rent of two shillings & sixpence sterling to the Crown for each hundred acres, & desired to know if they expected to have their grants confirmed, without paying any such quit-rent ; to which they answered in the affirmative, and requested that I would not grand any lands on the Lake till I had laid their claims before His Majestys Ministers. », Henry Moore au Board of Plantations, New York, 7 novembre 1766, cité dans O'Callaghan, *op. cit.*, p. 547-549.

65. Traduction libre de « several other persons [...] have already gone so far, as to make actual surveys of the Lands, but are now discouraged from proceeding farther, lest after a great expense incurred they might be turned out of possession », Henry Moore au Board of Plantations, New York, 7 novembre 1766, cité dans O'Callaghan, *op. cit.*, p. 547-549.

seigneuries dans le territoire de New York. La décision se fonde sur le fait que ces terres n'ont jamais été reconnues par l'Angleterre comme ayant fait partie du territoire français[66]. Quelques mois plus tard, la Couronne confirme l'emplacement de la frontière telle qu'elle avait été établie par Moore et Carleton en 1767[67]. Même avant cette confirmation, la zone entourant la « frontière » fait déjà l'objet, au mois de mai de 1768, d'un interdit sur la coupe de bois qui doit être réservée pour la construction de navires[68].

En revanche, la Couronne reconnaît le droit des Canadiens d'occuper toute concession déjà habitée et exploitée, avec un droit automatique à 50 acres de terrain pour chaque 3 acres développées, à la stricte condition de répondre aux conditions et obligations de New York. Alors que le gouverneur Moore ne pouvait octroyer plus de 1 000 acres par personne, les nouvelles instructions permettent aux seigneurs, prêts à débourser en conséquence, une limite de 20 000 acres[69].

Le gouverneur Moore va répondre à la Couronne en soulignant que la possibilité de rachat des « ex-seigneuries » ne règle toujours pas le problème de celles qui faisaient l'objet de colonisation par d'anciens sujets anglais. Suit alors en conséquence une nouvelle instruction de refuser toute concession à quiconque avant un examen minutieux de chaque demande[70]. Ainsi paraît cette annonce dans la *Gazette de Québec*, le 5 septembre 1771, de la part du nouveau gouverneur de New York :

> Par AUTHORITE'
>
> Par Son Excellence GUILLAUME TRYON, Ecuïer, Capitaine-Général et Gouverneur en Chef dans la Province de la Nouvelle-York, Chancellier et Vice-amiral d'Icelle.

---

66. Lord Hillsborough à Henry Moore, Whitehall, 25 février 1768, cité dans *ibid.*, p. 549.

67. Lord Hillsborough à Henry Moore, Whitehall, 13 août 1768, cité dans *ibid.*, p. 550 et 568.

68. *Gazette de Québec*, n° 176, 12 mai 1768.

69. N.Y. Council Minutes xxvi, cité dans *ibid.*, p. 550-551.

70. *Additional Instruction to Our Trusty and Well Beloved Sir Henry Moore Baronet, Our Captain General And Governor in Chief of Our Province of New York & The Territories Depending Thereon in America. Given & C. Dated 5 July 1769*, cité dans *ibid.*, p. 553.

PROCLAMATION

PLUSIEURS Personnes, en vertu de Titres donnés par le Gouvernement de France, lorsqu'elle était en possession du Canada, prétendans la propriété de Terres situées sur la partie du Lac Champlain, comprise dans les limites de la Province de la Nouvelle-York, sans avoir établi et fait connaitre à ce Gouvernement la nature et l'étendûë de leurs prétentions, Défaut dont il pourrait résulter un préjudice réal à ces prétendans, et dont l'intérêt de la Couronne et de cette Colonie pourrait grandement souffrir, faute de culture et d'établissement de cette partie du Païs : A ces Causes, J'ai jugé à propos, de l'Avis du Conseil de sa Majesté, de publier cette Proclamation, qui notifie à toutes Personnes à qui appartiennent, ou qui prétendent, en vertu de tels Titres, à la propriété d'aucunes Terres situées sur le Lac Champlain au Nord de la Pointe à la Chevelure, et au Sud du quarante cinquiéme Degré de Latitude Nord, de faire parvenir au Bureau du Sécrétariat de cette Province, dans l'Espace de Trois Mois, à compter de la datte de la Présente, dès Copies authentiques des Concessions originales, auxquelles ils joindront des preuves suffisantes de la situation des Terres mentionnées, et de la validité du Titre des prétendans d'icelles, au temps de la reddition du Canada à la Couronne d'Angleterre, afin que le gouvernement de cette Province, en étant pleinement informé, soit en état de donner à ces prétendans, en vertu des Titres Français, l'attention qu'ils leur paraitront mériter.

Donnée sous mon Seing et le Sçeau de mes Armes, au Fort Georges, dans la ville de la Nouvelle-York, le 17 jour d'Août, 1771, dans la Onziéme année du Régne de Nôtre Souverain Seigneur Georges *Troisiéme, par la Grace de Dieu, Roi de la Grande-Bretagne, de France et d'Irelande, Protecteur de la Foi, &c.* (Signé) Wm. TRYON.

Par Ordre de Son Excellence,

(Signé) G. W. Banyard, *D. Secry.*

VIVE Le ROI.

Traduit par Ordre du Commandant en Chef de la Province de Québec,

F.J. Cugnet, *S. F.*[71]

71. *Gazette de Québec*, n° 348, 5 septembre 1771.

On peut se douter que la crise économique qui touche le Canada[72] est un frein aux seigneurs qui veulent racheter de New York une partie des terres du lac Champlain. N'empêche, certains essaient quand même, comme Louis Liénard de Beaujeu. Alors que l'enquête sur les seigneuries demande des documents à l'appui des revendications, Beaujeu peine à produire les preuves nécessaires. Bien qu'il insiste que la concession de sa seigneurie avait été ratifiée par le roi, le document original aurait été perdu en 1756. Cela oblige Beaujeu à demander une copie de la part de son frère à Paris et de plaider pour un report de la date limite[73].

En fin de compte, il semble que Beaujeu n'obtiendra jamais les documents nécessaires : le comité responsable de vérifier la situation des seigneuries du lac Champlain souligne qu'aucun seigneur n'a cherché à faire enregistrer ses terres auprès de New York selon ses règles. Dans son rapport, les seigneurs qui ont continué à revendiquer et à exploiter leurs seigneuries l'ont fait premièrement en supposant, comme l'avait soulevé Chartier de Lotbinière, que les seigneuries étaient automatiquement protégées par les actes de capitulation et, deuxièmement, que leurs terres se trouvaient *de facto* au nord du territoire réclamé par New York[74].

Le comité soumet donc au roi la question à savoir si les seigneuries revendiquées en sol new-yorkais, qu'elles aient été ratifiées ou non par la Couronne française, sont soumises aux articles de la capitulation. Le comité avance toutefois que, selon lui, ces seigneuries se retrouvent toutes sur un territoire déjà réclamé par New York (c'est-à-dire le territoire qui s'étend jusqu'à la berge sud du Saint-Laurent, un territoire qui appartient selon eux aux Cinq-Nations iroquoises, sous protection britannique). Le comité évoque également que la région a, dans le passé, fait l'objet de colonisation

72. Voir à ce sujet Sophie Imbeault, « Que faire de tout cet argent de papier ? Une déclaration séparée au traité de Paris », dans Sophie Imbeault, Denis Vaugeois et Laurent Veyssière (dir.), *1763 : le traité de Paris bouleverse l'Amérique*, Québec, Septentrion, 2013, p. 142-183.

73. Notons qu'aucun historien n'a réussi à retracer cette ratification. François Cugnet à Hector Théophile Cramahé. À Québec, le 15 octobre 1771, cité dans O'Callaghan, *op. cit.*, p. 563-564.

74. *Report of the Commitee on the Subject of the French Claims to Lands on Lake Champlain*, cité dans O'Callaghan, *op. cit.*, p. 568-569.

par l'Angleterre grâce à la concession de Godfrey Dellius du 3 septembre 1696[75].

Comme d'habitude, la réponse se fait attendre. William Tryon, le nouveau gouverneur de New York, écrit en 1772 au secrétaire d'État aux Colonies, se plaignant qu'aucune réponse concrète n'a été encore émise au sujet de l'ambiguïté du statut des terres du lac Champlain[76]. Alors que le nouveau secrétaire d'État aux Colonies, William Legge, deuxième comte de Dartmouth, préfère réserver son jugement sur la question en la confiant au Board of Trade[77], il ne s'empêche pas de remarquer qu'il ne connaît aucune preuve démontrant que la rive sud du Saint-Laurent appartient à New York[78]. Le comité du Board of Trade anime donc un débat sur le statut des seigneuries, non sans inviter Chartier de Lotbinière, le plus ardent défenseur du droit des seigneurs à leurs terres[79].

Bien que l'attachement historique du lac Champlain au territoire des Cinq-Nations soit l'argument principal pour l'imposition du droit de New York sur la région, le débat est ironique : le comité veut déterminer la légitimité ou non des anciennes prétentions françaises sur un lac que tous s'entendent à nommer en honneur du premier explorateur, un *Français*, à y avoir mis les pieds (contrairement au lac Saint-Sacrement, promptement rebaptisé Lake George).

Le Board of Trade, dans son rapport final de 1775, en vient à la conclusion que les seigneuries avaient été octroyées illégalement par la France (du moins, selon l'opinion britannique). Bref, les seigneuries au sud du 45e parallèle ne peuvent être reconnues légitimes. Cependant, le comité admet que certains individus ont

---

75. *Report of the Commitee on the subject…*, *op. cit.*, p. 571.

76. William Tryon à Hillsborough, New York, 1er septembre 1772, cité dans *ibid.*, p. 572.

77. La branche gouvernementale responsable de la plus grande partie des affaires coloniales.

78. Lord Dartmouth à William Tryon, Whitehall, 4 novembre 1772, cité dans O'Callaghan, *op. cit.*, p. 573.

79. *Minute of Mr. Edmund Burke Attending the Board of Trade.* Le jeudi 12 novembre 1772, cité dans *ibid.*, p. 574. D'ailleurs, alors que les autorités responsables de la question frontalière parlent fréquemment « des » seigneurs du lac Champlain, on ne peut s'empêcher de douter qu'ils font référence en réalité à Chartier de Lotbinière seul.

acheté des seigneuries immédiatement après la Conquête, les imaginant légitimes. Par conséquent, une clémence qui fait appel à une compensation est demandée pour ces seigneurs en particulier. Un profond regret est également exprimé pour les concessions distribuées par la province de New York à partir de ces terres contestées. En conséquence, le comité suggère de mettre fin à tout futur morcellement des terres qui se trouvent à l'intérieur des limites de seigneuries, du moins jusqu'à ce que leur statut soit clarifié. Une compensation est donc également suggérée pour la portion des terres qui ont été concédées à autrui. Celle-ci serait sous forme de concession d'une terre de dimension et de valeur équivalentes au choix dans la province de New York ou de Québec[80]. Dans les sources, seul Chartier de Lotbinière semble se faire offrir formellement une telle compensation.

De toute évidence, la reconnaissance des seigneuries du lac Champlain est vouée à l'échec pour la simple raison que ces terres se trouvent dans une zone qui a fait l'objet de contestations frontalières entre les colonies françaises et britanniques depuis plus d'un siècle. En se mettant dans l'esprit de l'époque, on ne doit pas oublier que la Conquête n'exclut pas un possible retour du Canada à la France par la guerre ou la diplomatie. Alors que la Grande-Bretagne veut reconnaître le droit de propriété des Canadiens, elle ne peut se permettre d'accorder aux seigneurs la possession de leurs seigneuries au sud du 45e parallèle sans, par le fait même, légitimer les prétentions passées de la France sur le territoire. Advenant un retour de la colonie à la Couronne française, la Grande-Bretagne n'aurait autre choix que de céder cette partie du territoire qui avait longtemps été convoitée par ses propres colonies. Néanmoins, si la Grande-Bretagne a raison de craindre pour l'avenir de ses nouvelles possessions sur le lac Champlain, elle se trompe sur la source de la menace...

80. *The Board of Trade to the Committee of the Privy Council.* Le 25 mai 1775, cité dans O'Callaghan, *op. cit.*, p. 583.

L'après-Révolution

En effet, c'est plutôt le traité de paix signé à Paris le 3 septembre 1783 entre l'Angleterre et ses anciennes colonies américaines qui scelle définitivement le sort des seigneuries du lac Champlain. Affectés à un moindre degré sont ces fiefs frontaliers de la province de Québec qui se font amputer une partie importante de leur superficie. C'est le cas de la seigneurie de Saint-Armand, dont plus des trois quarts sont dorénavant au sud de la frontière. Alors que ses seigneurs vont se succéder, le souvenir de la part manquante ne disparaît pas de sitôt, comme l'indique la description de la seigneurie en 1815 par Bouchette, qui évoque l'ancien arpentage[81].

Cependant, même si ces seigneuries ne font plus partie de l'arpentage du lac Champlain en territoire américain, cela ne signifie pas pour autant la fin d'une présence canadienne. Les premiers Canadiens à s'installer immédiatement après la conclusion de la Révolution sont les vétérans qui s'étaient engagés dans l'armée américaine. Par exemple, Clément Gosselin, originaire de l'île d'Orléans, reçoit de l'État de New York 1 000 acres pour ses services (dont sa participation à l'invasion de Québec)[82].

À l'inverse, au nord de la frontière, la pointe du lac attire des « groupes fugitifs », ces loyalistes fuyant leur ancien pays pour retrouver leur ancienne patrie politique. L'interdiction de s'établir le long de la frontière les oblige, sous les ordres de Haldimand en 1778, de se déplacer à Yamachiche où le gouverneur les confie au seigneur Conrad Gugy. Les seigneuries de Foucault et de Noyan, cependant, finissent par absorber une partie des nouveaux arrivants[83].

---

81. Joseph Bouchette, *A Topographical Description of the Province of Lower Canada, with Remarks Upon Upper Canada, and on the Relative Connexion of Both Provinces with the United States of America. Embellished by Several Views, Plans of Harbours, Battles &c. London, Printed for the Author and Published by W. Faden, 1815*, Saint-Lambert, Québec, Canada East Reprints, 1973 (1815), p. 189.

82. Pierre Dufour et Gérard Goyer, « Gosselin, Clément », *Dictionnaire biographique du Canada*, vol. 5, Université Laval et University of Toronto, [En ligne], 1983, [http:// www.biographi.ca/fr/bio/gosselin_clement_5F.html].

83. Ivanhoé Caron, *La colonisation de la province de Québec. Tome 1 : Débuts du régime anglais, 1760-1791*, Québec, L'Action sociale, 1923, p. 120-121.

D'ailleurs, l'idée qu'a en tête Haldimand est de réserver la frontière à deux fins : d'une part, créer une barrière immédiate avec la forêt contre une invasion américaine et, de l'autre, réserver les terres pour les Canadiens en particulier afin de créer, en temps de paix, une barrière culturelle qui, il l'espère, dissuadera les Américains, protestants et anglophones, de s'y installer[84].

En réalité, le développement est inévitable. L'ancienne présence des seigneuries en territoire américain va même parfois créer de curieuses situations, comme dans le cas de la seigneurie de Saint-Armand. Bien que son ancien tracé se retrouve en grande partie au sud de la frontière, le seigneur Thomas Dunn perçoit des redevances de la part de gens installés du côté du Vermont[85]. La situation inverse est ressentie dans certaines seigneuries sur la frontière, dont celle de Noyan et ses habitants de la baie de Missisquoi. Ceux-ci se plaignent des « impositions arbitraires » des Américains lorsqu'en suivant le cours naturel de la côte du lac Champlain ils sont obligés de franchir la frontière pour avoir accès à la rivière Richelieu[86].

On voit même le retour de certains seigneurs dans la région, malgré la frontière : acquise quelque temps avant 1768 par Francis McKay[87], la seigneurie de La Livaudière, ou Bedout, perd son seigneur en 1776 alors que les Américains le chassent de la région. Il revient en 1786 pour y construire sa maison qu'il habite ensuite jusqu'à la fin de sa vie[88].

Bref, malgré les intentions des deux gouvernements, le lac Champlain demeure pendant longtemps une frontière semi-perméable et sera encore une fois la scène de combats pendant la dernière guerre frontalière de 1812[89].

---

84. *Ibid.*, p. 123.

85. Coolidge, *op. cit.*, p. 101.

86. Bouchette, *op. cit.*, p. 187.

87. Il ne s'agit pas du même François MacKay marié à Marie-Anne le Marchand de Lignery.

88. Coolidge, *op. cit.*, p. 111.

89. La seigneurie de Beaujeu-Lacolle en particulier fera l'objet de fortifications. Bouchette, *op. cit.*, p. 180.

Conclusion

La création d'une frontière sur le lac Champlain ne marque pas la disparition nette des seigneuries qui s'y trouvent. Malgré la Proclamation royale de 1763 qui divise le lac Champlain entre la province de Québec et celle de New York, la question du droit à la propriété crée une sorte de limbes juridiques qui permettent au système seigneurial d'y persister quelques années encore. Entretemps, les seigneurs continuent de vendre et d'exploiter leurs terres, se heurtant parfois aux revendications d'anciens sujets britanniques qui croient également avoir droit au territoire.

Si, à la longue, les seigneurs ne peuvent plus garder leurs seigneuries, c'est que celles-ci font partie des dommages collatéraux des enjeux mondiaux qui se jouent à la fin du XVIIIe siècle. D'une part, la Grande-Bretagne ne peut reconnaître le droit des seigneurs à leurs concessions du lac Champlain. Agir ainsi ne ferait que légitimer les prétentions historiques de la France sur la région. D'autre part, la frontière provinciale entre le Québec et New York devient internationale avec l'avènement de la Révolution américaine. Ce changement final de régime dans la région met fin à tout espoir que peuvent avoir les seigneurs canadiens de jouir de ces terres.

Notons qu'à l'avenir une étude plus approfondie de ces seigneuries pourra étoffer cette recherche initiale[90]. Elle pourra également s'intégrer à d'autres sujets d'études, dont les relations avec l'autre, qu'il s'agisse des Cinq-Nations iroquoises ou des Anglais de New York. La question de la légitimité des seigneuries du lac Champlain après la Conquête nous offre aussi un fil

90. Par exemple, alors que nous n'avons pas relevé de documents au sujet de la seigneurie de Ramezay-La-Gesse pour la période étudiée, il est curieux de découvrir que le neveu de Louise de Ramezay, Charles-Louis Tarieu de Lanaudière, va la revendiquer «à titre d'héritier» en 1802. Cette date tardive, bien après que la frontière américaine fut devenue définitive, nous pousse à nous demander quelles autres anciennes seigneuries continueront à faire l'objet de convoitise des familles seigneuriales. Voir Charles-Louis de Lanaudière à Sir Robert Shore Milnes, lieutenant-gouverneur du Bas-Canada, Québec, 19 avril 1802, Archives nationales du Canada, MG 11, CO 42, vol. 119, p. 89-94, cité dans Sophie Imbeault, *Le destin des familles nobles après la Conquête: l'adaptation des Lanaudière au régime britannique (1760-1791)*, Mémoire (M. A.), Université Laval, 2002, p. 83.

conducteur sur la question de l'identité des Canadiens en tant que nouveaux sujets de la Grande-Bretagne. Malgré sa quête personnelle, Chartier de Lotbinière évoque un argument important pour l'avenir de tous les nouveaux sujets de la Couronne britannique : si la Proclamation royale n'assure pas la protection des biens du lac Champlain appartenant aux Canadiens, comment peut-elle garantir de protéger le droit de jouir des biens ailleurs ? Ces seigneuries peuvent donc apporter de l'eau au moulin de ceux qui s'intéressent à la question de l'intégration des Canadiens à l'Empire britannique.

Annexe A

Carte des seigneuries du lac Champlain dressée par Guy Omeron Coolidge[91]

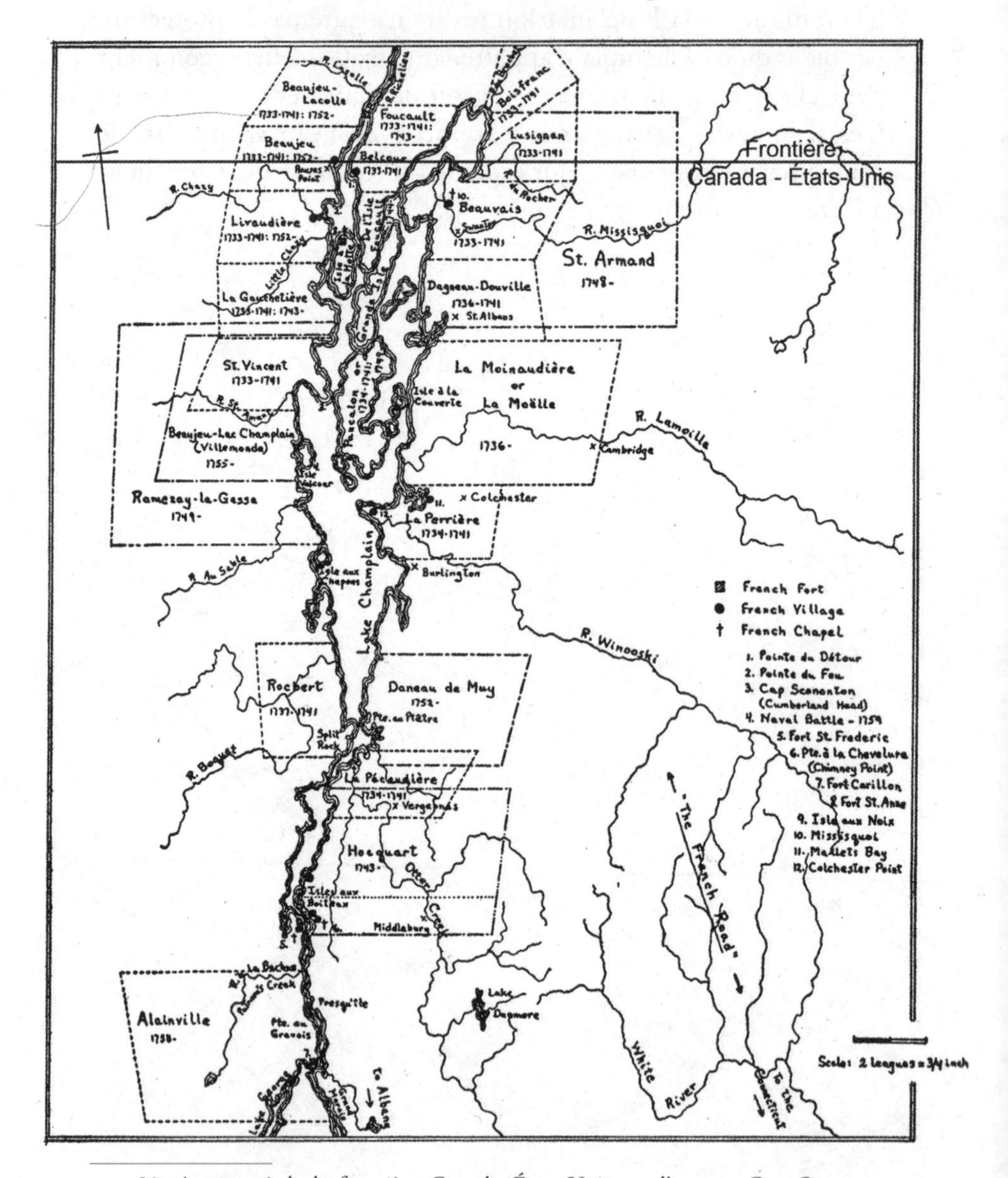

91. Augmenté de la frontière Canada–États-Unis par l'auteur. Guy Omeron Coolidge, *The French Occupation of the Champlain Valley from 1609 to 1759*, Harrison, New York, Harbor Hill Books, 1979 (1938), p. 86.

Annexe B

Tableau des seigneuries du lac Champlain entre 1763-1783

Seigneurie	Année de concession	Seigneur en 1760	Notes
Alainville	1758	Michel Chartier de Lotbinière	• 4 lieues de front sur 5 lieues de profondeur. • Le 10 septembre 1767, Chartier de Lotbinière publie une annonce de vente.
Beaujeu (Villemonde)	1755	Louis Liénard de Beaujeu de Villemonde	• 4 lieues de front sur 4 lieues de profondeur. • En 1769, Beaujeu tente en vain de prouver que cette seigneurie lui appartient.
Bedout ou La Livaudière	1733	Jean-Antoine Bedout	• 2 lieues et demie de front sur 3 lieues de profondeur. • Acquise par Francis McKay en 1768. • Chassé par les Américains en 1776, il y revient en 1786.
Daneau	1752	Jacques-Pierre Daneau de Muy	• 3 lieues de front sur 4 lieues de profondeur.
Estèbe ou la Gauchetière	1733	Marie-Thérèse Migeon de La Gauchetière	• 2 lieues de front sur 3 lieues de profondeur. • Le 8 octobre 1764, elle est confiée en don et cession à François MacKay et son épouse Marie-Anne le Marchand de Lignery.
Foucault ou Caldwell Manor	1733	François Foucault	• 2 lieues de front sur ? lieues de profondeur. • Elle est vendue à James Murray quelque temps après 1760.
Grand Isle ou Pancalon	1734	François Daine	• ? lieues de front sur ? lieues de profondeur. • Elle est vendue en 1763 à Jean Marteilhe, juge de paix à Québec. • En 1772, Claude-Pierre Pécaudy de Contrecœur prétend que la seigneurie lui appartient malgré qu'elle ne soit plus à sa famille depuis 1741.

Seigneurie	Année de concession	Seigneur en 1760	Notes
Hocquart	1743	Gilles Hocquart	• 4 lieues de front sur 5 lieues de profondeur. • Elle est vendue en 1763 à Michel Chartier de Lotbinière. • Le 10 septembre 1767, Chartier de Lotbinière publie une annonce de vente.
La Moinaudière	1736	Paul-François Raimbault	• 4 lieues de front sur 5 lieues de profondeur. • Le 29 août 1765, Claude Raimbault publie une annonce de vente. • Le 27 septembre 1766, elle est vendue à Benjamin Price, Daniel Robertson et John Livingston pour la somme de 90 000 livres.
Lacolle ou Beaujeu	1733	Succession de Daniel-Hyacinthe-Marie Liénard de Beaujeu	• 2 lieues de front sur 3 lieues de profondeur. • Vendue à Gabriel Christie en 1765.
Noyan ou Île-aux-Noix	1733	Pierre Jacques Payen de Noyan	• 2 lieues de front sur 3 lieues de profondeur. • Vendue par l'épouse et procuratrice de Noyan à Gabriel Christie en 1764.
Ramezay-La-Gesse	1749	Louise de Ramezay	• 6 lieues de front sur 6 lieues de profondeur. • Alors que les archives semblent muettes sur la revendication de la seigneuresse, son neveu, Charles-Louis Tarieu de Lanaudière, s'en déclare « héritier » en 1802.
Saint-Armand	1748	Nicolas René Levasseur	• 6 lieues de front sur 3 lieues de profondeur. • Vendue à Henry Guynand, un négociant de Londres, en 1765. • Vendue à nouveau en 1766 à 1766 par William McKenzie, Benjamin Price, James Moore et George Fulton, tous marchands de Québec.

La substitution fidéicommissaire et la transmission du patrimoine dans la première moitié du XIXe siècle : le cas des seigneurs usufruitiers[1]

JONATHAN FORTIN

LA QUESTION DE LA TRANSMISSION du patrimoine dans les sociétés préindustrielles a été au cœur de nombreux travaux d'historiens durant les dernières décennies. Les historiens de la justice étudient les mesures juridiques qui encadrent cette transmission du patrimoine, tandis que les historiens du social étudient la mise en application, ou la non-application de ces pratiques, ainsi que leurs répercussions sur les familles. En examinant les nombreuses mesures de transmission du patrimoine, on voit que ce que prône la Coutume de Paris – cadre juridique se voulant égalitaire utilisé en Nouvelle-France – n'est que partiellement appliqué. Si la coutume est censée régir le mode de transmission du patrimoine d'une génération à l'autre, il est en effet déjà admis que les pratiques sur le terrain sont tout autres[2].

Appréhender la transmission du patrimoine se situe donc à mi-chemin entre l'histoire de la justice et l'histoire sociale. Pourtant, peu de travaux ont été faits sur les mesures qui permettent de transmettre le patrimoine et de reproduire le statut social,

1. Cet article est issu d'un travail effectué dans le cours HST-650, Activité de recherche *Seigneurie et société au Québec, XVIIe-XXe siècles*, sous la direction de Benoît Grenier à l'automne 2013.

2. John A. Dickinson, *Justice et justiciables. La procédure civile à la prévôté de Québec, 1667-1759*, Québec, Les Presses de l'Université Laval, 1982, p. 1-2.

particulièrement au XIXe siècle. La substitution fidéicommissaire est un bon exemple d'une mesure qui a traversé les siècles et qui joue un rôle important dans la société française d'Ancien Régime et, *de facto*, dans sa colonie, la Nouvelle-France. Cette mesure survit en effet à la Conquête ; elle survit même, au Québec, à sa disparition en France à la suite de la Révolution. Le cas québécois est, en ce sens, particulier. Cette colonie française qui passe aux mains des Anglais durant la Conquête conserve la Coutume de Paris comme cadre juridique en matière civile malgré une certaine hybridation avec le droit anglais. Citons, par exemple, l'ajout très important de la liberté testamentaire en 1774 (réitérée en 1801). Aborder cette évolution du droit est fort complexe, comme le mentionne l'historien Jean-Philippe Garneau, puisque le cadre juridique lui-même est parsemé d'ambiguïtés[3]. Malgré le fait que, pendant une bonne partie du XIXe siècle, des mesures juridiques de la Coutume de Paris aient été appliquées dans le Bas-Canada, il est important de nuancer cette omniprésence du droit coutumier, de nombreux débats ayant lieu en matière de justice civile. Des marchands et des avocats britanniques jugent le droit français trop contraignant et allant à l'encontre de l'esprit libéral[4]. De cette hybridation des justices vont émerger plusieurs cas judiciaires particuliers, à cheval entre le droit de l'ancienne mère patrie et celui de la nouvelle métropole.

La substitution fidéicommissaire[5] est un exemple intéressant de ce « choc des justices ». Il est important de la replacer dans le cadre d'une hybridation du droit, qui engendre par ailleurs une

3. Jean-Philippe Garneau, « Gérer la différence dans le Québec britannique : l'exemple de la langue (1760-1840) », dans Lorraine Derocher et collab., *L'État canadien et la diversité culturelle et religieuse, 1800-1914*, Sainte-Foy, Presses de l'Université du Québec, 2009, p. 58.

4. Dans les débuts du XIXe siècle, la confusion et la méconnaissance amènent certains magistrats à mélanger la Coutume de Paris avec le droit anglais ou à en faire des interprétations boiteuses. Voir Richard C. Harris, *Le pays revêche : société, espace et environnement au Canada avant la Confédération,* Québec, Presses de l'Université Laval, 2012, p. 226-227.

5. La définition de cette mesure et son évolution sont abordées dans la première partie de cette étude. De plus, il est entendu tout au long de cet article que nous allons parler de substitution fidéicommissaire, qu'il ne faut pas confondre avec la substitution vulgaire.

augmentation de l'usage de cette mesure[6]. Analyser cette pratique juridique de transmission du patrimoine revient à l'examiner sur plusieurs axes : celui des rapports intrafamiliaux, soit la relation testateur-héritier, mais aussi celui de l'appartenance à une élite[7] et celui de la reproduction sociale. Il faut aussi replacer cette mesure dans son contexte, celui de la montée du libéralisme, et ainsi voir tous les paradoxes qu'elle comporte : l'arrivée de la liberté testamentaire permet une augmentation du nombre de substitutions et l'imposition de la volonté du testateur, manifestation du libéralisme, même si elle impose « des rapports patrimoniaux conservateurs et contraignants, donc en partie non libéral[8] ». La substitution vient figer le bien substitué dans le temps – pour une ou plusieurs générations –, mais aussi dans l'espace[9].

Aborder le cas de la transmission du patrimoine revient aussi à étudier – dans le cas du Québec de la première moitié du XIXe siècle – l'institution seigneuriale, omniprésente dans les cas de substitutions fidéicommissaires. Dans cette période où de nombreux membres de l'élite possèdent des seigneuries, il est important de

6. L'augmentation des substitutions est visible en comparant leur nombre avant 1794, à l'aide de Parchemin, et au début du XIXe siècle. Cette augmentation est visible par les nombreuses causes qui se rendent devant les tribunaux et est probablement attribuable à l'implantation de la liberté testamentaire. Malgré tout, une étude quantitative serait nécessaire pour observer la nature de cette augmentation ou si elle ne fait que suivre la croissance démographique.

7. Les élites sont ici abordées dans le sens large et celui qui est privilégié par l'historiographie québécoise récente, qui englobe l'élite locale, les fonctionnaires et les petits marchands, par exemple. Pour en savoir plus sur l'historiographie des élites, voir Donald Fyson, « Domination et adaptation : les élites européennes au Québec, 1760-1841 », dans Claire Laux et collab., *Au sommet de l'Empire. Les élites européennes dans les colonies (XVIe-XXe siècles)*, Berne, Peter Lang, 2009, p. 169.

8. Ce paradoxe est soulevé par Thierry Nootens dans un article portant sur la famille Masson. Il démontre bien que la substitution influence, voire dirige, les générations futures d'héritiers. Voir Thierry Nootens, « "Je crains fort que mon pauvre Henri ne fasse pas grand-chose..." : les héritiers "manqués" et les querelles de la succession Masson, 1850-1930 », *Revue d'histoire de l'Amérique française*, vol. 59, n° 3, 2006, p. 231.

9. Si généralement le grevé possède la pleine administration de la seigneurie, pouvant en tirer l'usufruit, les querelles judiciaires viennent parfois empêcher la mise en valeur de la seigneurie. Voir le cas de Pierre Foretier dans Joanne Burgess, « Foretier, Pierre », *Dictionnaire biographique du Canada*, vol. 5, Université Laval et University of Toronto, [En ligne], 2003, [http://www.biographi.ca/fr/bio/foretier_pierre_5F.html] (Consulté le 23 sept. 2013).

se pencher sur le rapport patrimoine-seigneurie, mais aussi sur cette propriété foncière dans une perspective de prestiges-privilèges et celle de cette possession comme étant un investissement rentable, que ce soit à court, moyen ou long terme. La période qui suit la Conquête, jusqu'au milieu du XIXe siècle, voit de nombreux anglophones se porter acquéreurs de seigneuries, passant d'un quart de propriétaires anglophones en 1791, à plus de la moitié en 1851[10]. Les seigneuries changent de mains, souvent au profit des bourgeois, certaines familles peinant à conserver leurs seigneuries[11]. Le nombre d'habitants qui résident dans les seigneuries augmente aussi de façon significative, ce qui rend de nombreuses seigneuries plus rentables et oblige de nombreux fils de censitaires à s'établir dans des seigneuries voisines[12]. Ce contexte n'est pas étranger à l'augmentation d'une mesure qui était auparavant restreinte par la Coutume.

Nous sommes donc en mesure de nous demander, en observant l'évolution de la mesure juridique qu'est la substitution fidéicommissaire, quelles sont les raisons qui peuvent pousser un testateur à y avoir recours. De plus, quelles sont les implications pour les grevés et qu'indique cette mesure quant à la transmission du patrimoine dans les familles des élites de la première moitié du XIXe siècle ?

L'histoire de la transmission du patrimoine au Québec a déjà fait l'objet de plusieurs travaux. L'historienne Sylvie Dépatie analyse la transmission du patrimoine chez les familles paysannes de Nouvelle-France par donation entre vifs aux XVIIe et XVIIIe siècles, avec ce qu'elle engendre d'« exclus » et d'inégalités[13]. La donation vise la conservation du patrimoine familial, sans le voir se fragmenter entre les nombreux héritiers. Dans l'histoire des régulations sociales, Thierry Nootens aborde les divers procédés d'exclusion des fous, des prodigues et des marginaux de la succession pour éviter la

10. Harris, *op. cit.*, p. 226

11. Benoît Grenier, *Brève histoire du régime seigneurial*, Montréal, Boréal, 2012, p. 154.

12. *Ibid.*, p. 154.

13. Sylvie Dépatie, « La transmission du patrimoine au Canada (XVIIe-XVIIIe siècles) : qui sont les défavorisés ? », *Revue d'histoire de l'Amérique française*, vol. 54, nº 4, printemps 2001, p. 559.

dilapidation et la mauvaise gestion du patrimoine familial. Il s'agit, dans ces recherches, d'exclusions liées à des problèmes médicaux et de dépendances[14]. Par contre, peu d'historiens québécois se sont penchés sur la question des substitutions fidéicommissaires. Il est possible de retrouver de façon hétéroclite des mentions de cette mesure juridique dans certaines biographies ou, de façon superficielle, dans certaines études. Si Nootens aborde un cas de substitution et de transmission du patrimoine avec l'étude de la famille Masson, son article porte cependant sur la fin du XIXe siècle et le début du XXe siècle. L'unique article traitant précisément des substitutions fidéicommissaires est écrit par Geneviève Postolec. Cet article paru dans *Les exclus de la terre* aborde cependant la substitution de manière très sommaire – en deux pages – et couvre uniquement la Nouvelle-France. La période qui s'étend de la seconde moitié du XVIIIe siècle jusqu'à la moitié du XIXe siècle est donc peu abordée, contrairement à l'exclusion pour cause de comportements déviants dans la société canadienne qui a fait l'objet de plusieurs études.

L'historiographie française offre cependant un portrait beaucoup plus complet sur la mesure juridique qu'est la substitution fidéicommissaire, mais aussi sur son rôle au sein de la famille et de sa reproduction. Longtemps vue par les historiens français comme une mesure propre aux élites nobiliaires, la substitution fidéicommissaire a été étudiée sous de nombreux autres angles à partir des années 1970. La thèse de Michel Petitjean (1975) montre bien les différences qui entourent l'application de la mesure de substitution en France du XIIe au XVe siècle[15]. Des études qui portent sur les XVIIe et XVIIIe siècles montrent l'importance de la substitution dans la création d'un patrilignage à travers certains biens comme les seigneuries. Ces études abordent aussi les répercussions sur les femmes – longtemps vues comme les perdantes lors des

14. Thierry Nootens, *Fous, prodigues et ivrognes: familles et déviance à Montréal au XIXe siècle*, Montréal et London, McGill-Queen's University Press, 2007, 308 p.

15. Élie Haddad, «Les substitutions fidéicommissaires dans la France d'Ancien Régime: droit et historiographie», *Mélanges de l'École française de Rome-Italie et Méditerranée modernes et contemporaines*, n° 124 [En ligne], 2012, [http://mefrim.revues.org/690] (Consulté le 8 octobre 2013).

substitutions – alors que l'historien Élie Haddad démontre que la substitution est parfois indifférenciée, voire à l'avantage des femmes[16]. Les bourgeois et les marchands sont aussi étudiés par cet auteur; ceux-ci utilisent cette mesure juridique au XVIIe siècle. Ainsi, l'historiographie française est riche en études sur la substitution, bien qu'il reste de grands champs de recherche à défricher en cette matière, comme l'usage de cette mesure chez les riches paysans par exemple.

Par contre, l'historiographie française porte sur la période moderne, la substitution ayant été abolie momentanément lors de la Révolution, puis fortement affaiblie par la suite. Le cas québécois devient donc fort intéressant, puisqu'il s'agit d'un des derniers endroits où la mesure subsiste, sans grandes modifications par rapport à celle de l'Ancien Régime. La substitution fidéicommissaire n'a donc jamais été l'objet d'une étude à part entière au Québec.

Ce texte démontre, premièrement, que la substitution fidéicommissaire a connu de nombreuses transformations depuis la Conquête, subissant une hybridation avec le droit anglais. Cette mesure est en effet très révélatrice des rapports intrafamiliaux et vise la pérennité du statut et de l'honorabilité de la lignée familiale. Deuxièmement, il s'agit d'une mesure qui favorise la primogéniture, visant à protéger le patrimoine familial – surtout les seigneuries – de la prodigalité de certains enfants et de leurs dettes. Troisièmement, cette mesure peut être porteuse d'avantages pour les femmes ou source d'inégalités; elle modifie les rapports intrafamiliaux sur plusieurs générations dans les familles de l'élite lors de la première moitié du XIXe siècle.

La substitution fidéicommissaire: vestige d'un autre âge

La substitution fidéicommissaire est une mesure très ancienne qui prend ses racines dans le droit romain. Instaurée par un acte privé, cette mesure a pour objectif de rendre un bien indisponible: ainsi

16. Haddad, « Les substitutions fidéicommissaires… », *op. cit.*

il n'est « plus cessible, mais seulement transmissible[17] ». Elle peut être faite par plusieurs moyens, comme une donation entre vifs ou un contrat de mariage, mais elle est généralement insérée dans le testament, où le testateur (aussi appelée substituant ou disposant) lègue ses biens à une personne (le grevé ou institué), avec la charge de les transmettre à une troisième personne (l'appelé ou substitué)[18]. Le grevé, que nous considérons comme un seigneur usufruitier, ne peut donc disposer que de l'usufruit des biens légués, sans pouvoir les aliéner.

Cette contribution ne propose pas une analyse quantitative des sources, elle vise plutôt à étudier les clauses testamentaires touchant à la substitution dans certains testaments. Elle s'intéresse aux dispositions testamentaires prises par le défunt, dans une optique de transmission du patrimoine. Les testaments permettent de connaître la volonté des testateurs, mais surtout d'avoir accès aux mécanismes de transmission du patrimoine et aux multiples applications de la mesure juridique qu'est la substitution fidéicommissaire. Notre échantillon est composé de huit testaments, rédigés dans la première moitié du XIXe siècle, que nous avons retrouvés à l'aide de plusieurs biographies de seigneurs, entre autres celles du *Dictionnaire biographique du Canada*[19]. Nous avons aussi observé les recueils de jurisprudence afin de voir les cas de litiges entourant la mesure, ce qui nous a permis d'ajouter plusieurs cas[20]. La difficulté de retracer cette mesure, qui n'a qu'à être insinuée[21], rend la tâche complexe

17. Anna Bellavitis, Jean-François Chauvard et Paola Lanaro, « De l'usage du fidéicommis à l'âge moderne. État des lieux », *Mélanges de l'École française de Rome-Italie et Méditerranée modernes et contemporaines*, n° 124-2, [En ligne], 2012, [http://mefrim.revues.org/650] (Consulté le 21 novembre 2013).

18. *Ibid.*

19. Nous avons aussi utilisé le *Bulletin des recherches historiques* de Pierre-Georges Roy, ainsi que ses nombreux ouvrages sur les familles de la noblesse canadienne afin de retracer plusieurs cas, pour ensuite aller chercher les testaments.

20. Comme recueil de jurisprudence, nous avons utilisé le répertoire de la *Revue légale.*

21. Il suffit de préciser à l'intérieur du testament qu'il est défendu à son héritier d'aliéner un bien, ou de lui en léguer seulement l'usufruit et la jouissance pour que ce soit considéré comme une substitution fidéicommissaire. Cela va engendrer de nombreux problèmes qui se transporteront devant les tribunaux. Louis Baudouin, « Essai critique sur la substitution fidéicommissaire dans le droit québécois », *The McGill Law Journal*, vol. 3, n° 2, 1957, p. 137.

pour retrouver l'ensemble des seigneurs usufruitiers. De plus, comme il est parfois difficile de déterminer s'il y a substitution ou non, nous avons conservé uniquement les testaments des seigneurs pour lesquels nous avions la certitude qu'une telle mesure était employée, afin de ne pas biaiser notre échantillon. Dans ces conditions, l'objectif est avant tout de mener une étude qualitative de ces huit testaments impliquant une mesure de substitution fidéicommissaire. Il est important aussi de croiser ces sources avec les traités sur la substitution fidéicommissaire pour voir l'application et l'évolution de la mesure, ainsi que d'observer les causes qui se rendent devant les tribunaux afin de saisir les répercussions de la mesure sur les générations de grevés et d'appelés.

Pour comprendre cette mesure et son application au Québec, il est nécessaire de l'analyser dans le temps long, afin de bien voir les motifs et les changements juridiques qui se trouvent derrière elle. Il est donc nécessaire d'observer cette mesure dans la Nouvelle-France, puis d'aborder sa rencontre avec le droit anglais, et surtout de voir l'importance de l'utilisation de la substitution au Québec.

La substitution : de la France d'Ancien Régime à la Nouvelle-France

La substitution fidéicommissaire est loin d'être une mesure uniforme. Cela est vrai pour l'Europe, alors que chaque État possède une législation différente sur le sujet, mais aussi à l'intérieur même de chacun des États, où les lois peuvent varier en fonction de la Coutume. En France, la situation est très différente entre le sud du pays, de droit écrit, et le nord, de droit coutumier. Au sud, la substitution fidéicommissaire est associée de près au lignage : elle fait partie d'un rêve de transmission du patrimoine à l'infini, mais vise aussi à instaurer un patrilignage[22]. Au nord, sous la Coutume de Paris, qui est de type égalitaire, elle servait plutôt à protéger le

22. Robert Descimon, « Les chemins de l'inégalité menaient-ils à la pérennité des lignages ? Réflexions sur les procédés juridiques qui permettaient de s'émanciper des normes égalitaires dans la coutume de Paris (XVIe-XVIIe siècles) », *Mélanges de l'École française de Rome-Italie et Méditerranée modernes et contemporaines*, n° 24-2 [En ligne], 2012, [http://mefrim.revues.org/723] (Consulté le 10 novembre 2013).

patrimoine de la dette d'un héritier ou de son incapacité. L'historien Robert Descimon a démontré que la substitution fidéicommissaire y était cependant peu présente, car il existait déjà d'autres moyens d'exclure ou de créer l'inégalité dans sa succession, par exemple la donation entre vifs ou l'achat de terres nobles pour favoriser l'aîné lors de la succession[23]. Du côté de la Nouvelle-France, Geneviève Postolec abonde dans le même sens : il s'agit d'une mesure peu utilisée, faite pour contrer la mauvaise gestion ou les dettes des héritiers et ainsi bouleverser l'ordre de succession pour favoriser les petits-enfants[24]. On peut aussi y voir une stratégie pour essayer de forcer un enfant à changer des comportements déviants[25].

La rencontre entre le droit français et le droit anglais

Sous le Régime anglais, la substitution fidéicommissaire ne sera pas supprimée, par opposition au cas français – d'après 1789 – qui voit dans cette mesure un moyen de sauvegarder une vieille noblesse décadente[26]. Au Bas-Canada, contrairement à ce qu'il aurait été possible de penser, elle sera enchâssée dans la loi – en étant restreinte à deux générations – même s'il s'agit d'une mesure contre-économique qui va à l'encontre de la pensée libérale véhiculée par la bourgeoisie anglophone[27]. Avec l'arrivée du droit anglais, la question de la substitution est loin de faire l'unanimité[28]. Malgré tout, le choc des deux droits se fait ressentir et va affecter la mise en application de la substitution, ne serait-ce qu'avec l'implantation de la liberté testamentaire qui vient changer le paysage juridique de la province. Evelyn Kolish aborde bien cette hybridation du droit et les conflits qui vont en résulter, en ce qui a trait au testament par exemple, mais aussi au sujet de la tenure seigneuriale et

23. *Ibid.*

24. Geneviève Postolec, « L'exclusion de la succession par exhérédation ou par substitution au Canada aux XVIIe et XVIIIe siècles », dans Gérard Bouchard et collab., *Les exclus de la terre en France et au Québec (XVIIe-XXe siècles)*, Sillery, Septentrion, 1998, p. 45.

25. *Ibid.*, p. 46.

26. Baudouin, *loc. cit.*, p. 135.

27. *Ibid.*

28. *Ibid.*

des problèmes la concernant en matière de succession, source de fragmentation du patrimoine familial pour les anglophones[29]. Observer la jurisprudence permet de comprendre les changements qui sont apportés au XIXe siècle en ce qui a trait à la substitution. La législation qui va être inscrite à l'intérieur du *Code civil* est elle-même ambiguë et contient plusieurs contradictions[30]. La liberté testamentaire va aussi engendrer un affrontement avec la Coutume de Paris qui se voit dans de nombreux cas, comme celui du testament de Pierre Foretier, alors que l'avocat Toussaint Pothier va même jusqu'à affirmer qu'« on doit interpréter la loi actuelle des testaments par l'ancien droit romain et non par la Coutume de Paris, vu que l'acte de 1801 détruit l'esprit de cette coutume en accordant une liberté indéfinie de tester et rétablit tout testateur dans son droit de propriété illimité[31] ». Toutefois, avec l'arrivée du droit anglais, inclure une substitution fidéicommissaire est désormais légitime, quoi qu'il arrive[32].

Une mesure fréquente au Québec?

En regardant le peu de travaux qui ont été réalisés au Québec sur ce sujet, on peut se demander si la substitution fidéicommissaire était une mesure fréquente ou un fait marginal. Le fait que cette mesure n'ait pas à être énoncée clairement dans le testament, puisqu'elle n'a qu'à être insinuée, rend les recherches difficiles. La difficulté de recenser les enfants grevés de substitution est une des principales limites de cette recherche, sachant que nombreux sont

---

29. Evelyn Kolish, *Nationalismes et conflits de droits: le débat du droit privé au Québec 1760-1840,* LaSalle, Hurtubise, 1994, p. 208.

30. Baudouin, *loc. cit.*, p. 135.

31. *Remarques sur le testament de* DELLE. *M. Julie Foretier, épouse de M. Simon H. Durocher,* Montréal, Jones & Cie., 1837, p. 21.

32. Un exemple de cette liberté de tester peut être vu dans un cas en 1799 où un fils adultérin est l'appelé dans une substitution. Désormais, la Coutume n'encadre plus l'ordre de succession et le testateur possède la pleine liberté de faire ce qu'il veut avec ses biens à sa mort: André Morel, « L'enfant sans famille. De l'ancien droit au nouveau code civil », dans René Joyal (dir.), *L'évolution de la protection de l'enfance au Québec: des origines à nos jours,* Sainte-Foy, Presses de l'Université du Québec, 2000, p. 13.

ceux qui ont dû voir l'ouverture de la substitution se passer sans tracas, ou tout simplement n'ont pas été l'objet de travaux faits par des historiens. Cependant, c'est dans la jurisprudence et les cas qui se rendent devant les tribunaux qu'il est possible de voir qu'il s'agit d'une mesure qui a été utilisée à de nombreuses reprises au XIXe siècle, mais aussi au début du XXe siècle. Si peu d'études portent sur le sujet, on sait toutefois qu'il y a de nombreux débats concernant l'abolition de cette mesure, jugée nocive pour les familles et contre-systémique[33].

Ainsi, la substitution fidéicommissaire est une mesure qui engendre un flou indéniable pour les juristes. Cette mesure, qui était peu utilisée en Nouvelle-France, se répandra au cours du XIXe, avec la liberté testamentaire, mais il serait intéressant de se pencher sur son lien avec le contexte économique changeant, ce qu'il n'est pas possible de faire ici. De plus, on voit que la mesure change peu au contact du droit anglais. Pour observer les traces de changements, il faudrait mener une étude de l'ensemble de la jurisprudence et voir l'influence des juges anglais et canadiens-français sur les modifications qui visent à encadrer la substitution. C'est ce qu'a fait Evelyn Kolish en ce qui a trait au testament, démontrant l'imposition des visées anglaises en matière de droit avec la jurisprudence[34]. Si, en 1942, l'honorable juge Thibaudeau Rinfret demandait l'abolition de cette mesure, car il n'y avait plus de noblesse à protéger au Canada, on peut légitimement se demander si la mesure était utilisée par la noblesse et les autres membres de l'élite du XIXe siècle pour se maintenir en place[35].

33. Ces débats ont lieu au XIXe siècle, mais principalement au milieu du XXe siècle. C'est dans cette optique que Louis Baudouin va rédiger son « Essai critique sur la substitution fidéicommissaire dans le droit québécois » en 1957, dans la foulée d'un débat concernant sa légitimité. Morel, *loc. cit.*, p. 13.

34. On peut entre autres penser au cas du testament d'Antoine Juchereau qui se retrouve devant les tribunaux, les juristes anglais arrivant à imposer les normes anglaises en matière d'acceptation de testament : Kolish, *op. cit.*, p. 115.

35. Baudouin, *loc. cit.*, p. 133-134.

« La conservation du patrimoine des familles et à donner aux maisons les plus illustres le moyen d'en soutenir l'éclat » : les seigneurs usufruitiers

En regardant l'exemple de plusieurs familles de l'élite au XIXe siècle, on peut constater la dilapidation de certains patrimoines familiaux – qui incluaient des seigneuries – à la suite des excès d'un fils prodigue ou d'héritiers pauvres en qualités de gestionnaire, raisons qui amènent souvent à la vente des biens fonciers acquis par les générations précédentes[36]. Le cas de la famille McCord est très éloquent : des fils prodigues dilapidant un grand patrimoine[37]. Ainsi, si la substitution peut être employée pour de nombreuses raisons, elle sert fréquemment à lutter contre la prodigalité des fils ou leur incompétence en matière de gestion. À l'instar de l'emploi de cette mesure juridique à Paris, nombre de substitutions faites au Québec visent à figer – l'espace d'une ou deux générations – les biens dans le temps à l'abri d'un héritier plus « fragile » ou qui a déjà de nombreuses dettes[38]. Dans la majorité des testaments à l'étude, les personnes substituées ont des problèmes financiers. Certains finissent par faire faillite, que ce soit du vivant de leurs parents ou après leur décès[39]. Nous sommes donc en mesure de penser que les parents sont au courant des frasques financières de leurs fils.

36. Plusieurs seigneuries ont été vendues ou saisies à la fin du XVIIIe siècle ou dans la première moitié du XIXe. Il suffit de penser à des seigneurs comme Antoine-Narcisse Juchereau-Duchesnay. Voir Benoît Grenier, *Seigneurs campagnards de Nouvelle France. Présence seigneuriale et sociabilité rurale dans la vallée du Saint-Laurent à l'époque préindustrielle,* Rennes, Presses universitaires de Rennes, 2007, p. 80.

37. La famille McCord est probablement l'exemple type que visent à éviter les testateurs faisant appel à la substitution fidéicommissaire. Voir Donald Fyson et Brian Young, « Origines, richesse et travail », dans Pamela Miller et collab., *La famille McCord : une vision passionnée,* [s.l.], Musée McCord d'histoire canadienne, 1992, p. 26-53.

38. Descimon, *loc. cit.*

39. La substitution fidéicommissaire était un des moyens privilégiés dans la France d'Ancien Régime pour empêcher un fils prodigue de dilapider le patrimoine familial ou pour empêcher que les biens dont l'enfant va hériter soient saisis par les créanciers, cette mesure était une exhérédation officieuse, mais elle permettait à un fils ou une fille de ne pas sombrer dans la misère, tout en protégeant le patrimoine dans la famille. *Ibid.*

L'exemple de Philippe Aubert de Gaspé est particulièrement éloquent, lui qui – durant sa jeunesse en tant que shérif de la prison de Québec – va s'endetter à cause d'une mauvaise gestion du pénitencier dont il avait la responsabilité. Ainsi, son père lègue « au dit Philippe Joseph Aubert de Gaspé écuyer shérif son fils ainé, le plein et entier usufruit et jouissance des deux autres tiers au total de tous et tels biens meubles et immeubles nobles et roturiers[40] ». Il ne donne l'entière propriété qu'« aux enfants nés et à naitre du mariage actuel du dit Philippe Joseph Aubert de Gaspé[41] ». De plus, le célèbre seigneur reçoit par le testament de sa tante célibataire Marie-Louise de Lanaudière, mais aussi de sa mère, l'usufruit de plusieurs biens et seigneuries. On peut donc penser que ces personnes, bien informées des déboires financiers de Philippe Aubert de Gaspé, ont pris des mesures testamentaires pour protéger le patrimoine familial. Ce fut le cas, entre autres, de sa tante qui prévoit dans son testament que, si les créanciers veulent s'emparer des biens qu'elle lègue, son testament doit être annulé sur-le-champ[42].

Philippe Aubert de Gaspé semble représenter un cas parmi tant d'autres. Il suffit de penser à Antoine Juchereau Duchesnay, qui voit l'immense patrimoine légué à ses enfants se dissiper en l'espace d'une génération[43]. Citons aussi le cas de Marie-Anne Tarieu de Lanaudière, veuve de François Baby, qui donne à son fils « la jouissance sa vie durant de sa grande terre située en la dite paroisse Saint-Pierre-les-Becquets », elle ajoute la « condition expresse que, pendant la dite jouissance, les fruits et revenus dut dit immeuble ne pouvant être aucunement saisis ni arrêtés par aucun créancier dut dit sieur François Baby légataire, sous quelque

40. BAnQ-Q, P277, Fonds de la famille Aubert de Gaspé, Testament de Pierre-Ignace de Gaspé, 1er décembre 1820.

41. *Ibid.*

42. Jacques Castonguay, *Philippe Aubert de Gaspé: seigneur et homme de lettres*, Sillery, Septentrion, 1991, p. 109.

43. Réal Brisson, « Juchereau Duchesnay, Antoine », *Dictionnaire biographique du Canada*, vol. 5, Université Laval et University of Toronto, [En ligne], 2003, [http://www.biographi.ca/fr/bio/juchereau_duchesnay_antoine_5F.html] (Consulté le 27 novembre 2013).

prétexte que ce puisse être[44] ». Son fils, Joseph Baby, est un entrepreneur qui a subi plusieurs faillites, au Canada, mais aussi aux États-Unis. Propriétaire de plusieurs seigneuries au début du XIXe siècle, il passe sa vie à tenter de démarrer une exploitation forestière, entreprise qui est chaque fois vouée à l'échec[45]. C'est sa mère, en tant que copropriétaire de la seigneurie de Saint-Pierre-les-Becquets, qui dut utiliser son droit de retrait seigneurial pour reprendre possession des biens saisis.

Ces cas nous conduisent à aborder le lien de confiance qui unit les parents à leurs enfants. On peut imaginer que figer la seigneurie dans le temps et « sauter » d'une génération la transmission du patrimoine en démontre beaucoup sur les rapports intrafamiliaux. Loin d'être une mesure banale, cela prive les enfants visés de ressources importantes. Ainsi, cette mesure doit être jugée nécessaire par les testateurs afin de sauvegarder un patrimoine menacé par un héritier[46].

Substituer la terre « au premier enfant mâle »

La primogéniture n'est pas, au Bas-Canada, le mode de transmission du patrimoine qui fait autorité et qui est inscrit dans la loi, contrairement au Haut-Canada. Il s'agit cependant d'un principe qui suscite des débats au pays et qui est contesté par les patriotes comme Louis-Joseph Papineau et Denis-Benjamin Viger[47]. Rappelons aussi qu'en vertu de la Coutume de Paris les biens nobles (les seigneuries) étaient tout de même assujettis à une forme « imparfaite » de primogéniture : contrairement aux successions roturières, les fiefs étaient partagés de manière inégalitaire et le fils aîné demeurait l'héritier

44. BAnQ-Q, CN301, S208, greffe de Louis Panet (1819-1879), testament de Marie-Anne Tarieu de Lanaudière [microfilm], 4M01-5253, 11 mai 1829.

45. John Clarke, « Baby, François (1768-1852) », *Dictionnaire biographique du Canada*, vol. 8, Université Laval et University of Toronto, [En ligne], 2003, [http://www.biographi.ca/fr/bio/baby_francois_1768_1852_8F.html] (Consulté le 28 novembre 2013).

46. Descimon, *loc. cit.*

47. Certains veulent imposer les lois anglaises qui incluent le principe de primogéniture : Michel Ducharme, *Le concept de liberté au Canada à l'époque des Révolutions atlantiques*, Montréal et Kingston, McGill-Queen's Press, 2009, p. 131-132.

de la plus grande partie du patrimoine familial. Il n'est donc pas totalement étonnant que les seigneurs du XIXe siècle cherchent à privilégier une succession favorisant le fils aîné. En effet, dans certains cas, on observe que c'est bien l'aîné mâle qui hérite ou que le testateur vise à imposer un seul héritier à une génération subséquente. Il faut se pencher sur l'aspect de la reproduction sociale – chez les seigneurs, ainsi que chez les membres de l'élite – et de l'impossibilité pour certaines familles d'inclure la totalité des héritiers, ou de la volonté du père de ne pas voir le patrimoine familial se fragmenter. La société québécoise du début du XIXe siècle est en effet encore fondée sur la terre et beaucoup de grandes fortunes appartiennent à des propriétaires terriens.

Le patrimoine foncier, en particulier les seigneuries, joue donc un rôle primordial. Nous n'avons qu'à penser aux grandes entreprises forestières qui s'y développent, par exemple celle de la famille Christie. On peut imaginer que c'est pour cette raison qu'Antoine Juchereau – grand propriétaire de seigneuries – va créer un ordre de succession qui vise à éviter une fragmentation du patrimoine. Ainsi, dans son testament de 1807, il lègue l'usufruit des seigneuries à ses enfants, et la pleine propriété « à celui de ses enfants male né en légitime mariage qui à sa mort se trouvera être l'ainé[48] ». Il stipule aussi qu'en l'absence d'héritier mâle la seigneurie retournerait en partage à ses autres fils pour ensuite appartenir en propre à leurs enfants. On peut donc imaginer que la situation serait conflictuelle si, par hasard, un de ses fils n'avait eu que des filles. Il s'agit cependant d'un cas d'exception dans l'échantillon ; il serait nécessaire de parcourir un plus grand nombre de testaments afin de voir s'il s'agit d'une pratique courante.

Entre le statut social, l'argent et le prestige

La seigneurie est au cœur de bien des substitutions dans la première moitié du XIXe siècle. Cependant, bon nombre de testaments laissent

48. BAnQ-Q, ZQ39, Fonds de la famille Juchereau-Duchesnay (1634-1903), testament d'Antoine Juchereau, [microfilm], 4M01-4549, 11 juin 1807.

voir une pléthore de raisons qui poussent le testateur à substituer ses enfants. Les dettes des héritiers semblent être un élément important, mais, dans d'autres cas, on peut retrouver, arrimés à cette raison ou non, des aspects économiques qui sont intimement liés à la reconnaissance sociale et au prestige.

Dans la France d'Ancien Régime, certains éléments du patrimoine se voient appropriés par un groupe, une famille ou un clan. Ils sont « associés et comme fusionnés à l'identité et à la pérennité dynastiques[49] ». Ce « besoin d'éternité » décrit par l'historienne Maria-Antonietta Visceglia visait la pérennité et l'honorabilité des grandes familles nobles. La substitution fidéicommissaire était alors une mesure draconienne qui rendait indisponible l'entièreté ou une partie du patrimoine[50]. Si le cas québécois est différent, peut-on voir dans la substitution des seigneuries un moyen d'assurer le prestige et l'honorabilité d'une famille ? Plusieurs cas laissent penser que la substitution était un moyen de conserver les terres nobles dans la famille : la dignité des fiefs devient donc un élément important à prendre en compte. Cela transparaît dans le cas du testament d'Antoine Juchereau qui lègue à son fils Antoine-Louis Juchereau « tous [ses] droits dans le fief dumesme [de Mesnu] en l'Isle d'Orléans paroisse de St Laurent et la jouissance la vie durant seulement de tous [ses] droits dans la seigneurie de Notre–Dame-de-Beauport[51] ». On voit que la seigneurie de Beauport occupe une place importante et qu'elle est substituée, contrairement à l'arrière-fief, sur l'île d'Orléans. Si Antoine Juchereau fait une substitution fidéicommissaire sur tous ses fils, il est intéressant de voir le choix des seigneuries en fonction de l'ordre de leur naissance : l'aîné reçoit la plus prestigieuse, celle qui est dans la famille depuis presque deux siècles[52]. En ajoutant la clause qui instaure un ordre de

49. Katia Béguin, « Introduction », *Hypothèses*, n° 1, 2006, p. 374.

50. *Ibid.*

51. BAnQ-Q, ZQ39, Fonds de la famille Juchereau-Duchesnay (1634-1903), testament d'Antoine Juchereau, [microfilm], 4M01-4549, 11 juin 1807.

52. Benoît Grenier fait référence à cette nouvelle liberté testamentaire et à la conservation du droit d'aînesse, ainsi qu'à l'ancrage du droit coutumier dans les esprits et son respect. Il insinue aussi l'importance de la dignité des fiefs et la transmission de celle qui est la plus enracinée dans la famille à l'aîné. Voir Grenier, *Seigneurs campagnards*, *op. cit.*, p. 82-83.

succession, en ordonnant que seulement le premier-né mâle de ses fils reçoive cette seigneurie, il évite une fragmentation du patrimoine et il vise probablement à ancrer un patrimoine foncier dans la famille, à l'instar des familles de la noblesse française qui préféraient l'endettement à la vente de terres nobles[53].

Dans le même esprit, le testament de Malcolm Fraser accorde une place importante à la transmission des fiefs aux générations futures en faisant mention de la transmission des privilèges qui y sont associés. Ainsi, il stipule dans son testament qu'il lègue « with all seigneurial rights vents mills fisheries or other privileges belonging to the part of the said seigniory[54] ». La conscience des privilèges économiques, mais aussi de tous les autres privilèges que le statut de seigneur accorde, n'est donc pas inconnue de ce seigneur qui croit bon de l'inclure dans son testament. Cela s'accorde avec sa vision à long terme, lui qui voit les seigneuries comme un investissement[55]. Il s'agit probablement d'une des raisons qui explique le fait qu'il va substituer ses deux fils à qui il lègue la seigneurie de Mount Murray, tout en indiquant clairement la marche à suivre en cas de décès d'un de ses enfants sans descendance, afin d'éviter une fragmentation du patrimoine[56].

Un autre cas fort évocateur est celui d'Amable Dionne, riche marchand qui a fait l'acquisition de plusieurs seigneuries au milieu du XIXe siècle. Dans son testament, il mentionne clairement que ses fils « ne pourront hypothéquer vendre échanger ou autrement aliéner les héritages nobles donnés par ce testament, mais pourront

53. André Burguière et François Lebrun abordent cette notion d'exclusion par la substitution durant la période moderne et les stratégies de la noblesse pour éviter la fragmentation du patrimoine. On voit que la dot joue un rôle important, souvent prélevée sur le patrimoine apporté par la mère. Voir André Burguière et François Lebrun, « Les cent et une familles de l'Europe », dans A. Burguière et collab., *Histoire de la famille*, Paris, Armand Colin, vol. 2, 1986, p. 66-76. Il serait ainsi intéressant de voir le rôle joué par l'apport du patrimoine féminin dans le Québec de la première moitié du XIXe siècle lors du mariage.

54. BAnQ-Q, P81, Fonds de la famille Fraser, testament de Malcolm Fraser, 16 mars 1812.

55. Jean-Claude Massé, *Malcolm Fraser : de soldat écossais à seigneur canadien, 1733-1815*, Québec, Septentrion, 2011, p. 297-298.

56. BAnQ-Q, P81, Fonds de la famille Fraser, testament de Malcolm Fraser, 16 mars 1812.

vendre ou engager les biens roturiers[57] ». Ils doivent cependant avoir l'autorisation de leur mère. Ce désir d'Amable Dionne de voir les biens nobles rester dans la famille peut s'expliquer par leur plus grande valeur, leur prestige et probablement par le désir de voir sa famille conserver son rang social, alors qu'elle vient de faire son entrée dans l'élite seigneuriale. De son côté, Michel-Eustache-Gaspard-Alain Chartier de Lotbinière, sans utiliser la substitution pour conserver les biens nobles dans sa famille, se sert clairement de cette mesure comme moyen de pression pour voir ses filles faire un bon mariage. Il démontre bien l'imposition de la volonté du testateur à la suite de sa mort. En effet, il oblige ses filles à faire approuver le choix de leur époux par leur mère ou par un conseil familial. Ainsi, il est entendu qu'elles « ne s'établissent qu'avec son consentement [celui de la mère]. S'ils le font sans avoir son agrément et sa permission, je ne leur lègue et laisse que la jouissance leur vie durante de la part de tous les biens qu'ils peuvent prétendre dans mon héritage [...] la propriété appartiendra à ses enfans après sa mort[58] ». Les critères pour que le mariage soit accepté sont ici « la convenance et l'avantage du mariage proposé[59] ». Ainsi, la substitution, en plus d'être un moyen de prolonger le prestige associé aux biens fonciers, devient un moyen de pression sur les héritières, mais également une façon de protéger l'héritage afin qu'il ne soit pas à la merci d'un homme issu d'une classe inférieure[60].

57. BAnQ-Q, CN302, S30, greffe d'Amable Morin (1815-1876), testament d'Amable Dionne, [microfilm], 4M01-6312, 22 janvier 1852.

58. BAnQ-Q, P351, Fonds de la famille Joly de Lotbinière, testament de Michel-Eustache-Gaspard-Alain Chartier de Lotbinière, 20 septembre 1826.

59. *Ibid.*

60. La substitution tente ainsi de contrer la volonté que les filles du testateur, une fois majeures, pourraient avoir quant aux choix de leur futur époux. Cela renvoie à la conception du mariage au XIXe siècle, mais aussi à celle du contrôle parental dans le choix des futurs mariés, alors que le mariage est une affaire de famille et met ses intérêts en jeu. Voir Serge Gagnon, *Mariage et famille au temps des Papineau*, Sainte-Foy, Presses de l'Université Laval, 1993, p. 1.

Un investissement foncier à long terme ?

Il ne faut pas voir le prestige ou l'endettement des seigneurs comme le seul motif qui peut expliquer la substitution d'un héritier. Pierre Foretier, en substituant ses filles, ne laissait pas voir une volonté de conserver le prestige associé à une seigneurie, alors qu'il possédait le fief de l'Isle Bizard et l'arrière-fief de Closse. Ce sont surtout des motifs économiques – et familiaux, comme nous allons le voir plus tard – qui poussent ce seigneur à faire une substitution. Son testament est clair, il fait de ses filles des grevées de substitution, mais aussi ses petits-enfants, car il « considère qu'il est d'un avantage essentiel à mes enfants de conserver les dites seigneuries de l'isle Bizard et du fief Closse qui ne pourront augmenter tous les jours de valeurs[61] ». Ce codicille vient modifier considérablement la succession, alors que, dans son testament, il conseillait seulement « de ne point partager ou vendre la seigneurie de l'isle Bizard ni le fief Closse (?), ces deux biens étant susceptibles d'accroissement considérable, mais d'en jouir en commun et de partager les revenus[62] ». Pour ce riche marchand, la seigneurie semble donc être un moyen de faire des affaires profitables à long terme.

« Étendre ses soins et ses bienfaits envers sa famille au delà des bornes de la vie[63] »

La substitution a ceci de particulier qu'elle vient bouleverser ou changer, l'espace d'un temps, l'ordre de succession. En examinant plusieurs cas particuliers, on peut soulever des questionnements sur les motifs qui ont poussé les testateurs à employer une telle mesure, mais on peut également se pencher sur l'emploi de celle-ci en fonction du genre et de la place que peut occuper la veuve dans la transmission du patrimoine. Cela nous amène aussi à étudier les

61. BAnQ-Q, CN601, S194, greffe de Louis Guy (1801-1842), testament de Pierre Foretier : codicille du 6 avril 1815, [microfilm], 4M00-5251, 16 décembre 1815

62. *Ibid.*

63. Denis Benjamin Viger, *Mémoire de Denis Benjamin Viger, écuyer, et de Marie Amable Foretier, son épouse*, Montréal, Cour d'appel, 1827, p. 44.

répercussions que peut engendrer la création de générations de grevés, alors que la substitution semble faire rebondir de nombreuses causes devant les tribunaux.

Les femmes et la succession : d'éternelles négligées ?

La transmission du patrimoine familial au féminin est un sujet peu abordé dans l'historiographie aussi bien française que québécoise[64]. Si nous avons pu voir que la substitution vise dans certains cas l'instauration d'un patrilignage et favorise les héritiers mâles, elle est souvent indifférenciée et peut même être porteuse d'avantages pour les femmes. Certaines femmes substituent en effet des dots de mariage au profit de leurs petites-filles, comme Jeanne de Tilly. On peut aussi observer des substitutions qui accordent un statut avantageux à la veuve[65]. Le cas des veuves au Québec est tout aussi intéressant. Bettina Bradbury démontre bien qu'il y a des changements dans les pratiques de succession qui s'effectuent durant le XIXe siècle : de plus en plus de femmes renoncent au douaire en faveur d'une rente annuelle, surtout chez les élites anglophones, mais aussi chez des membres de l'élite francophone. Par contre, chez les Canadiens, plusieurs placent leurs biens entre les mains du survivant, et la pratique du douaire chute dramatiquement dans les deux décennies suivant les années 1820[66].

Le monde seigneurial représente par contre une exception, car généralement les fils reçoivent l'administration de la seigneurie, s'ils sont majeurs, à la mort de leur père. Cependant, peu d'études

---

64. Il est déjà admis que les femmes sont de grandes exclues de la terre ; Gérard Bouchard et collab., *op. cit.* Il est cependant intéressant de se pencher sur la transmission du patrimoine en absence d'hommes. Il y a plusieurs cas québécois, comme celui des sœurs Drapeau, des filles de Michel-Eustache-Gaspard-Alain Chartier de Lotbinière, des filles de Pierre Foretier, des filles de Jean-Baptiste Decharnay, ainsi que celles de François-Roch de Saint-Ours. Ces seigneurs semblent démontrer un grand paternalisme dans leur testament en ce qui a trait à la transmission du patrimoine familial. Cette question n'est cependant pas l'objet de cette partie et ne sera pas abordée.

65. Haddad, *loc. cit.*

66. Bettina Bradbury, *Wife to Widow : Lives, Laws, and Politics in Nineteenth-Century Montreal*, Vancouver, University of British Columbia Press, 2011, p. 146-147.

ont porté sur les femmes – les seigneuresses dans le cas qui nous préoccupe – qui reçoivent l'usufruit de la totalité des biens de leur mari à sa mort au XIXe siècle. Pourtant, en analysant de nombreux testaments, on remarque que, si la logique voulait que les fils reçoivent les biens à la mort du père – ou du moins une partie, comme le prescrivait la coutume –, c'est la mère qui en a la jouissance et l'usufruit jusqu'à sa mort avec, *de facto,* l'administration des propriétés[67]. Les exemples sont nombreux : on n'a qu'à penser à Marie-Catherine Tarieu de Lanaudière, mère de Philippe Aubert de Gaspé[68]. Pierre-Ignace Aubert de Gaspé lègue à « sa chère et bien aimée épouse par la confiance bien méritée qu'il met en elle, la pleine entière et paisible jouissance et usufruit de tous et tels biens généralement quelconques meubles et immeubles, nobles et roturiers de quelque nature valeur et conséquence qu'ils puissent être[69] ». En somme, le seigneur laisse la totalité de ses biens en usufruit à sa femme, en affirmant la confiance qu'il possède en elle. Cela peut nous permettre de nous interroger sur les liens de confiance qui unissent nombre de maris à leur femme, alors que, dans bien des cas, les enfants sont majeurs et pourraient prendre les rênes de la seigneurie.

Plusieurs hypothèses pourraient éclairer cette transmission du patrimoine qui vient à l'encontre d'une vision établie qui met de l'avant la soumission des femmes et leur exclusion des tâches administratives. L'étude de certains cas, comme celui de la famille Aubert de Gaspé, pourrait nous éclairer sur la confiance du mari envers sa femme, mais également sur le manque de confiance envers son fils qui, souvenons-nous, possède de son propre aveu des qualités

---

67. On peut ici se demander si elles administrent vraiment les biens : plusieurs cas laissent voir des femmes qui s'engagent directement dans la gestion des biens légués par leur mari. Il importe ici de se demander s'il s'agit de cas fréquents ou si l'on assiste à un pouvoir de transition comme pourrait le laisser penser un article de Benoît Grenier sur le pouvoir au féminin au XVIIIe siècle. Il serait intéressant de prolonger cette étude au XIXe siècle. Voir Benoît Grenier, « Réflexion sur le pouvoir féminin au Canada sous le Régime français », *Histoire sociale*, vol. 42, n° 84, novembre 2009, p. 297-324.

68. On peut aussi penser à la veuve Taché, Julie Larue, ainsi qu'à Catherine-Hermine Juchereau Duchesnay, veuve de François-Roch de Saint-Ours, à la veuve de Joseph Drapeau, Françoise Boucher, et la veuve de Thomas-Pierre-Joseph Taschereau.

69. BAnQ-Q, P277, Fonds de la famille Aubert de Gaspé, Testament de Pierre-Ignace de Gaspé, 1er décembre 1820.

de gestionnaire lacunaires. Cela peut aussi démontrer une habileté de certaines femmes dans le monde des affaires. Certaines d'entre elles ont en effet été aux côtés de leur mari pendant de nombreuses années, comme peuvent le démontrer certaines correspondances[70]. On peut aussi se questionner sur l'influence de l'âge de la veuve et le désir du mari de ne pas la voir convoler en secondes noces. Le testament de Chartier de Lotbinière va dans ce sens, alors qu'il lègue, « le temps de sa viduité et qu'elle sera ma veuve, la jouissance de ma maison seigneuriale de Vaudreuil pour son logement ainsi que la jouissance de tous les bâtiments qui en dépendent & terrain comme ci-après désigné. C'est-à-savoir la boulangerie, remises, écuries, hangards à blés et à bois, jardin, cours, verges, prairie[71] ». Il ajoute à cela bien des clauses et des terrains, si bien qu'on peut douter que Marie-Chalotte Munro – de 28 ans sa cadette – désire se remarier, surtout étant donné qu'elle reçoit des rentes considérables de par son contrat de mariage et le testament de son mari.

Dans d'autres cas, la substitution fidéicommissaire est faite en excluant les femmes de la succession. Jacques Dorion fait un legs « au profit et en faveur de ceux de tels enfants qui porteraient le nom de Dorion, les filles devant cesser d'avoir droit à ce legs lors de leur mariage[72] ». Ce testament vient ainsi empêcher les femmes de pouvoir toucher une part de l'héritage de leur oncle, à moins qu'elles demeurent célibataires, ce qui est plus désavantageux économiquement vu la taille du legs (6 000 louis). En regardant le cas de la famille Juchereau, on assiste à un bon exemple de primogéniture et de volonté d'installer un patrilignage qui exclut le sexe féminin par des clauses très restrictives. Cependant, bon nombre de testaments ne mentionnent pas le sexe des enfants qui vont être les appelés dans la substitution. On peut penser à celui de

70. Le recueil de correspondances *Lettres de femmes au XIXe siècle* démontre que les femmes n'étaient pas absentes des affaires. Il suffit de penser à Marie-Anne Tarieu de Lanaudière, mentionnée à de nombreuses reprises dans cet article, qui donne plusieurs conseils en matière de gestion à son fils. Voir Renée Blanchet et Georges Aubin, *Lettres de femmes au XIXe siècle,* Québec, Septentrion, 2009, p. 19.

71. BAnQ-Q, P351, Fonds de la famille Joly de Lotbinière, testament de Michel-Eustache-Gaspard-Alain Chartier de Lotbinière, 20 septembre 1826.

72. 1865, Mitchell c. Moreau, *La Revue légale. Recueil de jurisprudence et d'arrêts de la province de Québec,* Montréal, A. Periard, volume 13 (1885), p. 685.

Pierre-Ignace Aubert de Gaspé qui permet à sa petite-fille, Mary Stuart, de toucher une part de la seigneurie familiale à la suite de la mort de son père[73]. Dans d'autres cas, la substitution renvoie aux rapports intrafamiliaux qui, il nous est possible de penser, peuvent être expliqués par la volonté du père de protéger ses filles ou du moins d'éloigner un gendre « indésirable » de l'administration du patrimoine légué. Il est difficile de connaître les sentiments que peuvent entretenir une mère ou un père à l'égard de leur gendre. Certains testaments laissent cependant planer un manque de confiance ou une volonté des parents de protéger un patrimoine qui pourrait être à la merci du mari de leurs filles. L'historien Serge Gagnon le démontre par le cas du mariage de Jean-Charles Chapais, qui a 36 ans, et de Georgina Dionne, qui en a 16. La dot qui est versée pour le mariage peut servir seulement à Georgina pour l'achat de biens fonciers et elle ne peut en jouir que de l'usufruit, les biens devant être transmis aux enfants du couple. Si le couple est stérile, les biens reviennent en ligne directe à la famille Dionne[74]. On peut aussi se questionner sur les relations entre le père de Georgina et son gendre, on peut supposer des relations souvent peu harmonieuses[75].

Le testament de Pierre Foretier démontre aussi une volonté d'écarter le mari de sa fille, Denis-Benjamin Viger, de l'administration des biens – qui incluent une seigneurie et un arrière-fief –, la gestion allant aux exécuteurs testamentaires. Pierre Foretier ordonne que « les exécuteurs, ou le survivant deux, ait également la gestion et administration des biens et perception [exclusive ?] des revenus de la part qui [illisible] par ledit partage à Marie-Amable Foretier, et ce, pendant la vie de Denis-Benjamin Viger, et si la dite Marie-Amable Foretier luy survit, elle aura, aussitôt le décès dudit Benjamin-Viger, la libre administration et propriété des

73. Jacques Castonguay, « Aubert De Gaspé, Pierre-Ignace », *Dictionnaire biographique du Canada*, vol. 6, Université Laval et University of Toronto [En ligne], 2003, [http :// www.biographi.ca/fr/bio/aubert_de_gaspe_pierre_ignace_6F.html] (Consulté le 27 novembre 2013).

74. Gagnon, *op. cit.*, p. 141.

75. *Ibid.*, p. 140-141.

biens[76] ». Ce testament est accompagné d'une substitution fidéicommissaire et d'une clause qui porte exhérédation à toute personne qui conteste le testament[77].

Réussite ou échec ? Les conséquences de la substitution fidéicommissaire

Il est difficile de statuer sur l'échec ou la réussite de la substitution fidéicommissaire, car cela suppose de connaître l'intention du testateur. Cependant, il est possible d'observer plusieurs conséquences entraînées par la substitution d'un enfant. On peut penser que nombre de substitutions fidéicommissaires passent inaperçues et que leur ouverture se passe sans problème, les enfants ou petits-enfants du grevé recevant la pleine propriété des biens. Dans plusieurs cas, il y a une fragmentation du patrimoine familial à la suite de l'ouverture de la substitution. Par exemple, la famille Masson, abordée par l'historien Thierry Nootens, assiste à une fragmentation du patrimoine en raison d'une substitution graduelle, donc sur plusieurs générations, imposée par le patriarche[78]. C'est également le cas du patrimoine de la famille Aubert de Gaspé, qui, à la suite de la mort de Philippe-Joseph Aubert de Gaspé, voit la seigneurie divisée entre 12 héritiers qui vont par la suite s'en départir avec le manoir seigneurial[79]. Dans d'autres cas, comme celui de Pierre Foretier, la contestation du testament par les héritiers et une poursuite de l'exécuteur testamentaire vont retarder la mise en valeur des seigneuries, pendant des décennies, et engendrer des coûts considérables sur fond d'escroqueries de la part de l'exécuteur

76. BAnQ-Q, CN601, S194, greffe de Louis Guy (1801-1842), testament de Pierre Foretier, [microfilm], 4M00-5251, 16 décembre 1815.

77. *Ibid.*

78. Joseph Masson partage ses avoirs de façon égale entre ses huit enfants suite à sa mort. Ils recevront l'usufruit de la moitié des revenus que leurs parts d'héritage vont rapporter, le reste étant destiné à leurs enfants, le tout dans une optique de substitution fidéicommissaire illimitée. Cela n'est pas sans engendrer une fragmentation du patrimoine pour les branches de la famille qui ont eu plusieurs enfants. Un des successeurs, Alexandre-Henri, l'aborde clairement en disant que, si son père en a eu le 1/8, lui aura le 1/24 de cette fortune. Voir Nootens, *loc. cit.*, p. 230 et 248.

79. Castonguay, *op. cit.*

testamentaire[80]. Il importe donc de se questionner sur la réussite de ces mesures, qui semblent être utilisées pour pallier un problème le temps d'une génération, mais qui vont affecter de nombreuses générations d'héritiers souvent « victimes » d'un testament remontant à de nombreuses décennies. Cette situation ne va pas être sans conséquence sur les rapports intrafamiliaux, mais aussi sur la revendication de terres ou de biens qui n'auraient théoriquement pas dû être vendus. Voilà bien souvent les motifs qui vont donner lieu à des aventures devant les tribunaux.

Devant les tribunaux... 50 ans plus tard

Rendre un bien inaccessible et en donner la nue-propriété à ses petits-fils ou arrière-petits-fils n'est pas sans causer de problèmes dans la succession. Le cas de Pierre Foretier démontre bien tous les problèmes qu'un héritage peut engendrer et les mécontentements de voir le défunt surgir dans le monde des vivants pour diriger la transmission du patrimoine. Cependant, dans bien des cas, il faut presque un demi-siècle pour voir les répercussions d'une substitution. Il est possible d'observer plusieurs litiges devant les tribunaux. Il y a ceux entre l'exécuteur testamentaire et les substitués, mais aussi des litiges sur les biens grevés de substitution, ainsi que des conflits entre des membres d'une même famille.

Le cas de la succession d'Alexandre Fraser est particulièrement révélateur : des enfants de deux mariages différents se rendent devant les tribunaux pour savoir qui est l'appelé dans la substitution et s'il y a substitution, car la seigneurie grevée de substitution a été vendue. Les enfants du premier mariage remettent en cause la légitimité d'un enfant du second – Marguerite, et par le fait même son fils – fait avec une « sauvage », union qui n'aurait jamais été scellée par un mariage[81]. Ainsi, un testament fait en 1833 vient interférer, ou nous permet de témoigner des relations intrafamiliales de la famille

80. Burgess, *loc. cit.*

81. 1885, Jones c. Fraser, *Revue légale*, Wilson & Lafleur, A. Periard, vol. 13 (1885), p. 525-526.

Fraser, dans les années 1880, moment du procès. C'est sans parler d'un autre problème causé par une substitution faite sur les biens légués à Malcolm Fraser – une partie de la seigneurie de Rivière-du-Loup – qui doivent revenir à ses deux frères, Alexandre et William Fraser, en cas de décès sans enfant. Pour ajouter à la complexité de la situation, ils sont eux-mêmes grevés de substitution au profit de leurs fils. L'échange d'un immeuble fait par Malcolm Fraser amène les deux frères, qui ont reçu leur part d'héritage à la suite de son décès sans enfant, à poursuivre l'homme avec qui la transaction a été conclue pour qu'elle soit annulée. Étant eux-mêmes grevés de substitution, ils sont déboutés devant les tribunaux, le juge stipulant par contre que les appelés dans la substitution, leurs enfants, pourront revenir contre cette transaction une fois la substitution ouverte[82]. Voilà un conflit qui s'étire sur plusieurs générations et qui fait rebondir la propriété seigneuriale devant les tribunaux bien au-delà de son abolition[83].

Conclusion

Comme le démontre Descimon pour la France d'Ancien Régime, la substitution fidéicommissaire témoigne souvent d'une rencontre conjoncturelle ; elle en dit long sur la configuration familiale, sur la situation économique, ainsi que sur le contexte social et le cadre normatif[84]. Le cas des seigneurs québécois n'est guère différent de celui des membres de la noblesse française. Si le droit anglais apporte une nouvelle donne dans le contexte juridique québécois, il ne vient cependant pas changer les fondements de la mesure juridique. Les juges tentent par de nombreuses jurisprudences d'encadrer la substitution, sans grand succès, comme en témoigne le nombre de

82. 1877, Pouliot et collab., C. Fraser et Fraser et collab., *Rapport judiciaire de Québec,* Québec, A. Coté & Company, vol. 3 (1877), p. 350.

83. Il y a de nombreux autres exemples. Voir 1888. Chevalier c. Beaudry, *La Revue légale. Recueil de jurisprudence et d'arrêts de la province de Québec,* Montréal, A. Periard, volume 16 (1888), p. 334-344 ; 1890. Hingston c. Franklin, *La Revue légale. Recueil de jurisprudence et d'arrêts de la province de Québec,* Montréal, Wilson et Lafleur, vol. 19 (1890), p. 124-134.

84. Descimon, *loc. cit.*

procès. Utilisée par les élites seigneuriales, cette mesure était polymorphe, tantôt utilisée pour éviter la dissipation du patrimoine par un héritier prodigue, un fils endetté ou un mauvais gestionnaire et, à d'autres moments, utilisée pour protéger une seigneurie dans la famille depuis des années et les privilèges qui y sont rattachés, alors que la noblesse elle-même semble être sur le déclin. Cette mesure est aussi intéressante vue sous l'aspect du pouvoir féminin. Plusieurs questionnements peuvent être soulevés sur la place des veuves dans l'administration des biens du couple et sur leurs qualités de gestionnaires. La question de la confiance est donc centrale, que ce soit celle du mari envers son épouse ou celle du père envers ses enfants. Étudier les cas de substitution sur une plus grande échelle pourrait être révélateur des relations intrafamiliales, mais aussi du rôle des femmes dans le monde seigneurial.

La question de la substitution fidéicommissaire n'est donc pas banale : il s'agit d'une mesure qui était lourde de sens pour les générations futures et qui va affecter le développement économique de la famille, mais aussi les relations entre ses membres et parfois même sa structure. Il serait pertinent d'observer la transmission du patrimoine sur l'ensemble d'un ou plusieurs groupes. Une étude quantitative serait nécessaire afin de comprendre l'ampleur de cette mesure, non seulement chez les familles de l'élite, mais aussi dans les autres classes de la société.

Un terrier en pièces détachées : les titres nouvels de la seigneurie de Beauharnois (1834-1842)[1]

ANDRÉ LAROSE

L'AVÈNEMENT DE L'HISTOIRE SOCIALE a amené les historiens à jeter un regard neuf sur les archives notariales. Tous les types d'actes n'ont cependant pas eu la faveur des chercheurs ; certains, en effet, sont restés largement dans l'ombre. Au Québec, c'est le cas notamment des papiers terriers de seigneuries et de leurs éléments constitutifs, les déclarations, reconnaissances seigneuriales ou titres nouvels. Certes, les spécialistes du régime seigneurial ne les ignorent pas complètement, mais ces documents sont rarement une pièce maîtresse de leur argumentation[2]. Les aveux et dénombrements, documents cadastraux qui décrivent en détail le contenu de chaque fief, ont davantage retenu l'attention[3].

---

1. Outre les éditeurs scientifiques du présent ouvrage, nous tenons à remercier mesdames Denise Latrémouille et Colette Michaud ainsi que messieurs Rénald Lessard, Claude La Charité, François Poliquin et Jonathan Fortin qui, par leurs commentaires sur l'une ou l'autre ébauche de la présente étude, nous ont aidé à améliorer notre texte. Merci également à madame Andrée Héroux pour son travail de cartographie.

2. Voici des exemples d'études pour lesquelles les auteurs ont utilisé des terriers : Allan Greer, *Habitants, marchands et seigneurs. La société rurale du bas Richelieu, 1740-1840*, Sillery, Septentrion, 2000, p. 108, 117, 134 et 139 [ce que le traducteur appelle « documents légaux » est en réalité un terrier, *estate roll*, sous la plume de l'auteur] ; Sylvie Dépatie, « La seigneurie de l'Île-Jésus au XVIIIe siècle », dans Sylvie Dépatie, Mario Lalancette et Christian Dessureault, *Contributions à l'étude du régime seigneurial canadien*, LaSalle, Hurtubise HMH, 1987, p. 76-77 ; Christian Dessureault, « La seigneurie du Lac-des-Deux-Montagnes », *ibid.*, p. 208-223. Cette liste n'a évidemment rien d'exhaustif.

3. Sylvie Dépatie, « La structure agraire à l'île Jésus dans la première moitié du XVIIIe siècle : résultats préliminaires et critique des sources », dans François Lebrun et Normand Séguin (dir.), *Sociétés villageoises et rapports villes-campagnes au Québec et dans la France de l'Ouest, XVIIe-XXe siècles : actes du colloque franco-québécois de Québec, 1985*,

Trois études font cependant exception : une de Rénald Lessard, qui traite de l'utilité des papiers terriers de seigneurie pour retrouver les propriétés de ses ancêtres ; l'autre de Richard Chabot, qui décrit deux terriers de la seigneurie de Nicolet dressés au début du XIXe siècle et signale leur intérêt pour l'histoire sociale ; et la troisième, d'Alain Laberge, où, après avoir expliqué ce qu'est un terrier, l'auteur analyse celui de la seigneurie de la Rivière-Ouelle en 1771 sous l'angle de la propriété foncière, de la capacité de production des censitaires et du paysage rural[4]. C'est par leur lecture, dans l'ordre indiqué, qu'il convient d'aborder le sujet. Cette lecture est certainement moins rébarbative que l'étude *La pratique universelle pour la rénovation des terriers et des droits seigneuriaux* (1746) du feudiste Edme de La Poix de Fréminville – un feudiste étant un spécialiste du droit féodal –, ouvrage que lisait Philippe Aubert de Gaspé en 1842[5].

Avant les trois auteurs québécois cités, l'historien Fernand Ouellet avait lui aussi pris conscience de l'intérêt des terriers pour l'histoire sociale, puisqu'il s'est servi du terrier de la seigneurie de Laprairie pour étudier la répartition de la propriété foncière et les types d'exploitation agricole dans cette seigneurie au cours des années 1830[6]. Dans la même veine, Mario Lalancette a, quant à

Trois-Rivières, CIEQ, Université du Québec à Trois-Rivières et Presses universitaires de Rennes 2, 1987, p. 25-38 ; Jacques Mathieu et Alain Laberge (dir.), *L'occupation des terres dans la vallée du Saint-Laurent : les aveux et dénombrements, 1723-1745*, Sillery, Septentrion et Centre de recherche Lionel-Groulx, 1991 ; Alain Laberge (avec la collaboration de Jacques Mathieu et Lina Gouger), *Portraits de campagnes : la formation du monde rural laurentien au XVIIIe siècle*, Québec, Presses de l'Université Laval, 2010.

4. Rénald Lessard, « Retrouver les propriétés de nos ancêtres : l'apport des papiers terriers seigneuriaux », *L'Ancêtre*, vol. 29, nº 262, printemps 2003, p. 247-249 ; Richard Chabot, « Les terriers de Nicolet : une source importante pour l'histoire rurale du Québec au début du XIXe siècle », *Les Cahiers nicolétains*, vol. 6, nº 3, septembre 1984, p. 114-126 ; Alain Laberge, « Seigneur, censitaires et paysage rural : le papier-terrier de la seigneurie de la Rivière-Ouelle de 1771 », *Revue d'histoire de l'Amérique française*, vol. 44, nº 4, printemps 1991, p. 567-587.

5. Edme de La Poix De Fréminville, *La pratique universelle pour la rénovation des terriers et des droits seigneuriaux [...]*, Paris, Morel et Gissey, 1746-1757, 5 vol. ; Claude La Charité, « Aubert de Gaspé seigneur d'après un livre retrouvé de la bibliothèque familiale : *La pratique universelle pour la rénovation des terriers et des droits seigneuriaux* (1746) d'Edme de La Poix de Fréminville », communication au congrès de l'Institut d'histoire de l'Amérique française, Rimouski, 13 octobre 2013 [texte inédit].

6. Fernand Ouellet, « Répartition de la propriété foncière et types d'exploitation agricole dans la seigneurie de Laprairie durant des années 1830 », dans *Éléments d'histoire sociale du Bas-Canada*, Montréal, Hurtubise HMH, 1972, p. 113-149.

lui, exploité le terrier de la seigneurie de Mount Murray et les déclarations notariées des censitaires de Murray Bay pour analyser la répartition de la propriété foncière à La Malbaie en 1824[7]. Pour notre part, nous avons innové en nous servant des titres nouvels du notaire Ovide LeBlanc pour reconstituer le mouvement de la concession des terres dans la seigneurie de Beauharnois, car les livres terriers de la seigneurie et les baux de concession accordés par le seigneur ne se trouvent plus dans ce qui subsiste des archives seigneuriales[8].

Quelques chercheurs, le plus souvent des érudits locaux, ont tout de même publié des documents fonciers, entre autres des terriers, qu'ils ont transcrits et annotés. Certains de ces documents – aveux et dénombrements, censiers, cadastres abrégés[9] – tracent un portrait de la propriété foncière à un moment donné, sans indiquer la chaîne des titres, élément que l'on trouve normalement dans les terriers. D'autres chercheurs – Marcel Trudel en tête, pour toute la Nouvelle-France de 1663 et de 1674 – ont pour leur part reconstitué, à partir de sources diverses, le terrier d'entités géographiques plus ou moins vastes afin de déterminer qui habitait où à tel moment, ou à qui avait appartenu successivement tel ou tel lot. Les historiens et autres chercheurs devraient mettre à profit leur travail; pour leur faciliter la tâche, nous avons dressé une bibliographie analytique de leurs publications, que nous présentons sous forme de tableau synoptique à la fin du présent ouvrage[10].

Cela dit, sauf dans le cas de la Rivière-Ouelle en 1771, il n'existe pas encore d'analyse approfondie des terriers de seigneuries ni de leurs éléments constitutifs. Pour la recherche sur la propriété

---

7. Mario Lalancette, « Essai sur la répartition de la propriété foncière à La Malbaie, au pays de Charlevoix », dans Lebrun et Séguin (dir.), *loc. cit.*, p. 63-77.

8. André LaRose, *La seigneurie de Beauharnois, 1729-1867 : les seigneurs, l'espace et l'argent*, Thèse (Ph. D.), Université d'Ottawa, 1987, p. 315-349 [http://hdl.handle.net/10393/5171].

9. Le censier est un livre dans lequel on consignait le paiement des cens et rentes ; le cadastre abrégé, un document établi dans chaque seigneurie à la suite de l'abolition du régime seigneurial en 1854, afin d'évaluer les droits lucratifs du seigneur et de déterminer le montant de la rente constituée désormais payable par chaque censitaire.

10. André LaRose, « Publications relatives aux terriers et documents fonciers de l'aire seigneuriale au Québec », tel que présenté en annexe p. 444-459.

foncière à l'époque qui a précédé la création, au XIXe siècle, des « bureaux d'enregistrement », désormais connus sous le nom de bureaux de la publicité des droits, c'est pourtant par ces documents qu'il faudrait passer, à moins de s'astreindre à reconstituer des chaînes de titres à partir des archives notariales[11]. Nous ne prétendons pas procéder à cette étude approfondie dans la présente contribution ; tout au plus sommes-nous en mesure d'offrir à notre tour un aperçu des terriers, mais, cette fois, à partir des éléments constitutifs d'un terrier en particulier : les titres nouvels de la seigneurie de Beauharnois, que nous avons dépouillés pour notre thèse de doctorat susmentionnée.

Selon le juriste français Claude de Ferrière (1639-1715), « [o]n entend par titre nouvel un acte qui contient une nouvelle reconnaissance, un nouvel aveu, & une confirmation d'un contrat qui a été fait [...][12] ». On y a recours dans les cas de constitution de rente pour faire en sorte que le débiteur originel ou son successeur reconnaisse formellement ses obligations envers son créancier, ce qui a pour effet d'empêcher la prescription, c'est-à-dire l'extinction de la créance au bout de trente ans parce que le créancier n'en aurait pas réclamé le paiement. Les emplacements du faubourg Saint-Roch à Québec ont fait l'objet de titres nouvels de ce genre[13].

Toutefois, le terme *titre nouvel* a aussi une autre acception, comme l'atteste Ferrière :

> C'est un acte par lequel celui qui le fait reconnaît qu'il est propriétaire d'un fonds affecté et hypothéqué à une telle rente due à untel, et en conséquence, promet lui en payer et continuer les arrérages à l'avenir, ou que cet héritage est chargé de tels droits ou rente ou autre redevance, pour en empêcher la prescription[14].

11. Sur l'histoire des bureaux d'enregistrement au Québec, voir Evelyn Kolish, *Nationalismes et conflits de droits : le débat du droit privé au Québec, 1760-1840*, LaSalle (Montréal), Éditions Hurtubise HMH, 1994, p. 273-298.

12. Claude de Ferrière, *La science parfaite des notaires, ou Le parfait notaire [...]*, nouvelle édition revue et augmentée par le Sieur F. B. Devisme, Paris, Saugrain, MDCCLII, t. 1, livre v, chap. xvii, p. 531.

13. Louise Dechêne, « La rente du faubourg Saint-Roch à Québec, 1750-1850 », *Revue d'histoire de l'Amérique française*, vol. 34, n° 4, mars 1981, p. 590.

14. De Ferrière, *op. cit.*, p. 532.

C'est en ce sens que nous utiliserons ce terme dans les pages qui suivent, car c'est en ce sens qu'il a été employé dans la seigneurie de Beauharnois pour désigner les éléments constitutifs du terrier dressé entre 1834 et 1842. En anglais, ce document s'appelle *new declaration*. S'agit-il d'un parfait synonyme de déclaration censuelle, déclaration d'héritages (c'est-à-dire de biens immeubles) ou reconnaissance seigneuriale ? Au contraire, chaque type d'acte avait-il sa justification selon la circonstance ? Il faudrait scruter les ouvrages de droit ancien et comparer les terriers québécois pour tenter d'y voir clair.

Si, au Québec, les terriers de seigneuries ont été relativement peu utilisés, dans l'historiographie européenne, par contre – en France en particulier –, ils le sont depuis longtemps à la fois par les médiévistes et les modernistes. Il s'est d'ailleurs tenu à Paris, en 1998, un colloque sur les terriers et plans-terriers du XIIIe au XVIIIe siècle, suivant les pistes ouvertes par Marc Bloch dès 1929[15]. En histoire du Moyen Âge, Denise Angers a brossé un tableau des terriers dans l'historiographie française, avant de donner une vue d'ensemble des terriers et livres terriers en Normandie du XIIIe au XVe siècle[16]. Pour sa part, Robert Fossier avait auparavant dressé un panorama des « livres fonciers » au Moyen Âge à l'échelle de l'Europe[17]. Pour ce qui est de l'époque moderne, retenons d'abord deux articles d'Albert Soboul, un sur la pratique des terriers, l'autre sur l'étude des documents fonciers[18]. Mentionnons aussi les noms

15. Ghislain Brunel, Olivier Guyotjeannin et Jean-Marc Moriceau (dir.), *Terriers et plans-terriers du XIIIe au XVIIIe siècle : actes du colloque de Paris, 23-25 septembre 1998*, Rennes et Paris, Association d'histoire des sociétés rurales et École nationale des Chartes, 2002 ; Marc Bloch, « Cadastres et plans parcellaires », *Annales d'histoire économique et sociale*, vol. 1, no 1, janvier 1929, p. 60-70.

16. Denise Angers, *Le terrier de la famille d'Orbec à Cideville (Haute-Normandie), XIVe-XVIe siècles*, Montréal, Presses de l'Université de Montréal et Société de l'histoire de Normandie, 1993, p. 18-21 ; Denise Angers, « Terriers et livres-terriers en Normandie (XIIIe-XVe siècle) », dans Ghislain Brunel et collab., *loc. cit.*, p. 19-36.

17. Robert Fossier, *Polyptyques et censiers*, Turnhout, Brepols, 1978, 70 p.

18. Albert Soboul, « De la pratique des terriers à la veille de la Révolution », *Annales. Économies, sociétés, civilisations*, 19e année, no 6, novembre-décembre 1964, p. 1049-1065 ; publié aussi sous le titre « De la pratique des terriers », dans Albert Soboul, *Problèmes paysans de la Révolution (1879-1848)*, Paris, François Maspéro, 1976, p. 25-47 ; Albert Soboul, « Sur l'étude des documents fonciers : terriers, cadastres et compoix », *ibid.*, p. 63-86.

des auteurs de quelques rares travaux pertinents : Guy Lemarchand, Jean-Pierre Gutton, Jean Bastier, Gérard Aubin, Philippe Béchu, Victor Daline et Antoine Pelletier, sans oublier, bien entendu, Pierre de Saint Jacob[19].

Le peu d'intérêt suscité jusqu'à présent par les papiers terriers et les titres nouvels au Québec nous incite à rouvrir le dossier, car ces documents révèlent une facette méconnue des rapports seigneur-censitaires. Aussi méritent-ils d'être mis en valeur. Le renouvellement de l'historiographie du régime seigneurial ne passe-t-il pas par l'exploitation de sources négligées telles que les papiers terriers et les titres nouvels ? C'est pourquoi nous nous emploierons ici à les faire connaître. Qu'est-ce qu'un terrier ? Quel est le lien entre terrier et titre nouvel ? Quelle est la marche à suivre pour la confection ou la réfection d'un terrier ? Quel genre de renseignements trouve-t-on dans les titres nouvels ? Telles sont les questions auxquelles nous chercherons à répondre en premier lieu. Nous décrirons ensuite le processus de confection du papier terrier de la seigneurie de Beauharnois, de 1834 à 1842, avant de nous demander si cette opération a entraîné un alourdissement du fardeau des censitaires. Enfin, nous livrerons quelques résultats découlant de l'exploitation

19. Guy Lemarchand, *La fin du féodalisme dans le pays de Caux : conjoncture économique et démographique et structure sociale dans une région de grande culture de la crise du XVIIe siècle à la stabilisation de la Révolution, 1640-1795*, Paris, Éditions du CTHS, 1989, p. 295 ; Jean-Pierre Gutton, « Commissaires feudistes en Lyonnais et en Beaujolais au XVIIIe siècle », dans *Populations et cultures. Études réunies en l'honneur de François Lebrun*, Rennes, 1989, p. 187-194 ; Jean Bastier, *La féodalité au siècle des lumières dans la région de Toulouse : 1730-1790*, Paris, Bibliothèque nationale, 1975, p. 64-71 ; Gérard Aubin, *La seigneurie en Bordelais au XVIIIe siècle d'après la pratique notariale, 1715-1789*, Rouen, Publications de l'Université de Rouen, 1989 ; Philippe Béchu, « Un feudiste et ses clients à la veille de la Révolution », dans *Plaisir d'archives. Recueil de travaux offerts à Danielle Neirinck*, Mayenne, La Manutention, 1997, p. 191-234 ; Victor Daline, « Babeuf feudiste » dans *Gracchus Babeuf*, Moscou, Éditions du Progrès, 1987 (1976), p. 42-51 ; Antoine Pelletier, « Babeuf feudiste », *Annales historiques de la Révolution française*, 37e année, n° 179, janvier-mars 1965, p. 29-65 ; Pierre de Saint Jacob, *Les paysans de la Bourgogne du Nord au dernier siècle de l'Ancien Régime*, Paris, Société des Belles-Lettres, 1960, *passim* ; Pierre de Saint Jacob, « La rénovation des terriers en Bourgogne à la fin de l'Ancien Régime », dans Jean-Jacques Clère (dir.), *Des terroirs et des hommes. Études sur le monde rural et le pays bourguignon (XVIe-XVIIIe siècle)*, Dijon, Éditions universitaires de Dijon, 2008, p. 207-212.

des titres nouvels de la seigneurie de Beauharnois, d'abord à propos de la concession des terres, puis au sujet de l'endettement envers le seigneur.

Terriers, reconnaissances seigneuriales et titres nouvels

On ne peut pas parler de titres nouvels sans dire quelques mots au sujet des terriers, les titres nouvels, dans le sens où nous les entendons, en étant des éléments constitutifs.

Nature du terrier

D'après l'*Encyclopédie* de Diderot et D'Alembert, le terrier ou papier terrier est « un recueil de fois et hommages, aveux et dénombrements, déclarations et reconnaissances, passés à une seigneurie par les vassaux, censitaires, emphytéotes et justiciables[20] » ; mais, « dans son acception la plus courante, le terrier comporte essentiellement le dénombrement des tenures roturières », précise Soboul[21], ce qui semble être le cas au Canada aussi. Il correspond donc à la définition qu'en donne le juriste Merlin de Douai dans son *Répertoire de jurisprudence* : « registre contenant le dénombrement des déclarations des particuliers qui relèvent d'une seigneurie, et le détail des droits, cens et rentes qui y sont dus[22] ». En pratique, le terrier est donc le registre des terres de la seigneurie. Pour le seigneur ou ses représentants, c'est un outil de gestion, l'instrument qui lui permet de savoir qui possède quoi et où, depuis quand et à quelles conditions – entre autres, à combien s'élèvent les cens et rentes pour tel ou tel lot – et qui lui doit combien et à quel titre. En termes d'aujourd'hui, il s'agit de la base de données du seigneur.

20. L'*Encyclopédie*, citée par Soboul, « De la pratique des terriers », p. 1051-1052.
21. *Ibid.*, p. 1052.
22. Philippe-Antoine Merlin, *Répertoire universel et raisonné de jurisprudence*, tome XIII, article « Terrier », cité par Soboul, *ibid.*

Le terrier fixe les termes du contrat entre seigneur et censitaires, puisque chaque reconnaissance ou titre nouvel qu'il renferme énumère la liste des droits du seigneur et des obligations des censitaires. Le terrier permet aussi de certifier les titres de propriété, la chaîne des titres de propriété du lot figurant dans chaque reconnaissance ou titre nouvel. Et s'il y a des arrérages de cens et rentes, de lods et ventes ou autres, la reconnaissance seigneuriale ou le titre nouvel en fait état. Par conséquent, pour les censitaires endettés, passer un titre nouvel, c'est signer une reconnaissance de dettes. Finalement, le terrier constitue un instrument de contrôle, car il permet de vérifier que les cens et rentes et autres droits seigneuriaux ont bien été acquittés.

Sur le plan matériel, il ne faut pas s'imaginer que le terrier conforme aux règles du droit est un volume dans lequel on attribuerait un feuillet ou une page à chaque lot. Non. Le terrier est un assemblage d'actes notariés dont le nom varie d'une seigneurie à l'autre, encore une fois sans que nous sachions pourquoi : dans telle seigneurie, on parle de déclarations ; dans telle autre, de reconnaissances à terrier ; dans une troisième, comme Beauharnois, de titres nouvels. Ces actes sont normalement reliés sous forme de registre, dans les archives de la seigneurie, mais on les trouve aussi sous forme de minutes, dispersés à l'intérieur du greffe du notaire commis à la confection du terrier. Dans Beauharnois, pour marquer la solennité de la réfection du terrier et impressionner les censitaires, les titres nouvels des années 1830 ont été imprimés sur des in-folio. Dans certaines seigneuries, la confection du terrier s'accompagne d'une opération d'arpentage qui donne lieu à l'établissement d'un plan parcellaire dit plan terrier. À preuve, le cas de la seigneurie de la Rivière-du-Loup-en-Haut et du fief Saint-Jean, de 1838 à 1841, propriété des Ursulines de Trois-Rivières, et celui de Laprairie, de 1836 à 1840, alors propriété de la Couronne[23]. En outre, le terrier est parfois muni d'un index ou de liens avec le censier.

---

23. Lucien Bellemare, *Le terrier des ursulines de Trois-Rivières constituant les bases de l'histoire de Louiseville et de Sainte-Ursule situées dans la seigneurie de la Rivière du Loup et le fief St-Jean*, Saint-Léon, L. Bellemare, 1997, 4 vol. ; Société historique De La Prairie De La Magdeleine, *Le Train des retrouvailles*, La Prairie, La Société, 1986, 162 p. (avec plans dans une pochette en annexe).

Confection ou réfection du terrier

Comment un seigneur procède-t-il pour faire ou refaire son terrier en bonne et due forme ? Dans son *Traité de la loi des fiefs*, François-Joseph Cugnet n'aborde pas la question des terriers. Par contre, les juristes français du XVIIIe siècle – les feudistes au premier chef – sont éloquents sur la marche à suivre en cette matière[24]. De leurs ouvrages, il ressort que le seigneur n'agit pas de sa seule initiative ; il doit à cette fin obtenir au préalable des lettres de terrier des autorités. Dans le contexte canadien, celles-ci ont longtemps été octroyées par voie d'ordonnances – de l'intendant sous le Régime français, puis du gouverneur, au début du Régime anglais – avant de l'être par voie de lettres patentes ; une loi de 1808 est d'ailleurs venue préciser qu'il revenait au gouverneur d'accorder des lettres de terrier[25]. S'il en est ainsi, c'est que la confection d'un terrier est un geste public pour lequel le seigneur veut contraindre ses censitaires à se soumettre et à le faire non pas devant n'importe quel notaire, mais bien devant celui qui aura été désigné comme commissaire à terrier. Même s'il appartient au seigneur de choisir le notaire à qui il veut confier la confection ou la réfection de son terrier, il revient au tribunal de le désigner comme commissaire à terrier et de lui

24. François-Joseph Cugnet, *Traité de la loi des fiefs*, Québec, Guillaume Brown, 1775. Avant de se plonger dans la consultation des travaux des feudistes, voir Philippe Béchu, « Le corpus de la littérature des feudistes : problématique des auteurs et portée pratique des traités », dans Ghislain Brunel, et collab., *loc. cit.*, p. 267-276. Soboul (p. 1050, note 1) et Béchu (p. 270) énumèrent chacun une douzaine d'ouvrages anciens qui traitent des terriers, et leurs listes, non exhaustives, ne se recoupent qu'en partie. Comme ces ouvrages se trouvent presque tous dans les grandes bibliothèques du Québec ou de l'Ontario, on peut penser qu'une bonne partie de ceux-ci ont appartenu auparavant à des seigneurs ou à des notaires que la question intéressait. Sur la confection du terrier, on consultera par exemple Joseph-Nicolas Guyot, *Répertoire universel et raisonné de jurisprudence civile, criminelle, canonique et bénéficiale...*, tome XVII, Paris, Visse, 1784-1785, article « Terrier ». Pour plus de détails, voir François Hervé, *Théorie des matières féodales et censuelles...*, tome VII, seconde partie, Paris, Knapen, 1788, p. 654-776.

25. Bas-Canada, Lois, Statuts, etc., *Acte qui déclare où doit résider le pouvoir d'accorder des Lettres de Terrier dans cette province*, 48 Geo. III, chap. 6. Au dire de Rénald Lessard, 211 lettres de terrier ont été délivrées entre 1800 et 1854. Lessard, *loc. cit.*, p. 249. Les originaux de ces lettres se trouvent à Bibliothèque et Archives Canada [BAC], fonds Industrie Canada, sous-fonds Registraire général (RG 68), Commissions and Letters Patent, 1800-1865, vol. 2 à 20, 23 et 29, microfilms n[os] C-3922 à C-3928, *passim*.

donner ainsi le pouvoir de recevoir les déclarations des censitaires. Voilà pourquoi ces lettres doivent ensuite être enregistrées auprès du tribunal. Chabot semble croire qu'avant le début du XIXe siècle «les seigneurs d'ici ont uniquement compté sur leur pouvoir de contrôle et sur la bonne volonté des tenanciers pour qu'ils reconnaissent leurs droits envers le maître du sol[26] » et n'ont pas demandé de lettres de terrier ; la chose reste cependant à vérifier. Si tel est le cas, leur terrier n'avait pas de valeur aux yeux de la loi. Les démarches susmentionnées sont évidemment coûteuses pour le seigneur, qui doit en outre rémunérer le notaire pour ses travaux préparatoires à la confection du terrier (rédaction du préambule du terrier, préparation des avis officiels et des requêtes, enregistrement des lettres de terrier par la cour), sans parler de l'arpenteur, si le terrier s'accompagne d'un plan[27].

Travail du commissaire à terrier

Une fois les travaux préparatoires exécutés, le commissaire à terrier vérifie les titres exhibés par les censitaires ; il en établit la chaîne, relève les transactions donnant lieu au paiement des lods et ventes, s'assure du montant des cens et rentes, puis dresse l'état de compte du client. Muni des renseignements nécessaires, il est alors prêt à rédiger le titre nouvel, ce qu'il fait en trois exemplaires, aux frais du censitaire. Il garde l'original parmi ses minutes, en remet une copie au seigneur pour son terrier et une autre au censitaire.

Obligations du censitaire

Les censitaires sont pour leur part obligés de comparaître, « à peine de commise, de saisie et autrement », la commise voulant dire la confiscation de leur terre. Les censitaires ne se prêtent sans doute pas de bon gré à cette opération, d'abord parce qu'elle s'effectue

26. Chabot, *loc. cit.*, p. 118, note 9.
27. Lessard, *loc. cit.*, p. 248.

en partie à leurs frais, ensuite parce qu'elle risque d'alourdir leur fardeau, comme nous le verrons plus loin; enfin, parce que, s'ils sont endettés envers le seigneur, la passation du titre nouvel vient « remettre le compteur à zéro ». Si, par exemple, la terre sur laquelle un censitaire est établi a été vendue il y a vingt-cinq ans et que les lods et ventes (droit de mutation dû au seigneur) n'ont jamais été payés, ce censitaire devra les payer comme si la transaction avait eu lieu la veille, même si ce n'est pas lui qui a acheté cette terre à l'époque. Ainsi, ce n'est pas la dette qui s'efface, mais bien les vingt-cinq ans de négligence. Les droits lucratifs du seigneur sont en effet des droits réels et non des droits personnels.

Contenu du titre nouvel

Comme on peut le constater en annexe, où nous reproduisons un titre nouvel de la seigneurie de Beauharnois rédigé en 1837, ce document se divise en deux parties, l'une fixe et l'autre, variable. Dans la partie fixe (imprimée) sont énumérés les droits du seigneur et les obligations du censitaire; dans la partie variable (manuscrite) figurent des renseignements concernant les personnes, le bien-fonds, les droits seigneuriaux et l'acte lui-même. Notons que, dans l'exemple en annexe, il faut 502 mots pour exposer les droits du seigneur, mais 916 pour décrire les obligations des censitaires, ce qui n'est pas nécessairement le cas partout.

En ce qui concerne les personnes, le titre nouvel contient les noms du comparant et des personnes qu'il représente, le cas échéant, ceux des parties aux transactions successives dont le lot a fait l'objet ainsi que le nom du concédant et celui du notaire qui a consigné l'acte de concession. Sont également mentionnées les caractéristiques du comparant et celles du ou des représentés : sexe, profession, lieu de résidence, lien entre le comparant et le ou les représentés, état matrimonial, présence ou absence de signature du comparant.

Pour ce qui est des renseignements sur le bien-fonds, ils comprennent « l'adresse » de celui-ci (numéro de lot, concession et secteur, car la seigneurie de Beauharnois est divisée en secteurs, ou numéro d'emplacement s'il s'agit d'un terrain dans un village) ou, du moins, sa position par rapport aux tenants et aboutissants, l'énumération des parties de lot complémentaires, les dimensions de chacune des composantes de la parcelle, le mode d'acquisition du lot (héritage, achat, concession...), la chaîne des titres de propriété, du plus récent au plus ancien et, enfin, la nomenclature des bâtiments construits sur le lot en question. Dans certains cas, comme à la Rivière-Ouelle, on précise même le nombre d'arpents labourables[28].

En ce qui a trait aux renseignements sur les droits seigneuriaux, ils portent sur le montant des cens et rentes ; celui des lods et ventes, le cas échéant, celui des autres droits seigneuriaux, s'il y en a (le nombre de jours de corvée, par exemple) et, enfin, sur ce qui a été payé et ce qui reste à payer.

Utilité du titre nouvel

Le titre nouvel nous renseigne en fin de compte sur les hommes, la terre et l'argent. Qui sont les censitaires ? Quelles sont leurs caractéristiques ? Comment s'est faite la concession des terres dans la seigneurie ? Comment se répartit la propriété foncière dans la seigneurie ? Comment a-t-elle évolué ? Qu'en est-il de la mobilité de la propriété foncière et, en particulier, du morcellement des lots ? Quels sont les droits lucratifs pesant sur les lots, et comment se comparent-ils dans l'espace ou dans le temps ? Quelle est l'ampleur de l'endettement envers le seigneur ? Ce phénomène est-il plus répandu à tel endroit qu'à tel autre dans la seigneurie ? Serait-il fonction du degré d'ancienneté de l'occupation du lot ? Que révèlent les déclarations des censitaires à propos du paysage ou du patrimoine bâti ? Voilà quelques-unes des questions auxquelles les titres nouvels peuvent répondre.

Les terriers ne sont évidemment pas parfaits. D'abord, il n'y en a pas pour toutes les seigneuries ; dans certains cas, ils ont tout simplement disparu ; dans d'autres, ils ne portent que sur une partie de seigneurie, parce que celle-ci est divisée entre plusieurs

---

28. Laberge, « Seigneur, censitaires et paysage rural », *loc. cit.*, p. 583-584.

propriétaires. Et quand les terriers existent, on ne sait pas toujours s'ils sont complets ; en outre, ils ne décrivent pas les arrière-fiefs, s'il y en a, ni les domaines, les moulins et autres propriétés du seigneur, sauf exception. En principe, il doit y avoir clôture du terrier devant le tribunal, mais, en pratique, « ce genre de mention est rare », selon Rénald Lessard[29]. Et si la confection du terrier s'échelonne sur plusieurs années, le portrait qui s'en dégage n'est pas un instantané ; aussi son interprétation appelle-t-elle à la prudence. Enfin, c'est un document qui devenait vite périmé, en raison des mutations de propriété. Sans doute chaque seigneur avait-il sa façon de le mettre à jour, soit par des annotations marginales, soit par un registre complémentaire que l'on appelait en France *cueilloir* ou *cueilleret*, *liève* ou *manuel*[30].

Les titres nouvels de la seigneurie de Beauharnois, 1834-1842

Après ces considérations d'ordre général, passons à un exemple concret, celui des titres nouvels de la seigneurie de Beauharnois. Mais, avant de nous intéresser à leur contenu, voyons dans quel contexte ils ont été rédigés.

La confection du terrier et son contexte

La seigneurie de Beauharnois est située au sud-ouest de Montréal, sur la rive sud du Saint-Laurent, entre le lac Saint-François et le lac Saint-Louis. Elle mesure six lieues de front sur six lieues de profondeur, soit 18 milles ou 29 kilomètres de côté, ce qui est très vaste. En 1833, elle appartient à l'homme d'affaires et homme politique britannique Edward Ellice (1783-1863), qui est alors ministre dans le cabinet de son beau-frère, Charles Grey, deuxième comte Grey. Cette année-là, deux événements marquants se produisent coup sur coup dans la seigneurie : le 10 mai, Edward

29. Laberge, « Seigneur, censitaires et paysage rural », *loc. cit.*, p. 249.
30. Soboul, « De la pratique des terriers », *loc. cit.*, p. 1057.

Ellice obtient la commutation de tenure des terres non concédées de sa seigneurie[31] et, le 30, le gouverneur lui octroie des lettres de terrier pour la partie demeurée en censive, c'est-à-dire la partie déjà concédée ; ces lettres seront enregistrées par la Cour du banc du roi, à Montréal, le 8 juin suivant[32]. Ainsi, à partir du 10 mai 1833, la partie non concédée est désormais soustraite aux règles du régime seigneurial, tandis que la partie concédée continue d'être une seigneurie comme toutes les autres ; les lettres de terrier en témoignent[33]. C'est sur cette partie-là que portent les quelque 1 900 titres nouvels que nous avons dépouillés[34]. La confection, en 1833, d'un nouveau terrier pour la seigneurie de Beauharnois paraît justifiée. Nous savons qu'il existait en 1822 un terrier de la seigneurie – un ouvrage en neuf volumes –, mais ce document n'était manifestement plus à jour, puisque la majorité des baux de concession de terres dans la seigneurie datent des années 1820[35].

D'après les feudistes, un terrier doit être confectionné dans l'année qui suit la délivrance des lettres de terrier. Or, dans Beauharnois, il en a été autrement. D'abord, même si les lettres de

---

31. Sur cette question, voir André LaRose, « Objectif : commutation de tenure. Edward Ellice et le régime seigneurial (1820-1840) », *Revue d'histoire de l'Amérique française*, vol. 66, n°s 3-4, hiver-printemps 2013, p. 365-393.

32. BAnQ Québec, P1000, S3, D2210, Collection Centre d'archives de Québec, Placard annonçant l'enregistrement, par la Cour du banc du roi à Montréal, des lettres patentes de terrier de la seigneurie de Beauharnois, le 8 juin 1833, en ligne dans Pistard. L'original de la lettre de terrier se trouve à BAC, sous-fonds du Registraire général, vol. 14, p. 18 à 21, Letters Patent for Papier Terrier or Land Role of the Seigniory of Beauharnois or Villechauve now called Annfield, 30 mai 1833, microfilm n^{o} C-3926.

33. La seule différence par rapport aux autres seigneuries est que, dans Beauharnois, les censitaires ont obtenu, le 10 mai 1833, le droit de s'affranchir de la tenure seigneuriale à condition d'indemniser le seigneur, ce que la très vaste majorité d'entre eux ne feront pas.

34. Nous avons eu accès aux originaux en 1985 et 1986, au palais de justice de Valleyfield. Ces documents ont par la suite été versés aux Archives nationales du Québec. Ils sont désormais accessibles à BAnQ Vieux-Montréal [BAnQ V-M], CN607, S29, greffe Ovide LeBlanc, microfilms n°s 8162 à 8170.

35. L'existence de ce terrier est mentionnée dans l'inventaire des biens de l'ex-régisseur James Milne. Même si l'acte est rédigé en anglais, le notaire emploie le mot *terrier* et non le terme *land roll* ou *estate roll* pour le désigner. BAnQ, V-M, CN601, S28, greffe Thomas Bédouin, Deed of Assignment and Transaction between The Honourable John Richardson, Attorney &c. &c., and James Milne, 25 novembre 1822, microfilm n° 3155.

terrier ont été enregistrées le 8 juin 1833, le premier titre nouvel a été rédigé seulement le 12 mars 1834, soit dix mois plus tard; ensuite, l'opération s'est échelonnée sur huit ans, le dernier titre nouvel connu du notaire LeBlanc datant du 3 mars 1842. Pourquoi les choses ont-elles traîné si longtemps? La mauvaise volonté des censitaires y est sans doute pour beaucoup; l'envergure de la seigneurie a pu jouer aussi.

Par ailleurs, l'opération semble à première vue être restée inachevée, les 1 900 titres nouvels que nous avons ne représentant que 88 % du nombre que nous nous attendions à trouver, compte tenu de notre connaissance de la matrice cadastrale de la seigneurie[36]. La réfection du terrier aurait-elle pris fin inopinément? La seigneurie a changé de mains, il est vrai; un nouveau régisseur est entré en fonction à Beauharnois en janvier 1842[37] : les nouveaux propriétaires auraient-ils décidé de mettre fin à l'opération, même si elle n'était pas terminée? Si près du but, cela paraît peu probable, car le seigneur avait tout intérêt à ce que ses livres soient en ordre. En outre, l'envoyé spécial des nouveaux propriétaires, Thomas Tower, notait en 1840 dans son rapport que le nombre total de titres nouvels allait être de 1 889, selon ce qu'il avait appris du commissaire à terrier[38], nombre qui correspond à celui que nous avons. Alors les 180 lots pour lesquels nous n'avons pas de titre nouvel sont-ils tous des lots qui seraient retombés aux mains du seigneur pour une raison ou une autre, la commise et la réunion au domaine en particulier[39]? Sûrement pas tous, car, d'après un témoignage de 1843, près de 200 censitaires auraient été poursuivis pour avoir refusé de prendre un titre nouvel[40]. On s'étonne tout de même de

36. Nos titres nouvels portent sur 1 290 des 1 470 lots originaires de la censive de Beauharnois. Le morcellement de la propriété foncière et la création d'emplacements de village expliquent que leur nombre dépasse celui des parcelles d'origine.

37. Pour de plus amples renseignements, voir André LaRose, *La seigneurie de Beauharnois, op. cit.*, p. 42-45, 106-113 et 161-166.

38. BAC, fonds Ellice (MG 24 A2), vol. 15, p. 5068, rapport Tower, [1840].

39. Jacques Mathieu, « Les réunions de terres au domaine du seigneur, 1730-1759 », dans Lebrun et Séguin (dir.), *loc. cit.*, p. 79-89.

40. Canada (Province), *Rapport des Commissaires nommés pour s'enquérir de l'état des lois et autres circonstances qui se rattachent à la tenure seigneuriale dans le Bas-Canada, et appendice*, Montréal, 1844 [ci-après: Enquête de 1843], appendice B, nº 71, Interrogatoire de John McDonald, Robert Brodie et Donald Finlayson.

certaines absences frappantes, à commencer par celles du régisseur Lawrence George Brown et du notaire LeBlanc lui-même. Il faudrait cependant mener une enquête dans les archives judiciaires pour tenter de tirer les choses au clair et confronter les résultats à la matrice cadastrale et aux titres nouvels. Et il faudrait aussi compulser les archives judiciaires pour savoir si le terrier a effectivement été clos devant le tribunal, comme il était censé l'être.

Quoi qu'il en soit, le notaire LeBlanc a signé son dernier acte à Beauharnois en août 1842, soit cinq mois après son dernier titre nouvel; il est allé s'établir à Montréal, où il a vécu une vingtaine d'années avant de s'installer à Portage-du-Fort, dans le comté de Pontiac, et la partie de son greffe postérieure à août 1842 a été détruite dans un incendie[41]. Nous ne saurons sans doute jamais si le titre nouvel du 3 mars 1842 était véritablement son dernier. Tout au plus pouvons-nous dire que les titres nouvels comptent pour près de 30 % de l'activité du notaire LeBlanc à Beauharnois, de 1824 à 1842. La confection du terrier de la seigneurie a donc représenté pour lui un très gros contrat.

Pour la confection du terrier, le notaire n'allait pas de porte en porte; ce sont les censitaires qui venaient à lui afin d'exhiber leurs titres. Le notaire les examinait et notait sur un bordereau récapitulatif les renseignements dont il avait besoin pour rédiger son acte; si les renseignements fournis étaient incomplets, il demandait à l'adjoint du régisseur, qui s'occupait de la tenue des livres de la seigneurie, de les compléter. Celui-ci remplissait alors le bordereau à l'encre rouge et le corrigeait au besoin. Il dressait ensuite un état de compte, à l'encre rouge également, puis visait le billet en inscrivant dessus *Ex^{d}* (c'est-à-dire *Examined*) et en y apposant ses initiales, avant de remettre le tout au notaire[42]. Il s'écoulait parfois plusieurs années entre le moment où le notaire dressait son bordereau et

41. André LaRose, *La seigneurie de Beauharnois*, *op. cit.*, p. 619-620. Nous avons tout de même trouvé trois titres nouvels postérieurs au départ de LeBlanc de Beauharnois, un de 1845 et deux de 1846. Aucun ne porte la signature de LeBlanc. Le premier se trouve dans le greffe du notaire Hainault; les deux autres, dans le fonds P137 à BAnQ V-M, soit dans ce qui subsiste des archives administratives de la seigneurie.

42. Ces bordereaux – des bandes de papier – sont conservés dans le greffe du notaire, à l'intérieur des titres nouvels.

celui où le censitaire prenait son titre nouvel. Il fallait donc mettre le bordereau à jour dans ces cas-là.

Les censitaires ne semblent pas s'être présentés devant le notaire dans un ordre particulier ; chose certaine, ils l'ont fait suivant un rythme très variable d'un mois à l'autre. Le censitaire qui possédait plusieurs lots devait prendre autant de titres nouvels qu'il avait de lots distincts ; ainsi, le 30 juin 1835, Alexander Reeves en a pris cinq[43]. Nombreux sont les censitaires qui ont dû aller à reculons chez le commissaire à terrier ou remettre au lendemain cette inévitable visite. Certains ont même été poursuivis – près de 200, rappelons-le – parce qu'ils refusaient de prendre un titre nouvel. Ils ont ainsi été condamnés à cinq louis de dommages, c'est-à-dire cinq livres, cours d'Halifax, montant auquel se sont ajoutés les frais de justice, qui ont presque doublé le montant des dommages. Cette double pénalité s'est généralement traduite, dit-on, par la vente de la terre du censitaire, ce qui a été dénoncé comme « un abus criant, car on oblige par là le censitaire à prendre un nouveau titre à un taux plus élevé[44] ».

Il faut dire que la confection du terrier est survenue au milieu d'une période trouble et qu'elle a elle-même contribué à alimenter la grogne dans la seigneurie de Beauharnois, tout comme la commutation de tenure d'ailleurs. On rapporte qu'il y a eu une importante réunion à Beauharnois, le 9 février 1834, au sujet de la confection du terrier. Les participants y ont exprimé leur mécontentement, car, selon l'arpenteur Charles Manuel, qui y a pris part, les redevances seigneuriales étaient trop élevées et les réserves imposées par le seigneur trop considérables, ce qui, à son avis, allait à l'encontre de la loi et des décisions des tribunaux. Une association aurait alors été mise sur pied par les habitants pour venir à la défense de ceux qui seraient poursuivis pour refus de prendre un titre nouvel. Cette association a cependant fait long feu, parce qu'elle n'est pas parvenue à réunir suffisamment d'habitants disposés à payer une cotisation

---

43. BAnQ V-M, greffe Ovide LeBlanc, n°s 3369, 3370, 3371, 3372 et 3374.

44. Enquête de 1843, appendice B, n° 71, Interrogatoire de John McDonald, Robert Brodie et Donald Finlayson.

annuelle de 12 livres courantes[45]. « Ne voyant aucun moyen d'améliorer leur condition, les censitaires ont été obligés d'accéder aux termes de leur seigneur », en dépit des plaintes généralisées, selon le témoignage de censitaires de la seigneurie de Beauharnois à la Commission d'enquête sur la tenure seigneuriale tenue en 1843[46].

Allan Greer a bien souligné la dimension antiseigneuriale des rébellions de 1837-1838[47] ; on peut d'ailleurs se demander s'il n'y aurait pas eu, dans la vallée du Saint-Laurent – dans la région de Montréal, en particulier –, une sorte de « réaction féodale » dans la première moitié du XIXe siècle, comme il y en a eu une en France à la veille de la Révolution[48] : « la pratique des *titres nouvels* obtient une plus large diffusion que par le passé dans les terroirs anciennement concédés », notait jadis Fernand Ouellet à propos de la crise du régime seigneurial de 1802 à 1854[49] ; à partir des années 1820, en effet, les terriers se multiplient. À Beauharnois, l'insurrection a éclaté en novembre 1838[50]. Exceptionnellement, personne n'a passé de titre nouvel entre le 31 octobre et le 30 novembre. Le notaire LeBlanc n'en a signé qu'un seul ce jour-là ; le suivant date du 21 janvier 1839. Soulignons que le commissaire à terrier a lui-même été victime de la vindicte populaire : il a été fait prisonnier et a été détenu par les rebelles jusqu'à l'arrivée des troupes, et sa maison a été pillée en son absence, ce qui lui vaudra

45. BAC, fonds Robert Sellar (MG 30, D314), vol. 11, dossier 20, Various historical notes, note manuscrite de Robert Sellar, s.d. [probablement des années 1880]. Journaliste de Huntingdon, Robert Sellar (1841-1919) est l'auteur de *The History of the County of Huntingdon and of the Seigniories of Chateaugay and Beauharnois from their First Settlement to the Year 1838,* Huntingdon, Canadian Gleaner, 1888.

46. Enquête de 1843, Appendice F, n° 26, « Réponses des censitaires de la seigneurie de Beauharnois », question 12.

47. Allan Greer, *Habitants et patriotes, La rébellion de 1837 dans les campagnes du Bas-Canada*, Montréal, Boréal, 1997, p. 233-261.

48. Voir Soboul, « De la pratique des terriers », *loc. cit.*, p. 1049.

49. Fernand Ouellet, « Le régime seigneurial dans le Québec », dans *Éléments d'histoire sociale du Bas-Canada*, Montréal, Hurtubise HMH, 1972, p. 104. Signalons que le fonds des seigneuries de la région de Montréal (P167), à BAnQ V-M, contient quantité de terriers, de déclarations seigneuriales et de titres nouvels de la première moitié du XIXe siècle, pour diverses seigneuries.

50. Marcel Labelle, *L'Insurrection des patriotes à Beauharnois en 1838 : une révolte oubliée. Récit*, Québec, Septentrion, 2011.

par la suite d'être indemnisé d'au moins 20 louis[51]. Capitaine de milice depuis 1835, LeBlanc a néanmoins été député du comté de Beauharnois de 1851 à 1854, en dépit de sa mésaventure de 1838[52].

Un alourdissement du fardeau des censitaires ?

Le seigneur profite-t-il de la confection ou de la réfection de son terrier pour hausser les cens et rentes, comme le ferait aujourd'hui un propriétaire qui augmenterait ses loyers ? En principe, non. Comme le souligne Ferrière, « le titre nouvel n'opère point de novation », sa nature étant « de dénoter purement & simplement ce qui a été fait auparavant, & de confirmer le contrat », l'objectif étant d'empêcher la prescription[53]. Mais, entre la théorie et la pratique, il peut certes y avoir des différences, d'autant plus que les autorités n'exerçaient sans doute pas de contrôle très serré sur l'activité des seigneurs. Qu'en est-il au juste dans Beauharnois ?

« Dix shillings ont été exigés de chaque censitaire, et plusieurs objections ont été faites à la légalité de l'exaction de rentes plus élevées que celles auxquelles on concédait originairement les terres avant que M. Ellice eut acquis la seigneurie », déclaraient en 1843 des censitaires de Beauharnois[54]. Ces derniers auraient voulu qu'on leur concédât des terres au taux auquel on les concédait du temps de la Nouvelle-France, mais est-ce à dire qu'Edward Ellice aurait tenté au moyen des titres nouvels de majorer les cens et rentes de ses censitaires ? Nous avons l'impression que non ; toutefois, il faudrait faire des recherches poussées dans les archives pour répondre

51. *Journaux de l'Assemblée législative de la Province du Canada*, vol. 5, n° 3, 1846, appendice LL, Cinquième rapport de la Commission d'indemnité, n. p.

52. Québec, Assemblée nationale, « Ovide Le Blanc », *Dictionnaire des parlementaires québécois depuis 1792*, [En ligne] [http://www.assnat.qc.ca/fr/deputes/le-blanc-ovide-4055/biographie.html] (Consulté le 14 août 2014).

53. De Ferrière, *op. cit.*, p. 532.

54. Enquête de 1843, app. A, n° 26, « Réponses des censitaires de la seigneurie de Beauharnois », question 11. Une autre source confirme que le titre nouvel coûtait effectivement 10 shillings au censitaire : BAC, fonds Ellice, vol. 46, p. 15445, Statement in answer to Questions put and Information required by George Parish, Esq., Beauharnois, février 1836.

avec certitude à cette question. S'il l'a fait, ce serait sans doute seulement pour les titulaires de titres relativement anciens, donc pour une minorité de censitaires, puisque la majorité d'entre eux ont obtenu leur titre entre 1822 et 1833 et que ceux-là n'ont pas été augmentés, ou pour des censitaires incapables de produire un titre authentique, comme le faisait le seigneur Joseph Drapeau en 1791[55]. Si l'on se fie à certains témoignages recueillis par la commission d'enquête sur la tenure seigneuriale tenue en 1843, en particulier ceux de censitaires des paroisses de Berthier et de Saint-Cuthbert, d'autres seigneurs ont effectivement augmenté les redevances de leurs censitaires[56]. S'il est vrai qu'ils l'ont fait, ces seigneurs étaient en contravention avec la règle de droit.

Dans Beauharnois, ce qui frappe avant tout, ce sont les ressemblances entre les titres nouvels et les contrats de concession des années 1820[57]. Il est vrai cependant que les censitaires titulaires d'un titre de concession antérieur à 1820 ont subi un alourdissement des conditions qui leur étaient imposées, car le titre nouvel est le même pour tout le monde – il est rédigé sur un formulaire imprimé ; il uniformise donc à la hausse les obligations qui pèsent sur les censitaires. C'est un fait connu : plus on avance dans le temps, plus les clauses des contrats de concession se multiplient et se font restrictives ; il en est ainsi dans toutes les seigneuries[58]. Donc, en imposant dans les années 1830 de nouvelles obligations ou restrictions aux censitaires munis d'un titre original datant du XVIIIe siècle ou du début du XIXe, le seigneur de Beauharnois enfreignait la règle énoncée par Ferrière, et les autorités négligeaient de le remettre au pas.

---

55. Communication de Rénald Lessard.

56. Enquête de 1843, app. A, n° 37, « Réponses de censitaires de la paroisse de Berthier », question 8, et n° 42, « Réponses des censitaires de la paroisse de St. Cuthbert », question 8.

57. On pourra comparer le titre nouvel de 1837 à un contrat de concession de 1822 en consultant notre thèse, p. 584-588 et p. 590-596.

58. Christian Dessureault, « L'évolution du régime seigneurial canadien de 1760 à 1854 », dans Alain Laberge et Benoît Grenier (dir.), *Le régime seigneurial au Québec 150 ans après : bilans et perspectives de recherches à l'occasion de la commémoration du 150e anniversaire de l'abolition du régime seigneurial*, Québec, CIEQ, 2009, p. 24-26.

Quelques constatations

Les titres nouvels offrent des éléments de réponse à de multiples questions, mais nous nous bornerons ici à deux de celles-ci: la concession des terres et l'endettement envers le seigneur.

La concession des terres

Pour avoir une vue d'ensemble de l'habitat rural dispersé et de sa genèse, on utilise habituellement les actes de concession de terres. C'est ce qu'ont fait par exemple Serge Courville et Christian Dessureault, qui ont eu l'avantage de trouver, dans les archives du Séminaire de Montréal, une série complète de baux de concession pour la seigneurie du Lac-des-Deux-Montagnes, et Françoise Noël, qui a constitué une base de données à partir des baux de concession des seigneuries du Haut-Richelieu[59]. Dans le cas de Beauharnois, il a fallu procéder autrement, car les archives administratives de la seigneurie ont été en grande partie détruites. N'ayant pas de registre de concession des terres, ni de livre terrier ni même de série d'actes de concession en pièces détachées, et ne sachant pas au départ avec quels notaires les seigneurs de Beauharnois avaient fait affaire, il nous a paru hasardeux d'aller à l'aveuglette dans les archives notariales. Certes, pareille démarche aurait donné des résultats, mais ceux-ci auraient été entachés d'incertitude. En procédant de cette manière, nous n'aurions jamais été assurés d'avoir trouvé tous les actes de concession et nous n'aurions pas pu évaluer non plus la représentativité des actes repérés, faute d'instrument de mesure. Nous aurions en outre éprouvé des difficultés à localiser les terres concédées, en raison des changements survenus dans la façon de numéroter les lots.

---

59. Serge Courville, « Les caractères originaux de la conquête du sol dans les seigneuries de la Rivière-du-Chêne et du Lac-des-Deux-Montagnes, Québec », *Revue de géographie de Montréal*, vol. XXIX, n° 1, 1975, p. 41-60 ; Christian Dessureault, *La seigneurie du Lac-des-Deux-Montagnes*, Mémoire (M.A.), Université de Montréal, 1979 ; Françoise Noël, *The Christie Seigneuries : Estate Management and Settlement in the Upper Richelieu Valley, 1760-1854*, Montréal et Kingston, McGill-Queen's University Press, 1992.

Pour obvier à ces inconvénients, nous avons donc eu recours à un moyen détourné : les titres nouvels, les chaînes de titres qu'ils renferment aboutissant généralement à un contrat de concession pour lequel on indique le nom du concédant, celui du notaire et la date.

Le résultat n'est pas parfait, mais il est suffisamment complet pour nous permettre de dégager une vue d'ensemble. Aux 180 lots dont nous ne savons rien s'ajoute en effet un certain nombre de parcelles à l'histoire incomplète. Ce n'est pas que les chaînes de titres fassent défaut – elles sont rarement absentes ; c'est plutôt qu'elles ne remontent pas aussi loin dans le temps qu'on serait en droit de s'attendre, compte tenu de l'histoire des terres voisines et de ce que nous savons par ailleurs de la genèse de telle ou telle côte ou concession. Il y a en effet des lots qui, à un moment ou un autre ou pour une raison ou une autre, retombent dans les mains du seigneur et que ce dernier concède à nouveau. En pareil cas, la chaîne de titres donnée dans le titre nouvel ne va pas au-delà du plus récent acte de concession. Il n'est donc pas possible, en s'appuyant sur les titres nouvels, de produire une statistique valable du mouvement annuel des concessions. En revanche, il y a moyen, à partir de ces documents, d'esquisser le rythme d'acensement des terres par période, puis de cartographier le phénomène. Du coup, on se trouve à jeter un regard critique sur la manière dont les seigneurs de Beauharnois ont disposé de leurs terres.

À partir des titres nouvels, nous avons classé les côtes ou concessions en cinq catégories, suivant l'époque où les terres ont été aliénées. Ces catégories regroupent :

1. les concessions dont les terres ont été acensées les unes entre 1762 et 1786, et les autres entre 1798 et 1806 ;
2. celles dont les terres ont été acensées entre 1798 et 1806 ;
3. celles dont les terres ont été acensées les unes entre 1798 et 1806, et les autres entre 1821 et 1833 ;
4. celles dont les terres ont été acensées entre 1821 et 1833, après avoir été occupées (sinon concédées une première fois) vers 1800, en totalité ou en partie ;
5. enfin, celles dont les terres ont été acensées entre 1821 et 1833, voire après.

CHRONOLOGIE DE LA CONCESSION DES TERRES DANS LA SEIGNEURIE DE BEAUHARNOIS, D'APRÈS LES TITRES NOUVELS

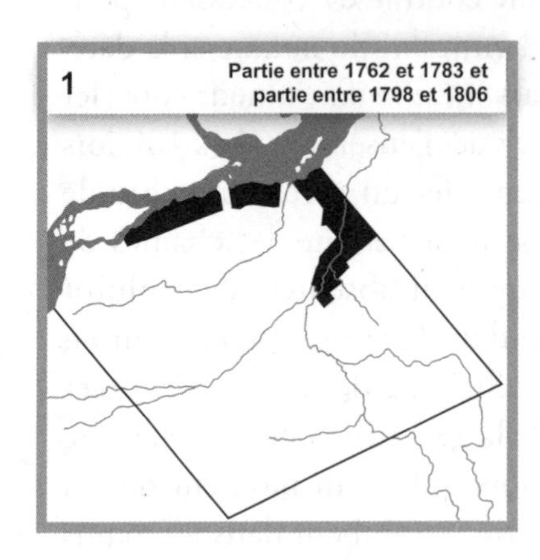

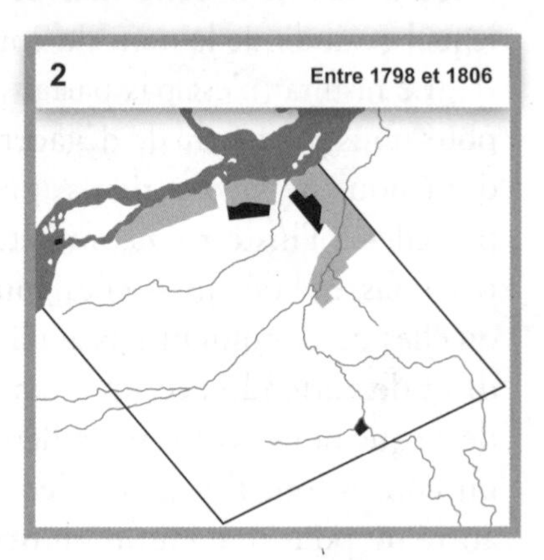

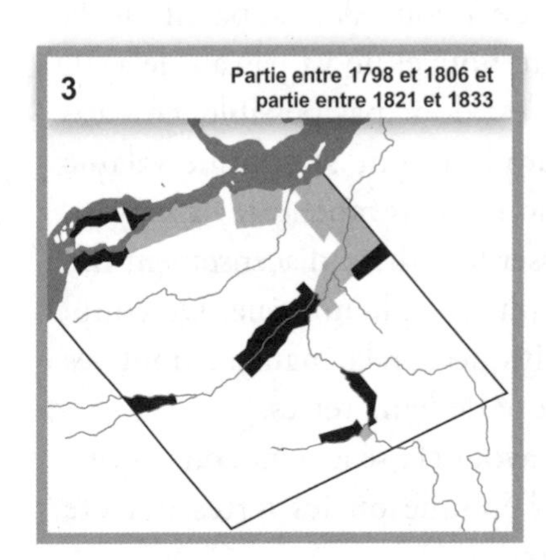

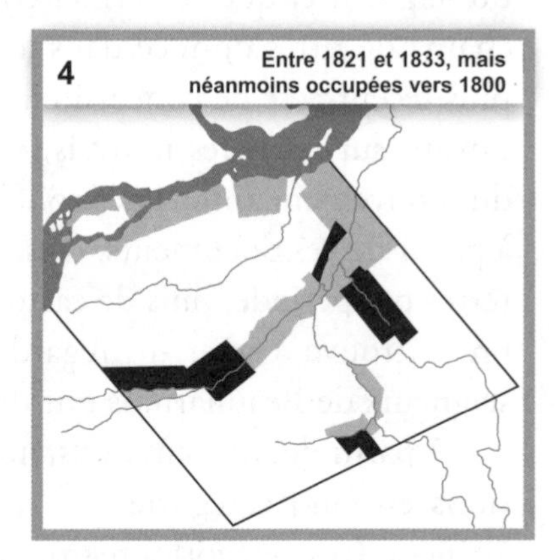

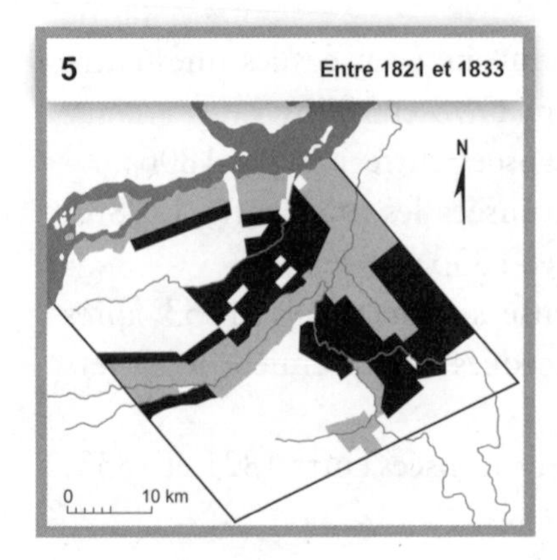

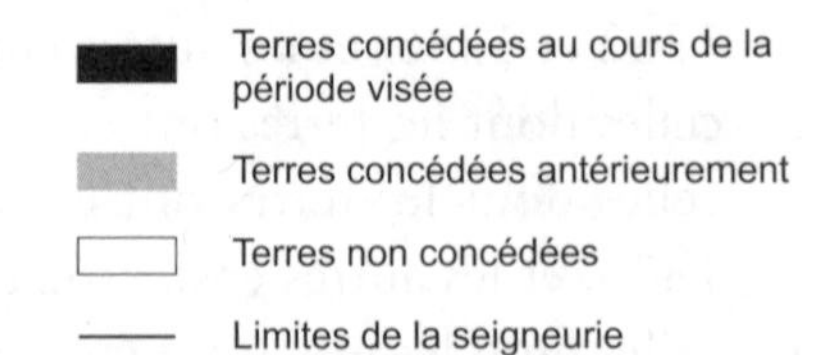

Sources : BAnQ VM, greffe Ovide LeBlanc, titres nouvels, 1834-1842 ; BAC, fonds Ellice, vol. 2, p. 533, plan de la seigneurie de Beauharnois par Francis Winter, 1804.

Réalisation : Andrée Héroux, 2014.

Dans le classement ci-dessus, trois catégories sur cinq renvoient à deux périodes au lieu d'une seule. C'est dire que la concession des terres dans Beauharnois n'est pas un phénomène aussi simple qu'on pourrait le croire de prime abord. Nous n'entrerons pas ici dans l'analyse détaillée de ce phénomène ; on consultera pour cela notre thèse[60]. La carte ci-dessous montre néanmoins le genre de résultats auquel on peut arriver à partir des titres nouvels. Grâce à ces documents, la matrice cadastrale prend vie.

Comme on le devine à la lecture de ce qui précède, il y a une distinction à faire entre l'occupation du territoire, la concession des terres et l'exploitation du sol, même si ces trois phénomènes se recoupent en grande partie. Lorsqu'on tente de reconstituer le mouvement de la concession des terres, on cherche finalement à répondre à deux questions : comment l'œkoumène seigneurial a-t-il pris de l'expansion et quel a été le rôle de chacun des seigneurs dans la mise en valeur de leur fief ? On ne doit cependant pas oublier que le bail à cens ne permet pas de dater l'occupation des terres avec une précision absolue puisqu'en définitive il ne fait que sanctionner formellement la prise de possession du sol par le colon qui a déjà eu lieu quelques mois, sinon quelques années auparavant. Comme il n'existe pas de documents indiquant exactement quand a eu lieu cette prise de possession, et comme il n'y a pas de règle fixant l'intervalle entre la délivrance d'un permis d'établissement et l'acte notarié qui lui donne sa pleine valeur, on se rabat sur les dates de concession pour savoir de façon approximative quand telle ou telle ligne de peuplement a vu le jour. D'un autre côté, l'existence d'un contrat de concession ne constitue pas une garantie d'occupation du lot ni une preuve de colonisation : les concessionnaires, en effet, ne sont pas nécessairement tous de bons colons. Ce type d'acte notarié témoigne néanmoins d'un certain intérêt de la part du seigneur pour la colonisation de sa seigneurie. Dans le cas de Beauharnois, c'est au moyen des titres nouvels que nous avons pu l'observer.

60. LaRose, *La seigneurie de Beauharnois*, *op. cit.*, p. 316-353.

L'endettement envers le seigneur

Puisque les titres nouvels visent à empêcher la prescription, il est intéressant de s'interroger sur l'ampleur des arrérages de droits seigneuriaux dans la seigneurie de Beauharnois. Les documents étudiés à ce jour ne portent que sur les années 1834 à 1838, ce qui fait tout de même 979 titres nouvels, soit la moitié du corpus. Nous les avons regroupés sous forme de tableau. Ils ont l'avantage de dresser un portrait de la situation juste avant l'éclatement de la rébellion de 1838.

Position des censitaires par rapport aux arrérages de droits seigneuriaux, seigneurie de Beauharnois (1834-1838)

Catégorie	Nombre	Pourcentage
Rien à payer ; en règle	220	22,5
Paient les arrérages de cens et rentes et de lods et ventes en totalité	87	8,9
Paient seulement les arrérages de cens et rentes	265	27,1
Paient seulement les arrérages de lods et ventes	24	2,5
Paient une partie des arrérages de cens et rentes	39	4,0
Paient une partie des arrérages de lods et ventes	5	0,5
Paient une partie des deux types d'arrérages	9	0,9
Ne paient rien ; tout reste à payer	242	24,7
Indéterminé*	88	9,0
TOTAL	**979**	**100,0**

* Sous *Indéterminé* sont comptabilisés les censitaires dont nous ne savons pas quand ni comment ils se sont acquittés de leur dette.

Source : BAnQ Vieux-Montréal, CN601, S28, greffe du notaire Ovide LeBlanc, titres nouvels, 1834-1838.

Seulement 22,5 % des censitaires n'ont pas d'arrérages à payer lors de la passation du titre nouvel. Si l'on ajoute à ce pourcentage ceux qui règlent leur compte à ce moment-là, la proportion de ceux qui sont quittes passe à 31,4 %. En d'autres termes, si l'on exclut les 9 % de cas indéterminés, près de 60 % des censitaires qui ont pris leur titre nouvel entre 1834 et 1838 doivent de l'argent à leur seigneur, à un titre ou à un autre ; c'est dire que, si nous disposions d'un état de l'endettement envers le seigneur de Beauharnois au début de novembre 1838, ce pourcentage serait sans doute un peu plus élevé. Ces constats confirment les témoignages des administrateurs de la seigneurie ou des observateurs selon lesquels l'endettement paysan, à l'époque des rébellions, était un problème chronique dans Beauharnois – comme ailleurs, du reste[61].

Pour ce qui est des lods et ventes, nos dépouillements donnent à penser que les censitaires ne sont pas portés à les payer, qu'ils évitent de le faire, dans l'espoir sans doute de s'y soustraire complètement. Le patriote Amury Girod ne les qualifiait-il pas, en 1836, d'impôt sur l'activité et l'industrie du censitaire[62] ? Nous devinons également que les notaires ne sont pas les percepteurs de cette taxe de vente de 8,33 % et que les régisseurs de la seigneurie ne sont pas très prompts non plus à percevoir ce revenu casuel. De l'accumulation des négligences, de la mauvaise volonté ou de l'incapacité de payer des uns et du laisser-aller des autres résulte un problème qui a pris de l'ampleur au fil des ans, compte tenu de l'expansion de l'œkoumène seigneurial et de l'accroissement du nombre de censitaires et, partant, du nombre de mutations de propriétés. Le paiement des lods et ventes est parfois en souffrance depuis plusieurs années ; il arrive même qu'il porte sur plus d'une mutation. Dans ce cas, il appartient au dernier propriétaire de décider s'il vaut la peine pour lui de chercher à se faire rembourser par le ou les

61. À propos des arrérages de rentes dans la seigneurie de Beauharnois, voir LaRose, *La seigneurie de Beauharnois*, *op. cit.*, p. 519-529. Pour ce qui est des autres seigneuries, voir par exemple Richard C. Harris, « Of Poverty and Helplessness in Petite-Nation », *Canadian Historical Review*, vol. 52, n° 1, mars 1971, p. 36-39 ; Claude Baribeau, *La seigneurie de la Petite-Nation, 1801-1854 : le rôle économique et social du seigneur*, Hull, Éditions Asticou, 1983, p. 137-143 ; Greer, *op. cit.*, p. 170-174 ; Noël, *op. cit.*, p. 60-62 et 117. Pour une vue d'ensemble du problème de l'endettement, voir Louis Michel, « Endettement et société rurale dans la région de Montréal au dix-huitième siècle. Premières approches et éléments de réflexion », dans Lebrun et Séguin (dir.), *loc. cit.*, p. 171-181.

62. Témoignage d'Amury Girod, dans le *Premier Rapport du Comité permanent sur les Terres et Droits seigneuriaux*, 1er mars 1836, dans les *Journaux de l'Assemblée législative du Bas-Canada*, Appendice EEE, n. p. Au sujet de Girod, voir Jean-Paul Bernard et Danielle Gauthier, « Girod, Amury », *Dictionnaire biographique du Canada*, vol. 7, Québec, Presses de l'Université Laval, 1988, p. 373-376.

propriétaires précédents. Le titre nouvel vient donc coincer ceux qui ne sont pas en règle.

Parfaitement conscient de l'ampleur des arrérages, le régisseur Lawrence George Brown, répondant en 1836 à un envoyé spécial du seigneur Ellice, attribuait le phénomène au choléra – il y a eu une épidémie en 1832 et une autre en 1834 –, à trois mauvaises récoltes consécutives et à l'agitation politique, c'est-à-dire à des facteurs conjoncturels qui lui sautaient aux yeux[63]. Ce n'était pas faux, mais n'oubliait-il pas d'autres facteurs, structurels ceux-là, entre autres la pauvreté et l'impuissance de bon nombre de censitaires et le taux élevé des cens et rentes dans Beauharnois ? L'endettement paysan est assurément le fruit d'une combinaison de facteurs.

Conclusion

Nous avons cherché, dans cette étude, à faire connaître un type de source encore largement méconnu des chercheurs : les papiers terriers de seigneurie ou, à défaut, les déclarations, reconnaissances seigneuriales ou titres nouvels qui les constituent et qui subsistent dans les archives notariales. À partir de l'exemple de Beauharnois, nous avons montré le parti que l'on peut en tirer, d'abord pour reconstituer le mouvement de la concession des terres en l'absence de registre des concessions ou de série de baux de concession, puis pour cartographier ce phénomène, ainsi que pour aborder la question de l'endettement envers le seigneur. Ces deux illustrations n'épuisent évidemment pas les possibilités offertes par ce genre de source. Elles montrent tout de même que ces documents présentent incontestablement de l'intérêt pour l'histoire économique et sociale comme pour la géographie historique, l'histoire de l'environnement, l'histoire locale ou la généalogie. Aussi méritent-ils d'être exploités.

Pour ce faire, il serait utile de disposer d'un répertoire des terriers manuscrits. Cet outil offrirait une vue d'ensemble de ce

63. BAC, fonds Ellice, vol. 46, p. 15440, Statement in answer to Questions put and Information required by George Parish, Esq., Beauharnois, février 1836. À propos des épidémies de choléra, voir Geoffrey Bilson, *A Darkened House : Cholera in Nineteenth-Century Canada*, Toronto, University of Toronto Press, 1980.

type de source et pourrait conduire à des études approfondies susceptibles de renouveler le discours sur le régime seigneurial. On saurait alors pour quelles seigneuries il subsiste des terriers, des reconnaissances seigneuriales ou des titres nouvels. Un tel instrument de recherche apporterait des éléments de réponse à bien des questions. De quand datent ces documents ? Existe-t-il plusieurs terriers pour une même seigneurie ? À quelle fréquence les faisait-on refaire ? Et y a-t-il en Nouvelle-France ou au Bas-Canada des notaires qui, à l'instar des feudistes, se spécialisaient dans la confection de papiers terriers ? Rénald Lessard mentionne le nom de Jean-Baptiste Taché ; y en a-t-il d'autres ? Y a-t-il des seigneurs qui faisaient passer des titres nouvels sans obtenir au préalable de lettres de terrier ? Et qu'en est-il de la clôture des terriers ? Voilà quelques-unes des questions qui restent en suspens. À partir de ce répertoire, sans doute serait-il possible en outre de voir s'il y a véritablement eu, au XIXe siècle, un mouvement de « réaction féodale » dans la région de Montréal, comme nous l'évoquions précédemment. Après tout, pourquoi a-t-on senti le besoin, en 1808, de préciser dans une loi à qui il appartenait de délivrer des lettres de terrier ?

L'archiviste Rénald Lessard a amorcé la compilation de ce répertoire. Souhaitons qu'il mène à bien son projet.

Annexe

Exemple de titre nouvel passé dans la seigneurie de Beauharnois (1837[64])

Par devant M^tre. Ovide Le Blanc, Notaire Public, commis à la confection du Papier Terrier de la Seigneurie de BEAUHARNOIS ou Ville-Chauve, maintenant appelée Annfield, et son confrère, résidant tous deux dans ladite Seigneurie d'Annfield, soussignés.

Est Comparu

Pierre Lebœuf dit St Jean, l'aîné, Cultivateur, de la paroisse de Saint Timothée de Beauharnois, agissant tant pour lui que pour Jean Baptiste Lebœuf dit St Jean, fils, son frère, duquel il se fait fort & par lequel il s'oblige [à] faire ratifier ces présentes, à demande, à peine &c.

Lequel dit *Pierre Lebœuf dit St Jean l'aîné,* pour satisfaire aux Lettres Patentes en forme de Terrier duement scellées et signées, accordées par Sa Majesté au Très Honorable EDWARD ELLICE, sous la dénommination d'EDWARD ELLICE, Ecuyer, de la Cité de Londres, dans cette partie du Royaume Uni de la Grande Bretagne et d'Irlande, appelée Angleterre, en sa qualité de Seigneur, Propriétaire, et Possesseur de la dite Seigneurie de Beauharnois ou Ville-Chauve, maintenant appelée Annfield, datées au Château Saint Louis, dans la Cité de Québec, le Trentième jour de Mai, Mil Huit Cent Trent-trois, dûement entérinées, et enrégistrées aux Régistres de la Cour du Banc du Roi du District de Montréal, le Huitième jour de Juin, de ladite année Mil Huit Cent Trent-trois, et publiées et affichées conformément à l'ordre de la susdite Cour, dans son ordonnance de l'enrégistrement des susdites Lettres Patentes de Terrier, *a* confessé et déclaré, par ces presentes.

64. BAnQ Vieux-Montréal, greffe du notaire Ovide LeBlanc, CN607, S29, n° 4381, 28 mars 1837. Le texte étant sur formulaire imprimé, nous avons mis en italique les mots ou les parties de mots et les phrases inscrits à la main par le notaire. Acte donné en exemple par André LaRose, dans *La seigneurie de Beauharnois 1729-1867 : les seigneurs, l'espace et l'argent,* thèse (Ph. D.), Université d'Ottawa, 1987, appendice 1.8, p. 590-596. [http://hdl.handle.net/10393/5171]. Transcription : André LaRose.

1° Que lui & le dit Jean-Baptiste Lebœuf dit St Jean, fils, sont Propriétaires, Possesseurs et Détenteurs de l'héritage dont suit la teneur, savoir :

la moitié Nord'Est et la continuation d'icelle moitié du lot de terre désigné sous le numéro quinze, dans la première concession d'Helenstown, dans la dite Seigneurie d'Annfield ; de la contenance de deux arpens de largeur, sur une longueur de trente-six arpens et trois perches dans la ligne latérale Nord'Est, et de quelque chose de plus dans la ligne latérale Sud'Ouest de la susdite moitié et de sa continuation, formant environ soixante-seize arpens & une demi perche en superficie ; bornées en front par le fleuve Saint Laurent, en profondeur par le chemin Sarailler, d'un côté au Nord'Est par le n° quatorze et sa continuation, à Pierre St Michel, & d'autre côté au Sud'Ouest par la moitié Sud'Ouest dudit n° quinze, à François Lebœuf dit St Jean ; avec une maison, une grange, une écurie et une étable dessus construites, circonstances et dependances ;

pour avoir les dits *Pierre Lebœuf dit St Jean, l'aîné, et Jean Baptiste Lebœuf dit St Jean, fils,* eu le susdit héritage, savoir : *le dit Pierre a eu moitié de la susdite moitié par donation en accomodement de famille de Jean Baptiste Lebœuf dit St Jean, père, passée devant Mtre LeBlanc, l'un des notaires soussignés, le 17 Septembre 1829 ; un cinquième dans l'autre moitié d'icelle moitié Nord'Est du susdit n° quinze comme héritier de feue Josephte Hurteau, sa mère ; trois cinquièmes d'acquisition d'Antoine, Pierre, le jeune, et Josephte Lebœuf dit St Jean, épouse de Benjamin Leduc, suivant acte devant Mtre Harnois, Notaire, du 24 Septembre 1833, lesquels dits Antoine, Pierre et Josephte tenaient ces cinquièmes de la dite Josephte Hurteau, leur mère, qui tenait moitié dans la susdite moitié par droit de communauté avec le dit Jean Baptiste Lebœuf dit St Jean, père, son mari, qui tenait toute la susdite moitié Nord'Est, savoir : la partie première concédée, par contrat de concession de Francis Winter, Ecuyer, Procureur de Messire Alexandre Ellice, Ecuyer, ci-devant Seigneur de la susdite Seigneurie, passé devant J. Gabrion, Notaire, du 8 février 1798. Et la partie seconde concédée, encore par contrat de concession, devant Mtre Sarault, Notaire, du 16 Janvier 1828, consenti par l'Honorable John Richardson, èz qualité de curateur à la ci-devant succession vacante de feu George Ellice,*

Ecuyer, vivant Seigneur & Propriétaire de la susdite Seigneurie. Et le dit Jean Baptiste Lebœuf, fils, a eu un cinquième dans le susdit héritage d'hérédité de la dite feue Josephte Hurteau, sa mère, qui tenait ce cinquième comme fesant partie de la moitié qu'elle avait dans la susdite moitié Nord'Est.

2° Que le susdit héritage relève en pure roture de la Censive et Mouvance de la dite Seigneurie de Beauharnois, Ville-Chauve, ou Annfield, comme susdit ; et qu'il est chargé envers le Domaine d'icelle Seigneurie de *quatorze* livres *et un sol* ancien cours de la Province du Bas-Canada, et de *quatre* minots mesure ancienne de Paris, de Bled cru, sec, net, loyal et marchand, le tout de cens et rentes Seigneuriales, payable par chacun an, au jour et fête de la Saint Michel, Vingt-neuf Septembre, tant que l*es* dit*s Pierre Lebœuf, l'aîné, & Jean Baptiste Lebœuf, leurs* hoirs et ayans cause à l'avenir, seront propriétaires du tout ou de partie du dit héritage ; les dits cens et rentes portant profit de lots [= lods] et ventes, saisine et amendes quand le cas y echerra, avec tous les autres droits seigneuriaux et féodaux conformément au premier tître de la dite Seigneurie et à la coutume ancienne de Paris.

3° Que le dit Très Honorable EDWARD ELLICE, a, pour lui, ses hoirs et ayans cause, en sa qualité susdite :

1° Le droit de changer à volonté le jour du payement et le lieu de la recette des dits cens et rentes, et autres droits seigneuriaux et féodaux ; de détourner le cours des eaux ou ruisseaux dans l'etendue de la dite Seigneurie, pour augmenter le volume des dites eaux où sont ou seront bâtis les Moulins Bannaux de la dite Seigneurie, ou pour l'avantage des Moulins de toute espèce, ou autres ouvrages que le dit Seigneur, ou ses représentans voudront établir, ou pour l'égoût des terrains au cas qu'ils le jugent nécessaire pour le bien des habitans de la dite Seigneurie.

2° Le droit de retenue, ou de retrait censuel et conventionnel, même par préférence aux parens lignagers, en cas de vente, ou autre aliénation équipollente à vente, de tout ou de partie du dit héritage, en remboursant l'acquéreur du prix principal de son acquisition, et des frais, mises et loyaux coûts, pour le rendre indemne dans le sens de la loi; de plus le droit de reconnaissance et déclaration nouvelle à chaque mutation de Seigneur, par succession ou autrement, aux frais et dépens du ou des possesseurs du susdit héritage.

3° Le droit de prendre en tout tems, sur le susdit héritage, sans rien payer, toute sorte de bois de quelque dénommination que ce puisse être, avec les pierres et autres matériaux nécessaires pour la construction et réparation des églises, presbytères, moulins de toutes sortes, et autres ouvrages publics, manoirs, ou autres maisons, bâtimens, enclos ou améliorations quelconques sur les domaines de la dite Seigneurie; comme aussi tous les bois de chène propres à la construction des vaissaux ou des moulins, et les bois de pin pour mâts; reconnaissant et admettant l*e* dit propriétaire comparant la défense faite aux habitans de la dite Seigneurie dans les tîtres de concession, de vendre ou transporter, ou donner pour être transporté hors d'icelle, sans permission du dit Sieur Seigneur, ou de ses représentans, aucun bois de construction ou merrain, à peine, &c., sauf néanmoins le droit aux dits habitans d'en prendre et faire usage pour leurs besoins propres sur leurs terres respectives seulement.

4° Toutes les mines, minières et minéraux qui sont actuellement découverts, ou qui pourront ci-après se découvrir sur le susdit héritage.

5° Le droit de chasse et de pèche aux term[e]s du titre primitif de la dite seigneurie; et celui de prendre sur le susdit héritage jusqu'à la concurrence de six arpens en superficie, le terrein que le dit Seigneur, ses hoirs et ayant cause, trouveront propre à construire et bâtir des moulins, en par le dit Seigneur, ses hoirs et ayans cause, payant au propriétaire du dit héritage, un juste prix de tel terrein, au dire de personnes expertes qui seront choisies par les parties, dans le cas où le dit terrein se trouverait défriché et mis en valeur, et non autrement, et diminuant la rente susdite au *pro rata* du terrein pris.

4 ° que l*es* dit[*s*] *Pierre Lebœuf, l'aîné, pour lui & le dit Jean B*[te] *Lebœuf, fils, &* pour *leurs* hoirs et ayans cause, et autres légitimes représentans promet[*tent*] et s'oblige[*nt*] de nouveau :

1° De bailler et payer par chacun an les susdits cens et rentes au dit Seigneur, ses hoirs ou ayans cause, ou à son ou [à] leur receveur ou agent dûement autorisé, au lieu de sa ou de leur recette

[On inscrit ici le montant des arrérages, s'il y en a.]

2° De défricher et de mettre, ou d'achever de défricher et de mettre en état de culture, un arpent de profondeur sur toute la largeur du susdit terrain, par chaque année pendant dix ans, de manière à former dix arpens de profondeur sur la susdite largeur, de terre en état de culture, aux termes du dit contrat de concession du dit terrein, à peine de nullité du dit contrat de concession et des présentes, si toutefois tels défrichage et mise en etat de culture ne sont pas déjà faits ; et de tenir ou faire tenir à toujours feu et lieu sur le susdit héritage qu'*il* travailler*a*, cultiver*a* et maintiendr*a* en bon état de culture, et sur lequel *il* construir*a*, s'il ne l'a déjà fait, des bâtimens de la valeur d'au moins trois cent livres, ancien cours, le tout pour remplir les fins du tître primitif de la dite Seigneurie sur l'établissement d'icelle, et comme meilleur gage de la plus facile et sûre perception et exécution en tout tems, des susdits cens et rentes et autres droits Seigneuriaux et féodaux, et des devoirs et services reconnus et déclarés par ces présentes.

3° De faire moudre ses ou leurs grains aux moulins bannaux de la dite Seigneurie, à peine de confiscation des dits grains et d'amende, et de payer au dit Seigneur, ses hoirs et ayans cause, le droit de mouture des grains qu'*ils* auront fait moudre ailleurs.

4° De ne point cèder, donner, ou autrement aliéner, le tout ou partie du susdit héritage, à ou en faveur d'aucune mainmorte ou communauté, ni y mettre cens sur cens.

5° De souffrir et fournir sur le dit héritage, tous les chemins, ponts et fossés, ou cours d'eau que le dit Seigneur, ses hoirs ou ayans cause jugeront utiles et nécessaires, ou qui pourront autrement être légalement ordonnés, et dans ce dernier cas de les faire entretenir en bon état suivant la loi.

6° De ne point diviser le susdit héritage en moins d'un arpent et demi de largeur sur toute la longueur d'icelui, à moins de permission expresse et par écrit du dit Seigneur, ses hoirs et ayans cause ; de donner du découvert aux voisins au fur et à mesure qu'ils le demanderont ; [de] clorre et fossoyer mitoyennement avec eux, sans que le dit Seigneur, ses hoirs et ayans cause, y soient tenus en rien, pour leurs domaines ou les terres non concédées de la dite Seigneurie, sur lesquels dits Domaines, et terres non concédées non plus que sur les chemins publics, l*es* dit*[s]* propriétaire*s*, *leurs* hoirs et ayans cause, ne pourront laisser courir ou errer leurs animaux.

7° De ne pouvoir faire sur la devanture de la dite terre, sur la grève, aucun bâtiment ou enclos qui puisse aucunement interrompre la navigation de la rivière, la dite grève devant être en tout tems libre pour le passage des étrangers et passans, jusqu'à la distance d'au moins six toises, à prendre de la plus haute marque de l'eau ; et de ne pouvoir construire sur la dite terre aucun moulin à scie ou à farine, ni aucun autre moulin de quelque espèce ou denommination que ce puisse être.

8° De faire borner et mesurer le dit terrain en front et en profondeur, par un arpenteur juré, approuvé du dit Seigneur, et du procès verbal du dit bornage fournir à ses frais et dépens, au dit Seigneur, copie en bonne forme ; [en] plus, de faire marquer de nouveau les bornes du dit héritage, à ses dits frais et dépens, par un arpenteur approuvé du dit Seigneur, ou de ses représentans, toutes et chaque fois que l*e* dit propriétaire comparant, *ses* hoirs et ayans cause, en seront par la suite requis par le dit Seigneur, ses hoirs, ayans cause, ou représentans, sous peine de réunion du dit héritage au domaine de la dite Seigneurie.

9° De fournir à *leurs* propres dépens au dit Seigneur, sous huit jours de cette date, copie en bonne forme des présentes ; comme aussi à chaque mutation du dit héritage d'exhiber et donner par le nouvel acquéreur, au dit Seigneur, ses hoirs, ou ayans cause, copie du contrat de son acquisition, dans les vingt jours de sa date, à peine de l'amende de trois livres et quinze sols tournois.

10° L*e* dit comparant reconnai*t* que, pour sûreté du payement des susdits cens et rentes et autres droits Seigneuriaux et féodaux, et de l'exécution et accomplissement des devoirs, services, charges, clauses et conditions ci-dessus exprimés, le dit Seigneur a, pour lui, ses hoirs et ayans cause, un privilège primitif et de bailleur de fonds sur le susdit héritage, outre une hypothèque générale sur tous les autres biens présens et futurs d*es* dit*s* propriétaire*s*, une obligation ne dérogeant à l'autre; lesquels privilège et hypothèque continueront d'être et d'exister à toujours, sans aucune novation ni dérogation quelconque, le Commissaire à Terrier soussigné en fesant réserve expresse pour le dit Seigneur, ses hoirs et ayans cause. Reconnai*t* de plus le dit comparant qu'à défaut *par les dits propriétaires, leurs* hoirs et ayans cause, de satisfaire au contenu ci-dessus, le dit Seigneur a, et continuera d'avoir pour lui, ses dits hoirs et ayans cause, le droit de rentrer dans le susdit héritage, et de le réunir au domaine de la dite Seigneurie par le seul fait de tel défaut.

A toutes et chacune desquelles charges, clauses, conditions, reserves, servitudes et autres choses et matières susdites, l*e* dit comparant s'*est* de nouveau soumis, et *a* promis, et s'*est* obligé pour *lui et le dit Jean Baptiste Lebœuf, leurs* hoirs et ayans cause à l'avenir, sans aucune novation ni dérogation, y satisfaire, et de les exécuter et accomplir envers le dit Seigneur, ses hoirs et ayans cause, pour lesquels le dit Commissaire à Terrier accepte, avec réserve expresse des anciens droits, privilèges et hypothèques du dit Seigneur, ses hoirs et ayans cause, tels qu'à lui ou eux acquis sur le susdit héritage, par et en vertu du contrat de concession d'icelui héritage ou de la terre dont il a été démembré, affirmant l*e* dit comparant, et confessant, sous les peines de droit, toute la présente déclaration sincère et véritable, sans qu'icelle déclaration ou tître-nouvel ou aucune partie d'icelui puisse en aucune manière nuire ou préjudicier aux droits du dit Seigneur, ses hoirs ou ayans cause, ou à ceux d'autrui, dont à cet égard toutes protestations et réserves au contraire sont faites par ces présentes.

Fait et passe à Beauharnois, en l'Etude du dit Commissaire à Terrier, l'an Mil Huit Cent Trente *sept*, le *vingt huitième* jour du mois d*e mars après midi*, et signé d*u* dit Commissaire à Terrier, et son confrère Notaire, *le dit comparant ayant déclaré ne savoir signer de ce enquis,* lecture faite, *dix mots rayés, nuls*.

sa
Pierre + Lebœuf dit St Jean
marque

A. Desmarais N.P.

Ovide LeBlanc N.P.
C.T.

PARTIE II

NOUVEAUX REGARDS SUR LES SEIGNEURS

Du manoir au parloir : les stratégies des Ursulines de Québec dans l'administration de la seigneurie de Sainte-Croix, 1646-1801[1]

Jessica Barthe

Le 23 janvier 1680. Dans le parloir extérieur du monastère des Ursulines de Québec, le conseil supérieur, constitué de cinq religieuses, vient de concéder une terre dans la seigneurie de Sainte-Croix à Jacques Gauthier. Cet évènement marque le début d'un aspect encore méconnu de l'histoire de cette communauté : l'administration seigneuriale.

À première vue, la situation des Ursulines semble peu conciliable avec les responsabilités qui incombent à un seigneur. En effet, le système seigneurial canadien se caractérise par un processus de colonisation et de mise en valeur du territoire qui engendre une logistique de gestion de l'espace : la possession d'une seigneurie s'accompagne d'importants privilèges, mais également d'une gestion préalable à la rentabilité. À ce système, ajoutons le contexte d'une société préindustrielle caractérisée par un patriarcat dominant, dans lequel les femmes sont subordonnées aux hommes[2]. Pour les religieuses, cette subordination aux hommes s'exerce, entre autres, par une vie austère qui, dans le cas des Ursulines, implique aussi une

1. Ce texte est issu de notre mémoire intitulé « L'administration seigneuriale derrière la clôture : les Ursulines de Québec et la seigneurie de Sainte-Croix, 1646-1801 », 2015, 138 p., réalisé au département d'histoire de l'Université de Sherbrooke, sous la direction du professeur Benoît Grenier.

2. Gerda Lerner, *The Creation of Patriarchy*, New York, Oxford University Press, 1986, p. 239. Voir aussi Gerda Lerner, *The Creation of Feminist Consciousness : from the Middle Ages to eighteen-seventy*, New York, Oxford University Press, 1993.

vie de clôture[3]. Or, le cloître féminin se définit comme un univers strictement féminin, dans lequel les allées et venues (surtout celles des hommes) sont minutieusement restreintes et surveillées[4].

Considérant ces deux réalités, le texte qui suit s'intéresse à l'orientation que prend l'administration seigneuriale par une communauté féminine cloîtrée, telle que les Ursulines de Québec. Dans cette étude, plusieurs questions sont posées : comment les Ursulines de Québec s'y prennent-elles pour administrer la seigneurie de Sainte-Croix ? Quels sont les moyens, entre 1646 et 1801, mis en place par les religieuses pour gérer et développer le fief ? Quelles limites le cloître et le genre des religieuses entraînent-ils sur la gestion seigneuriale ? Peut-on déceler une influence masculine dans l'élaboration des pratiques de gestion des religieuses ?

Des religieuses seigneuresses

Le choix de porter notre intérêt sur les Ursulines de Québec et la seigneurie Sainte-Croix ne tient pas du hasard. Lorsqu'elles arrivent en Nouvelle-France, en 1639, les futures Ursulines de Québec[5], religieuses cloîtrées, détiennent un acte de concession foncière dont la nature reste encore à préciser. Il faut attendre la prise de possession du 12 septembre 1646[6] pour que cette concession prenne le nom de seigneurie de Sainte-Croix. Entre 1639 et 1923, les Ursulines

3. C'est à la suite du concile de Trente que l'on assiste à une réforme qui entraîne de nombreux changements dans les établissements catholiques. Parmi ces réformes se trouve un resserrement des ordres féminins. Ce resserrement s'opère, entre autres, par l'obligation, pour toutes les communautés religieuses féminines aspirant à la contemplation, de se soumettre au cloître.

4. Philippe Annaert, « Monde clos des cloîtres et société urbaine à l'époque moderne : les monastères d'ursulines dans les Pays-Bas méridionaux et la France du Nord », *Histoire, économie et société*, 24, n° 3, 2005, p. 331.

5. Il faut attendre 1647 avant que les Ursulines se dotent d'une constitution, officialisant ainsi leur monastère à Québec. Ce serait un anachronisme de parler des Ursulines de Québec avant cette date. Ursulines de Québec, *Constitutions et règlements des premières Ursulines de Québec*, [Nouv.] éd., Québec [s.n.], 1974.

6. Archives du Monastère des Ursulines de Québec. Fonds temporel des Ursulines de Québec (1/N), Acte de concession et de prise de possession de la seigneurie de Sainte-Croix pour les Ursulines, acte de Charles Huault de Montmagny, 12 septembre 1646.

possèdent un total de quatre fiefs : l'arrière-fief Saint-Ursule dans la seigneurie de Sillery, l'arrière-fief la Prairie Gros-Pin dans la seigneurie de Notre-Dame-des-Anges, la baronnie de Portneuf et la seigneurie Sainte-Croix. Parmi celles-ci, seules Portneuf et Sainte-Croix sont des seigneuries à part entière[7]. Ainsi, puisque les religieuses acquièrent Portneuf en 1744, alors que la seigneurie compte déjà des censitaires et un moulin, nous avons choisi de nous intéresser à Sainte-Croix dont elles sont les seules propriétaires entre 1680 et 1923. Par conséquent, le développement de la seigneurie de Sainte-Croix est entièrement assuré par la communauté[8], laquelle sera responsable de concéder les premières terres et d'assurer la construction des premières infrastructures. Le cadre chronologique de l'étude s'amorce en 1680, date à laquelle les Ursulines concèdent la première concession, et s'achève en 1801[9], lorsqu'elles cèdent la seigneurie par bail.

Si la question du pouvoir des seigneuresses a été récemment étudiée dans une perspective d'histoire des femmes[10], le cas des

7. Contrairement aux arrière-fiefs Saint-Ursule dans la seigneurie de Sillery et la Prairie Gros Pin dans la seigneurie de Notre-Dame-des-Anges, Sainte-Croix et Portneuf sont des seigneuries entièrement gérées par les Ursulines : « l'arrière-fief est une terre que le seigneur a choisi d'inféoder à son tour, faisant du bénéficiaire un seigneur qui lui sera soumis dans la hiérarchie féodale. On parle alors du seigneur dominant et du seigneur d'arrière-fief ». Voir Benoît Grenier, *Brève histoire du régime seigneurial au Québec,* Montréal, Éditions du Boréal, 2012, p. 57 ; Laurent Marien, « Les arrière-fiefs au Canada de 1632-1760, Un maillon socioéconomique du régime seigneurial », *Histoire et sociétés rurales,* vol. 19, 1er semestre, 2003, p. 159-191.

8. Bien que les seigneuries de Sainte-Croix et de Portneuf soient cédées par bail pour une période de 50 ans en 1801, les religieuses ne cessent pas pour autant d'être les seigneuresses. La seigneurie de Sainte-Croix est demeurée la possession des religieuses jusqu'en 1921, date à laquelle elles vendent le « fief », ou plutôt les droits sur les rentes constituées de ce fief. Au sujet des persistances des rentes seigneuriales après 1854, voir les contributions de Benoît Grenier et Michel Morissette dans le présent volume.

9. Bien que ce cadre chronologique couvre une vaste période, il est important de mentionner que le développement de Sainte-Croix est lent : la première concession a lieu en 1680. Ce lent développement n'est pas exclusif à Sainte-Croix, au contraire, il s'applique à la majorité des fiefs de la région Lévis-Lotbinière : Deschaillons, Lotbinière, Bonsecours, Des Plaines, Tilly, Gaspé, Saint-Gilles et Lauzon.

10. Benoît Grenier, « Réflexion sur le pouvoir féminin en Nouvelle-France : le cas de la seigneuresse Marie-Catherine Peuvret (1667-1739) », *Histoire sociale/Social History,* vol. 42, nº 84, novembre 2009, p. 299-326 ; Benoît Grenier, « Le seigneur est mort... Vive la seigneuresse : regard sur le veuvage des épouses de seigneurs », dans Ana Lucia

religieuses reste en friche. Mis à part le récent texte d'Yves Guillet, sur les propriétés seigneuriales des Augustines[11], les études qui se rapprochent le plus du sujet sont les recherches de Serge Lambert, sur les stratégies foncières des religieuses de l'Hôpital général de Québec dans la seigneurie d'Orsainville entre 1846 et 1929[12], et quelques lignes dans l'étude de Micheline Dallaire sur l'Hôpital général de Québec[13].

En ce qui concerne les Ursulines de Québec plus précisément, leur histoire est largement documentée pour leurs contributions à l'éducation des jeunes filles. Les détails concernant les religieuses et la gestion seigneuriale sont cependant rarement abordés. Par exemple, lorsqu'elle parle de la présence des femmes devant la justice en Nouvelle-France, l'historienne France Parent mentionne que la seule religieuse à s'y être présentée l'a fait pour une cause concernant leur seigneurie[14]. Malheureusement, cette information se résume à une petite note et ne donne aucune information supplémentaire. Nous devons souligner les travaux d'Alyne Lebel, qui s'est intéressée à l'apport des Ursulines de Québec dans le développement urbain[15]. Lebel démontre qu'au XXe siècle les Ursulines se retrouvent avec une importante propriété foncière urbaine et elle aborde l'administration seigneuriale au moyen des rentes « seigneuriales » après l'abolition, soit de 1854 à 1935. Elle n'aborde que furtivement la période coloniale. Son approche demeure néanmoins d'une grande utilité pour notre étude, notamment lorsqu'elle avance que les Ursulines ont su, au fil des

---

Arajo, Hélène Lévesque et Marie-Hélène Vallée (dir.), *Actes du 2e colloque étudiant du Département d'histoire de l'Université Laval,* Québec, Artefact et CELAT, 2003, p. 7-19.

11. Yves Guillet, « Les propriétés seigneuriales des Augustines », *Cap-aux-Diamants,* n° 118, été 2014, p. 10-13.

12. Serge Lambert, *La stratégie foncière des religieuses de l'Hôpital général de Québec (1846-1929),* Mémoire (M.A.), Université Laval, 1985.

13. Micheline Dallaire, *L'Hôpital général de Québec, 1692-1764,* Fides, Montréal, 1971, 254 p.

14. France Parent, *Entre le juridique et le social: le pouvoir des femmes à Québec au XVIIe siècle,* Mémoire (M. A.), Université Laval, 1991, p. 183.

15. Alyne Lebel, *Les propriétés foncières des Ursulines de Québec et le développement de Québec (1854-1935),* Mémoire (M. A.), Université Laval, 1980.

évènements et des différents contextes, utiliser leurs contacts extérieurs dans le but d'influencer le développement urbain sur leurs terres[16].

À l'opposé, les seigneuries détenues par des communautés masculines ont fait l'objet de plusieurs études. Pensons notamment à Sylvie Dépatie, Mario Lalancette et Christian Dessureault qui se sont intéressés à l'administration seigneuriale de trois seigneuries détenues par le Séminaire de Québec et le Séminaire de Montréal[17]. On pense également aux travaux de Louise Dechêne, Louis Lavallée, Colin Coates ou Brian Young, qui se sont intéressés à des seigneuries appartenant à des ordres masculins, tels que les Sulpiciens et les Jésuites[18]. Toutefois, bien que ces études permettent d'établir des comparaisons, elles ne disent rien de la gestion des communautés féminines. Ces hommes, n'étant pas soumis à la limite du cloître, avaient certainement une plus grande marge de manœuvre que les Ursulines ou les Augustines.

Dans un premier temps, ce texte veut recenser les solutions qui ont permis aux Ursulines de Québec de s'engager sporadiquement dans l'administration de leur fief Sainte-Croix. Cet exercice permet ensuite de comprendre comment ces solutions en viennent à se transformer, au gré de la croissance démographique du fief, et comment les besoins suscités par cette croissance ont amené les Ursulines vers une délégation progressive.

Dans cette étude, plusieurs types de sources sont utilisés. Le fonds le plus important, dans lequel se trouve la grande majorité des sources exploitées, est le fonds Seigneurie de Sainte-Croix[19],

16. Alyne Lebel, « Les propriétés foncières des Ursulines et le développement de Québec », *Cahiers de géographie du Québec*, vol. 25, nº 64, 1981, p. 119-132.

17. Il s'agit de la seigneurie du Lac-des-Deux-Montagnes, qui était détenue par le Séminaire de Montréal et de celles de l'Île-Jesus et de l'Île-aux-Coudres détenues par le Séminaire de Québec. Voir Sylvie Dépatie, Mario Lalancette et Christian Dessureault, *Contributions à l'étude du régime seigneurial canadien*, LaSalle, Hurtubise HMH, 1987.

18. Voir Louise Dechêne, « L'évolution du régime seigneurial au Canada. Le cas de Montréal aux XVIIe et XVIIIe siècles », *Recherches historiographiques,* vol. 12, nº 2, 1971, p. 143-183 ; Louis Lavallée, *La Prairie en Nouvelle-France, 1647-1760*, Montréal et Kingston, McGill-Queen's University Press, 1993 ; Brian Young, *Les Sulpiciens de Montréal. Une histoire de pouvoir et de discrétion, 1657-2007,* Québec, Fides, 2007.

19. Archives du Monastère des Ursulines de Québec. Fonds temporel des Ursulines de Québec, PDQ/PQ/MQ/1N/3, 4, 0, 0, 0 – Seigneurie de Sainte-Croix.

provenant des archives des Ursulines de Québec. Ce fonds donne accès, entre autres, au dossier Gestion des terrains[20] qui contient les actes de concessions associés à Sainte-Croix[21]. Il constitue à lui seul un vaste ensemble hétéroclite d'information, dont le corpus va de la correspondance aux factures, en passant par la gestion des terrains et les recettes seigneuriales. Pour une étude comme celle-ci, les actes de concession sont très intéressants dans la mesure où ils offrent un nombre non négligeable d'informations : le lieu, les personnes présentes, les conditions et les réalités dont il est question dans le document. De plus, ils témoignent de la nature des concessions ainsi que des conditions établies par les Ursulines de Québec envers les censitaires. Ces documents apportent plusieurs informations susceptibles de nous éclairer sur la manière dont les Ursulines se sont investies dans l'administration de Sainte-Croix. Ils permettent de retracer l'évolution et les changements dans les stratégies administratives.

Il faut toutefois être prudent. L'acte notarié rend compte d'une demande ou d'une entente au moment de la rédaction. Rien ne prouve que les conditions mentionnées aient été tenues ou appliquées. Par exemple, l'acte notarié présente les conditions formulées par les religieuses, mais ne nous informe pas sur les stratégies derrière ces conditions ni sur la place que tiennent ces femmes dans l'élaboration de ces conditions. En croisant les actes notariés à d'autres sources, il sera possible d'éclairer ces questions.

Parmi les autres sources qui seront utilisées se trouvent un bon nombre de lettres. En effet, le fonds Seigneurie de Sainte-Croix contient un dossier Correspondance d'affaires, où l'on retrouve une trentaine de lettres entre 1714 et 1801[22]. La grande majorité de ces lettres furent échangées entre des acteurs masculins extérieurs et les dépositaires des Ursulines de Québec[23]. Ces lettres permettent

20. Archives du Monastère des Ursulines de Québec. Fonds temporel des Ursulines de Québec, PDQ/PQ/MQ/1N/3, 4, 2, 0, 0 – Gestion des terrains.

21. Si la plupart des actes de concessions sont répertoriés à l'aide de l'outil Parchemin, 62 sont disponibles aux Archives des Ursulines de Québec dans le sous-fonds PDQ/PQ/MQ/1N/3, 4, 2, 0, 0 – Gestion des terrains.

22. Archives du Monastère des Ursulines de Québec. Fonds temporel des Ursulines de Québec, PDQ/PQ/MQ/1/N/3, 4, 1, 0, 0 – Correspondance d'affaires, 1715-1911.

23. Pour le cadre temporel étudié (1639-1801), 43 lettres sont disponibles.

de repérer les moments ou les situations où les religieuses font preuve d'autonomie dans l'élaboration des solutions mises en place. Ces documents permettent également de déterminer les moments ou la distance et le statut des religieuses influent sur l'administration de leur fief. Toutefois, parcellaires et parfois imprécises, ces sources donnent des pistes sans pour autant les mener à terme.

Un cloître colonial

Le monastère des Ursulines de Québec est unique, adapté à un contexte colonial particulier[24] ; il est synonyme de développement pionnier. Ce développement se caractérise par le régime seigneurial, déjà bien implanté en France à l'époque moderne. Les communautés religieuses, tout comme les nobles, font partie des privilégiés qui reçoivent des terres seigneuriales, dans la colonie comme dans la métropole.

En marge de ce processus de colonisation, un autre aspect, bien ancré, vient complexifier la position des religieuses : le cloître. Cette règle de vie, instaurée à la suite du long concile de Trente[25], se traduit par le principe que les « communautés semi-religieuses de femmes, qui avaient jusqu'alors mené une "vie mixte" de prière et de service[26] », devaient désormais répondre à la « double exigence de parfaite solitude et d'entière séparation du monde, soumises

24. Le terme unique fait ici référence aux constitutions qui régissent la vie monastique des Ursulines. Chaque communauté a ses propres règles et constitutions et celles des Ursulines de Québec se démarquent par leur adaptation au contexte colonial. En effet, les règles et constitutions des Ursulines de Québec sont le résultat d'une fusion entre celles des Ursulines de Tours et celles des Ursulines de Paris : « une union qui ferait du monastère de Québec une maison au statut particulier : l'habit serait celui de Tours, les Ursulines de Tours prononceraient le quatrième vœu, s'obligeant à leur tour à s'employer à l'instruction des petites filles ; pour le reste nous ferions un accommodement propre pour le pays ». Voir Dom Guy-Marie Oury (o.s.b.), *Les Ursulines de Québec, 1639-1953*, Sillery, Septentrion, 1999, p. 46.

25. Le concile de Trente s'est tenu sporadiquement entre 1545-1549, 1551-1552 et 1562-1563.

26. Heidi Keller-Lapp et Caroline McKensie, « Devenir des Jesuitesses : les missionnaires ursulines du monde atlantique », *Histoire, monde et cultures religieuses,* 2010, vol. 4, n° 16, p. 21.

au régime d'une stricte clôture[27] ». Or, le cloître, tel qu'il est initialement conçu, cadre difficilement avec le contexte colonial et encore moins avec le rôle seigneurial.

Dès lors, une grande période de négociations et d'adaptations s'ouvre afin de combler les besoins à la fois apostoliques, coloniaux et religieux. À ce titre, les Ursulines sont un exemple éloquent de cette réalité ; elles s'inscrivent parmi les pionnières de la Nouvelle-France. Les débuts de cette communauté sont marqués par l'adaptation au milieu colonial.

Inévitablement, le processus de colonisation et de mise en valeur du territoire qu'impose la possession d'une seigneurie vient modifier les habitudes claustrales des Ursulines. Déjà, cette situation est particulière en comparaison de ce que l'on retrouve au même moment en Europe. Dans ses recherches sur les communautés ursulines en Bretagne et dans le nord de la France, Philippe Annaert soutient que :

> Le plus souvent en milieu urbain au XVIIe siècle, les monastères d'enseignantes ne sont généralement pas de grands propriétaires fonciers. L'essentiel de leur fortune est constitué de rentes. Les plus privilégiés possèdent l'une ou l'autre ferme, quelques terres dans les environs immédiats de la ville ou encore des maisons qu'ils donnent en location. En général, leur seule propriété foncière se résume à l'enclos du monastère. La majeure partie des efforts financiers consentis par les sœurs, dès la fondation, porte sur la constitution d'une propriété suffisante pour permettre la vie régulière et l'exercice de leur apostolat[28].

La situation est bien différente en Nouvelle-France, où la gestion de l'espace s'accompagne d'un processus de colonisation important. D'ailleurs, les Ursulines ne sont pas les seules à recevoir des terres. L'Hôpital général de Québec possède, au fil du temps, 41 593 arpents et l'Hôtel-Dieu de Québec en reçoit 37 841. Les Ursulines en

27. Annaert, *loc. cit.*, p. 331.
28. *Ibid.*, p. 332.

viennent à posséder elles-mêmes 70 560 arpents[29]. De plus, si les Ursulines françaises ne reçoivent, selon Philippe Annaert, que ce qui est suffisant pour subvenir à leurs besoins, les Ursulines de Québec n'utilisent que 542 arpents des 70 560 qu'elles possèdent en 1725[30]. Se pourrait-il qu'elles aient alors été aux prises avec un type de gestion auquel n'étaient pas habituées les communautés religieuses féminines ?

Comme le mentionne Annaert, les terres détenues par les communautés françaises sont généralement à proximité du monastère. Or, dans le cas des Ursulines, Sainte-Croix est très loin du monastère. En plus des 50 km qui séparent la seigneurie du monastère, on doit ajouter la traversée du Saint-Laurent. À lui seul, le fleuve constitue en effet une barrière considérable aux XVIIe et XVIIIe siècles. La traversée par voie fluviale est alors le seul moyen de communication entre les deux rives et demeure un chemin qu'il faut apprivoiser et comprendre pour ne pas périr : « La traversée représente toute une aventure, qu'on traverse en canot, en chaloupe ou dans une barque. Le risque de chavirer est toujours présent, particulièrement quand l'embarcation se trouve trop chargée [...][31]. » En effet, il faut être conscient non seulement de la distance entre les deux rives, mais également des marées, des courants et du vent. De plus, avec une falaise comme front d'eau et peu de prairies naturelles, cette région est peu accueillante[32].

Un parloir seigneurial

Les couvents sont contraints de conserver un lien avec le monde extérieur. C'est pourquoi les établissements monastiques féminins sont munis de parloirs, où les religieuses peuvent entretenir « le

29. Alain Laberge (avec la collaboration de Jacques Mathieu et Lina Gouger), *Portraits de campagne : la formation du monde rural laurentien au XVIIIe siècle*, Québec, Presses de l'Université Laval, 2010, p. 80.

30. *Ibid.*, p. 80.

31. Roch Samson (dir.), *Histoire de Lévis-Lotbinière*, Québec, Institut québécois de recherche sur la culture, 1996, p. 208.

32. *Ibid.*, p. 86.

seul contact réel avec le monde extérieur[33] ». Pour les Ursulines de Québec, le parloir apparaît comme l'ultime mur entre les religieuses et l'univers hostile du Nouveau Monde.

Pour mener à bien le développement de la seigneurie, les Ursulines sont, en raison de leur état claustral, très restreintes. Pour les communautés religieuses masculines, la question était moins contraignante : « Les religieuses ne peuvent pas sortir de leurs couvents : c'est la clôture féminine ; les femmes ne peuvent pas pénétrer dans les couvents de religieux : c'est la clôture masculine[34]. » N'étant pas limités par l'état claustral, ces hommes désignaient généralement un procureur parmi les membres de la congrégation pour se rendre sur place[35]. Ce dernier était responsable de la gestion seigneuriale et pouvait, entre autres choses, se déplacer pour aller recueillir les cens et rentes et autres droits seigneuriaux. À l'inverse, les religieuses, notamment en raison de leur état claustral, étaient dans l'impossibilité de se rendre sur place. Pour administrer Sainte-Croix, seulement deux options semblent avoir été retenues : agir directement depuis leur monastère et déléguer des responsabilités par procuration à une personne extérieure.

Dans le premier cas, le parloir, d'ordinaire restreint à une fréquentation très limitée, se voit transformé, par moments, en véritable manoir seigneurial. En théorie, un seigneur est dans l'obligation de tenir feu et lieu dans sa seigneurie. Ce lieu, que l'on nomme généralement le manoir seigneurial, peut être habité soit par le seigneur lui-même, soit par une personne déléguée, et c'est en ces lieux que les censitaires devront se rendre pour recevoir une concession ou pour payer leurs cens et rentes. Or, dans le cas des Ursulines, habiter la seigneurie est impossible et la délégation par procuration, bien qu'étant une solution envisageable, ne sera utilisée que tardivement au XVIIIe siècle, comme nous le verrons plus loin.

---

33. Annaert, *loc. cit.*, p. 331.

34. Micheline Dumont, « Les femmes et la vocation religieuse », chapitre 2 dans *Les religieuses sont-elles féministes ?*, Montréal, Éditions Bellarmin, 1990, p. 24.

35. Par exemple, en 1754 l'abbé Mathurin Jacrau se rend dans la seigneurie de l'Île-aux-Coudres, détenue par le séminaire, afin d'y régler certains problèmes. Cette situation n'est pas possible pour les Ursulines qui doivent alors déléguer la tâche à un procureur. Mario Lalancette, « La seigneurie de l'Île-aux-Coudres au XVIIIe siècle », dans Dépatie, Lalancette et Dessureault, *op. cit.*, p. 127.

C'est dans ce contexte particulier qu'arrive une solution extraordinaire que nous nommons « le parloir seigneurial ». Ne pouvant pas se présenter sur place ni déléguer une religieuse pour le faire, on choisit de faire venir les censitaires au monastère. C'est au moyen du parloir, une grille que l'on retrouve généralement dans le hall principal du monastère, que les visiteurs s'adressent aux religieuses. Le parloir devient alors l'ultime mur entre les religieuses et leurs censitaires et, par conséquent, le lieu où s'exerce, temporairement, la gestion seigneuriale.

Les actes de concession étudiés[36] témoignent en effet d'une activité seigneuriale au parloir. Servant pour ainsi dire de manoir seigneurial, le parloir voit se réunir les censitaires, le notaire ainsi que le conseil supérieur[37] des Ursulines pour formaliser la concession. Ainsi, les personnes désireuses de prendre une concession à Sainte-Croix doivent se rendre au monastère, comme en témoigne cet acte de concession du 24 octobre 1698 : « Furent présentes en personnes les dames religieuses du monastère des Ursulines en cette ville et Jacques Gaulthier, habitant[38]. » L'acte se termine par la mention « fait et passé au parloir extérieur du dit monastère[39] ».

Entre 1680 et 1787, la grande majorité des actes de concessions sont rédigés sous cette forme, confirmant que le parloir est la seule

36. Archives du Monastère des Ursulines de Québec. Fonds temporel des Ursulines de Québec, PDQ/PQ/MQ/1N/3, 4, 0, 0, 0 — Seigneurie de Sainte-Croix.

37. Chez les Ursulines, mais également dans d'autres communautés, on retrouve deux catégories. Il y a d'abord les religieuses de chœur (provenant de riches familles) qui jouissent de prérogatives spéciales orientées sur l'œuvre de la communauté et les religieuses converses, qui elles sont destinées à servir les sœurs de chœur en faisant les tâches pénibles, telles que le jardin, la cuisine, la lessive et le ménage. Le conseil supérieur des Ursulines est choisi parmi les religieuses de chœur et ces dernières sont amenées à communiquer avec le monde extérieur. Le conseil est composé de la mère supérieure, de l'assistante (elle seconde la supérieure), de la zellatrice (elle s'occupe des novices), de la dépositaire (ou sœur économe, elle veille aux provisions, au dépôt, etc.) et des discrètes. Ensemble, elles forment le conseil privé de la supérieure. Elles sont élues par l'assemblée des vocales et ce sont généralement des religieuses d'expérience. Voir Claire Gourdeau, *Les délices de nos cœurs, Marie de l'incarnation et ses pensionnaires amérindiennes, 1639-1672,* Sillery, Septentrion, 1994, p. 47 ; Collectif Clio, *L'histoire des femmes au Québec depuis quatre siècles*, Montréal, Le Jour éditeur, 1992, p. 57.

38. BAnQ-Q, m. not. Becquet, 23 janvier 1680 : concessions des Ursulines de Québec à Jacques Gauthier d'une terre en la seigneurie de Sainte-Croix.

39. *Ibid.* Voir copie de l'acte en annexe.

voie d'accès vers les seigneuresses. La même formule se répète pour le paiement des cens et rentes qui se fait également au monastère. Dans la plupart des actes, il est mentionné que le censitaire « leur portera au monastère de St-Joseph » ou, dans quelques cas, à « tout autre endroit qui lui sera indiqué[40] ». Sur ce dernier point, il est malheureusement difficile de connaître cet autre endroit s'il n'est pas indiqué les actes. D'ailleurs, rien ne prouve qu'il en ait même existé un. Il est possible que les religieuses aient ajouté cette clause par précaution. Il est tout aussi délicat de prouver que les censitaires se sont bel et bien déplacés au monastère de Québec. Le seul indice dont nous disposons est rapporté par une religieuse qui, en 1864, fait mention qu'« on ne voit plus arriver à la porte du Monastère, à la St. Martin, la troupe des chapons vifs en plumes, pieds et poings liés, mais gosier libre, et dont la prise de possession par nos Mères devait offrir un spectacle assez curieux[41] ».

Les Ursulines ne sont pas les seules à ne pas habiter leur seigneurie[42]. De tous les seigneurs de la rive sud, un seul, celui de Tilly, s'installe parmi ses censitaires[43]. Toutefois, les seigneurs absents ont, dans une certaine mesure, le choix d'habiter ou non leur seigneurie ; les Ursulines de Québec, elles, n'ont d'autre option que d'administrer à distance. Toutefois, les mesures qu'elles mettent en place pour remédier à leur absence ne sont pas idéales. La croissance démographique du fief, dans la seconde moitié du XVIIIe siècle, complexifie les procédures établies par les religieuses. Les pratiques de gestion à partir du parloir ne vont pas durer et le besoin d'un délégué sur place apparaît bientôt comme une nécessité.

---

40. BAnQ-Q, m. not. Chambalon, le 13 octobre 1692 : concession des Ursulines de Sainte-Croix à François Biron en la seigneurie de Sainte-Croix.

41. Sainte-Marie (mère), Saint-Thomas (mère) et George Louis Lemoine, *Les Ursulines de Québec depuis leur établissement jusqu'à nos jours*, Québec, Des Presses de C. Darveau, 1864, t. 2, p. 130.

42. Benoît Grenier, *Seigneurs campagnards de la Nouvelle France. Présence seigneuriale et sociabilité rurale dans la vallée du Saint-Laurent à l'époque préindustrielle*, Rennes, Presses universitaires de Rennes, 2007.

43. Roch Samson, *op. cit.*, p. 86.

Une délégation progressive

Dès la seconde moitié du XVIIIe, et surtout au XIXe siècle, le développement grandissant de Sainte-Croix amène les Ursulines à déléguer des tâches seigneuriales. Nous savons que des procureurs étaient présents avant 1789, car les Ursulines en discutent en conseil en 1692 : « [...] nayant point de procureur depuis le décets de Mr. Rageot il seroit bon den faire choix d'un. Quelle ne voyé dans Québec de personne expérimentée que Mr. Chambalon[44] ». Toutefois, aucune autre mention n'est faite d'un procureur et rien n'indique que ce dernier se soit investi davantage dans l'administration seigneuriale. D'ailleurs, il faut attendre 1776 avant d'observer d'autres mentions de procureurs. Le premier procureur dont l'engagement est évident est Joseph Cadet[45]. On note une première mention en 1789[46] et elle sera suivie d'une délégation qui ne fait que progresser par la suite. Cette délégation progressive est d'ailleurs souvent encouragée par les procureurs. Ainsi, au fur et à mesure que le fief se peuple, la gestion se complexifie et le besoin d'avoir quelqu'un sur place amène les Ursulines à se délester de certaines responsabilités.

Très actif entre 1789 et 1793, Cadet échange 28 lettres avec la dépositaire, sœur Marie-Louise de Saint-François-Xavier[47]. Dès le début de son mandat, Joseph Cadet ne peut que constater les

44. Voir Archives du Monastère des Ursulines de Québec, *Conclusions des assemblées des discrètes, 1687-1865,* 1/E, 2,5, 1,1, 0 : « 20 juillet 1692 », p. 16.

45. Joseph Cadet fut notaire à Sainte-Croix du 2 novembre 1784 au 4 septembre 1800. Il apparaît comme étant le procureur officiel des Ursulines de Québec à Sainte-Croix à partir de 1789. La dernière lettre trouvée qu'il fait parvenir aux Ursulines est datée du 20 mars 1793. Par la suite, c'est le notaire François-Xavier Larue qui semble le remplacer. Il est malheureusement difficile d'établir les causes de ce changement. Voir Joseph Cadet, *Lettre de J. Cadet, n. p., à Mère Saint-François-Xavier Taschereau, dépositaire des Ursulines de Québec,* 20 mars 1793, PDQ/PQ/MQ/1/N/3, 4, 1, 0, 32 – Correspondance d'affaires.

46. Joseph Cadet, *Lettre de J. Cadet, n. p., à Mère Saint-François-Xavier Taschereau, dépositaire des Ursulines de Québec,* 13 octobre 1789, PDQ/PQ/MQ/1/N/3, 4, 1, 0, 3 – Correspondance d'affaires.

47. Vingt-huit lettres sont conservées au Monastère de Québec, mais il peut y en avoir eu plus. Il est possible que certaines aient été détruites ou perdues. D'ailleurs, Cadet fait parfois référence à des lettres qui se sont perdues. Archives du Monastère des Ursulines de Québec. Fonds temporel des Ursulines de Québec, PDQ/PQ/MQ/1/N/3, 4, 1, 0, 0 – Correspondance d'affaires.

problèmes engendrés par une telle distance entre les seigneuresses et leur fief. Le 7 juin 1790, dans une lettre adressée à la dépositaire, il rapporte : « Le seigneur n'étant point sur les lieux et par conséquent ne connaissant la valeur des terres [...] vous navez pu vous apercevoir de cela, les ensaisinement des contrats se faisant dans l'intérieur d'un cloître[48]. »

Dans une situation comme celle-ci, le genre et la situation claustrale des religieuses sont clairement des obstacles considérables, ne serait-ce qu'en comparaison des communautés masculines qui pouvaient déléguer l'un de leurs membres à titre de procureur pour se rendre sur place. À la suite de cette lettre où il soutient que la valeur des censives s'est avérée mal évaluée, Joseph Cadet reçoit des Ursulines, le 23 juin 1790[49], la responsabilité de concéder lui-même les terres. D'ailleurs, à partir du moment où Cadet prend les concessions en main, on remarque une hausse marquée de terres concédées. En 1791, douze concessions sont enregistrées à Sainte-Croix, alors que la moyenne, entre 1680 et 1790, se situe autour de trois concessions par année[50]. Il faut toutefois rester prudent devant ces chiffres. Cet engouement soudain peut découler de plusieurs faits et ne signifie pas nécessairement que Cadet était plus actif en matière de concession. D'ailleurs, il est difficile de connaître concrètement les raisons d'un tel gonflement.

Ce genre de délégation, à partir de la fin du XVIIIe siècle, ne fera qu'augmenter par la suite. En 1801, les Ursulines en viennent même à céder par bail Sainte-Croix et Portneuf. Ce bail d'une durée de 50 ans sera conclu avec Mathew MacNider, marchand de Québec détenant les seigneuries de Grondines et de Bélair[51].

---

48. Joseph Cadet, *Lettre de J. Cadet, n. p., à Mère Saint-François-Xavier Taschereau, dépositaire des Ursulines de Québec,* 5 juin 1790, PDQ/PQ/MQ/1/N/3, 4, 1, 0, 10 – Correspondance d'affaires.

49. Joseph Cadet, *Lettre de J. Cadet, n. p., à Mère Saint-François-Xavier Taschereau, dépositaire des Ursulines de Québec,* 23 juin 1790, PDQ/PQ/MQ/1/N/3, 4, 1, 0, 10 – Correspondance d'affaires.

50. Archives du Monastère des Ursulines de Québec, Fonds temporel des Ursulines de Québec, PDQ/PQ/MQ/1N/3, 4, 2, 2,59 – Actes de concessions.

51. « Mathew MacNider », *Répertoire du patrimoine culturel du Québec*, [En ligne], (http ://www.patrimoine-culturel.gouv.qc.ca/rpcq/detail.do ?methode=consulter&id=11264&type=pge#.VMFQ2keG8VE] (Consulté le 28 décembre 2014).

Les conditions sont « qu'il donnera tous les ans à notre communauté 600 minot de bon bled et 1200 en arpent pour celle de Sainte-Croix[52] ». Les religieuses se montrent très satisfaites de cette affaire et écrivent : « Nous serons libres de rentrer dans nos pocessions et nous jouirons de même de toute les améliorations qui auront été fait sur les dites seigneuries, ce qui est un très grand avantage pour nous[53]. » Il ne faut donc pas interpréter ce désistement de la gestion comme une perte « d'autonomie ». Au contraire, les nombreuses lettres échangées entre MacNider et les religieuses témoignent d'une présence continue des religieuses dans la prise de décisions administratives, même après 1801[54]. D'ailleurs, rappelons que les Ursulines demeurent les seigneuresses officielles de Sainte-Croix jusqu'en 1923, date à laquelle elles vendent les droits sur ce fief[55].

Le processus de délégation que l'on observe dans la gestion seigneuriale des Ursulines rejoint probablement l'idée de la « pesante charge » dont parle Colleen Gray à propos des supérieures de la Congrégation de Notre-Dame de Montréal[56]. D'ailleurs, lorsque les Ursulines font référence à cette cessation par bail, elles se disent « délivrées de bien des peines et des dépenses qui excedoit souvent les revenues[57] ».

52. Annales des Ursulines de Québec, tome I, 1639-1822, p. 375.

53. *Ibid.*, p. 375.

54. Il est question de quatre lettres échangées entre les deux parties en 1802, où MacNider rend compte aux Ursulines de ce qui se passe. Archives du Monastère des Ursulines de Québec. Fonds temporel des Ursulines de Québec, PDQ/PQ/MQ/1/N/3, 4, 1, 0, 0 – Correspondance d'affaires.

55. Le 10 décembre 1923, les Ursulines de Québec vendent la seigneurie de Sainte-Croix aux administrateurs de la succession de l'honorable Alexandre Chauveau, pour 10 000 $. Voir BAnQ-Q, Fonds E39 – Syndicat national du rachat des rentes seigneuriales, série 100, sous série 1, rapport 35-85 Sainre-Croix.

56. Voir le chapitre « La pesante charge » dans Colleen Gray, *The Congrégation de Notre-Dame, Superiors, and the Paradox of Power, 1693-1796*, Montréal, McGill-Queen's University Press, 2007, p. 85.

57. Annales des Ursulines de Québec, tome I, 1639-1822, p. 375.

Une gestion sous le regard masculin

Une question demeure : les religieuses agissaient-elles en complète autonomie ou étaient-elles influencées par un avis masculin ? *A priori*, les communautés féminines sont tout aussi contraintes à la nature de leur genre que les femmes laïques : les rapports sociaux de sexe sont constitutifs de l'organisation sociale, particulièrement au sein de l'Église[58]. Pourtant, les religieuses semblent relativement seules aux commandes lorsqu'il s'agit des biens temporels de leur communauté.

L'étude du fonds Relations avec les autorités ou organismes ecclésiastiques, 1653-1920[59] laisse croire que, bien qu'elles soient très paternalistes sur le plan des règles internes du monastère, les autorités cléricales semblent désintéressées de la gestion seigneuriale. Les évêques successifs portent un grand intérêt à conseiller les religieuses au sujet de leur mode de vie, du respect de leurs règles ou de la façon dont elles s'organisent en conseil. Toutefois, la seule mention relative à l'administration seigneuriale se trouve dans une lettre de l'évêque Jean-François Hubert à la dépositaire, le 14 mars 1793, qui fait référence à une décision prise par cette dernière concernant les cens et rentes[60].

Cependant, cette « liberté » n'est pas pour autant synonyme d'initiatives ou de pouvoir assumé. Au contraire, les *Conclusions d'assemblées des discrètes, 1687-1865*[61], révèlent que, lorsqu'il est question de décisions administratives dont les religieuses ignorent la réponse, on demande conseil à une personne-ressource[62] qui, dans tous les cas, est un homme. Le 24 juin 1689, la mère

---

58. Lorena Parini, *Régulation sociale et genre,* Paris, L'Harmattan, 2006, p. 15.

59. Le fonds Relations avec les autorités ou organismes ecclésiastiques contient la correspondance que le conseil supérieur échangeait avec les autorités ecclésiastiques. Archives du Monastère des Ursulines de Québec, *Relations avec les autorités ou organismes ecclésiastiques, 1653-1920,* 1/B2, 3, Diocèse de Québec, 1682-1818.

60. Jean-François Hubert, *Lettre aux religieuses de Québec*, 14 mars 1793, Archives du Monastère des Ursulines de Québec, *Relations avec les autorités ou organismes ecclésiastiques, 1653-1920,* 1/B2, 3, Diocèse de Québec, 1682-1818.

61. Archives du Monastère des Ursulines de Québec, *Conclusions des assemblées des discrètes, 1687-1865,* 1/E, 2,5, 1,1, 0.

62. Archives du Monastère des Ursulines de Québec, *Conclusions des assemblées des discrètes, 1687-1865,* 1/E, 2,5, 1,1, 0 : « 19 août 1707 ».

supérieure de Saint-Joseph rassemble les discrètes afin de les informer « qu'un des enfants de Louis Houde demande une habitation sur une terre de Sainte-Croix, mais qu'il n'en veut donner que 20 sols et un chapon par arpent de frond sur quarante de profondeur[63] », ce à quoi les discrètes s'opposent majoritairement. Le conseil propose alors « de ne lui pas accorder sa demande sans avoir pris conseil de personnes intelligentes en ces sorte dafaires dautant quil en a craindre que ceux qui en ont a plus haut pris ne veuille rabaisser leurs constracts[64] ». Les religieuses possèdent donc une certaine autonomie décisionnelle, mais ressentent le besoin de demander conseil aux personnes dites « intelligentes » lorsque le besoin se présente.

À ce propos, le cas de sœur François-Xavier[65] est éloquent. Issue d'une éminente famille seigneuriale, elle est nommée dépositaire des Ursulines de Québec en 1788, où elle demeure jusqu'en 1793, date à laquelle elle est élue mère supérieure. Son exemple est très intéressant, car, durant son mandat, l'engagement seigneurial des Ursulines subit une croissance considérable. Alors que la correspondance concernant la seigneurie de Sainte-Croix se résume à deux lettres en 75 ans (1714-1789), 46 sont disponibles durant le mandat de sœur Taschereau, soit une durée de quatre ans[66]. Lorsque cette dernière est promue mère supérieure du monastère, la fréquence des échanges entre la nouvelle dépositaire et le procureur baisse de

63. Archives du Monastère des Ursulines de Québec, *Conclusions des assemblées des discrètes, 1687-1865,* 1/E, 2,5, 1,1, 0 : « 24 juin 1689 ».

64. Le terme « intelligente », tel qu'il est utilisé dans la source, se rapporte à une personne ayant les connaissances adéquates de la gestion seigneuriale. Le terme faisait-il automatiquement référence à un homme ? Il est difficile de le confirmer. Archives du Monastère des Ursulines de Québec, *Conclusions des assemblées des discrètes, 1687-1865,* 1/E, 2,5, 1,1, 0 : « 24 juin 1689 ».

65. De son nom complet Marie-Anne-Louise Taschereau, dite de Saint-Francois-Xavier, elle est la fille de Thomas-Jacques Taschereau et de Marie-Claire de Fleury de La Gorgendière. Elle entre chez les Ursulines le 13 mai 1764. Voir Suzanne Prince, « Marie-Anne-Louise Taschereau dite de Saint-François-Xavier » dans Francess G. Halpenny et Jean Hamelin (dir.), *Dictionnaire biographique du Canada*, vol. 6, Québec, Presses de l'Université Laval, 1987, p. 829-830.

66. Archives du Monastère des Ursulines de Québec. Fonds temporel des Ursulines de Québec, PDQ/PQ/MQ/1N/34000 – Seigneurie de Sainte-Croix.

façon considérable : on n'en dénombre plus que sept entre 1793 et 1801, dont une qui s'adresse à mère Taschereau.

L'étude de cas de sœur Saint-François-Xavier Taschereau permet de réfléchir à l'agentivité[67] qui caractérise la religieuse en matière de gestion seigneuriale. Au-delà de son activité, sa correspondance d'affaires s'est avérée révélatrice d'une influence masculine en la personne de Gabriel-Elzéar Taschereau[68], son frère. L'exemple de sœur Saint-François-Xavier Taschereau est éloquent, car, bien qu'on lui reconnaisse un talent pour les affaires, elle considère qu'elle n'a pas les outils pour bien assurer ses responsabilités et ressent le besoin de demander conseil.

Lorsqu'elle arrive à la barre des biens temporels de sa communauté, sœur Saint-François-Xavier Taschereau est immédiatement allée chercher l'aide de son frère pour des conseils administratifs. Ce dernier s'est d'ailleurs empressé de rassurer sa sœur : « Ma chère petite sœur, j'ai recu ta lettre a laquelle je m'attendais et elle ne ma pas surprise, mais bien fais de la peur pour l'embarras ou tu t'imagine que tu sera dans tes affaires, n'est point d'inquiétude. Je trouverez le tems de tout finir et mettre le tout en ordre[69]. » Ce dernier étant

67. Le concept d'agentivité, comme il est entendu dans ce cas-ci, se définit comme la capacité autonome d'agir. Par l'intermédiaire de l'administration seigneuriale, ce concept permettra de mettre « en évidence une scène d'interpellation, comme condition de possibilité d'une action propre des femmes face au pouvoir dominant (les hommes) ». Voir Jacques Guilhaumou, « Autour du concept d'agentivité », *Rives méditerranéennes*, 41, 2012, p. 27. Ce concept fut utilisé pour la première fois par Judith Butler dans *Gender Trouble : Feminism and the Subversion of Identity*, New York, Routledge, 1990. Il fut ensuite traduit par « agentivité » par Barbara Havercroft dans « Quand écrire, c'est agir : stratégies narratives d'agentivité féministe dans *Journal pour mémoire* de France Théoret », *Dalhousie French Studies*, n° 47, été 1999, p. 93-113.

68. Cet homme influent fut actif dans plusieurs sphères. Il fut entre autres seigneur, capitaine, juge de la Cour des plaids, député de Dorchester, député à la Chambre d'assemblée et grand voyer du district de Québec. Honorius Provost, « Gabriel-Elzéar Taschereau », *Dictionnaire biographique du Canada*, vol. 5, Université Laval et Université de Toronto, [En ligne], 1983, [http ://www.biographi.ca/fr/bio/taschereau_gabriel_elzear_5F.html] (Consulté le 24 novembre 2013).

69. Lettre de Gabriel-Élzear Taschereau à sa sœur Anne-Louise Taschereau, 14 septembre 1791, Archives du Monastère des Ursulines de Québec. Fonds temporel des Ursulines de Québec, S. Anne-Louise Taschereau dite St-François-Xavier 1/E, 8, 2, 0, 0, 0 (1790-1818).

lui-même seigneur de Sainte-Marie-de-la-Nouvelle-Beauce[70], il entreprend ainsi de conseiller sa sœur[71]. D'ailleurs, sa collaboration sera assez importante puisqu'il propose de donner son aide non seulement à sa sœur, « mais même en tout autre tems ou je veux toujours que l'on agisse comme tu fais, ainsi je veut être le frère de la dépositaire qui te relevera et l'ami respectueux de toute la maison[72] ». Son vœu sera exaucé, puisque la maison lui sera éternellement reconnaissante de cette précieuse aide. Ainsi, lorsque les Ursulines rendent hommage à mère Taschereau à l'occasion de son décès, elles ne manquent pas de souligner l'investissement de Gabriel-Elzéar Taschereau qui :

> Voyant l'embarras de sa chère sœur lorsqu'elle fut mise dépositaire en 1787, s'employa tout un hiver à débrouiller nos affaires qui étaient dans un état déplorable, et continua de s'intéresser à notre maison, nous rendant des services appréciables, et cela sans vouloir accepter de rétribution aucune. Puissions-nous trouver l'occasion d'être utile à cette honorable famille, ou à ses petits-enfants[73].

Durant la période où mère Taschereau gère les biens temporels de la communauté, on assiste à une croissance considérable de la population du fief. Entre 1788 et 1793, seize concessions sont octroyées, dont douze en 1790 par l'entremise de Joseph Cadet. Ces données contrastent avec les 29 concessions accordées pour la période allant de 1683 à 1787. Bien entendu, il y a probablement d'autres points à considérer dans cette hausse de concessions, ne

70. Au cours de sa vie, il est également seigneur de Saint-Joseph-de-la-Nouvelle-Beauce, de Jolliet, d'une partie de l'île d'Anticosti, d'une partie de la seigneurie Mingan et d'une partie de la seigneurie Linière. Voir Provost, *loc. cit.*

71. Archives du Monastère des Ursulines de Québec. Fonds temporel des Ursulines de Québec, S. Anne-Louise Taschereau dite St-François-Xavier 1/E, 8, 2, 0, 0, 0 (1790-1818).

72. *Ibid.*

73. Archives du Monastère des Ursulines de Québec, *Annales des Ursulines de Québec*, tome II, 1822-1894, p. 39. Voir également le récent livre de Brian Young, dans lequel une liste de toutes les filles de la famille Taschereau qui sont passées chez les Ursulines témoigne des liens qui ont pu se créer entre l'éminente famille et les Ursulines. Brian Young, *Patrician Families and the Making of Quebec, The Taschereaus and McCords*, Kingston et Montréal, McGill-Queen's University Press, 2014, p. 45-46.

serait-ce que l'arrivée d'un procureur investi, comme nous l'avons noté précédemment. L'arrivée de ce procureur concorde toutefois avec l'entrée en fonction de sœur Saint-François-Xavier. Aurait-elle pu être influencée dans la décision de déléguer certains pouvoirs seigneuriaux ?

Cette entraide est d'ailleurs largement documentée par les lettres consultées : Joseph Cadet et les Ursulines, Joseph Cadet et Gabriel-Elzéar Taschereau ainsi que Gabriel-Elzéar Taschereau et sa sœur. Ces correspondances révèlent que Gabriel-Elzéar Taschereau a pris en main plusieurs aspects administratifs de la seigneurie. Entre 1789 et 1793, Joseph Cadet en vient même à échanger directement avec lui, à la suggestion même de la religieuse. Dans une lettre du 24 avril 1790, Joseph Cadet, n'ayant pas de réponses des Ursulines, se tourne immédiatement vers Gabriel-Elzéar Taschereau, afin d'obtenir l'autorisation de « faire faire la criée public à la sortie de l'Église de cette Paroisse de Ste-Croix pour que deux censitaires soyent obligés de me donner communication de leurs titres [...][74] ». Dans la même lettre, Cadet demande également à monsieur Taschereau de l'éclairer sur une question seigneuriale, à savoir « si il sera a propos d'éxiger le droit de lod sur la reprise d'un bien donné, à un collatéraux ou à un étranger. Si s'éttoit dans un effet de votre bontée, de m'éclaircir la dessus. Si sur telle reprise je doit exiger les lods et ventes soit en entier, en partie ou point du toute[75] ». Ainsi, lorsqu'il s'agit d'une autorisation d'action, Cadet se réfère d'abord aux religieuses. Toutefois, lorsqu'il s'agit d'un conseil relatif aux fondements de l'administration seigneuriale, il se réfère plutôt à Gabriel-Elzéar Taschereau. D'ailleurs, étant lui-même seigneur, nous pouvons supposer qu'il est mieux outillé pour conseiller le procureur que les Ursulines elles-mêmes, d'autant qu'il a la possibilité de se rendre à Sainte-Croix...

74. Lettre de Joseph Cadet à Gabriel-Elzéar Taschereau, 24 avril 1791, Archives du Monastère des Ursulines de Québec. Fonds Seigneurie de Sainte-Croix, 1/N, 3, 4, 1, 0, 6 – Correspondances d'affaires, (1714-1859).

75. *Ibid.*

Conclusion

Les religieuses seigneuresses, de par leur genre, sont contraintes à une situation bien particulière qui rend leur administration seigneuriale très complexe. Toutefois, les solutions mises en place témoignent d'une volonté d'assumer ce double rôle, rôle qui sera mis à rude épreuve par le peuplement grandissant du fief.

Malheureusement, bien que les documents sur la seigneurie de Sainte-Croix témoignent des différentes pratiques de gestion des religieuses, ils contiennent peu d'information sur l'importance que tient cette administration dans le quotidien des religieuses. Il semble toutefois évident que, malgré l'autonomie dont elles font preuve dans différentes sphères, les religieuses vont chercher un appui masculin. C'est visiblement ce qui se produit avec l'administration de Sainte-Croix. L'exemple de sœur Saint-François-Xavier Taschereau illustre bien cette situation. Bien qu'on lui reconnaisse un talent pour les affaires, elle considère qu'elle n'a pas les compétences requises pour bien assumer ses responsabilités et ressent le besoin de demander conseil. Faut-il y voir une humilité féminine ? Ou bien peut-être les religieuses n'avaient-elles tout simplement aucun intérêt pour ce genre de gestion ? Là n'étant pas l'objectif de leur engagement religieux. Ces informations restent difficiles à confirmer. Peu d'indices révèlent clairement la manière dont les religieuses perçoivent leur rôle de seigneuresses et plusieurs questions restent à éclaircir. Par exemple, dans un compte rendu à l'intendant Champigny, vers 1700, la communauté fait mention que la seigneurie de Sainte-Croix rapporte 141 livres. Plus tard, en 1878, on dit de cette somme que « ce n'était pas à écraser ses censitaires, comme on le voit[76] ». Se pourrait-il que les censitaires aient eu intérêt à avoir des religieuses comme seigneuresses ? Les religieuses étaient-elles des seigneuresses compatissantes et plus accommodantes ? Voilà des questions qui méritent, dans le futur, que l'on y porte une attention particulière.

En somme, le long silence des historiens concernant le rôle seigneurial des Ursulines de Québec n'est en rien synonyme

76. Sainte-Marie (mère), Saint-Thomas (mère) et Lemoine, *op. cit.*, p. 126.

d'inactivité. Au contraire, les Ursulines sont la preuve que cette administration seigneuriale a eu sa place dans l'histoire de cette communauté. Une étude plus approfondie de l'administration seigneuriale des autres communautés serait probablement tout aussi révélatrice. Pensons notamment aux Augustines de l'Hôtel-Dieu de Québec et à leur seigneurie de Saint-Augustin de Maur, qui sert les œuvres de la communauté[77]. De telles recherches permettraient de mettre de l'avant un aspect encore méconnu de leur histoire. Il en va de même pour le cas des seigneuresses laïques dont l'historiographie demeure, à ce jour, peu documentée. De telles recherches permettraient de pousser plus loin la réflexion sur les enjeux de la gestion seigneuriale au féminin, en plus de révéler les possibilités et les limites du « pouvoir des Dames[78] ».

77. Patrick Blais, étudiant à la maîtrise en histoire de l'Université de Sherbrooke, travaille actuellement sur ce sujet sous la direction du professeur Benoît Grenier : « Les pauvres, des seigneurs ? La gestion de Saint-Augustin de Maur par les Augustines de l'Hôtel-Dieu de Québec (1734-1779) ».

78 Anaïs Dufour, *Le pouvoir des « Dames », Femmes et pratiques seigneuriales en Normandie (1580-1620),* Presses universitaires de Rennes, Rennes, 2013.

Annexe

Acte de concession des Ursulines de Québec à Jacques Gauthier, 23 janvier 1680[79].

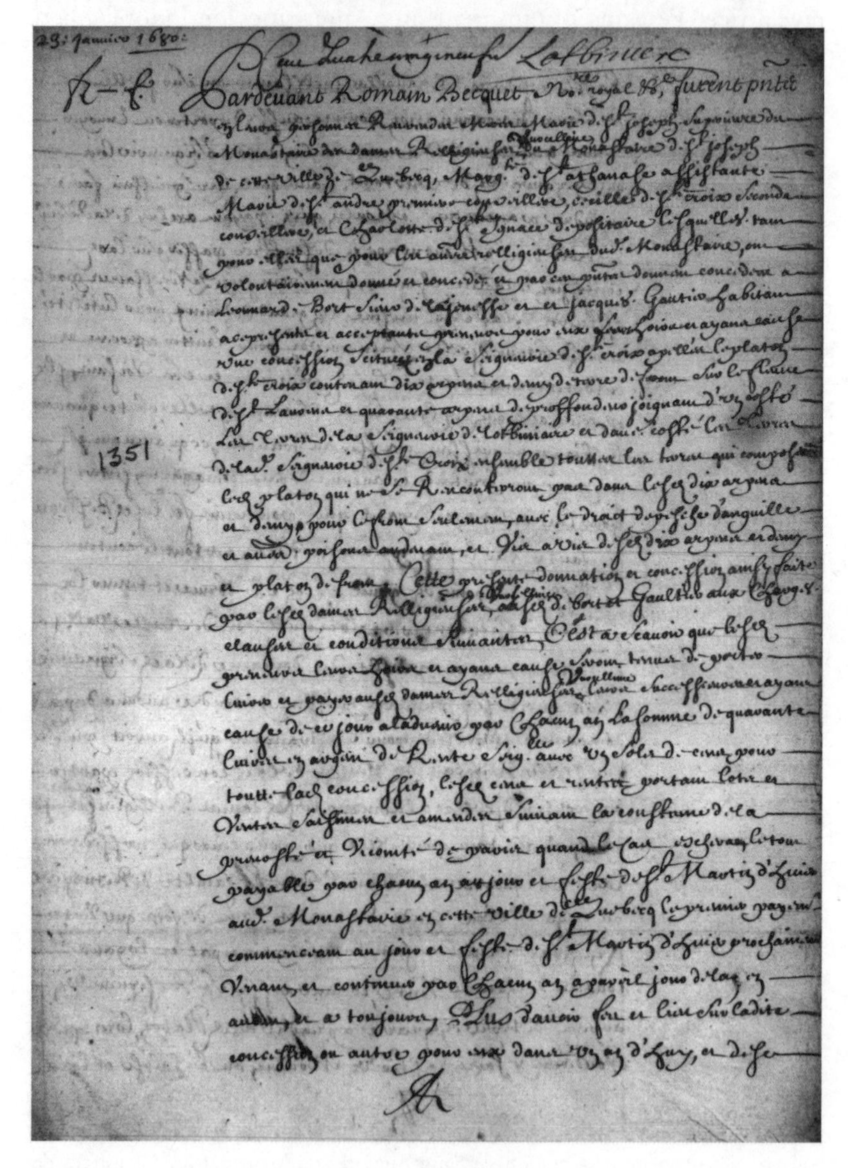

79. BAnQ-Q, m. not. Becquet, 23 janvier 1680 : concessions des Ursulines de Québec à Jacques Gauthier d'une terre en la seigneurie de Sainte-Croix.

bastir resider et travailler incessamment sur icelle
et sans discontinuation, comme aussy de porter ou envoyer
leurs grains moudre au moulin de lad. seigneurie lors
qu'il y en aura un de construit, sans qu'ilz les puissent faire
moudre a aucun autre moulin qu'en payant a celuy de lad. seig.
le droict de mouturage, et de souffrir passer sur leur
concession tous les chemins qui seront jugez necessaires par les
officiers de lad. seig. mesme un grand chemin pour l'utilité
des habitans d'icelle seigneurie et pour eviter a procez et
entretenir amitié entre lesd. preneurs et leurs voisins, ilz
seront obligez de clore leurs terres en telle sorte qu'aucuns
bestiaux ne puissent passer au travers, ce qu'a [illegible] ilz
ne pourront pretendre aucuns despens domages ny interests
pour les delits et degats que pourroient fe. lesd. bestiaux
et faute par lesd. preneurs d'executer tout le contenu
cy dessus de point en point selon sa forme et teneur la
pnte concession demeurera nulle et de nulle valleur
et retournera au proffict du domaine de lad. seigneurie
sans que lesd. preneurs puissent pretendre aucuns despens
domages et interests pour les travaux qu'ilz auroient pu fe.
sur icelle, et en cas de vente de lad. concession partie
ou portion d'icelle a ladite lesd. dames Religieuses Ursulines se
reservent tant pour elles que pour ceux qui possederont
lad. seigneurie a l'advenir le droit et faculté de retraict celle
ou ce qui en sera vendu toutes et tant de fois que vente
s'en fera, en remboursant le prix principal et loyaux
couts de chacune vente, comme aussy se reservent un
arpent de terre en quarré a prendre aud. platon, lors qu'elles
voudront y faire bastir un moulin ou l'eglise et lors

qu'elles [illegible] tenues de payer aud[its]
preneurs ce qu'il conviendra pour l'aumosnier [illegible] Car ainsy &c
promettant &c obligeant &c lesd. preneurs solidairement renonç.
pour l'av. &c Tous les Renonciations Requises, faict et passé
a Quebecq au parloir exterieur dud. Monastere [illegible]
quatre Vingt quatre Midy le Vingt troize jour de janvier
en presence de Mre Gilles Rageot premier huissier du Conseil
Souverain de ce pais, et du sr Phle Gillet demt aud. Quebecq
tesmoins qui ont signé avec lesd. dames Relligieuses et Notaire et ont lesd. preneurs declaré ne scav. escrire ny signer
de ce enquis suivant l'ordonnance, Pour de lad. concession
ses circonstances et dependances jouir et disposer par
lesd. preneurs leurs hoirs et ayans cause ainsy que bon leur
semblera, au moyen des prix et aux charges clauses
et conditions y declarées, l'approuve [illegible]
qui sont la Repetition du mot [illegible]

Sr marie de St Joseph supre
Sr Marguerite de St Athanase Assiste
Sr Marie de St André 1re Conseillère
Sr cecile de Ste [illegible] 2e Conseillere
Sr Charlotte de St Ignace Depositaire

[illegible] Gillet

Becquet

Les chefs autochtones comme « seigneurs » : gestion des terres et de leurs revenus, 1760-1820[1]

Isabelle Bouchard

Dans l'historiographie québécoise, la diversité caractérisant le groupe des propriétaires seigneuriaux n'est plus à démontrer. Hommes comme femmes, les seigneurs ont des origines ethniques et sociales diversifiées[2]. Néanmoins, les autochtones de la vallée du Saint-Laurent demeurent un groupe de seigneurs méconnu. Après la Conquête britannique de 1760 et le départ de leurs anciens tuteurs (les missionnaires jésuites), certaines communautés accèdent collectivement au rôle de « seigneurs ». Jusqu'en 1820, les chefs iroquois du Sault-Saint-Louis (Kahnawake) et abénaquis de Saint-François (Odanak) héritent des prérogatives liées à la gestion des terres acensées et des revenus qui en sont issus. L'objectif de cet article est de dresser un portrait d'une réalité méconnue – celle de l'accession des chefs autochtones[3] au rôle de « seigneurs » – et de mettre en évidence que les

1. L'auteure souhaite remercier Alain Beaulieu, Maxime Gohier, Maxime Morin, Valérie Poirier et Marie Lise Vien pour leur lecture de la première version de cet article ainsi que pour leurs commentaires constructifs.

2. À ce sujet, voir Benoît Grenier, *Brève histoire du régime seigneurial,* Montréal, Boréal, 2012, chapitre 3.

3. Pour la période qui nous intéresse, soit les années 1760 à 1820, le terme de chefs autochtones désigne un groupe ambigu pour lequel nous disposons de peu d'information quant à leur mode de nomination et à leur nombre. Les structures politiques des autochtones de la vallée du Saint-Laurent tendent toutefois à se hiérarchiser au XIXe siècle, notamment par l'identification de plus en plus précise d'individus qualifiés de grands chefs qui s'accaparent les prérogatives liées à l'administration des terres et des ressources dont jouissent en commun leurs communautés. Sur cette question, voir notre thèse de doctorat, *Des structures politiques en quête de légitimité : terres, pouvoir et enjeux locaux*

autochtones ont, sans l'intervention des officiers des Affaires indiennes[4] ni des autorités coloniales, géré leurs terres et leurs revenus entre 1760 et 1820.

Malgré les importantes répercussions de ces nouvelles prérogatives dans la politique interne des communautés autochtones, le rôle de « seigneurs » joué par les chefs est pour ainsi dire absent de l'historiographie. Les historiens du régime seigneurial se sont intéressés principalement au rôle des communautés religieuses dans l'administration des terres réservées pour les autochtones, c'est-à-dire aux Sulpiciens qui utilisent le domaine de leur seigneurie du Lac-des-Deux-Montagnes pour leur mission[5] ou aux Jésuites qui administrent les terres des Amérindiens à titre de tuteurs[6]. Pour leur part, les spécialistes en histoire autochtone ont consacré leurs recherches aux diverses revendications territoriales des autochtones dans la vallée du Saint-Laurent[7]. S'inscrivant partiellement ou

dans les communautés autochtones de la vallée du Saint-Laurent (1760-1860), dont le dépôt est prévu au courant de l'année 2016.

4. Dans cet article, nous employons le terme officiers des Affaires indiennes de préférence à celui d'agent, car les agences « seigneuriales » ne sont établies que dans les années 1820 au Bas-Canada. Le terme officiers renvoie également au fait que les Affaires indiennes relèvent de l'autorité militaire jusqu'en 1830.

5. Christian Dessureault, « La seigneurie du Lac-des-Deux-Montagnes », dans Sylvie Dépatie, Mario Lalancette et Christian Dessureault, *Contributions à l'étude du régime seigneurial canadien*, LaSalle (Montréal), Hurtubise HMH, 1987, p. 153-227.

6. Sur le rôle des Jésuites dans l'administration de la « seigneurie » du Sault-Saint-Louis sous le Régime français, voir Louis Lavallée, *La Prairie en Nouvelle-France, 1647-1760 : étude d'histoire sociale*, Kingston et Montréal, McGill-Queen's University Press, 1992, et Arnaud Decroix, « Le conflit juridique entre les Jésuites et les Iroquois du Sault-Saint-Louis : analyse de la décision de Thomas Gage (1762) », *Revue juridique Thémis*, vol. 41, nº 1, 2007, p. 279-297.

7. Au sujet de la revendication des Hurons pour la seigneurie de Sillery, voir Jean-Sébastien Lavallée, *Sillery, terre huronne ? : étude de la première revendication territoriale des Hurons de Lorette (1791-1845)*, Mémoire (M.A.), Université du Québec à Montréal, 2003 ; Joëlle Gardette, *Le processus de revendication huron pour le recouvrement de la seigneurie de Sillery, 1651-1934*, Thèse (Ph. D.), Université Laval, 2008, et Michel Lavoie, *C'est ma seigneurie que je réclame : la lutte des Hurons de Lorette pour la seigneurie de Sillery, 1650-1900*, Montréal, Boréal, 2010. Au sujet de la contestation des limites entre les terres du Sault-Saint-Louis et la seigneurie de La Prairie, voir Alain Beaulieu, *Les Iroquois, les Jésuites et le roi : la terre du Sault-Saint-Louis dans le régime seigneurial canadien (1680-1854)*, Rapport de recherche préparé pour le ministère des Affaires indiennes et du Nord Canada, 1996, et Karol Pépin, *Les Iroquois et les terres du Sault-Saint-Louis : étude d'une revendication territoriale (1760-1850)*, Mémoire (M.A.), Université du Québec à Montréal, 2007.

complètement dans le cadre de contestations judiciaires, ces études tentent principalement d'établir le statut foncier des terres concédées aux autochtones[8] et, ainsi, d'évaluer la validité juridique de leurs revendications actuelles.

Dans la lignée de ce que proposait Julie-Rachel Savard il y a quelques années, nous désirons abolir « la frontière tacite entre l'histoire des Amérindiens et celle des Français » afin de cerner la place que les communautés autochtones « occupaient au cœur de la vie seigneuriale[9] ». Ce travail de réinsertion des autochtones dans le monde seigneurial a récemment été amorcé par Thomas Peace. Grâce aux dépouillements d'archives notariales du XVIIIe siècle, il démontre notamment que les Hurons de Lorette acquièrent, dès les années 1730, des terres dans les seigneuries avoisinantes pour lesquelles ils payent des rentes, à l'instar des autres colons canadiens-français[10]. Toutefois, les Hurons n'exercent pas les fonctions de seigneurs de Sillery, car les autorités refusent de reconnaître leurs droits sur ce fief.

Délaissant les questions liées aux revendications, notre contribution se concentre sur la manière dont les « seigneurs » autochtones gèrent leurs terres entre 1760 et 1820. Notre approche repose davantage sur les pratiques des chefs comme acteurs du monde seigneurial que sur le statut légal de ces terres, statut dont nous allons mettre en évidence l'ambiguïté. Pour ce faire, nous avons utilisé les greffes de notaires ainsi que les sources plus traditionnelles en histoire autochtone, c'est-à-dire les archives des Affaires indiennes et la correspondance des missionnaires présents dans les villages autochtones. En utilisant conjointement les historiographies

8. Voir aussi Maxime Boily, *Les terres amérindiennes dans le régime seigneurial : les modèles fonciers des missions sédentaires de la Nouvelle-France*, Mémoire (M.A.), Université Laval, 2006.

9. Julie-Rachel Savard, « L'intégration des Autochtones au régime seigneurial canadien : une approche renouvelée en histoire des Amérindiens », dans Alain Beaulieu et Maxime Gohier (dir.), *La recherche relative aux Autochtones. Perspectives historiques et contemporaines*, Montréal, Chaire de recherche du Canada sur la question territoriale autochtone, 2007, p. 171-172.

10. Ces acquisitions constituent une stratégie communautaire pour accroître les terres disponibles et ainsi faire face à l'augmentation de la population et à la diminution des ressources. Thomas Peace, *Two Conquests : Aboriginal Experiences of the Fall of New France and Acadia*, Thèse (Ph. D.), York University, 2011, p. 268-277.

seigneuriale et autochtone, nous désirons jeter un regard différent sur l'intégration des autochtones au régime seigneurial ainsi que sur les liens que ces derniers entretiennent avec la société coloniale bas-canadienne.

L'ambiguïté du statut des terres du Sault-Saint-Louis et de Saint-François

Afin d'intégrer les populations autochtones établies à proximité des établissements coloniaux de la vallée du Saint-Laurent durant le XVIIe siècle, la Couronne française leur concède des terres libres de redevances seigneuriales. À partir de la seconde moitié des années 1660, des Iroquois – majoritairement des Agniers (Mohawks) – s'établissent dans la seigneurie de La Prairie, propriété des Jésuites[11]. En 1676, les Iroquois quittent les limites de cette seigneurie pour s'établir plus à l'ouest. Quatre ans plus tard, deux concessions adjacentes (les terres du Sault-Saint-Louis) sont concédées par Louis XIV au bénéfice de la mission iroquoise de Saint-François-Xavier[12]. Les actes de concession prévoient que les terres accordées aux Iroquois seront toutefois administrées par les missionnaires jésuites.

Tout comme dans le cas des Iroquois, l'établissement des Abénaquis sur les rives de la rivière Saint-François se conforme aux politiques des autorités coloniales françaises. Leurs terres leur sont toutefois octroyées par des particuliers. Le 23 août 1700, Marguerite Hertel et son fils aîné (Joseph Crevier), seigneurs de Saint-François, concèdent une partie de leur seigneurie aux Abénaquis et aux Sokokis. Puisqu'une partie des terres concédées par les seigneurs de Saint-François s'étend à l'intérieur de la seigneurie de Pierreville, les propriétaires de cette dernière (Antoine Pagnol et collab.)

---

11. Denys Delâge, « Les Iroquois chrétiens des "réductions", 1667-1770. I- Migration et rapport avec les Français », *Recherches amérindiennes au Québec*, vol. 21, n°s 1-2, 1991, p. 60-63. Sur le caractère multi-ethnique du village de Kahnawake, voir Allan Greer, *Catherine Tekakwitha et les Jésuites : la rencontre de deux mondes*, Montréal, Boréal, 2007, chapitre 4.

12. Ces deux concessions sont ensuite fusionnées dans un nouvel acte en 1718. Boily, *op. cit.*, p. 101-103 et Beaulieu, *Les Iroquois, les Jésuites et le roi, op. cit.*, p. 29-32.

octroient ces terres aux Abénaquis l'année suivante (10 mai 1701). En 1712, à la demande du gouverneur Vaudreuil, Jean-Baptiste Crevier-Descheneaux, le frère de Joseph Crevier[13], concède une autre partie de la seigneurie de Saint-François[14]. Contrairement aux Iroquois, les Abénaquis ne sont pas placés sous la tutelle des Jésuites. La présence d'un missionnaire est néanmoins exigée pour que ces derniers en conservent l'usufruit.

Une des principales particularités des terres concédées au bénéfice des Iroquois et des Abénaquis est l'ambiguïté de leur statut foncier. En effet, le mode de concession de ces terres n'est pas spécifié dans les actes de concession. Contrairement à la seigneurie de Sillery dont l'acte de concession de 1651 permet explicitement aux « Indiens » de la vendre, de l'aliéner et même d'octroyer des censives[15], les terres du Sault-Saint-Louis et de Saint-François ne sont pas octroyées à titre de « fief et seigneurie[16] », c'est-à-dire le modèle correspondant à la majorité des terres octroyées en Nouvelle-France. De cette absence de spécification découle une incertitude quant au mode de développement envisagé pour les terres du Sault et de Saint-François[17].

Le seul indice quant au statut de ces terres est le caractère temporaire de ces concessions. À la fin de la mission, les terres du Sault et de Saint-François doivent retourner au roi ou aux seigneurs laïques qui les ont concédées. Par exemple, l'acte de concession fait en faveur des Abénaquis de Saint-François en 1700 énonce que « laditte mission Cessante, la ditte demye lieue présentement concédée en l'État que les d. terres seront alors, retournera à la ditte damoiselle Crevier [3 mots illisibles], et aud. Sr. Son fils ou

13. Pour une généalogie de la famille Crevier, voir Benoît Grenier, *Seigneurs campagnards de la Nouvelle France. Présence seigneuriale et sociabilité rurale dans la vallée du Saint-Laurent à l'époque préindustrielle*, Rennes, Presses universitaires de Rennes, 2007, p. 380.

14. Boily, *op. cit.*, p. 192-229.

15. Seuls Sillery et le Lac-des-Deux-Montagnes ont sans équivoque le statut de seigneuries. Beaulieu, *Les Iroquois, les Jésuites et le roi*, *op. cit.*, p. 32.

16. Il existe trois modes de distribution de fiefs dans le régime seigneurial : la concession en fief et seigneurie, la concession en arrière-fief et la concession en franc-alleu. Marcel Trudel, *Les débuts du régime seigneurial au Canada,* Montréal, Fides, 1974, p. 2-4.

17. À ce sujet, voir le texte de David Gilles dans le présent ouvrage.

à leurs héritiers, pour leur apartenir Comme auparavant le présent titre[18] ». En concédant temporairement ces terres pour la jouissance des autochtones, le roi de France et les seigneurs de Saint-François et de Pierreville conservent leur propriété éminente sur celles-ci. Puisqu'une concession en fief et seigneurie implique un transfert complet du droit de propriété[19], les terres du Sault-Saint-Louis et de Saint-François ne peuvent donc pas être considérées comme des seigneuries à part entière[20].

Néanmoins, dès le début du XVIIIe siècle, les jésuites – qui ont reçu la tutelle des terres du Sault-Saint-Louis – amorcent un développement basé sur « un modèle semblable à celui d'une concession en fief et seigneurie[21] ». Dès 1704, ils concèdent timidement des censives à des colons français à l'extrémité orientale des terres du Sault, soit à la frontière du territoire seigneurial de La Prairie[22]. À partir de 1720, les jésuites mènent une politique soutenue de distribution des terres. Plus du quart des terres du Sault-Saint-Louis sont en effet concédées en 1759[23]. Les revenus de ces censives permettent aux jésuites de payer les frais liés à la subsistance des missionnaires ainsi que les dépenses pour la construction et l'entretien des bâtiments nécessaires à la mission[24].

Dans les années 1750, les Iroquois commencent à se plaindre du grand nombre de concessions accordées par leurs tuteurs et à contester ouvertement la légalité de celles-ci. En 1754, le Conseil de la Marine juge que les Jésuites n'ont pas le droit de concéder des terres en censives et réaffirme la propriété de la Couronne

18. Concession de terre située au haut de la seigneurie de St-François par Marguerite Hertel, veuve de Jean Crevier, seigneur de St-François, tant en son nom que comme tutrice des enfants mineurs dudit défunt et d'elle, et Joseph Crevier de St-François (majeur), enseigne réformé d'une compagnie du détachement de la Marine, son fils, aux Sauvages Abénakis et Sokokis, 23 août 1700, cité dans Boily, *op. cit.*, p. 193.

19. Beaulieu, *Les Iroquois, les Jésuites et le roi, op. cit.*, p. 31.

20. Puisque les terres du Sault-Saint-Louis et de Saint-François ne peuvent pas être considérées comme des seigneuries à proprement parler, mais qu'elles ont été dans la pratique administrées comme telle, nous avons choisi d'employer les termes « seigneuries » et « seigneurs » entre guillemets pour marquer cette nuance.

21. Boily, *op. cit.*, p. 114, 117.

22. Lavallée, *La Prairie en Nouvelle-France, op. cit.*, p. 61, 74.

23. À ce sujet, voir *ibid.*, p. 74-75.

24. *Ibid.*, p. 57-58.

française sur les terres du Sault. Cette autorité métropolitaine met ainsi fin à une pratique que les autorités coloniales avaient jusqu'alors tolérée. Toutefois, ce jugement n'annule pas les concessions accordées depuis le début du XVIIIe siècle et n'empêche pas la Compagnie de Jésus de continuer à concéder des terres entre 1757 et 1762[25]. Bien que les terres du Sault-Saint-Louis ne soient pas à proprement parler une seigneurie et que les autochtones n'en aient reçu que l'usufruit – c'est-à-dire le droit de jouir d'une terre qui appartient à une tierce personne –, les jésuites agissent néanmoins comme les « seigneurs » de ces terres en concédant des censives[26] et en utilisant à leur guise les revenus qui en sont issus durant le Régime français.

La gestion que les missionnaires font des terres du Sault-Saint-Louis influence considérablement la manière dont les autorités coloniales et les autochtones appréhendent le statut foncier de ces terres. L'administration des jésuites instaure en effet une distance entre les « balises légales » encadrant le statut foncier des terres – c'est-à-dire le caractère temporaire de la concession de même que le statut d'usufruitier des autochtones – et les « pratiques sociales[27] » structurant leur usage, soit les concessions faites par les Jésuites à titre de « seigneurs » des terres du Sault-Saint-Louis. Ne recevant quasiment aucune opposition de la part des autorités coloniales françaises, les Jésuites créent ainsi un précédent, faisant, dans la pratique, des terres octroyées aux autochtones des terres « seigneuriales ». C'est sur ce précédent que les chefs autochtones baseront leur capacité juridique à administrer leurs terres « seigneuriales » et les fonds publics qui en sont issus dans les premières décennies du Régime britannique.

25. Boily, *op. cit.*, p. 121-127 et Beaulieu, *Les Iroquois, les Jésuites et le roi*, *op. cit.*, p. 50-55.

26. Les terres acensées par les jésuites sont enregistrées dans des actes notariés en bonne et due forme. Par exemple, voir Decroix, *loc. cit.*, p. 284.

27. À ce sujet, voir France Parent et Geneviève Postolec, « Quand Thémis rencontre Clio : les femmes et le droit en Nouvelle-France », *Les Cahiers de droit*, vol. 36, n° 1, 1995, p. 293-318.

Gestion des terres « seigneuriales » par les chefs, 1760-1820

Après la Conquête de 1760, la précarité de la Compagnie de Jésus – qui se voit interdire en 1763 de recruter de nouveaux membres dans la colonie et en France – provoque le départ progressif des missionnaires jésuites[28]. Profitant de leur récente alliance avec les Britanniques et de l'hostilité de ces derniers à l'égard des Jésuites, les Iroquois renouvellent leurs plaintes contre leurs tuteurs. Le 22 mars 1762, le général Thomas Gage, président du conseil militaire institué pour dénouer ces plaintes, écarte officiellement les Jésuites de la gestion des terres du Sault-Saint-Louis[29]. Après la mort du père Charles Germain en août 1779, la Compagnie de Jésus cesse également d'administrer les terres octroyées aux Abénaquis de Saint-François. Placée sous l'autorité directe de l'évêché catholique de Québec, la mission abénaquise est désormais desservie par le curé de la paroisse de Saint-François-du-Lac[30]. À la fin des années 1770, les jésuites sont donc remplacés par des missionnaires séculiers qui participent beaucoup moins à l'administration temporelle des communautés autochtones que leurs prédécesseurs.

Après le départ des missionnaires jésuites, les chefs autochtones voient la gestion des terres s'ajouter à leurs prérogatives. À titre de représentants de leur communauté, ils supervisent l'attribution de nouvelles censives, exercent leur monopole banal et nomment des intermédiaires pour les assister dans ces tâches. Toutes ces ententes sont officialisées « pardevant les notaires de la province de Québec[31] » et postérieurement de « la province du Bas-Canada[32] ». À l'instar de leurs anciens tuteurs, les chefs se désignent comme les « seigneurs et propriétaires » des terres du Sault-Saint-Louis et de Saint-François dans ces actes notariés. En outre, bien que le jugement Gage de

28. À ce sujet, voir Lavallée, *Sillery, terre huronne?, op. cit.*, p. 63-65.

29. Au sujet du jugement Gage, voir Beaulieu, *Les Iroquois, les Jésuites et le roi, op. cit.*, p. 64-83 et Decroix, *loc. cit.*, p. 286-291.

30. Saint-François désigne le village abénaquis situé à l'est de la rivière Saint-François et Saint-François-du-Lac est le village canadien-français situé sur la rive opposée.

31. Par exemple, voir Concession de terre par Joseph Delorimier à Augustin Bourdeau, 24 mars 1769, BAnQ-M, CN601, S363, doc. 274.

32. Par exemple, voir Bail d'un moulin par les Iroquois du Sault St. Louis à Thomas Henri, 29 mai 1801, BAnQ-M, CN601, S121, doc. 3068.

1762 réitère le caractère temporaire de la concession du Sault – c'est-à-dire le statut d'usufruitiers des autochtones –, les terres réservées pour ces derniers continuent néanmoins d'être désignées comme des « seigneuries » dans les premières décennies du Régime britannique.

Concession de censives

Pour la période entre 1760 et 1820, nous avons retrouvé 76 actes de concession, soit 54 pour la communauté de Saint-François et 22 pour la communauté du Sault-Saint-Louis[33]. Le fait que les Abénaquis produisent davantage d'actes de concession que les Iroquois s'explique par l'importance relative des terres acensées déjà concédées au Sault-Saint-Louis. Après la capitulation de Montréal en 1760, les Jésuites profitent du départ des Français pour concéder massivement des censives. Entre novembre 1761 et février 1762, ils octroient en effet 58 concessions[34]. Après le jugement Gage de mars 1762, les Iroquois procèdent pour leur part à cinq concessions dans les quatre dernières décennies du XVIIIe siècle. En 1796, la mouvance[35] des Iroquois comporte 210 concessions, ce qui représenterait, en superficie, plus de la moitié de leur territoire[36].

En conséquence, à la fin du XVIIIe siècle, les Iroquois manifestent leur désir de ne plus accorder de nouvelles concessions et de conserver les terres non concédées pour leur propre usage[37]. Ils ne

33. Pour la période entre 1760 et 1820, nous avons dépouillé 16 greffes de notaires (9 pour les Iroquois et 7 pour les Abénaquis). Le choix des greffes dépouillés s'est effectué à partir des notaires identifiés dans les archives des Affaires indiennes. Dans le cas des Abénaquis, nous avons également disposé d'un instrument de recherche, *La piste de documentation des Abénaquis, 1790-1900,* produit par Élaine Paquette-Ricard (2006). Notre corpus n'est malheureusement pas exhaustif. En effet, les autochtones ont probablement eu recours à d'autres notaires. Toutefois, ce corpus est non négligeable et nous apparaît représentatif de la pratique que nous allons étudier.

34. Decroix, *loc. cit.*, p. 284-285.

35. Dans une seigneurie, la mouvance correspond à l'ensemble des terres concédées en censives.

36. John Lees, Mémorandum de John Stacey concernant les Indiens de Caughnawaga, 15 juin 1796, BAC, RG8, vol. 248, p. 172-175, bob. C-2848.

37. *Ibid.*

TABLEAU 1
Concessions de censives (1760-1820)

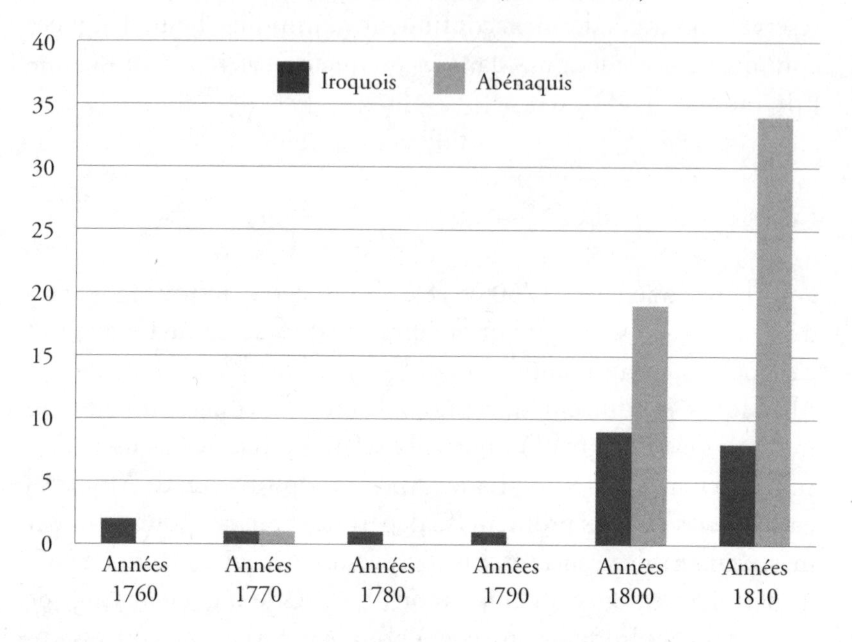

TABLEAU 2
Concessions de censives (1801-1820)

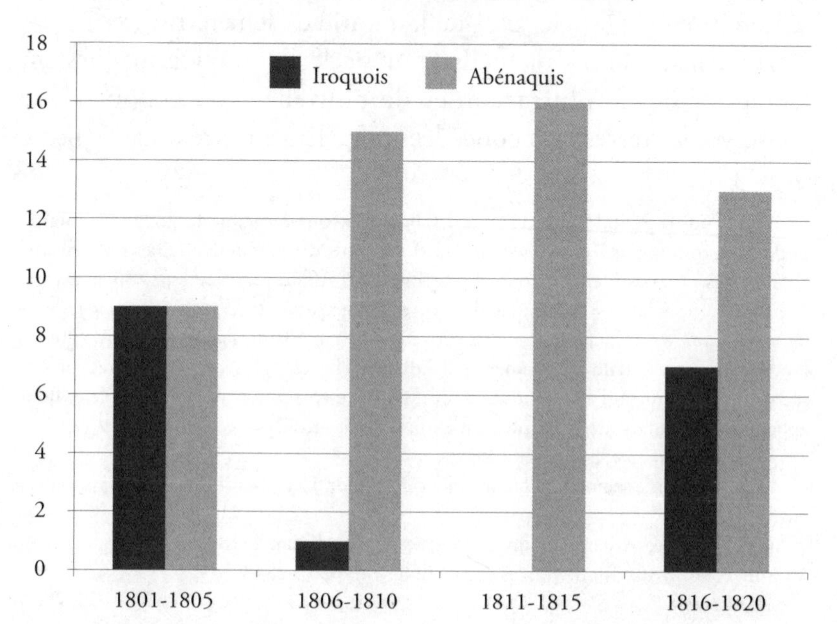

vont toutefois pas respecter leur objectif à la lettre, car neuf nouvelles censives sont accordées au début du XIXe siècle. Néanmoins, les concessions au Sault-Saint-Louis marquent une pause entre 1804 et 1818, une seule concession étant faite en 1810[38]. Après une interruption de près d'une décennie, les chefs iroquois concèdent cinq nouvelles censives le 26 avril 1819[39]. Malgré l'opposition qu'ils ont démontrée envers les actions de leurs tuteurs dans les années 1750, les Iroquois concèdent donc ponctuellement des censives durant les premières décennies du Régime britannique.

À Saint-François, aucune censive n'a été octroyée par les jésuites sous le Régime français. À l'instar de leurs homologues iroquois, les chefs abénaquis désirent concéder des censives pour bénéficier des revenus que ces dernières vont générer[40] ainsi que pour affirmer leur propriété sur leurs terres. Depuis la Conquête, les Abénaquis sont en effet victimes de diverses tentatives d'empiètements par les seigneurs qui cherchent à récupérer les terres concédées par leurs prédécesseurs[41]. Désirant obtenir la pleine propriété de la portion de leurs terres situées dans la seigneurie de Saint-François – et ainsi concéder des censives à titre de seigneurs, ce que ne leur permet théoriquement pas leur statut d'usufruitier –, les Abénaquis adressent une pétition au gouverneur le 9 décembre 1799[42]. En dépit du « refus » du surintendant général des Affaires indiennes[43], les

38. Concession d'un lopin de terre pour les chefs iroquois du Sault St. Louis à Edme Henry, 14 janvier 1810, BAnQ-M, CN601, S107, doc. 8.

39. Par exemple, voir Concession par Ignace Nikanawaha à Jean Paquet, 26 avril 1819, BAnQ-M, C601, S7, doc. 2530.

40. Procuration par les Abénaquis à Joseph Gamelin, 17 janvier 1800, BAnQ-M, CN603, S88, s. d.

41. Prétextant l'absence d'un missionnaire résident en permanence parmi les autochtones, le seigneur de Saint-François revendique, dans les années 1760 et 1770, le droit de récupérer les terres des Abénaquis et de les concéder à des censitaires. L'intervention du gouverneur Carleton met temporairement fin à ces empiètements. À ce sujet, voir notamment Alain Beaulieu, *La question des terres autochtones au Québec, 1760-1860*, Rapport de recherche déposé au ministère de la Justice et au ministère des Ressources naturelles du Québec, 2002, p. 104-106.

42. Pétition des Abénaquis de St-François à son Excellence, 9 décembre 1799, BAC, RG8, vol. 252, p. 361-362, bob. C-2850. Voir également Louis-Gabriel Lenoir-Rolland à James Green, 9 décembre 1799, BAC, RG8, vol. 252, p. 363, bob. C-2850.

43. Le surintendant John Johnson n'offre pas de réponse claire à la demande des Abénaquis. Il ne semble toutefois pas vouloir consentir à cette requête, car il considère

Abénaquis concèdent une soixantaine de censives dans les deux premières décennies du XIXe siècle[44]. La concession de ces terres acensées ne provoque alors aucune opposition de la part des autorités coloniales britanniques.

Les concessionnaires auxquels les « seigneurs » autochtones octroient des censives sont principalement des habitants bas-canadiens originaires des paroisses environnantes. Certains membres des communautés autochtones acquièrent toutefois des terres acensées à la fin du XVIIIe et au début du XIXe siècle. L'appartenance de ces individus (ou de leurs descendants) à ces communautés – c'est-à-dire leur statut d'« Indiens » – sera toutefois remise en cause à partir des années 1830[45]. En effet, en vertu du fait qu'ils jouissent en commun des terres qui leur ont été concédées par la Couronne ou par des particuliers, la grande majorité des membres des communautés autochtones occupent individuellement des terres pour lesquelles ils n'ont pas à payer de cens ni de rente.

L'examen des actes de concession notariés accordés par les chefs iroquois et abénaquis entre 1760 et 1820 permet de constater que le système seigneurial fonctionne sensiblement de la même manière que dans les autres seigneuries bas-canadiennes. Le notaire y consigne une description de la portion de terre concédée, les droits onéreux fixes[46] et casuels ainsi que les servitudes auxquelles sont soumis les censitaires. Ces derniers doivent notamment entretenir les routes qui se trouvent sur leurs censives. Les « seigneurs » autochtones se

---

que les Abénaquis ont été influencés par l'exemple de Joseph Brant et par le seigneur de Saint-François, le principal intéressé. John Johnson à James Green, 30 décembre 1799, BAC, RG8, vol. 252, p. 390-391, bob. C-2850.

44. Certains actes de concessions concèdent plus d'une terre. Avant la nomination du premier procureur (17 janvier 1800), une seule concession est accordée par les chefs. Dépôt d'une concession de terre par les Chefs du village des Abénaquis à Pierre Gamelin dit Chateauvieux, 12 décembre 1799 (4 mars 1771), BAnQ-M, CN603, S88, s. n.

45. Nous pouvons par exemple citer le cas des membres de la famille Gill dont l'appartenance à la communauté abénaquise de Saint-François va être remise en question à partir des années 1830.

46. Dans les terres des Abénaquis, la rente s'élève à 12 livres de 20 sols et le cens à 1 sol pour une censive mesurant approximativement trois arpents de front sur trente de profondeur. Ces droits seigneuriaux doivent être acquittés le 15 janvier. Dans les actes de concessions faits par les Iroquois, la rente payable à la fois en argent et en nature doit être acquittée le jour de la Saint-Martin, soit le 11 novembre. Puisque la taille des terres acensées varie, le montant de la rente est évalué en fonction de la superficie de la censive.

réservent également les diverses ressources naturelles (bois, eau, mine, etc.) se trouvant dans et sur les terres acensées, revendiquant ainsi une propriété éminente sur celles-ci. Ces actes de concession utilisent donc des formules standards qui relèvent du langage administratif et juridique du régime seigneurial. En encadrant leur relation avec leurs censitaires par des documents légaux (les actes notariés), les « seigneurs » autochtones reconnaissent ainsi la juridiction du droit français (la Coutume de Paris) sur leur mouvance.

Gestion du moulin seigneurial

En vertu des termes de leur concession, les censitaires des « seigneuries » autochtones doivent également faire « moudre [leurs grains] à un des moulins banaux des dits seigneurs, sans pouvoir les faire moudre ailleurs, qu'en payant le droit de mouture ordinaire[47] aux dits seigneurs[48] ». Bien que cette obligation soit contenue dans les actes notariés produits par les Abénaquis et les Iroquois, seuls les chefs du Sault-Saint-Louis se prévalent de leur monopole banal. Pour remplacer le moulin utilisé jusqu'alors par les censitaires du Sault-Saint-Louis qui se trouve dans les limites de la seigneurie de La Prairie, propriété de leurs anciens tuteurs[49], les Iroquois font construire un moulin dans les années 1770[50]. Pour diminuer les coûts d'entretien liés à ce moulin, ils accordent également des baux

47. Le droit de mouture correspond à un quatorzième du blé moulu au moulin seigneurial. Sur les moulins et le droit de mouture, voir Grenier, *Brève histoire du régime seigneurial, op. cit.*, p. 86-87, 178-179.

48. Concession par Augustin Gill à Jean Marie Joyal, 15 janvier 1813, BAnQ-M, CN603, S25, doc. 826.

49. Alain Beaulieu, *L'arpentage des terres seigneuriales au Canada : la pratique générale et un cas particulier : la limite entre La Prairie et la terre du Sault-Saint-Louis*, Rapport préparé pour le ministère des Affaires indiennes et du Nord Canada, 1996, p. 37-51.

50. Sur la construction du moulin, voir Marché de construction d'un moulin à eau sur la rivière de la tortue entre les chefs et Étienne Delorme, 3 mars 1772, BAnQ-M, CN601, S308, doc. 3806 et Devis et marché pour la construction d'un moulin à farine entre Gabriel Chevrefils dit Belisle et les chefs sauvages du Sault Saint-Louis, 20 janvier 1774, BAnQ-M, CN601, S158, doc. 3029.

pour s'acquitter de son entretien[51]. En échange de la moitié ou du tiers du revenu des moutures, le bailleur doit exploiter le moulin, s'acquitter de son entretien ainsi que de « toutes les réparations et ouvrages neufs qui sont nécessaires au dit moulin[52] ». À la fin du bail, le seigneur récupère son privilège d'exploitation ainsi que son moulin avec les améliorations physiques qui y ont été faites[53].

N'exploitant pas de moulin, les chefs de Saint-François défendent néanmoins leur privilège à être les seuls à pouvoir en construire un. Par exemple, en septembre 1813, Augustin Gill, le procureur des Abénaquis, somme Louis Proulx, le nouveau seigneur de Saint-François[54], de cesser de construire un moulin sur les terres réservées pour l'usufruit des Abénaquis[55]. Par cette protestation, les Abénaquis tentent de protéger l'intégrité de leur territoire contre les seigneurs de Saint-François et de Pierreville qui cherchent encore, au début du XIXe siècle, à revendiquer leur propriété éminente sur les terres des Abénaquis.

Rôle des intermédiaires

Comme le souligne Sylvie Dépatie, « la gestion d'une seigneurie demande une attention quotidienne et constante ; il faut concéder des terres, surveiller les mutations pour toucher les lods et ventes ;

51. Entre 1779 et 1817, les chefs du Sault concèdent six baux. Voir, par exemple, Bail d'un moulin par les Iroquois du Sault St. Louis à Thomas Henri, 29 mai 1801, BAnQ-M, CN601, S121, doc. 3068.

52. Bail d'un moulin par les Iroquois du Sault St. Louis à Thomas Henri, 29 mai 1801, BAnQ-M, CN601, S121, doc. 3068.

53. Françoise Noël, *The Christie Seigneuries : Estates, Management and Settlement in the Upper Richelieu Valley, 1760-1854*, Kingston et Montréal, McGill-Queen's University Press, 1992, p. 63.

54. À partir de 1812, Louis Proulx, déjà seigneur de la Lussodière, acquiert « la plus grande partie possible de la seigneurie » de Saint-François. En juillet, il achète les parts de François-Xavier Crevier et de son frère Joseph-Antoine Crevier. En 1817, il acquiert les droits seigneuriaux de Geneviève Crevier Descheneaux (la femme de son frère) ainsi que les parts détenues par Joseph Mercure. Richard Chabot, « Proulx, Louis », *Dictionnaire biographique du Canada*, vol. 7, Université Laval et Université de Toronto [En ligne], 1988 [http ://www.biographi.ca/fr/bio/proulx_louis_1751_1838_7F.html].

55. Sommation et protêt d'Augustin Gill contre Louis Proulx, 17 septembre 1813, BAnQ-TR, CN401, S31, doc. 1411.

percevoir les redevances fixes, faire les poursuites judiciaires nécessaires, vendre le blé de rente et de mouture [et] voir à l'entretien des moulins[56] ». Puisque la gestion des terres ne constitue pas la seule prérogative des chefs autochtones, ces derniers ne s'occupent pas directement de la mise en valeur et de l'administration de leur « fief ». Ils recourent plutôt à un procureur, dans le cas des Abénaquis, et à un receveur, dans le cas des Iroquois. Comme plusieurs études l'ont confirmé, le recours à un intermédiaire n'est pas une pratique inhabituelle pour les seigneurs du Bas-Canada[57].

Ayant écarté les Jésuites de la gestion des terres du Sault-Saint-Louis, le général Gage détermine également en mars 1762 qu'un receveur, nommé par le gouverneur, doit désormais récolter les redevances seigneuriales et rendre compte annuellement des sommes amassées. Quoiqu'elles soient récoltées par le receveur – c'est-à-dire par le représentant de la Couronne britannique, propriétaire des terres du Sault –, ces rentes sont mises à la disposition des Iroquois qui peuvent en jouir à leur convenance[58]. Avec ces fonds, les Iroquois doivent toutefois veiller à l'entretien des bâtiments religieux dont la propriété leur est également transférée par ce jugement[59]. Bien que le receveur soit, conformément au jugement Gage, nommé par le gouverneur, la nomination du premier, le notaire Pierre Panet de Méru, est également approuvée par les chefs iroquois. Par un acte notarié, ces derniers l'autorisent en effet à récolter les rentes « seigneuriales » des terres du Sault-Saint-Louis[60]. En échange de

---

56. Sylvie Dépatie, « La seigneurie de l'Île-Jésus au XVIIIe siècle », dans Dépatie, Lalancette et Dessureault, *op. cit.*, p. 57.

57. À ce sujet, voir Dépatie, Lalancette et Dessureault, *op. cit.*, p. 5, 9, 138-142, 229 ; Noël, *op. cit.* et Grenier, *Brève histoire du régime seigneurial, op. cit.*, p. 135-136.

58. Cette disposition incluse dans le jugement Gage est confirmée par le receveur John Stacey : « Question. Par qu'elle authorité, délivré vous l'argent qui provient de la Seigneurie. Réponse. Sur l'ordre de deux chêfs qui disent être envoyés par le Conseil. [...] Question. Mr J. Stacy pour ces deux années dernières, a qui avez vous donner de l'argent. Réponse. A chaque Chêfs qui m'en demandoit, les uns trente sols, les autres une piastre ». Rapport d'enquête de Louis-Joseph Fleury Deschambault, 30 octobre 1809, BAC, RG10, vol. 625, p. 182390-182395, bob. C-13395.

59. Jugement en faveur des sauvages du Sault St-Louis contre les Jésuites, au sujet de terres disputées, 22 mars 1762, AUM, P-58, H2, 54.

60. Autorisation des principaux chefs des Sauvages du Sault-St-Louis et propriétaires de la concession du Sault-St-Louis à Pierre Panet, leur receveur, 25 février 1765, BANQ-M, CN601, S308, doc. 2316.

ses services, le receveur reçoit un dixième de l'argent et du blé dont il assure la collecte.

Descendant d'un captif anglais adopté par les Iroquois sous le Régime français, John Stacey est le principal receveur du Sault-Saint-Louis. Commissionné par le lieutenant-gouverneur Hector Théophilus Cramahé en 1773[61], il exerce cette fonction durant près de quatre décennies. Après sa mort vers 1813[62], le gouvernement ne nomme pas de nouveau receveur. En conséquence, dans les années 1810, les chefs désignent eux-mêmes des intermédiaires pour les assister dans la gestion de leur « fief », notamment l'arpenteur Charles Archambault[63] et le notaire Roger-François Dandurand[64]. Même si la concession de censives ne fait pas partie des prérogatives accordées au receveur – le jugement Gage réaffirme en effet le caractère non seigneurial des terres du Sault-Saint-Louis –, les chefs ou leur receveur concèdent néanmoins une vingtaine de censives entre 1769 et 1819, sans opposition de la part des autorités coloniales.

Lorsqu'ils commencent à concéder des censives au tournant du XIXe siècle, les Abénaquis nomment un procureur pour s'acquitter de cette tâche ainsi que pour percevoir le cens, les rentes et les lods et ventes. Par la signature d'un acte notarié (procuration), les chefs accordent à un individu le pouvoir d'agir au nom de la « nation » en ce qui a trait à la gestion de leurs terres. La principale distinction entre les fonctions de receveur et de procureur est que les autorités coloniales n'interviennent pas dans le processus de nomination du procureur. Puisqu'aucun jugement ou texte légal n'impose aux Abénaquis la nomination d'un intermédiaire, cette initiative ainsi

61. Rapport d'enquête de Louis-Joseph Fleury Deschambault, 30 octobre 1809, BAC, RG10, vol. 625, p. 182390-182395, bob. C-13395.

62. En février 1813, « gissant au lit malade de corps », Stacey apporte une dernière modification à son testament. Testament de John Stacey, 25 juillet 1808, BANQ-M, CN607, S14, doc. 1000.

63. Voir notamment Témoignage de Charles Archambault, 5 septembre 1820, BAnQ-M, TL19, S4, SS1, dossier nº 1060, avril 1820 ; Pétition des chefs Iroquois de Kahnawake à Peregrine Maitland, 5 août 1824, BAC, RG10, vol. 588, s. p., bob. C-13377 et greffe de Charles Archambault (1816-1862), BAnQ-M, CA607, S1.

64. Procuration des Iroquois du Sault St-Louis pour Roger-François Dandurand, [avant décembre 1821], BAC, RG10, vol. 16, p. 12905-12907, bob. C-11003 et Vente de bois par les chefs iroquois à Raphaël Brosseau, 24 avril 1819, BAnQ-M, CN601, S107, doc. 2529.

que le choix du candidat reviennent entièrement aux chefs. En outre, le procureur ne reçoit aucune compensation financière pour ses activités.

Les premiers procureurs sont des individus extérieurs à la communauté. Résidant généralement dans le village adjacent de Saint-François-du-Lac, ces derniers entretiennent toutefois des relations étroites avec la communauté autochtone. Par exemple, dans les années 1800, le procureur est Joseph Gamelin Chateauvieux, un marchand de Saint-François-du-Lac, marié à Catherine Annance, une femme de la communauté abénaquise[65]. Après sa démission en 1810, il s'ensuit une période de flottement durant laquelle les Abénaquis tentent, avec peu de satisfaction, de lui trouver un remplaçant. En deux ans seulement, les Abénaquis nomment et révoquent deux procureurs, le marchand Henry Rousseau et l'ancien propriétaire de la seigneurie de Pierreville, Pierre François Lemaître Duaime[66]. En octobre 1811, les chefs nomment Augustin Gill, membre de la communauté et neveu de Joseph Gamelin[67], qui occupera ce poste durant 18 ans. Ce nouveau procureur reçoit alors de nouvelles attributions, telles que rendre compte des sommes perçues, faire des poursuites judiciaires et vendre du bois au profit de la communauté[68].

65. Procuration par les Abénaquis à Joseph Gamelin, 17 janvier 1800, BAnQ-M, CN603, S88, s. d.

66. Procuration par les sauvages abénaquis de St. François à Henry Rousseau, 3 février 1810, BANQ-TR, CN401, S31, doc. 1097 ; Résiliation de Procuration et quittance par les sauvages abénaquis de St. François en faveur de Henry Rousseau, 5 septembre 1810, BAnQ-TR, CN401, S31, doc. 1150 ; Procuration par les sauvages abénaquis de St. François à François Lemaître Duaime, 10 octobre 1810, BAnQ-TR, CN401, S31, doc. 1166 ; Révocation d'une procuration par les sauvages abénaquis de St. François à François Lemaitre Duaime, 26 octobre 1811, BAnQ-TR, CN401, S31, doc. 1278 et Signification de révocation de procuration par les sauvages abénaquis de St. François à François Lemaitre Duaime, 26 octobre 1811, BAnQ-TR, CN401, S31, doc. 1279.

67. La mère d'Augustin Gill est Suzanne Gamelin. En 1824, Joseph Gamelin fait d'Augustin Gill son légataire universel au détriment de ses « autres parens ou collatéraux », c'est-à-dire des héritiers de Catherine Annance, l'épouse de Joseph Gamelin. Donation par Joseph Gamelin à Augustin Guille, 29 septembre 1824, BAnQ-TR, CN401, S6, s. n. ; Testament de Joseph Gamelin, 29 septembre 1824, BAnQ-TR, CN401, S6, s. d. et Protêt à la Réquisition de Charles Annance & autres versus Joseph Gamelin, 29 septembre 1824, BAnQ-TR, CN401, S6, s. n.

68. Procuration par les Abénaquis de St. François à Augustin Gill, 28 octobre 1811, BAnQ-TR, CN401, S31, doc. 1280 et Révocation de procuration par Simon Obomsawin et collab. à Augustin Gill, 23 octobre 1829, BANQ-M, CN603, S74, doc. 1122.

Malgré le fait que les terres concédées pour les autochtones ne soient pas à proprement parler des seigneuries et que ces derniers en soient les usufruitiers, les chefs autochtones concèdent des terres, nomment des intermédiaires, construisent un moulin banal et accordent des baux pour sa gestion. Ces actions dénotent l'acquisition d'une capacité juridique, celle d'agir à titre de « seigneurs » des terres du Sault-Saint-Louis et de Saint-François[69]. En l'absence d'une intervention des propriétaires de ces terres, soit la Couronne ou les seigneurs de Saint-François et de Pierreville, les chefs autochtones disposent d'une grande latitude dans l'administration de leurs « fiefs » entre 1760 et 1820. Dans ce contexte de laisser-faire, les pratiques prennent, comme sous le Régime français, le pas sur le statut foncier réel des terres concédées pour les autochtones.

Administration des fonds publics

À la prérogative de l'administration des terres « seigneuriales » est associée celle de la gestion de l'argent provenant des droits seigneuriaux et des privilèges banaux. Ces revenus constituent les fonds publics des communautés autochtones. Après la Conquête, les chefs (avec l'assistance des intermédiaires) prennent également le relais des missionnaires jésuites à cet égard. Au nom de leur communauté respective, les chefs, réunis en conseil, déterminent l'utilisation de ces sommes. Les deux principales sphères d'activité dans lesquelles sont investis ces fonds sont la gestion de la mission et la gestion du domaine.

Gestion de la mission

Le terme « mission » s'applique à plusieurs réalités : il désigne à la fois le lieu géographique et les infrastructures où les missionnaires exercent leur apostolat, ainsi que les acteurs qui y interagissent,

69. Decroix, *loc. cit.*, p. 292.

soit les néophytes autochtones et les missionnaires. Le transfert de la gestion de la mission des Jésuites aux autochtones implique que les chefs doivent désormais veiller à l'entretien des infrastructures religieuses de la communauté ainsi qu'à la subsistance de leur missionnaire. L'importance des fonds engagés dans la gestion de la mission démontre que la religion catholique constitue toujours un aspect important de l'identité des communautés autochtones de la vallée du Saint-Laurent[70].

L'église est bien sûr le principal bâtiment de la mission et son entretien nécessite une bonne part des fonds publics[71]. Dans les procurations qu'ils accordent, les chefs abénaquis prennent soin de préciser que « la juste moitié des cens et rentes que le dit Procureur percevra sera mis à part pour être employé aux frais et réparations nécessaires de l'église de la ditte Mission suivant que le dit Conseil jugera à propos[72] ». En outre, le jugement Gage de mars 1762 a officiellement transféré la propriété des bâtiments de la mission aux Iroquois. Ces derniers sont donc tenus d'utiliser les revenus des terres du Sault pour entretenir ces bâtiments[73]. Le receveur Stacey confirme qu'une part des rentes est bel et bien utilisée pour réparer et ornementer l'église[74].

Après la Conquête, les missionnaires séculiers qui desservent les anciennes missions jésuites ne bénéficient plus de l'appui financier d'un ordre religieux dont la principale préoccupation est la conversion des autochtones, ni d'une aide pécuniaire régulière de

70. À ce sujet, voir Greer, *Catherine Tekakwitha et les Jésuites*, *op. cit.*, chapitre 4.

71. En plus d'être distingués par le statut de leurs terres (acensées ou non), les autochtones et leurs censitaires ne partagent pas non plus ce lieu de sociabilité qu'est l'église. Les censitaires des terres du Sault-Saint-Louis fréquentent l'église de la paroisse de Saint-Constant qu'ils partagent avec les censitaires de La Prairie. Pour leur part, les Abénaquis de Saint-François possèdent leur propre chapelle, qui se distingue de l'église de la paroisse de Saint-François-du-Lac. Sur le Sault, voir Lavallée, *La Prairie en Nouvelle-France*, *op. cit.*, p. 45, 59, 127-128.

72. Procuration par les Abénaquis de St. François à Augustin Gill, 28 octobre 1811, BAnQ-TR, CN401, S31, doc. 1280. Voir aussi Procuration par les sauvages abénaquis de St. François à François Lemaître Duaime, 10 octobre 1810, BAnQ-TR, CN401, S31, doc. 1166.

73. Jugement en faveur des sauvages du Sault St-Louis contre les Jésuites au sujet de terres disputées, 22 mars 1762, AUM, P-58, H2, 54.

74. John Lees, Mémorandum de John Stacey concernant les Indiens de Caughnawaga, 15 juin 1796, BAC, RG8, vol. 248, p. 172-175, bob. C-2848.

la part des autorités coloniales[75]. Formés pour desservir les paroisses de la campagne bas-canadienne, ces prêtres séculiers vivent généralement de la dîme payée par leurs paroissiens. Cependant, comme le démontrent les plaintes de leurs missionnaires, les autochtones ne payent pas systématiquement la dîme[76]. Les chefs autochtones assurent donc la subsistance de leur missionnaire à même les fonds publics de la communauté. Par exemple, les chefs iroquois s'engagent à verser annuellement 150 minots de blé au prêtre Louis Ducharme dans les années 1780[77].

Si l'assistance matérielle a constitué un attrait important des missions sous le Régime français[78], un renversement de situation se produit dans les premières décennies du Régime britannique. Ce sont désormais les missionnaires qui dépendent financièrement de leurs ouailles. Cette situation crée notamment un rapport de force en faveur des autochtones dans leur conflit d'autorités avec leur prêtre. Par exemple, au début des années 1810, le missionnaire Antoine Rinfret se plaint que les chefs veulent lui verser uniquement la moitié de ses 150 minots de blé parce qu'il ne fait que « la moitié de [son] ouvrage » en faisant « la levée des corps qu'à un demi-arpent de l'Église[79] ». Cet exemple démontre l'existence de deux conceptions

---

75. Edward James Devine, *Historic Caughnawaga*, Montréal, Messenger Press, 1922, p. 314 et David Blanchard, *Patterns of Tradition and Change: the Re-creation of Iroquois Culture at Kahnawake*, Thèse (Ph. D.), University of Chicago, 1982, p. 240.

76. En 1800, Antoine Rinfret, le missionnaire du Sault, se plaint « qu'il n'y a guêres que les deux tiers du village qui ont coutume de payer dixme, encore comme payent-ils, le récit en seroit trop long ». Dix-huit ans plus tard, Nicolas Dufresne se plaint que ses ouailles refusent de lui payer « la dîme de bled, pois et avoine. Ils me la refusent, alléguant pour raison qu'ils donnent à leur missionnaire cent cinquante minots de bled, du foin et du bois, et que cela peut bien passer pour cette dîme ». Antoine Rinfret à Mgr Denaut, 2 août 1800, ADL, 3A, doc. 38 et Nicolas Dufresne à Mgr Plessis, 26 janvier 1818, ADL, 3A, doc. 65.

77. Laurent Ducharme à Mgr Briand, 4 juin 1784, ADL, 3A, doc. 13 et Nicolas Dufresne à Mgr Plessis, 26 janvier 1818, ADL, 3A, doc. 65.

78. Jean-François Lozier, *In each other's arms: France and the St. Lawrence mission villages in war and peace, 1630-1730,* Thèse (Ph. D.), Université de Toronto, 2012, p. 168, 228, 269.

79. Antoine Rinfret à Mgr Plessis, 21 août 1813, ADL, 3A, doc. 56. « On dit, *Faire la levée d'un corps, d'un cadavre,* pour dire Enlever un cadavre, un corps mort, et le faire porter au lieu où il doit être inhumé, ou exposé en public ». *Dictionnaire de l'Académie française*, 5e édition (1798), [http://artfl-project.uchicago.edu/content/dictionnaires-dautrefois].

opposées quant à la participation des autochtones à la subsistance du missionnaire. Alors que le missionnaire conçoit la contribution des chefs comme une rente annuelle que ces derniers doivent lui verser, les Iroquois l'envisagent plutôt comme un paiement conditionnel à l'accomplissement de ses fonctions religieuses. Libres d'utiliser leurs fonds publics à leur guise, les chefs entendent en effet se réserver le droit de pénaliser un missionnaire qui ne satisfait pas leurs exigences[80].

Gestion du « domaine seigneurial »

Si les chefs autochtones deviennent les « seigneurs » des censitaires du Sault-Saint-Louis et de Saint-François, une relation seigneur-censitaires ne s'établit toutefois pas avec les membres de leur communauté. Jouissant en commun des terres qui leur ont été concédées par la Couronne ou par des particuliers, les autochtones ne payent pas de cens ni de rentes pour les parcelles de terre qu'ils occupent individuellement dans le village ou sur les terres qui l'entourent (soit des terres cultivées ou des terres en bois debout). Les terres des membres de la communauté sont désignées comme le « domaine[81] » ou ce que les autochtones désignent parfois comme leur « plat[82] ». Dans le langage administratif et juridique du régime seigneurial, le domaine constitue l'espace réservé pour l'usage exclusif du seigneur. Il se compose des terres non concédées aux censitaires. Le terme « plat » fait référence, quant à lui, à une métaphore issue de la culture

80. À ce sujet, voir notamment Antoine Rinfret à Mgr Denaut, 2 août 1800, ADL, 3A, doc. 38 ; Antoine Rinfret à Mgr Plessis, 16 octobre 1811, ADL, 3A, doc. 52 et Antoine Rinfret à Mgr Plessis, 21 août 1813, ADL, 3A, doc. 56.

81. Par exemple, voir Procuration par les sauvages abénaquis de St. François à François Lemaître Duaime, 10 octobre 1810, BAnQ-TR, CN401, S31, doc. 1166 ; Procuration des Abénaquis de St-François à Augustin Guille, 28 octobre 1811, BAC, RG10, vol. 197, p. 115464-115467, bob. C-11516 et Concession par Augustin Guille à Louis Annance, 3 juillet 1816, BAnQ-TR, CN401, S31, doc. 1648.

82. Voir, par exemple, Procuration par les Abénaquis à Joseph Gamelin, 17 janvier 1800, BAnQ-M, CN603, S88, s. d.

autochtone utilisée fréquemment aux XVIIe et XVIIIe siècles et qui représente le partage des terres et des ressources[83].

Entre 1760 et 1820, les chefs autochtones déterminent la manière dont les sommes récoltées par leurs intermédiaires seront utilisées. Si le receveur doit théoriquement rendre compte « en présence dudit gouverneur ou de celles des personnes par lui autorisées pour cet effet[84] », John Stacey justifie principalement ses actions auprès des chefs. En effet, avant 1820, nous n'avons trouvé qu'une seule indication confirmant que les comptes annuels de Stacey aient été rapportés au gouvernement ou aux officiers des Affaires indiennes[85]. Comme dans le cas du receveur, le procureur n'est pas le détenteur des sommes qu'il est chargé de récolter. Dans la procuration accordée à François Lemaitre Duaime en 1810, les chefs énoncent en effet que « le dit Sr. procureur ne livrera aucun argent sans un ordre par écrit du conseil de la ditte Nation[86] ». Le contrôle des chefs sur les redevances seigneuriales est également réitéré dans la procuration accordée à Augustin Gill l'année suivante :

83. La métaphore du « plat commun », de la « micoine » ou du « dish with one spoon » renvoie à la mise en commun des territoires de chasse. Voir Michel Morin, « "Manger avec la même micoine dans la même gamelle" : à propos des traités conclus avec les Amérindienes au Québec, 1665-1760 », *Revue générale de droit*, vol. 33, 2003, p. 93-129, et Victor P. Lytwyn, « A dish with One Spoon : the Shared Hunting Grounds Agreement in the Great Lakes and St. Lawrence Valley Region », dans *Papers of the Twenty-Eighth Algonquian Conference,* Winnipeg, Université du Manitoba, 1997, p. 210-227.

84. Jugement en faveur des sauvages du Sault St-Louis contre les Jésuites au sujet de terres disputées, 22 mars 1762, AUM, P-58, H2, 54.

85. En février 1810 (soit à la fin de l'agence de Stacey), H. W. Ryland, le secrétaire civil du gouverneur James Henry Craig, demande à un comité spécial du conseil exécutif d'examiner les comptes de l'agent de la seigneurie du Sault-Saint-Louis. Cette demande est faite à la suite de l'enquête menée par le lieutenant-colonel Deschambault qui conclut son rapport en exprimant « qu'il est d'opinion que ce point d'administration des biens et deniers demande quelque attention, car c'est le point de contention, par les inquiêtudes, et soupçon entretenu par plusieurs Sauvages sur l'emploi de l'argent […] ». H. W. Ryland à James McGill, James Monk, P.S. Panet, J. Richardson, 8 février 1810, BAC, RG7-G15C, vol. 15, p. 158, bob. C-923 et Rapport d'enquête de Louis-Joseph Fleury Deschambault, 30 octobre 1809, BAC, RG10, vol. 625, p. 182390-182395, bob. C-13395.

86. Procuration par les sauvages abénaquis de St. François à François Lemaître Duaime, 10 octobre 1810, BAnQ-TR, CN401, S31, doc. 1166.

les « lots et ventes, arrérages de rentes et autres argens qu'il percevra resteront à la disposition du conseil[87] ».

Détenant les cordons de la bourse, les chefs autochtones emploient les fonds publics dans divers secteurs, tels que l'entretien des routes, des clôtures et des barrières, le paiement des frais liés aux enterrements et aux autres sacrements, les voyages et les élections des chefs, les frais de notaires et ceux qui sont liés à la production de pétitions, etc.[88] À ces dépenses s'ajoutent bien entendu les frais liés à la réparation et à l'entretien de l'église, du moulin et des autres bâtiments publics de la communauté. Avant 1820, nous disposons malheureusement de bien peu de sources pour détailler ces dépenses, car les décisions à ce sujet, prises lors des conseils, ne sont pas consignées par écrit ou n'ont pas été versées dans les archives des Affaires indiennes.

En vertu de leur prérogative de gestion des fonds publics, les chefs abénaquis et iroquois acquièrent une influence accrue sur leur communauté. Devenus « en quelque sorte des gestionnaires », les chefs « peuvent dorénavant favoriser certains individus ou certains groupes au détriment des autres dans l'utilisation des fonds publics[89] ». La manière d'employer et de dépenser les fonds publics devient donc une source de conflit entre les membres de la communauté. Des individus contestent en effet les décisions des chefs à cet égard. Par exemple, dans une pétition adressée au surintendant des Affaires indiennes datée du mois d'octobre 1816, des guerriers et des femmes du Sault-Saint-Louis dénoncent le gaspillage que leurs chefs font des fonds publics de leur communauté au détriment de l'entretien du moulin et de l'église[90]. Par cette pétition, ces

87. Procuration par les Abénaquis de St. François à Augustin Gill, 28 octobre 1811, BAnQ-TR, CN401, S31, doc. 1280.

88. À ce sujet, voir notamment John Lees, Mémorandum de John Stacey concernant les Indiens de Caughnawaga, 15 juin 1796, BAC, RG8, vol. 248, p. 172-175, bob. C-2848 et Joseph Marcoux, Mémoire sur les Iroquois du Sault Saint-Louis, [31 août 1828], BAC, RG10, vol. 118, p. 169590-169597, bob. C-11479.

89. Maxime Gohier, *La pratique pétitionnaire autochtone sous le Régime britannique : le développement d'une culture politique moderne dans la vallée du Saint-Laurent (1760-1860)*, Thèse (Ph. D.), Université du Québec à Montréal, 2014, p. 363.

90. Pétition des guerriers et femmes du Sault St-Louis à Joseph Fleury Deschambault, octobre 1816, BAC, RG10, vol. 12, p. 10851-10853, bob. C-11001.

individus qui n'ont pas accès au conseil marquent leur désaccord avec l'utilisation que leurs chefs officiels (« decorated with the medal ») font des revenus du Sault. Cette mainmise sur les fonds publics revendiquée par les chefs à partir de la fin du XVIIIe siècle est donc contestée par une partie de la communauté.

Entre 1760 et 1820, la mainmise sur les fonds publics donne de nouvelles responsabilités aux chefs autochtones. Ces derniers doivent en effet décider comment ces sommes d'argent vont être utilisées ainsi que gérer l'insatisfaction de certains membres de leurs communautés à l'égard de leurs décisions. La gestion des revenus « seigneuriaux » accorde également aux chefs une nouvelle source d'autorité au sein de leur communauté. Cette prérogative transforme en effet leur rapport de force avec le missionnaire ainsi qu'avec les membres de leur propre communauté. Entre 1760 et 1820, la mainmise sur les fonds publics constitue donc une assise importante du pouvoir des chefs.

Conclusion

Entre 1760 et 1820, les officiers des Affaires indiennes et le gouverneur manifestent peu d'intérêt pour l'administration des terres réservées pour les autochtones dans la vallée du Saint-Laurent. Cette hypothèse est soutenue par le fait qu'ils ne procèdent pas à la nomination d'un nouveau receveur après le décès de Stacey (1813), qu'ils ne sanctionnent pas la concession de censives tant chez les Iroquois que chez les Abénaquis et qu'ils n'interviennent pas dans la gestion des fonds publics de ces communautés. Ce laisser-faire permet aux chefs autochtones d'endosser, à l'instar de leurs anciens tuteurs (les missionnaires jésuites), le rôle de « seigneurs » des terres du Sault-Saint-Louis et de Saint-François. À ce titre, ils concèdent des terres, nomment des intermédiaires, construisent un moulin et accordent des baux pour sa gestion ; ces ententes sont consignées dans des actes notariés. Ce désintérêt permet également aux chefs de revendiquer la prérogative sur les revenus « seigneuriaux » et d'augmenter, par le fait même, leur autorité au sein de leur communauté.

Dans la foulée du développement de la nouvelle politique de civilisation[91] et de l'idéologie que les autochtones sont imprévoyants par nature[92], les autorités coloniales décident, à partir des années 1820, de mettre fin au laisser-faire qui a caractérisé les premières décennies du Régime britannique. Afin de prendre progressivement en main la gestion des terres et des revenus « seigneuriaux » des autochtones, le gouverneur Dalhousie procède à la création des agences du Sault-Saint-Louis (1821) et de Saint-François (1823)[93]. La légitimité de cette immixtion dans ce que les chefs considèrent comme leurs prérogatives repose alors sur la situation légale précaire des « seigneurs » autochtones. En effet, puisque les terres concédées pour les autochtones ne sont pas des « seigneuries » à proprement parler et que ces derniers n'en ont reçu que l'usufruit, leur capacité juridique d'agir à titre de « seigneurs » n'est alors sanctionnée que par la pratique. Ne bénéficiant plus du laisser-faire des autorités coloniales, les chefs autochtones perdent alors la possibilité d'agir et de se désigner comme « seigneurs ». Après avoir librement exercé ces fonctions durant près de six décennies, les chefs assistent donc à un retour de la volonté des autorités coloniales d'encadrer la manière dont ils jouissent de leurs terres par une tutelle. Les agents

91. À ce sujet, voir John L. Tobias, « Protection, Civilization, Assimilation: An Outline History of Canada's Indian Policy », dans James R. Miller (ed.), *Sweet Promises, A Reader on Indian-White Relation in Canada*, Toronto, University of Toronto Press, 1991, p. 127-144, et Maxime Gohier, « Les politiques coloniales françaises et anglaises à l'égard des autochtones », dans Alain Beaulieu, Stéphan Gervais et Martin Papillon (dir.), *Les autochtones et le Québec: des premiers contacts au Plan Nord,* Montréal, Presses de l'Université de Montréal, 2013, p. 123-127.

92. Comme le démontre Brian Gettler, l'action étatique à l'égard des autochtones est soutenue par l'idéologie que ces derniers sont, à l'instar des plus démunis, inaptes à gérer leurs affaires financières. Partagée par les autorités métropolitaines et coloniales, par les philanthropes et même par certains autochtones, une telle conception de l'imprévoyance se développe au cours des années 1820 et 1830. Brian Gettler, « En espèce ou en nature? Les présents, l'imprévoyance et l'évolution idéologique de la politique indienne pendant la première moitié du XIXe siècle », *Revue d'histoire de l'Amérique française*, vol. 65, n° 4, printemps 2012, p. 409-437.

93. La création d'une agence signifie la nomination d'un agent pour administrer les terres « seigneuriales » des autochtones. George R. Dalhousie, Commission pour Nicolas-Benjamin Doucet, 14 juin 1821, BAC, RG10, vol. 14, p. 11673-11674, bob. C-11002.

des Affaires indiennes remplacent alors les missionnaires jésuites comme tuteurs.

Entre 1760 et 1820, les chefs iroquois et abénaquis fréquentent, à titre de « seigneurs », les études de notaires situées dans les villages environnants pour inscrire la nature de leurs rapports avec leurs censitaires dans des contrats notariés en bonne et due forme[94]. Par le fait même, ces chefs se familiarisent avec le langage juridique et administratif du régime seigneurial et reconnaissent implicitement la juridiction du droit civil français (la Coutume de Paris) sur une portion des terres qui leur a été réservée, c'est-à-dire sur l'ensemble des terres acensées. En outre, le recours à des intermédiaires démontre que les chefs autochtones empruntent des pratiques usuelles pour les seigneurs du Bas-Canada pour gérer leurs propres terres « seigneuriales ». En définitive, ces divers exemples nous amènent à affirmer que les communautés autochtones de la vallée du Saint-Laurent ne sont pas coupées des réalités du monde colonial dans les premières décennies du Régime britannique.

94. Outre les modalités contenues dans les actes de concession, la nature exacte de la relation entre les seigneurs autochtones et leurs censitaires demanderait une étude spécifique.

Les seigneurs à la Chambre d'assemblée du Bas-Canada (1792-1814)[1]

KATÉRI LALANCETTE

LORSQU'IL EST QUESTION des premières années du parlementarisme au Québec, des expressions comme « polarisation selon l'origine ethnique[2] », « lutte âpre et violente qui oppose les deux races[3] », « lutte ethnique ouverte et publique[4] », « majorité canadienne et minorité anglaise[5] », « répartition ethnique (*ethnic breakdown*)[6] » ou « choc [...] entre une bourgeoisie commerçante d'origine britannique et une députation canadienne[7] » sont souvent utilisées par les historiens[8]. John Hare affirme même que le cas

---

1. Ce texte a été produit pour un séminaire de maîtrise sous la direction de M. Alain Laberge, à l'Université Laval, à l'automne 2013. J'aimerais remercier Christian Blais, Donald Fyson et Alain Laberge pour leurs commentaires et leurs conseils, de même que les évaluateurs pour leurs suggestions des plus utiles. Je tiens aussi à remercier le FRQSC, le CRSH et BAnQ pour les bourses de maîtrise qui permettent de financer mes recherches.

2. John Hare, « L'Assemblée législative du Bas-Canada, 1792-1814 : députation et polarisation politique », *Revue d'histoire de l'Amérique française*, vol. 27, n° 3, 1973, p. 388.

3. Jean et Marcel Hamelin, *Les mœurs électorales dans le Québec de 1791 à nos jours*, Montréal, Éditions du Jour, 1962, p. 39.

4. Jean-Pierre Wallot, *Un Québec qui bougeait : trame socio-politique du Québec au tournant du XIXe siècle*, Montréal, Boréal, 1973, p. 49.

5. Henri Brun, *La formation des institutions parlementaires québécoises, 1791-1838*, Québec, Presses de l'Université Laval, 1970, p. 101.

6. Frank Murray Greenwood, *Legacies of Fear : Law and Politics in Quebec in the Era of the French Revolution*, Toronto, University of Toronto Press, 1993, p. 171.

7. Denis Vaugeois, *Québec 1792. Les acteurs, les institutions et les frontières*, Montréal, Fides, 1992, p. 143.

8. Aussi dans John Hare, *Le développement des partis politiques à l'Assemblée législative du Bas-Canada, 1792-1814*, Ottawa, Fontenay, 1997.

bas-canadien est unique puisque, contrairement aux autres colonies où l'on expérimente le parlementarisme non responsable, « les facteurs linguistiques, religieux et nationaux se superposent [au] clivage entre une oligarchie et le peuple[9] ».

Or, une étude plus rigoureuse de la députation en présence permettrait de nuancer cette vision de la division partisane des parlementaires selon l'ethnie. C'est ce que nous proposons de faire en analysant le groupe des seigneurs élus à la Chambre d'assemblée du Bas-Canada entre 1792 et 1814[10]. La participation politique des seigneurs au Bas-Canada est analysée indirectement dans les études plus générales portant sur le régime seigneurial ou sur la politique bas-canadienne. C'est le cas, par exemple, dans l'article de Hare[11], où le titre de seigneur d'un député sert de catégorisation sociale en matière d'occupation, tout comme dans l'article d'Ève Bourgeois et de Jean-François Godbout[12]. Dans la *Brève histoire du régime seigneurial* de Benoît Grenier, on présente l'avènement des institutions représentatives comme permettant la consolidation du prestige de la famille seigneuriale, dans certains cas seulement[13].

Ici, les seigneurs élus à la Chambre d'assemblée du Bas-Canada entre 1792 et 1814 seront étudiés dans l'optique d'analyser la participation politique d'un groupe d'individus socialement importants dans la société de l'époque. Nous défendons que, comme pour l'ensemble du groupe des seigneurs de l'époque, les

9. John Hare, *Le développement des partis politiques*, *op. cit.*, p. 111. Steven Watt, dans sa recension de cet ouvrage, nuance les analyses de Hare, critiquant notamment sa méthodologie. Voir *Revue d'histoire de l'Amérique française*, vol. 53, n° 2, 1999, p. 288-291.

10. Cette périodisation exclut l'élection générale de 1814, car, à partir de ce moment, la présence seigneuriale à l'Assemblée est beaucoup moins forte. Certains seigneurs sont élus, mais ils proviennent presque tous de la bourgeoisie canadienne.

11. John Hare, « L'Assemblée législative du Bas-Canada », *op. cit.*, p. 361-395.

12. Les auteurs s'intéressent notamment aux facteurs de division entre les législateurs bas-canadiens et à la formation des partis politiques au Bas-Canada. Ils cherchent à remettre en cause les hypothèses de division linguistique très présentes dans l'historiographie, en faisant une analyse systématique de tous les votes tenus en Chambre. Ève Bourgeois et Jean-François Godbout, « La genèse et le développement des partis politiques au Bas-Canada (1792-1838) » (présentation au *Canadian Political Science Association* le 28 mai 2014), [En ligne] [http://www.cpsa-acsp.ca/2014event/Godbout-Bourgeois.pdf] (Consulté le 15 août 2014).

13. Benoît Grenier, *Brève histoire du régime seigneurial*, Montréal, Boréal, 2012, p. 188.

seigneurs-députés forment un groupe hétérogène, tant d'un point de vue socioéconomique que politique. Nous croyons que cette confirmation de l'hétérogénéité du groupe des seigneurs-députés permettra de nuancer la polarisation ethnique des tendances politiques qui caractérise généralement les premières années du parlementarisme bas-canadien.

Pour ce faire, nous présenterons d'abord brièvement les grandes lignes de l'Acte constitutionnel de 1791, qui conduit à la création d'une chambre d'assemblée élective au Bas-Canada. Ensuite, afin de montrer l'hétérogénéité du groupe des seigneurs-députés, nous l'étudierons d'un point de vue socioéconomique, dans le but de déterminer l'origine, l'occupation et le lien entre la circonscription électorale et la seigneurie que possède le seigneur élu à l'Assemblée législative. Enfin, nous étudierons ce groupe d'un point de vue politique, en analysant notamment son positionnement lors des principaux débats parlementaires et en observant les nominations au Conseil législatif et au Conseil exécutif.

L'Acte constitutionnel de 1791 : origines et fondements

De 1774 à 1791, la Province de Québec est administrée par le gouverneur et ses officiers, assistés par un Conseil législatif dont les membres sont nommés. Les conseillers législatifs ont le pouvoir de légiférer et de rendre des ordonnances « pour la paix, le bien-être et le bon gouvernement[14] » de la province, avec le consentement du gouverneur. Les seigneurs canadiens obtiennent sept sièges au Conseil législatif, sur les 22 conseillers nommés en 1775. Jusqu'en 1791, six autres sont nommés pour remplacer les membres décédés. Pour le gouverneur Guy Carleton, l'intermédiaire de ces « grands propriétaires et hommes de distinction », tous très fortunés et issus de la petite noblesse d'épée, sera nécessaire pour « exercer une plus grande influence sur le bas peuple[15] ». L'historien Donald Fyson le

14. *Acte à l'effet de pourvoir d'une façon plus efficace au gouvernement de la province de Québec dans l'Amérique du Nord*, 14 Geo. III, c. 83.

15. Sophie Imbeault, *Les Tarieu de Lanaudière : une famille noble après la Conquête, 1760-1791*, Québec, Septentrion, 2004, p. 87 et 229.

confirme aussi, affirmant qu'avant 1791, « les gouverneurs ont tendance à se ranger non pas du côté des élites commerciales britanniques, perçues par eux comme des marchands communs, mais plutôt du côté des élites canadiennes (seigneurs et membres du clergé) et leurs alliés britanniques, avec lesquels ils se sentent une affinité[16] ».

Au cours des années 1780, plusieurs événements poussent la Grande-Bretagne à repenser l'administration de ses colonies en territoire nord-américain : les problèmes de financement des colonies, la révolution américaine, l'indépendance des États-Unis et l'arrivée massive de loyalistes dans la province de Québec. À cela s'ajoutent les doléances des marchands britanniques et de certains Canadiens qui demandent, dès 1765, la création d'une chambre d'assemblée élective. Au Conseil législatif, en 1784, le seigneur William Grant présente une motion afin qu'une requête officielle soit envoyée à Londres[17].

Les partisans d'une réforme de l'Acte de Québec forment des comités à Montréal et à Québec, où ils préparent des pétitions[18] adressées au roi et au Parlement de la Grande-Bretagne. La pétition, dite « des anciens et des nouveaux sujets de Sa Majesté[19] », réclame une chambre d'assemblée « indistinctement composée d'anciens et de nouveaux sujets, et investie du pouvoir de prélever les taxes et droits de douane nécessaires pour payer les dépenses du gouvernement civil de la province[20] ». Parmi les 1 400 signataires canadiens, sur un total de 2 300, on retrouve notamment Jean-Antoine Panet, seigneur

16. Donald Fyson, « Domination et adaptation. Les élites européennes au Québec, 1760-1841 », dans Claire Laux, François-Joseph Ruggiu et Pierre Singaravélou (dir.), *Au sommet de l'Empire : les élites européennes dans les colonies (XVIe-XXe siècles)/At the Top of the Empire. European Elites in the Colonies (16th-20th Century)*, Berne, Peter Lang, 2009, p. 185.

17. Brun, *op. cit*, p. 11.

18. Une première version de cette pétition est présentée le 30 septembre 1783 et elle est seulement signée par des « anciens sujets ». Adam Shortt et Arthur G. Doughty, *Canadian Archives Documents relating to the Constitutional History of Canada 1759-1791*, Ottawa, J. de L. Taché, 1918, vol. 2, 2e édition, p. 742-752.

19. « Petition for House of Assembly to the King's Most Excellent Majesty », 24 novembre 1784, dans *ibid.*, p. 742-752.

20. Brun, *op. cit.*, p. 11.

de Bourg-Louis, Antoine Juchereau Duchesnay, seigneur de Beauport, et Joseph Papineau, futur seigneur de Petite-Nation[21].

En revanche, la noblesse seigneuriale désire plutôt le maintien du *statu quo*[22]. Certes, comme l'avance Fernand Ouellet, l'Acte de Québec est perçu comme une charte des droits pour la noblesse seigneuriale, puisqu'elle reconnaît le droit civil français et, indirectement[23], l'institution seigneuriale[24]. À son tour, un groupe formé par d'influents seigneurs canadiens et des commerçants prépare une pétition contre toute modification apportée à la constitution. La « très humble adresse des citoyens et habitans catholiques romains de différents états dans la province de Québec, en Canada[25] » demande une meilleure représentation au Conseil législatif et affirme que la création d'une assemblée élective n'est pas le désir général de la population canadienne[26]. On soutient que la population canadienne est trop pauvre pour payer des taxes et qu'elle n'est pas suffisamment instruite pour permettre le bon fonctionnement d'institutions représentatives.

Au Conseil législatif, le 21 avril 1784, La Corne Saint-Luc présente un projet d'adresse au gouverneur Haldimand, alors en Grande-Bretagne, dans laquelle il soutient que les membres du Conseil ont le désir que l'Acte de Québec « soit continué dans toute

21. Pierre Tousignant, *La genèse et l'avènement de la constitution de 1791*, Thèse (Ph. D.), Université de Montréal, 1971, p. 311.

22. John Hare, *Aux origines du parlementarisme québécois (1791-1793). Études et documents*, Sillery, Septentrion, 1993, p. 15.

23. Le gouverneur Carleton avait milité en faveur des propriétaires terriens de sorte que, le 2 juillet 1771, il recevait des instructions royales permettant l'octroi des terres de la province en fiefs et en seigneuries. Plus tard, en 1774, Carleton convainc lord Hillsborough de faire disparaître, dans la troisième ébauche du bill de Québec, un article qui donnait aux seigneurs la possibilité de transformer leur propriété en franc et commun socage. Finalement, l'Acte de Québec protège les terres qui avaient déjà été concédées en franc et commun socage. Voir Assemblée nationale du Québec, « Acte de Québec (1774) », *Encyclopédie du parlementarisme québécois,* [En ligne] [http://www.assnat.qc.ca/fr/patrimoine/lexique/acte-de-quebec- (1774).html#R1] (Consulté le 25 août 2014).

24. Fernand Ouellet, *Le Bas-Canada 1791-1840 : changements structuraux et crise,* Ottawa, Éditions de l'Université d'Ottawa, 1976, p. 27.

25. Ce document n'est ni daté ni signé, mais tout porte à croire qu'il soit le fait d'un groupe de seigneurs influents et de grands commerçants. Dans Shortt et Doughty, *op. cit.*, p. 762-765.

26. Brun, *op. cit.*, p. 11.

sa force, ne souhaitant rien avec plus d'ardeur que de pouvoir le transmettre à la postérité comme une Chartre précieuse qui assurera la jouissance des privilèges et de la Religion des peuples de cette province[27] ». Cette adresse est adoptée par 12 voix contre 5. En fait, les conseillers canadiens estiment qu'ils représentent les meilleurs intérêts des Canadiens, croyant que la création d'une assemblée élue jouerait contre les lois civiles et le clergé catholique.

En 1788, à la suite d'un débat en Grande-Bretagne où le secrétaire d'État aux colonies s'engage à prendre en main la question de la constitution canadienne, un groupe de seigneurs canadiens envoie une pétition, dans laquelle ces derniers affirment que, même si certains francophones ont appuyé le changement constitutionnel, cela ne représente pas la position des « great proprietors of the Nation [grands propriétaires terriens de la nation][28] ». Selon Jean et Marcel Hamelin, sur les 64 seigneurs qui expriment leur opinion sur le changement constitutionnel à l'époque, on en retrouve 51 qui se positionnent à l'encontre de la création d'une chambre d'assemblée[29], dont Ignace-Michel d'Irumberry de Salaberry, Pierre-Amable De Bonne, Joseph-Marie Godefroy de Tonnancour et Pierre-Paul Margane de Lavaltrie.

Par contre, au fil du temps, les partisans de l'Assemblée élective reçoivent des appuis déterminants : les commerçants de Grande-Bretagne qui font affaire avec les marchands de la province de Québec, les loyalistes et l'opposition whig au Parlement britannique, qui appuie la mise en place d'une nouvelle constitution dès 1786[30].

Le gouvernement tory de William Pitt, préoccupé par le financement de l'administration de ses colonies, arrive à la conclusion que seule une assemblée législative peut imposer des taxes. Pour diminuer ses dépenses, il doit donc en constituer une : « considérant les contraintes financières auxquelles l'administration coloniale était confrontée, il devint acceptable de tolérer le risque politique lié à l'établissement d'une Assemblée législative majoritairement

27. Christian Blais (dir.), *Procès-verbaux du Conseil de Québec, 1764-1775*, Québec, Bibliothèque de l'Assemblée nationale du Québec, [À paraître].

28. Shortt et Doughty, *op. cit.*, p. 962.

29. Jean et Marcel Hamelin, *op. cit.*, p. 19.

30. Brun, *op. cit.*, p. 12.

francophone au Québec[31] ». Cependant, l'expérience de la révolution américaine pousse Londres à limiter les pouvoirs accordés aux colonies en imposant un exécutif fort. L'important, pour le secrétaire d'État aux colonies, William Grenville, est de contrer les tendances républicaines des assemblées électives en créant un corps indépendant, le Conseil législatif, qui sera constitué d'une « aristocratie respectable pour remplir le rôle de soutien et de sauvegarde de la monarchie[32] ».

Le 19 juin 1791, la sanction royale est accordée à la nouvelle constitution, qui divise la province de Québec en deux entités politiques distinctes, le Bas-Canada et le Haut-Canada. L'Acte constitutionnel[33] prévoit la création d'une assemblée législative représentative à Québec – formée d'au moins 50 membres élus –, qui travaillera en collaboration avec le Conseil législatif – constitué de membres nommés à vie –, le Conseil exécutif – constitué de neuf membres nommés[34] – et le gouverneur.

Le 7 mai 1792, le lieutenant-gouverneur Alured Clarke promulgue la première carte électorale regroupant 27 circonscriptions[35]. Les frontières des comtés sont délimitées par divers éléments géographiques, mais aussi par les extrémités des seigneuries, rappelant, d'une certaine façon, la colonisation française. Il faut parfois regrouper plusieurs seigneuries pour constituer une seule circonscription[36]. Sauf exception, la toponymie choisie évoque quant à

31. Traduction libre de : « the financial case for running the political risk of establishing a predominantly French Assembly in Quebec was strong – almost to the point of compulsion », Vincent Harlow, *The Founding of the Second British Empire, 1763-1793*, Londres, Longmans, 1964, vol. 2, p. 755.

32. « Discussion of Petitions an Counter Petitions re. Change of Government in Canada », 1789, DC 1759-1791, p. 978, cité par John Hare, *Aux origines du parlementarisme québécois (1791-1793)*, *op. cit.*, p. 16.

33. 31 Geo. III, chap. 31 (reproduit dans L.R.C. (1985), app. II, n° 3).

34. En 1794, le secrétaire d'État aux colonies donne le droit au gouverneur de convoquer, à titre de membres honoraires, quatre personnes qui ne recevront aucun salaire. Le gouverneur avait certes demandé que le nombre de conseillers soit porté à treize, car le quorum était difficile à atteindre.

35. « Proclamation publiée par Alured Clarke, *re* la division du Bas-Canada en comtés, cités et municipalités et la nomination de représentants pour ceux-ci à la Chambre d'assemblée », 7 mai 1792, dans Arthur G. Doughty, *Rapport des Archives publiques pour l'année 1921*, Ottawa, F.A. Acland, 1923, p. 9.

36. Grenier, *op. cit.*, p. 151.

Le château Saint-Louis est la résidence du gouverneur à Québec. Il s'agit donc d'un haut lieu du pouvoir colonial au Bas-Canada. À l'époque de James Craig, les conseillers et les favoris du gouverneur s'y réunissaient régulièrement, ce qui leur vaut le surnom de « clique du château ». Source : BAnQ.

elle la métropole anglaise, avec des noms comme Kent ou Buckinghamshire.

La nouvelle constitution prévoit également le maintien des privilèges du clergé catholique. Quant au régime seigneurial, il est maintenu dans les aires où il existe déjà. Toutefois, les nouvelles concessions de terre seront libres de redevances seigneuriales (les futurs cantons)[37]. Ce « déversoir à l'immigration britannique[38] » qu'imagine Grenville sera, croit-il, l'endroit tout indiqué pour « l'éclosion d'une aristocratie foncière faisant pendant aux seigneurs[39] », qui pourra assurer la place des Britanniques dans les institutions aristocratiques.

Au début du XIXe siècle, la majorité canadienne prend conscience des limites de l'Assemblée représentative : on dénonce la sous-représentation des Canadiens aux postes clés de la fonction publique

37. Grenier, *op. cit.*, p. 152.

38. Ouellet, *op. cit.*, p. 38.

39. *Ibid.*

et l'on plaide pour la suprématie du législatif[40]. On assiste alors à la naissance du mouvement réformiste au Bas-Canada[41], auquel s'opposera la « clique du Château ». C'est dans ce contexte d'affrontement entre « Canadiens » et bureaucrates et entre législatif et exécutif que prennent place les seigneurs-députés.

Analyse socioéconomique du profil des seigneurs-députés (1792-1814)

Afin de dresser la liste des seigneurs[42] élus entre 1792 et 1814 (en excluant l'élection de 1814), nous avons consulté divers ouvrages de référence, dont le *Dictionnaire des parlementaires du Québec de 1792 à nos jours*[43], le *Dictionnaire biographique du Canada*[44] et le volume I de l'*Atlas historique du Canada*[45]. Pour compléter les données manquantes, nous avons utilisé la *Description topographique* de Joseph Bouchette[46], l'ouvrage de Lorraine Gadoury sur la noblesse

40. Assemblée nationale du Québec, « Gouvernement responsable », *Encyclopédie du parlementarisme québécois,* [En ligne] [http://www.assnat.qc.ca/fr/patrimoine/lexique/gouvernement-responsable.html] (Consulté le 14 août 2014).

41. Michel Ducharme, *Le concept de liberté au Canada à l'époque des révolutions atlantiques, 1776-1838*, Montréal et Kingston, McGill-Queen's University Press, 2010, p. 67-116.

42. Nous avons considéré seulement les individus qui étaient propriétaires d'un fief au moment de leur élection. Joseph Papineau, par exemple, devient propriétaire de la seigneurie de Petite-Nation en 1801. Or, il a été élu pour la première fois en 1792, puis en 1796, en 1800, en 1809 et en 1810. Nous l'avons donc inclus dans la liste des seigneurs-députés à partir de l'élection de 1809. Nous nous distinguons ici de l'analyse de Bourgeois et Godbout, *op. cit.*, p. 15.

43. *Dictionnaire des parlementaires du Québec de 1792 à nos jours,* Québec, Publications du Québec, 2009 (1980).

44. *Dictionnaire biographique du Canada,* Québec, Presses de l'Université Laval, 1966-, vol. 1 à 10 [En ligne] [http://www.biographi.ca/fr/].

45. Richard C. Harris et Louise Dechêne (dir.), *Atlas historique du Canada. Vol. I: Des origines à 1800,* Montréal, Presses de l'Université de Montréal, 1987, planche 51.

46. Joseph Bouchette, *Description topographique de la province du Bas Canada avec des remarques sur le Haut Canada ; et sur les relations des deux provinces avec les États Unis de l'Amérique ; enrichie de plusieurs vues, plans de ports, de batailles, etc.,* Londres, W. Faden, 1815.

canadienne[47] et le *Répertoire des seigneuries du Canada*[48], document inédit élaboré par Alain Laberge avec la collaboration de François Cantara[49].

Origines sociales et ethniques des seigneurs-députés

Pour toute la période, on dénombre 80 élections d'un seigneur à la Chambre d'assemblée du Bas-Canada. Par contre, certains seigneurs ont été élus à plusieurs reprises. Ainsi, on dénombre 39 seigneurs élus à au moins une reprise, pour un total de 80 élections d'un seigneur entre 1792 et 1814.

Le tableau 1 illustre la distribution du groupe des seigneurs-députés selon leur origine, au moment de chaque élection. On constate que, sur les 80 fois où un seigneur est élu à la Chambre d'assemblée entre 1792 et 1814, 51 sont Canadiens, 28 Britanniques[50] et un seul est né en France (famille d'origine suisse). On constate également qu'à chaque élection les seigneurs canadiens sont plus nombreux que les seigneurs britanniques, sauf aux élections de 1796 et de 1800, où ils sont égaux.

Depuis la Conquête, plusieurs seigneuries ont changé de mains, modifiant ainsi la composition du groupe des propriétaires terriens. Selon Grenier, les nobles, qui détenaient le plus grand nombre de seigneuries au XVIIe siècle, possèdent, entre 1782 et 1840, seulement trente-trois seigneuries[51]. Le déclin de la noblesse, de plus en plus perceptible vers 1800, serait lié, selon Ouellet, aux pratiques successorales et aux conceptions économiques des seigneurs « nobles »,

47. Lorraine Gadoury, *La noblesse de Nouvelle-France : familles et alliances*, Ville LaSalle, Hurtubise HMH, 1992, 208 p.

48. Alain Laberge et François Cantara, *Répertoire des seigneuries du Canada*, document inédit, 2012.

49. Il aurait été intéressant de considérer également les seigneurs qui se sont présentés aux élections, sans toutefois être élus. Par contre, de telles données sur les candidats aux élections pour cette période sont incomplètes.

50. Par Britanniques, nous entendons certes les seigneurs originaires de la Grande-Bretagne, mais aussi les Irlandais, les Métis (il s'agit de Nicholas Montour, caractérisé de « Métis de langue anglaise et protestant » dans le *DBC*), les loyalistes et les Canadiens nés d'un ou de deux parents britanniques, appelés C.n.d.p.b. dans le tableau.

51. Grenier, *op. cit.*, p. 154.

TABLEAU I

Distribution du groupe des seigneurs-députés selon leur origine, au moment de chaque élection

Élections	Nombre de seigneurs canadiens	Nombre de seigneurs britanniques	Autres	Total
1792	11	6 2 Britanniques 3 Écossais 1 loyaliste des É.-U.		17
1796	3	5 1 Britannique 1 Écossais 2 C.n.d.p.b.* 1 Métis (É.-U.)		8
1798 (partielle)	1			1
1800	2	2 1 Britannique 1 C.n.d.p.b.		4
1804	9	4 1 Britannique 2 C.n.d.p.b. 1 Écossais		13
1806 (partielle)	1			1
1807 (partielle)		1 1 C.n.d.p.b.		1
1808	6	5 1 Britannique 3 C.n.d.p.b. 1 Écossais		11
1809	10	3 1 C.n.d.p.b. 1 Britannique 1 Écossais	1	14
1810	7	2 2 C.n.d.p.b.		9
1812 (partielle)	1			1
Total	**51**	**28**	**1**	**80**

*C.n.d.p.b. : Canadien né d'un ou deux parents britanniques.

Source : *Dictionnaire biographique du Canada*, Québec et Toronto, Université Laval et University of Toronto, [En ligne], 1966-. [www.biographi.ca/indez-f.html].

qui refusent de modifier leur train de vie, malgré la hausse des coûts[52]. Or, ce déclin de l'aristocratie foncière est néfaste pour l'équilibre constitutionnel, qui est justement fondé sur la participation des nobles au pouvoir.

En 1800, le lieutenant-gouverneur Milnes constate dans une dépêche envoyée au duc de Portland, le secrétaire d'État à l'Intérieur britannique, un changement radical: « La gentilhommerie canadienne s'est presque éteinte par degré... Très peu de seigneurs, comme je l'ai déjà insinué, ont des intérêts suffisants pour assurer leur propre élection[53]. » Selon lui, la constitution de 1791 :

> ne produira ses fruits que si le gouvernement peut s'appuyer sur une aristocratie forte et dynamique, capable de contrebalancer le menu peuple qui élit l'Assemblée. Or, contrairement à la situation qui prévaut en Grande-Bretagne, une telle aristocratie terrienne n'existe pas dans la colonie, car le régime seigneurial nivelle les classes et appauvrit les seigneurs[54].

Milnes est d'avis qu'il faut favoriser la montée d'une aristocratie puissante et riche qui pourra influencer les électeurs, donc l'Assemblée. Pour ce faire, le lieutenant-gouverneur suggère entre autres l'accroissement des dépenses civiles et du favoritisme, notamment auprès des seigneurs canadiens, qui « quêtent des places tout comme les Britanniques[55] ».

Malgré tout, certains membres de la noblesse réussissent à se faire élire à la Chambre d'assemblée, comme Antoine et Antoine-Louis Juchereau Duchesnay, Margane de Lavaltrie, Michel-Gaspard-Eustache-Alain Chartier de Lotbinière, Jean-Baptiste-Melchior Hertel de Rouville, Godefroy de Tonnancour, De Bonne et Gabriel-Elzéar et Jean-Thomas Taschereau.

---

52. Ouellet, *op. cit.*, p. 64.

53. Milnes à Portland (1er nov. 1800), cité par *ibid.*, p. 64.

54. Jean-Pierre Wallot, « Milnes, sir Robert Shore », *Dictionnaire biographique du Canada*, Québec et Toronto, Université Laval et University of Toronto, [En ligne], 1988, [http://www.biographi.ca/fr/bio/milnes_robert_shore_7E.html].

55. *Ibid.*

À la fin du XVIIIe siècle, les membres du milieu des affaires et des professions libérales, qu'ils soient canadiens ou britanniques, sont de plus en plus intéressés par la propriété terrienne et acquièrent des seigneuries. Certes, la possession de seigneurie est intéressante pour les marchands d'un point de vue économique – notamment pour faire le commerce du bois, l'industrie de la pêche ou la production de farine –, mais aussi d'un point de vue social, le titre de seigneur offrant une certaine forme de reconnaissance[56]. L'exemple du marchand Joseph Drapeau est patent : à lui seul, il acquiert une dizaine de fiefs, dont Champlain, Lessard, Baie-du-Ha ! Ha ! et la moitié de l'île d'Orléans.

D'autres, en particulier les membres de la bourgeoisie professionnelle, s'intéressent à la propriété seigneuriale pour les revenus d'appoint qu'elle offre annuellement[57]. Parmi eux, le notaire Joseph Papineau, seigneur de la Petite-Nation à partir de 1801, l'avocat Jean-Antoine Panet, seigneur de Bourg-Louis depuis 1777, et le médecin François Blanchet, seigneur de Saint-Denis-de-la-Bouteillerie depuis 1802, seront élus comme députés à la Chambre d'assemblée.

Les occupations des seigneurs-députés

L'examen détaillé de l'occupation du groupe des seigneurs-députés permet de démontrer deux éléments primordiaux : l'importance de la bourgeoisie dans le groupe des seigneurs, tant canadiens que britanniques, et la primauté de l'élément commercial chez les seigneurs britanniques.

Le tableau 2 illustre la distribution des occupations des seigneurs au moment de leur mandat de députés. Dans ce tableau, les 39 seigneurs qui sont élus au moins à une reprise à l'Assemblée législative du Bas-Canada sont comptabilisés[58]. On retrouve 25 seigneurs canadiens et 13 seigneurs d'origine britannique. Nous observerons

56. Grenier, *op. cit.*, p. 157.

57. *Ibid.*, p. 157-161.

58. Les seigneurs-députés font en moyenne trois mandats à l'Assemblée législative.

les occupations des 25 seigneurs canadiens, des 13 seigneurs britanniques et du seul seigneur français (Gugy) au moment de leur mandat afin de dresser un portrait socioéconomique clair du groupe des seigneurs-députés.

TABLEAU 2

Occupations des seigneurs selon leur origine ethnique au moment de leur mandat de député

Seigneurs	Marchands	Hommes d'affaires	Avocats ou notaires	Médecins	Fonctionnaires salariés	Militaires	Seigneurs à temps plein
Canadiens (25)	2	1	7	1	9	1	7
Britanniques (13)	7	8	0	0	2	0	0
Autres (1)	0	0	0	0	1	0	0
Total	9	9	7	1	12	1	7

Source : *Dictionnaire biographique du Canada,* Québec et Toronto, Université Laval et University of Toronto, [En ligne], 1966-. [www.biographi.ca/indez-f.html].

Une grande différence est l'élément commercial du côté des anglophones. On retrouve sept seigneurs britanniques qualifiés de marchands (généralement le commerce du bois et du blé) et huit d'hommes d'affaires (généralement la spéculation foncière et immobilière)[59]. Chez les seigneurs canadiens, le commerce est beaucoup moins important, alors que l'on retrouve seulement deux marchands et un homme d'affaires (Louis Proulx, spéculateur foncier). Par contre, du côté canadien, la bourgeoisie professionnelle – avocats, notaires, médecins – occupe une place relativement grande, avec huit représentants sur 25, alors qu'il n'y en a pas chez les Britanniques.

Certains seigneurs-députés occupent un poste de fonctionnaire rémunéré dans la colonie. Les plus remarquables sont Gabriel-Elzéar Taschereau et John Caldwell, qui occupent respectivement les postes de grand voyer du district de Québec (nommé en 1794) et de receveur général (1810-1823). Les autres ont diverses fonctions rémunérées, comme celles de commissaires, de juges des petites

59. La catégorisation a été effectuée à partir des qualificatifs utilisés dans les biographies de chaque seigneur du *DBC* ou du *Dictionnaire des parlementaires québécois*.

causes ou de juges de paix. Selon Fyson, la fonction de juge de paix n'est presque jamais rémunérée. Un petit nombre de juges de paix ruraux réclament parfois des honoraires pour les dépositions et les mandats et, à partir de 1810, les quelques magistrats professionnels sont rémunérés[60].

Quelques seigneurs-députés canadiens se consacrent seulement à l'exploitation de leur seigneurie. C'est le cas de la plupart des seigneurs issus de la noblesse seigneuriale, mais aussi de quelques nouveaux seigneurs, comme Paul Lussier et Étienne-Ferréol Roy. Certains de ces seigneurs sont nommés juges de paix dans les districts urbains et ruraux (on peut donc croire qu'ils ne sont pas rémunérés).

Seulement un seigneur est actif dans l'armée au moment de son élection, soit Charles-Gaspard Tarieu de Lanaudière, lieutenant du Royal Canadian Volunteer Regiment de 1796 à 1802. Par contre, son engagement militaire n'est pas une occupation à temps plein. Il n'occupe pas d'autres fonctions.

Les seigneurs canadiens sont enfin très nombreux à avoir un grade d'officier dans la milice. On en dénombre en effet 21 sur 25. Quant aux Britanniques, ils sont près de la moitié à être haut placés dans la milice. Le seul seigneur-député né en France, Louis Gugy, est aussi officier de milice. Cela s'explique par le fait que le seigneur local est généralement le lieutenant-colonel de son bataillon de milice.

Ainsi, les seigneurs-députés font partie des classes les plus élevées de la société bas-canadienne, d'abord grâce à leur titre de seigneur, mais aussi en raison de leurs autres occupations. Évidemment, cela est essentiel à une époque où le député n'est pas rémunéré et « assume lui-même les dépenses inhérentes à la charge de représentant du peuple[61] ». Cela permet également de confirmer l'hétérogénéité du groupe des seigneurs-députés, certains représentant l'élite traditionnelle, d'autres la bourgeoisie d'affaires et les professions libérales.

---

60. Donald Fyson, *Magistrats, police et société: la justice criminelle ordinaire au Québec et au Bas-Canada, 1764-1837*, Montréal, Hurtubise, 2010, p. 169.

61. Jean et Marcel Hamelin, *op. cit.*, p. 30.

Relation entre les découpages territoriaux des seigneuries et des circonscriptions

À première vue, en observant les circonscriptions où les seigneurs sont élus, il ne semble pas y avoir de corrélation entre leur titre de seigneur et leur élection[62]. Sur les 80 élections de seigneurs entre 1792 et 1814, 40 ont lieu dans une circonscription où se retrouve leur fief (ou un de leurs fiefs[63]). Pour les 40 autres, il n'y a pas de lien (voir le tableau 3). On constate toutefois une mince différence entre les seigneurs canadiens et britanniques, toutes proportions gardées. Chez les Canadiens, près de 55 % des seigneurs sont élus dans une circonscription sans lien avec leur propriété foncière tandis que, chez les Britanniques, le lien entre la seigneurie et la circonscription est plus fort.

TABLEAU 3
Relation entre le découpage territorial de la seigneurie et celui de la circonscription

	La seigneurie est dans la circonscription	La seigneurie n'est pas dans la circonscription
Canadiens	23	28
Britanniques	16	12
Autres	1	0
Total	**40**	**40**

Cependant, en excluant les cas où le seigneur est élu dans une circonscription urbaine, à savoir Trois-Rivières, Haute-Ville de Québec, Basse-Ville de Québec, Montréal-Est et Montréal-Ouest, les résultats sont plus probants (voir le tableau 4). En effet, dans

62. Il n'a pas été observé si le seigneur était résident ou non de la seigneurie dans laquelle il a été élu, si c'est le cas. Pour la période qui nous intéresse, environ 30 % des seigneurs sont présents de façon permanente dans leur seigneurie. Voir Benoît Grenier, « "Gentilshommes campagnards" : la présence seigneuriale dans la vallée du Saint-Laurent (XVIIe-XIXe siècle) », *Revue d'histoire de l'Amérique française*, vol. 59, nº 4, 2006, p. 426.

63. Comme le souligne Benoît Grenier, pendant toute la période seigneuriale, un peu plus de 25 % des propriétaires possèdent plus d'une seigneurie. Grenier, « "Gentilshommes campagnards" », *loc. cit.*, p. 419.

40 des 60 cas recensés, il y a un lien direct entre la seigneurie et la circonscription où le seigneur se fait élire. Cela modifie également les résultats quant à la répartition selon l'origine. Avec l'exclusion des comtés urbains, les seigneurs canadiens et britanniques sont majoritairement élus dans une circonscription où se situe une de leurs propriétés. Or, chez les Britanniques, cela correspond à 94 % des cas, contre 55 % pour les Canadiens. Le seul Britannique à ne pas être élu dans une circonscription où se trouve sa seigneurie est George Waters Allsopp, en 1796, plutôt élu dans Buckingham. Ces données sont particulièrement intéressantes dans le contexte bas-canadien, où la majorité des députés ne proviennent pas de leur circonscription.

TABLEAU 4

Relation entre le découpage territorial de la seigneurie et celui de la circonscription en excluant les comtés urbains

	La seigneurie est dans la circonscription	La seigneurie n'est pas dans la circonscription
Canadiens	23	19
Britanniques	16	1
Autres	1	0
Total	**40**	**20**

La difficulté que pose la reconstitution des premières campagnes électorales rend toutefois difficile l'analyse de l'influence réelle que peut avoir le titre de seigneur sur l'élection. Il est impossible de dire si c'est seulement le titre de seigneur qui a influencé les électeurs ou si ce sont d'autres variables. En plus, les journaux d'époque n'ont transmis qu'un faible écho des premières joutes politiques, ce qui empêche une analyse plus en profondeur de la relation entre le titre de seigneur et l'élection.

Cela rend également difficile l'analyse de la défaite d'éventuels seigneurs qui se seraient présentés lors d'élections et qui auraient été battus. Bien qu'aucune étude n'ait été faite sur le sujet et qu'il nous soit impossible de répondre exhaustivement à cette question – qui nécessiterait un dépouillement approfondi de la presse –, on peut noter quelques cas de seigneurs qui se font battre lors d'élections. L'exemple de Gabriel-Elzéar Taschereau, en 1796, est patent : en tant que grand voyer, il fait adopter la loi pour « faire réparer et changer les grands chemins », qui oblige les habitants à participer aux travaux de voirie en contribuant monétairement ou physiquement. Cette loi, qui était grandement critiquée par la population, aurait contribué à sa défaite aux élections de 1796.

Toutefois, si tous les seigneurs ont fait comme Margane de Lavaltrie et ont promis, en campagne électorale, d'abandonner « les Lods et Ventes, le droit de retrait, les journées de corvées, le May » et de donner « un acte passé pardevant notaire quand vous voudrez[64] », il est facile de deviner pourquoi plusieurs seigneurs furent élus par leurs censitaires.

En résumé, l'analyse de l'origine et de l'occupation des seigneurs-députés démontre l'hétérogénéité sociale et économique du groupe qu'ils forment. Alors que certains sont issus des grandes familles de la Nouvelle-France, d'autres sont nouvellement propriétaires et sont associés aux professions libérales et à la bourgeoisie. Chez les anglophones, l'élément commercial est ce qui ressort le plus.

La place des seigneurs à l'Assemblée législative du Bas-Canada (1792-1814)

Nous chercherons d'abord à savoir s'il y a une forme de « ligne de parti[65] » au sein du groupe des seigneurs, en nous basant sur le positionnement des seigneurs-députés lors des « grands » débats parlementaires. Ces positionnements (enregistrés à la demande

64. Pierre-Paul Margane de Lavaltrie, cité par Grenier, « "Gentilshommes campagnards" », *loc. cit.*, p. 32.

65. L'usage du concept de « ligne de parti » est inexact dans le contexte des premières années du parlementarisme étant donné la non-existence des partis politiques tels qu'on les connaît aujourd'hui. À l'époque, les « partis » étaient plutôt des regroupements d'idées et d'intérêts, sans structure ni règlements. Ainsi, les députés étaient libres de leur vote. L'usage de « Parti canadien » et de « Parti bureaucrate », ou encore britannique, ministériel et gouvernemental, sert plutôt de repère pour définir des tendances de plus en plus marquées. Voir Gilles Gallichan, « Pierre Bédard : le devoir et la justice : 1re partie – La liberté du Parlement et de la presse », *Les Cahiers des Dix*, nº 63, 2009, p. 109.

d'un des membres) se retrouvent dans les *Journaux de la Chambre d'assemblée du Bas-Canada*[66]. Aussi désignés sous le nom de procès-verbaux, ces documents comportent un compte rendu de la procédure parlementaire entourant chaque élément appelé au cours de chaque séance (les discours des parlementaires n'y sont pas retranscrits). Ensuite, nous déterminerons les allégeances du groupe seigneurial en ajoutant aux éléments avancés dans la section sur les grands débats les informations retrouvées dans le *Dictionnaire des parlementaires*. Enfin, nous verrons si les seigneurs sont bel et bien favorisés pour l'accession aux conseils législatif et exécutif.

Les « grands » débats parlementaires

L'avènement du parlementarisme représentatif au Bas-Canada pousse les nouveaux élus à se rassembler en groupes politiques, qui se définissent de plus en plus au fil des législatures. D'un côté se trouvent les partisans du gouverneur. De l'autre, le caucus « canadien », plutôt conservateur et monarchiste à ses débuts, tend à devenir plus libéral et nationaliste à mesure que diminue la présence seigneuriale, dont les traditions proviennent de l'Ancien Régime, et qu'augmente le nombre des représentants issus de professions libérales. Plus il maîtrise le fonctionnement des institutions parlementaires, plus le caucus est aguerri et audacieux dans ses propositions[67].

L'objectif de cette première section est d'évaluer le positionnement du groupe des seigneurs en tant qu'entité distincte, que bloc « homogène », comparativement au reste de la députation. Nous voulons déterminer s'il y a une « ligne de parti » au sein de ce bloc de députés formé de la haute société bas-canadienne.

La sélection des grands débats s'est faite sous deux considérations : l'importance qu'ils revêtent à l'Assemblée elle-même – c'est-à-dire que la question était suffisamment importante pour qu'un

66. *Journal of.../Journal de la Chambre d'assemblée du Bas-Canada*, Québec, J. Neilson, 1793-.

67. Gilles Laporte, *Patriotes et loyaux: leadership régional et mobilisation politique en 1837 et 1838*, Sillery, Septentrion, 2004, p. 16.

parlementaire demande l'enregistrement du vote – et l'importance qui leur a été donnée dans l'historiographie. Une telle démarche comporte évidemment des lacunes. En ne tenant compte que des scrutins nominatifs portant sur des questions ayant marqué l'histoire, nous obtenons automatiquement des résultats *plus polarisés*. En considérant les scrutins non nominatifs, il est clair que la députation est moins divisée que peuvent le laisser croire les résultats présentés ci-dessous. Par contre, l'objectif étant ici de voir si les seigneurs-députés forment un bloc solidaire ou non, il est nécessaire de considérer des questions qui divisent les parlementaires.

Les débats du premier Parlement (1792-1796)

À la suite de la première campagne électorale au Bas-Canada, les premiers députés s'assemblent pour l'ouverture de l'Assemblée législative, en décembre 1792. Sur les 48 députés élus[68], 16 sont de langue anglaise, soit près du tiers. Or, la population britannique forme au plus un quinzième de la population totale du Bas-Canada. Dix-sept élus sont des seigneurs.

La première question débattue par les parlementaires est l'élection de l'orateur de la Chambre. Il s'agit d'une fonction stratégique, car c'est l'orateur qui dirige les débats et il détient une voix prépondérante en cas d'égalité lors d'un vote. Louis Dunière, député de Hertford, propose la candidature du seigneur Jean-Antoine Panet, appuyé par Pierre-Amable De Bonne. Toutefois, les Britanniques proposent à leur tour deux candidats, James McGill et le seigneur William Grant. Après un débat d'une durée de deux jours, Panet est élu orateur, avec une majorité de dix voix. Les seigneurs-députés se sont divisés sur la question, alors que sept votent pour Panet et huit contre.

68. Le député de Leinster, François-Antoine La Rocque, décède le 31 octobre 1792, avant que la Chambre ait été appelée. Il n'a pas eu le temps de siéger. Aussi, Irumberry de Salaberry est élu dans Québec et dans Dorchester. Le 8 janvier 1793, il opte pour Dorchester. Une partielle sera déclenchée dans Québec.

TABLEAU 5

« Est-ce le plaisir de cette Chambre qu'Antoine Panet, Écuier, en soit nommé l'Orateur ? »

	Pour	Contre
Bloc des seigneurs-députés	7	8
Seigneurs canadiens	7	2
Seigneurs britanniques	0	6
Autres députés canadiens	21	0
Autres députés britanniques	0	9
Autres nationalités*	0	1
Total	**28**	**18**

* François Dambourgès, originaire de France.

Source : *Journal of…/Journal de la Chambre d'assemblée du Bas-Canada*, Québec, J. Neilson, 1793, p. 13 et 15.

Tous les seigneurs britanniques présents, soit Coffin, Tod, Jordan, Grant, Young et MacNider, votent contre la candidature de Panet, ainsi que deux seigneurs canadiens : son cousin Pierre-Louis Panet et Salaberry.

Œuvre réalisée par Charles Huot de 1910 à 1913 pour décorer la Salle de l'Assemblée législative, la toile *Le débat sur les langues* s'inspire des discussions tenues en janvier 1793 à la Chambre d'assemblée du Bas-Canada. Source : Collection de l'Assemblée nationale du Québec.

En janvier 1793, un second débat marque l'histoire parlementaire bas-canadienne. Il s'agit du débat des langues, qui porte sur la place du français dans les débats et dans la législation. Du 21 au 23 janvier, les députés étudient plusieurs résolutions et motions portant sur ce sujet au cours du débat sur l'adoption des règles de la Chambre. Le 21 janvier, De Bonne présente une résolution qui pose comme principe de base l'existence d'une triple dualité « tenant à la double origine des lois (lois civiles françaises et lois criminelles anglaises) et à la composition biethnique de la population et de ses représentants au Parlement[69] ». Cela implique donc que les journaux de la Chambre soient tenus dans les deux langues. Or, cette proposition laisse en suspens la question de la langue de la législation. Le député Richardson propose donc un amendement qui stipule que seul le texte anglais des lois et des débats serait légalement reconnu. P.-L. Panet est le seul seigneur canadien à appuyer cet amendement, avec quatre autres seigneurs britanniques.

TABLEAU 6

« [...] l'anglois sera considéré le texte légal. »

	Pour	Contre
Bloc des seigneurs-députés	5	7
Seigneurs canadiens	1	7
Seigneurs britanniques	4	0
Autres députés canadiens	1	19
Autres députés britanniques	6	0
Autres nationalités*	1	0
Total	**13**	**26**

*François Dambourgès, originaire de France.

Source : *Journal of.../Journal de la Chambre d'assemblée du Bas-Canada*, Québec, J. Neilson, 1793, p. 143 et 145.

69. Pierre Tousignant et Jean-Pierre Wallot, « De Bonne, Pierre-Amable », dans *Dictionnaire biographique du Canada*, vol. 5, Université Laval et University of Toronto, [En ligne], 2003 [http ://www.biographi.ca/] (Consulté le 26 novembre 2013).

Le lendemain, le débat des langues se poursuit et deux députés britanniques proposent des motions voulant établir la primauté de la langue anglaise dans la législation. Toutes deux sont rejetées et les seigneurs gardent leur position de la veille[70]. Le 23 janvier, les députés adoptent une résolution plaçant les deux langues sur un pied d'égalité, donc les considérant comme langues officielles de la législation. Aussi, tous les projets de loi devront être présentés dans les deux langues dès la première lecture. Les seigneurs adoptent relativement la même position: Tonnancour, De Bonne – qui propose la résolution –, Taschereau, A. Juchereau Duchesnay et Chartier de Lotbinière votent pour la résolution, avec 15 députés canadiens. Les six seigneurs qui s'y opposent sont tous britanniques.

Ces premiers votes enregistrés au premier Parlement bas-canadien démontrent d'ores et déjà que les premiers seigneurs élus ne s'allient pas pour former un bloc politique partisan. Si les seigneurs-députés britanniques votent en bloc, ce n'est pas le cas des seigneurs canadiens, qui sont plutôt partagés.

Les débats des deuxième et troisième Parlement (1796-1800 et 1800-1804)

Aux élections de 1796, les seigneurs se voient «éliminés en tant que force politique[71]»: seulement huit d'entre eux sont élus à la Chambre d'assemblée, soit James Cuthbert, William Grant, George Waters Allsopp, John Young, Pierre-Amable De Bonne, Nicholas Montour, Jean-Antoine Panet et Charles-Gaspard Tarieu de Lanaudière. Sur 50 députés élus, on compte 36 députés francophones et 14 députés britanniques. Selon Greenwood, les seigneurs canadiens, «en raison de leur prétention, de leur étroite association avec le gouvernement et de leur tendance à augmenter les rentes seigneuriales illégalement [...] sont impopulaires auprès des

70. *Journal of...*/*Journal de la Chambre d'assemblée du Bas-Canada*, Québec, J. Neilson, 1793, p. 147-149.

71. Peter Burroughs, «Prescott, Robert», *Dictionnaire biographique du Canada*, vol. 5, Université Laval et University of Toronto, [En ligne], 2003 [http://www.biographi.ca/] (Consulté le 15 novembre 2013).

habitants. Ils n'ont pas une position sociale, gouvernementale ou financière comparable à celle de la classe des propriétaires terriens britanniques[72] ». Il soutient aussi que le succès des seigneurs lors de la première élection est lié au manque d'organisation de la bourgeoisie canadienne dans les comtés ruraux et à la crainte des censitaires de voter contre leur seigneur[73].

Au cours du second Parlement, la polarisation politique est moins marquée[74]. Cela s'explique entre autres par un renouvellement de 74 % de la députation, le plus fort de la période étudiée. Le débat principal porte sur l'éducation publique, liée à la liquidation des biens des Jésuites, dont l'ordre a été aboli en 1773. Il faut toutefois attendre au troisième Parlement avant de voir un règlement provisoire de la question qui sera ultimement résolue sous Honoré Mercier.

À la suite des élections générales de 1800, le nombre de seigneurs élus est encore plus bas qu'à la session précédente : ils sont seulement quatre et ont tous déjà été élus lors d'une élection précédente, soit Cuthbert, Young, J.-A. Panet et P.-L. Panet. Sur les 50 députés élus, 36 sont francophones et 14 sont anglophones. La question de la liquidation des biens des Jésuites continue à être débattue, alors que le lieutenant-gouverneur Milnes reprend une idée lancée en 1799 par l'évêque anglican Jacob Mountain, soit d'utiliser une partie des biens des Jésuites pour financer un réseau d'écoles publiques où l'anglais serait enseigné gratuitement aux Canadiens. En février et en mars 1801, le Bill pour l'établissement des écoles gratuites et l'avancement des sciences dans cette Province est étudié par les députés. Une tentative pour bloquer ce projet est faite par Joseph-François Perrault, député de Huntingdon, qui dépose le Bill pour établir des Écoles publiques dans les paroisses du Bas-Canada. Or, le projet est mis de côté

72. Traduction libre de : « because of their pretensions, their close association with government and their tendency to raise rents illegally [...], were unpopular with the habitants and had no social, governmental, or financial position analogous to that of the British landed classes », Greenwood, *op. cit.*, p. 49.

73. Greenwood, *op. cit.*, p. 279.

74. Hare, « L'Assemblée législative du Bas-Canada », *loc. cit.*, p. 374-376.

par 11 Britanniques, incluant deux seigneurs, Young et Cuthbert, et par cinq Canadiens[75].

En avril 1801, l'Institution royale pour l'avancement des sciences est créée. Or, pour adopter cette loi, les bureaucrates doivent compter sur l'absentéisme des députés appuyant généralement le Parti canadien, afin de se placer en position majoritaire. Par exemple, le 10 mars 1801, à l'étape du vote pour l'envoi du projet de loi au Conseil législatif, seuls 13 députés sont présents en Chambre, dont sept députés reconnus pour leur appui au bloc ministériel, incluant le seigneur canadien P.-L. Panet[76]. Le partage des voix n'est pas enregistré, mais le projet de loi est envoyé au Conseil législatif.

La même année, Milnes veut mettre un autre projet à exécution : l'abolition du régime seigneurial. Le lieutenant-gouverneur veut faire adopter une loi « qui rendrait obligatoire le remboursement des arriérés des redevances seigneuriales dans les seigneuries de la Couronne [...] depuis la Conquête[77] ». Il croit que cela soulèvera un tollé, qui conduira à la modification du mode de tenure dans les seigneuries du roi, puis partout dans la colonie. Cela favoriserait l'accession des colons britanniques dans la zone seigneuriale. Toutefois, l'Assemblée, même si elle ne compte que quatre seigneurs dans ses rangs, intervient en faveur des seigneuries et adoucit tellement le projet de loi que les remous espérés par Milnes ne se produisent pas. Les votes n'ont pas été enregistrés pour cette question. Ces deux projets de loi sont destinés à recréer l'aristocratie britannique sur les rives du Saint-Laurent[78].

Au cours de ces deux législatures, la présence seigneuriale est très faible en Chambre. Peu de votes sont enregistrés et, lorsqu'ils le sont, les seigneurs ne sont pas nécessairement présents. On constate toutefois que, sur les quelques votes étudiés, les seigneurs ne votent pas en bloc homogène et que certains Canadiens se rangent du côté des Britanniques.

---

75. *Journal of.../Journal de la Chambre d'assemblée du Bas-Canada*, Québec, J. Neilson, 1801, p. 195.

76. *Ibid.*, p. 301.

77. Wallot, « Milnes, sir Robert Shore », *loc. cit.*

78. Greenwood, *op. cit.*, p. 180.

Les débats du quatrième Parlement (1804-1808)

Aux élections de 1804, le lieutenant-gouverneur Milnes intervient directement pour susciter des candidatures prestigieuses de la part de Britanniques. Le résultat est légèrement différent de celui des élections précédentes, avec 33 députés canadiens et 17 députés britanniques. De plus, les seigneurs font un « retour en force » avec 13 représentants sur 50. Lors de deux élections partielles, deux seigneurs s'ajoutent au groupe : Paul Lussier et Ezekiel Hart.

En 1805, les tensions s'exacerbent à la Chambre d'assemblée, alors que les bureaucrates réalisent qu'ils sont condamnés à demeurer minoritaires à l'Assemblée, même s'ils sont plus nombreux aux Conseils. La création de deux journaux partisans – le *Quebec Mercury* et *Le Canadien* – accentue les pressions déjà très fortes entre les deux factions. L'arrivée de James Craig au poste de gouverneur en chef de l'Amérique du Nord britannique en 1807 contribuera encore plus à l'exacerbation des tensions. Cet envenimement de la situation politique se remarque notamment par l'augmentation de près de 50 % du nombre de votes enregistrés dans les procès-verbaux de la Chambre.

Deux débats sont marquants au cours de cette législature : la question du financement de la prison de Québec, en 1805, et l'exclusion du seigneur-député Hart, en 1808. Le débat portant sur le financement de la prison de Québec est le projet de loi qui divise le plus les membres de l'Assemblée législative au cours de cette législature. Les bureaucrates essuient « un échec cuisant lorsque la majorité impose une taxe sur le commerce plutôt que sur les terres afin d'ériger de nouvelles prisons dans les villes[79] ». Le tableau 7 démontre que les seigneurs se sont unis sur cette question, sauf pour un élément. En effet, parmi les sept seigneurs appuyant la proposition, on retrouve six Canadiens et Grant, un grand marchand britannique. Un seul seigneur s'oppose à la résolution, soit Young.

79. Wallot, « Milnes, sir Robert Shore », *loc. cit.*

TABLEAU 7

« Que le *Bill* passe, et que le titre soit Acte qui pourvoit à l'érection d'une Prison commune dans chacun des districts de Québec et de Montréal, respectivement ; et aux moyens d'en défrayer les dépenses. »

	Pour	Contre
Bloc des seigneurs-députés	7	1
Seigneurs canadiens	6	0
Seigneurs britanniques	1	1
Autres députés canadiens	12	0
Autres députés britanniques	0	6
Total	**19**	**7**

Source : *Journals of.../Journaux de la Chambre d'assemblée du Bas-Canada*, Québec, J. Neilson, 1805, p. 179-181.

L'ouverture de la quatrième session, en janvier 1808, est marquée par le débat sur le droit du seigneur Hart à siéger. Élu lors d'une élection partielle le 11 avril 1807 dans Trois-Rivières, Hart aurait prêté serment de façon irrégulière, soit sur la Bible et la tête recouverte, et non sur les Évangiles. Le vote sur la question n'est pas enregistré. On sait que la Chambre s'est divisée à 21 contre 5 pour l'expulsion immédiate du député de confession judaïque[80]. Selon Wallot, certains députés canadiens soutiennent Hart, malgré son appui au Parti bureaucrate, tandis que des Britanniques se rangent du côté de la résolution[81].

À la quatrième session, Louis Bourdages propose un projet de loi sur l'inéligibilité des juges à siéger à l'Assemblée. Cette question, qui sera débattue pendant plusieurs années et qui sera au cœur de deux campagnes électorales, crée « un climat presque révolutionnaire[82] ». Ce climat s'explique aussi par le positionnement politique

80. *Journals of.../Journaux de la Chambre d'assemblée du Bas-Canada*, Québec, J. Neilson, 1808, p. 145.

81. Jean-Pierre Wallot, « Craig, sir James Henry », *Dictionnaire biographique du Canada*, vol. 5, Université Laval et University of Toronto, [En ligne], 2003 [http://www.biographi.ca/en/bio/craig_james_henry_5E.html] (Consulté le 15 novembre 2013).

82. Hare, « L'Assemblée législative du Bas-Canada », *loc. cit.*, p. 379.

du gouverneur Craig, qui adopte la ligne dure face aux Canadiens[83]. Pour Pierre Bédard, cet appui du gouverneur en faveur des bureaucrates confirme l'existence d'un ministère colonial : Craig agit comme un leader de parti, non pas comme un représentant royal.

Les débats du cinquième Parlement (1808-1809)

Les élections générales d'avril-juin 1808 sont « violentes et chaudement disputées[84] ». C'est la première fois que la joute électorale alimente autant les presses bas-canadiennes[85]. Malgré cette vive opposition entre le Parti canadien et la « clique du château », les Canadiens sont toujours majoritaires à l'Assemblée. Sur 50 députés élus, il y a 36 députés francophones et 14 députés anglophones. Parmi eux, on retrouve 11 seigneurs. Le gouverneur retarde l'ouverture de la session au 10 avril 1809, soit près d'un an après le déclenchement des élections générales.

Deux questions occupent la quasi-totalité des séances de cette très courte législature : l'inéligibilité des juges et, à nouveau, le droit à siéger du seigneur Hart, qui est réélu dans Trois-Rivières. Ces deux débats sont liés à la tentative du Parti canadien de se ménager une majorité stable. Étant donné le rejet continuel de la création d'une allocation pour les députés, plusieurs élus – surtout des Canadiens – quittent rapidement Québec, ne pouvant se payer un séjour prolongé dans la capitale. L'échec du Parti canadien à faire voter une allocation de dépenses aux députés provenant de l'extérieur de Québec les pousse à tenter d'expulser les membres les plus vulnérables du Parti bureaucrate.

De la fin d'avril à la mi-mai 1809, les députés étudient diverses propositions visant à empêcher les juges de siéger à l'Assemblée. Le 25 avril, Louis Bourdages propose la formation d'un comité spécial chargé d'étudier les inconvénients causés par la candidature d'un juge à une élection. Deux seigneurs appuient la proposition :

83. Christian Blais et collab., *Québec, quatre siècles d'une capitale*, Québec, Les Publications du Québec, 2008, p. 208.

84. *Ibid.*, p. 209.

85. Gallichan, *op. cit.*, p. 118.

A.-L. Juchereau Duchesnay et Delorme. Les seigneurs s'y opposant sont Caldwell, Blackwood, Gray, Cuthbert et Turgeon. Aucun seigneur n'est nommé au comité spécial.

TABLEAU 8

« Qu'un comité de cinq Membres soit nommé pour enquérir s'il est résulté des inconvénients des Elections où les Juges de cette Province se sont portés Candidats, et quels inconveniens, avec pouvoir d'envoyer querir les papiers et personnes pour ce nécessaires, et de faire rapport avec toute la diligence possible. »

	Pour	Contre
Bloc des seigneurs-députés	2	5
Seigneurs canadiens	2	1
Seigneurs britanniques	0	4
Autres députés canadiens	19	5
Autres députés britanniques	0	6
Autres nationalités*	1	0
Total	**22**	**16**

*Jean-Joseph Trestler, originaire d'Allemagne.

Source : *Journals of.../Journaux de la Chambre d'assemblée du Bas-Canada*, Québec, J. Neilson, 1809, p. 167-169.

Aussi, la légitimité à siéger du seigneur Hart est remise en cause par la députation. Or, cette fois, l'exclusion du député frôle l'illégalité. En effet, Hart avait prêté serment conformément à la loi et le Conseil exécutif lui reconnaissait le droit de siéger. Les députés votent toutefois une résolution l'expulsant en raison de sa confession judaïque. Sur les 18 députés appuyant cette position, on retrouve trois seigneurs canadiens : Turgeon, Roy et Delorme. Les trois seigneurs appuyant Hart sont quant à eux des Britanniques : Blackwood, Gray et Cuthbert. Il n'y a pas de solidarité entre les seigneurs-députés en faveur de leur collègue également seigneur.

TABLEAU 9
« Qu'Ezekiel Hart, Ecuier, professant la Religion Judaïque, ne peut siéger ni voter dans cette Chambre ».

	Pour	Contre
Bloc des seigneurs-députés	3	3
Seigneurs canadiens	3	0
Seigneurs britanniques	0	3
Autres députés canadiens	14	1
Autres députés britanniques	1	4
Total	**18**	**8**

Source : *Journals of…/Journaux de la Chambre d'assemblée du Bas-Canada*, Québec, J. Neilson, 1809, p. 249.

Le 15 mai 1809, Craig, qui désapprouve la conduite de l'Assemblée, proroge la session. Trois jours plus tard, il dissout le Parlement.

Les débats du sixième Parlement (1809-1810)

Le sixième Parlement compte, selon une évaluation du journal *Le Canadien,* 40 partisans du Parti canadien, 8 partisans de l'exécutif et deux indépendants[86]. Quatorze députés sont des seigneurs. Le gouverneur Craig a reçu une missive de Londres, le blâmant pour son langage et donnant raison à l'Assemblée quant à l'inéligibilité des juges et à l'exclusion du député Hart[87].

Cette courte législature est l'occasion de débats violents sur deux questions fondamentales : les privilèges de l'Assemblée contre toute tentative d'intimidation par l'exécutif et, encore une fois, l'inéligibilité des juges à siéger comme députés. Le 3 février 1810, Bédard, appuyé par le seigneur Blanchet, propose une résolution affirmant l'indépendance de l'Assemblée législative et condamnant toute tentative de la part des conseils de la censurer ou de la

86. Assemblée nationale du Québec, « Chronologie parlementaire », [En ligne], http ://www.assnat.qc.ca/fr/patrimoine/chronologie/chrono5.html#1809] (Consulté le 4 décembre 2013).

87. Wallot, « Craig, sir James Henry », *loc. cit.*

désapprouver. Cinq seigneurs appuient cette résolution du Parti canadien, dont un Britannique, Blackwood. Trois seigneurs s'y opposent : A.-L. Juchereau Duchesnay, Ralph Gray et Louis Gugy.

TABLEAU 10

« [...] que toute entreprise de la part du Gouvernement Exécutif et des autres Branches de la Législature contre cette Chambre [...] est une violation du Statut par lequel cette Chambre est constituée, une infraction des privilèges de cette Chambre contre laquelle elle ne peut se dispenser de réclamer, et une atteinte dangereuse aux droits et libertés des sujets de Sa Majesté dans cette Province. »

	Pour	Contre
Bloc des seigneurs-députés	5	3
Seigneurs canadiens	4	1
Seigneurs britanniques	1	1
Seigneurs autres	0	1
Autres députés canadiens	19	1
Autres députés britanniques	0	7
Total	**24**	**11**

Source : *Journals of.../Journaux de la Chambre d'assemblée du Bas-Canada*, Québec, J. Neilson, 1810, p. 41 et 43.

Sur la question de l'inéligibilité des juges, les députés réussissent à adopter un projet de loi le 9 février 1810. Le 24 février, impatienté, Bourdages propose l'expulsion de De Bonne parce qu'il cumule les fonctions de député et de juge de la Cour du banc du roi. Le seigneur Blackwood propose ironiquement, secondé par Cuthbert, que « les Marchands, les Avocats, les Notaires, les Shériffs, les Juges de Paix, les Protonotaires et les Encanteurs, sont inéligibles pour siéger ou voter dans cette Chambre[88] ». La résolution de Bourdages est toutefois mise aux voix et passe par une majorité de trois.

88. *Journals of.../Journaux de la Chambre d'assemblée du Bas-Canada*, Québec, J. Neilson, 1810, p. 241.

TABLEAU 11

« [...] que P. A. De Bonne, étant un des Juges de la Cour du Banc du Roi ne peut siéger ni voter dans cette Chambre. »

	Pour	Contre
Bloc des seigneurs-députés	3	6
Seigneurs canadiens	3	2
Seigneurs britanniques	0	3
Seigneurs autres	0	1
Autres députés canadiens	16	3
Autres députés britanniques	0	7
Total	**19**	**16**

Source : *Journals of.../Journaux de la Chambre d'assemblée du Bas-Canada*, Québec, J. Neilson, 1810, p. 241.

Trois seigneurs appuient la résolution : Taschereau, Blanchet et Drapeau. Ceux s'y opposant sont A.-L. Juchereau Duchesnay, Blackwood, Debartzch, Gray, Gugy et J. Cuthbert. Une fois encore, cette division démontre bien que les députés de cette époque sont « indépendants » et peuvent voter comme ils l'entendent : c'est le cas de Debartzch[89], qui est généralement affilié au Parti canadien, mais qui vote contre la résolution.

Deux jours plus tard, le gouverneur proroge la session, affirmant que l'expulsion de De Bonne est inconstitutionnelle. Le 1er mars 1810, Craig dissout le Parlement et lance une autre campagne électorale, à laquelle il participe ouvertement, diffusant une généreuse propagande en faveur des bureaucrates. Le 17 mars 1810, il fait saisir les presses du journal *Le Canadien* et emprisonner une vingtaine des principaux responsables, incluant les seigneurs Blanchet et Jean-Thomas Taschereau et le député Bédard, sous l'inculpation de « pratiques traitresses ».

89. Debartzch a été classé dans le groupe des « Canadiens » même si son père a des origines polonaises, car ce dernier est décédé alors qu'il était assez jeune et il a été élevé surtout par sa mère, une Canadienne, et par son oncle et tuteur, le seigneur Hyacinthe-Marie Simon, dit Delorme.

Les débats du septième Parlement (1810-1814)

Malgré tous les efforts du gouverneur Craig, le Parti bureaucrate sort affaibli de l'épreuve électorale de 1810, qui est aussi agitée que les précédentes. Pour Denis-Benjamin Viger, ces élections « se sont faites au bruit des chaînes[90] ». Sur 50 députés élus, on compte 38 députés francophones et 12 députés britanniques, soit leur plus faible taux pour la période étudiée. Bédard et le seigneur Blanchet, en prison, sont réélus dans les comtés de Surrey et d'Hertford. On compte neuf seigneurs en Chambre. Toutefois, le seigneur Drapeau meurt avant l'ouverture de la session. En décembre 1811, Cuthbert et Caldwell sont nommés au Conseil législatif et leurs sièges sont déclarés vacants. Le seigneur Jean-Thomas Taschereau remporte la partielle dans Dorchester pour remplacer Caldwell.

La nomination des deux seigneurs britanniques au Conseil législatif fait en sorte que seuls des seigneurs canadiens appuyant généralement le Parti canadien sont en Chambre lors de cette législature. L'absence de Bédard, qui est emprisonné jusqu'en mars 1811, rend les débats moins âpres en Chambre. En effet, les Canadiens se montrent beaucoup moins hardis que lors des sessions précédentes. Au retour de Bédard, les députés adoptent plusieurs projets de loi qui seront rejetés par le Conseil législatif (par exemple, l'indemnisation des membres de l'Assemblée et le fait d'enlever au Conseil exécutif le pouvoir d'emprisonner pour le remettre au gouverneur).

L'étude de ces luttes au sein de l'Assemblée, généralement des luttes très polarisantes, permet de constater une défiance durable entre les députés canadiens, qui forment la majorité en Chambre, et les députés de l'entourage du gouverneur, généralement des Britanniques, mais aussi des Canadiens. Ainsi, on ne peut parler d'une polarisation simplement fondée sur l'ethnie. Il arrive également que des Britanniques votent du côté de la majorité canadienne, illustrant bien l'indépendance des députés à l'époque. On peut également constater que les seigneurs ne forment en aucun cas un groupe homogène suivant une « ligne de parti » quelconque.

90. Denis-Benjamin Viger, « Fragments historiques », 1832, BAC, fonds D.-B. Viger, MG24, B6, vol. 6, p. 2990.

Les allégeances du groupe seigneurial

Selon les données retrouvées dans le *Dictionnaire des parlementaires québécois de 1792 à nos jours*, 13 seigneurs britanniques, 25 seigneurs canadiens et un seigneur français ont été élus au moins à une reprise à la Chambre d'assemblée du Bas-Canada entre 1792 et 1814. Le tableau 14 présente l'allégeance des seigneurs selon leur origine.

TABLEAU 12

Allégeance des seigneurs-députés selon leur origine

	Parti bureaucrate	Parti canadien	Variable	Inconnu	Total
Britanniques	12	0	1	0	13
Canadiens	2	15	7	1	25
Autres	1	0	0	0	1
Total	**15**	**15**	**8**	**1**	**39**

Source : *Dictionnaire des parlementaires du Québec de 1792 à nos jours*, Québec, Publications du Québec, 2009 (1980), 841 p.

Chez les Britanniques, le positionnement politique est plutôt simple à analyser : 12 seigneurs sur 13 votent généralement avec le Parti bureaucrate. Le treizième donne son appui tantôt au Parti bureaucrate, tantôt au Parti canadien. Il s'agit de George Waters Allsopp (né au Canada d'un père britannique). Le seul seigneur français, le protestant Louis Gugy, vote quant à lui du côté du Parti bureaucrate.

Du côté des Canadiens, la répartition des allégeances est plus complexe. Sur les 25 élus, 15 seigneurs votent généralement avec le Parti canadien et 7 sont partagés entre le Parti canadien et les bureaucrates. Parmi les partisans du Parti canadien, on retrouve dix membres de la bourgeoisie seigneuriale canadienne – Blanchet, Debartzch[91], Drapeau, J.-A. Panet, Papineau, Proulx, Simon dit Delorme, J.-T. Taschereau, Perreault et Turgeon –, trois membres de la noblesse canadienne – Godefroy de Tonnancour, Hertel de Rouville et Margane de Lavaltrie – ainsi que deux « petits seigneurs » – Lussier et Roy.

91. Voir note 90.

Les seigneurs partagés entre les bureaucrates et le Parti canadien proviennent tous de la noblesse (Chartier de Lotbinière, Irumberry de Salaberry, les deux Juchereau Duchesnay, Tarieu de Lanaudière, G.-É. Taschereau et De Bonne). Pierre-Amable De Bonne est toutefois un cas particulier et aurait pu être placé parmi les partisans du Parti bureaucrate. En fait, à la suite de la première élection, il se positionne d'abord du côté des Canadiens. Selon Tousignant et Wallot, De Bonne, à cette époque plus vindicatif que Joseph Papineau et Pierre-Stanislas Bédard, se fait offrir par le gouvernement colonial trois postes très alléchants : juge de la Cour des plaids communs, en février 1794, juge de la Cour du banc du roi pour le district de Québec, en décembre 1794, et conseiller exécutif, à la veille du Nouvel An. Ces promotions sont dues, selon les deux historiens, à ses « talents d'homme politique ambitieux, énergique et populaire[92] ». Dès lors, il est acquis aux bureaucrates. Pour Greenwood, ce cas de favoritisme gouvernemental est *spectacularly successful*[93]. En plus, deux seigneurs canadiens votent généralement du côté bureaucrate, soit P.-L. Panet et Lambert-Dumont.

Greenwood avance l'hypothèse selon laquelle « la division partisane en fonction de l'appartenance ethnique était atténuée par l'existence d'un troisième groupe, celui des Canadiens "ministérielistes" qui se ralliaient au leadership de De Bonne[94] ». Pour lui, ces « ministérielistes » incluent divers fonctionnaires canadiens, comme P.-L. Panet (juge de la Cour du banc du roi pour le district de Montréal) et Louis-Charles Foucher (solliciteur général puis juge de la Cour provinciale de Trois-Rivières), mais aussi, « à l'occasion, quelques seigneurs parmi ceux qui restaient parvenaient à se faire élire[95] ». Il cite alors A.-L. Juchereau Duchesnay et Philippe de Rocheblave J^r^ (élu pour la première fois en 1824). Ce groupe de « ministérielistes » est donc la faction canadienne appuyant les

92. Tousignant et Wallot, « De Bonne, Pierre-Amable », *loc. cit.*

93. Greenwood, *op. cit.*, p. 49.

94. Traduction libre de : « division along ethnic lines was somewhat blurred by the existence of a third party or grouping : the Canadien ministérielistes who looked to De Bonne for leadership », *Ibid.*, p. 188.

95. Traduction libre de : « from time to time, some of the few seigneurs still able to get elected », *Ibid.*

intérêts ministériels, sauf sur les questions touchant l'anglicisation du Bas-Canada. Cette hypothèse est des plus intéressantes, mais elle mérite d'être nuancée sur le plan des seigneurs : ce sont les seigneurs issus de la petite noblesse canadienne qui vont généralement se positionner du côté ministériel. Les « nouveaux » seigneurs canadiens, ceux qui sont issus de la bourgeoisie et des professions libérales, sont des éléments clés du Parti canadien (exception faite de P.-L. Panet et de Lambert-Dumont).

Ainsi, si le groupe des seigneurs britanniques est relativement homogène en termes politiques, celui des seigneurs canadiens l'est beaucoup moins. Quant au groupe des seigneurs-députés en tant que groupe distinct à la Chambre d'assemblée, il est des plus hétérogènes en matière d'allégeance politique puisqu'il ne forme pas un bloc parlant d'une seule et même voix.

L'accession aux conseils

Lors de l'adoption de la constitution de 1791, Grenville prévoyait que le Conseil législatif serait un organe héréditaire formé par des aristocrates locaux, comme l'était la House of Lords britannique. Or, le développement d'une aristocratie britannique au Canada n'est guère réussi. Toutefois, les nominations au Conseil législatif respectent l'idéologie d'une chambre haute aristocratique, alors que l'on retrouve des seigneurs canadiens[96] et de nombreux officiers britanniques nommés à vie par la Couronne.

Un peu plus d'une quinzaine de seigneurs-députés ont été nommés au Conseil législatif, en remplacement à la suite du décès d'un précédent conseiller. William Grant était conseiller législatif avant la création de la Chambre d'assemblée, mais sa charge n'est pas renouvelée après le changement de constitution.

Les députés qui ont accédé au Conseil législatif proviennent soit de familles dont les noms évoquent la noblesse du Régime français – Chartier de Lotbinière, Tarieu de Lanaudière, Hertel de Rouville, Taschereau et Salaberry –, soit de partisans du Parti

96. Dont plusieurs qui n'ont pas été élus à la Chambre d'assemblée.

bureaucrate. Les nominations de Debartzch et de J.-A. Panet paraissent particulières, étant donné leur fort attachement au Parti canadien, mais il s'agit d'une « distinction » en leur honneur.

TABLEAU 13
Les seigneurs-députés au Conseil législatif

Députés nommés au Conseil législatif	Mandat	« Allégeance »
William GRANT	1777 à 1791	Généralement Parti bureaucrate
Michel-Eustache-Gaspard-Alain CHARTIER DE LOTBINIÈRE	1796-1822	Tantôt le Parti canadien, tantôt le Parti bureaucrate
Gabriel-Elzéar TASCHEREAU	1798-1809	Tantôt le Parti canadien, tantôt le Parti bureaucrate
Antoine-Louis JUCHEREAU DUCHESNAY	1810-1825	Tantôt le Parti canadien, tantôt le Parti bureaucrate
John CALDWELL	1811-1838	Généralement Parti bureaucrate
James CUTHBERT	1811-1838	Généralement Parti bureaucrate
Charles-Gaspard TARIEU DE LANAUDIÈRE	1811-1812	Tantôt le Parti canadien, tantôt le Parti bureaucrate
Jean-Baptiste-Melchior HERTEL DE ROUVILLE	1812-1817	Généralement Parti canadien
Jacques-Nicolas PERRAULT	1812	Généralement Parti canadien
John BLACKWOOD	1813-1819	Généralement Parti bureaucrate
Pierre-Dominique DEBARTZCH	1814-1838	Généralement Parti canadien
Jean-Antoine PANET	1815	Généralement Parti canadien
Thomas COFFIN	1817-1838	Généralement Parti bureaucrate
Ignace-Michel-Louis-Antoine d'IRUMBERRY DE SALABERRY	1817-1828	Généralement Parti canadien
Louis GUGY	1818-1838	Généralement Parti bureaucrate
Louis TURGEON	1818-1827	Généralement Parti canadien
Jean-Thomas TASCHEREAU	1828-1832	Généralement Parti canadien

Source : *Dictionnaire des parlementaires du Québec de 1792 à nos jours*. Québec, Publications du Québec, 2009 (1980), 841 p.

Par ailleurs, six seigneurs-députés, élus entre 1792 et 1814, ont accédé au groupe restreint des conseillers exécutifs. Seul Debartzch est associé au Parti canadien. Toutefois, il avait déjà fait ses preuves au Conseil législatif. De Bonne et les Juchereau Duchesnay sont quant à eux de l'aristocratie canadienne. Les deux autres sont directement associés au Parti bureaucrate.

TABLEAU 14

Les seigneurs-députés au Conseil exécutif

Députés nommés au Conseil exécutif	Mandat	« Allégeance »
Pierre-Amable DE BONNE	29 décembre 1794 au 6 septembre 1816 (mort)	Tantôt le Parti canadien, tantôt le Parti bureaucrate. Acquis aux bureaucrates après son 2e mandat
Antoine JUCHEREAU DUCHESNAY	29 décembre 1794 au 15 décembre 1806 (mort)	Tantôt le Parti canadien, tantôt le Parti bureaucrate
John YOUNG	29 décembre 1794 au 14 décembre 1819 (mort)	Généralement Parti bureaucrate
Pierre-Louis PANET	Membre honoraire : 7 janvier 1801 au 2 décembre 1812 (mort)	Généralement Parti bureaucrate
Antoine-Louis JUCHEREAU DUCHESNAY	Fait membre honoraire du Conseil exécutif le 6 janvier 1812, en devint membre actif le 18 janvier 1817. Le reste jusqu'à sa mort en 1825.	Tantôt le Parti canadien, tantôt le Parti bureaucrate
Pierre-Dominique DEBARTZCH	22 août 1837 jusqu'à l'entrée en vigueur de l'Acte d'Union, le 10 février 1841	Généralement Parti canadien

Source : *Dictionnaire des parlementaires du Québec de 1792 à nos jours*. Québec, Publications du Québec, 2009 (1980), 841 p.

Conclusion

L'analyse du groupe des seigneurs élus à la Chambre d'assemblée du Bas-Canada entre 1792 et 1814 permet d'arriver à plusieurs conclusions. D'abord, en observant l'origine, l'occupation et l'allégeance des seigneurs-députés, on constate qu'ils forment bel et bien un groupe hétérogène, sur le plan tant socioéconomique que politique. Les seigneurs peuvent être issus de la noblesse alors que d'autres sont nouvellement propriétaires et proviennent de la bourgeoisie libérale ou marchande. La plupart des seigneurs issus de la noblesse se consacrent seulement à l'exploitation de leur seigneurie, tandis que les nouveaux seigneurs occupent d'autres fonctions, comme marchand, avocat ou fonctionnaire salarié. On observe une prédominance de l'élément commercial chez les seigneurs britanniques.

Sur le plan politique, on constate d'abord que les seigneurs ne forment pas un groupe solidaire votant en bloc. L'observation des votes du groupe des seigneurs permet ensuite de souligner l'exactitude de la constatation de plusieurs historiens, à savoir que les factions politiques de cette époque ne sont pas des partis politiques tels qu'on les conçoit aujourd'hui. Les députés n'ont pas d'attaches et sont libres de voter comme bon leur semble sur chaque question mise aux voix. L'hétérogénéité du groupe des seigneurs-députés permet enfin de nuancer, du moins légèrement, la caractérisation de polarisation ethnique pour définir les deux tendances politiques du Bas-Canada. En effet, des seigneurs canadiens appuient fortement le parti ministériel, comme P.-L. Panet et De Bonne. Toutefois, il n'est pas arrivé qu'un seigneur britannique appuie à chaque vote le « parti » des Canadiens. Cette constatation conduit Greenwood à parler d'un troisième groupe de parlementaires, soit les « ministérielistes », dans lequel il inclut plusieurs seigneurs canadiens. Comme il a été mentionné précédemment, une observation de l'ensemble des votes tenus dans la période étudiée démontrerait encore plus la nuance qui peut être faite en matière de polarisation ethnique des tendances politiques puisque les votes sur les questions quotidiennes divisent beaucoup moins les parlementaires[97].

En terminant, la présence seigneuriale à la Chambre d'assemblée s'estompe peu à peu dès la première décennie du XIXe siècle. Cette

---

97. À ce sujet, voir notamment les contributions de John Hare.

diminution est liée de manière inversement proportionnelle à la montée de la bourgeoisie professionnelle non seigneuriale, qui domine de plus en plus la scène parlementaire, du moins à l'Assemblée législative. Toutefois, les propriétaires fonciers demeurent influents, en particulier dans les conseils, où l'on favorise l'accès aux membres de l'aristocratie, comme le voulait Grenville lors de l'élaboration de l'Acte constitutionnel.

La stabilisation et la créolisation de la présence seigneuriale britannique dans la vallée du Saint-Laurent, 1790-1815[1]

Alex Tremblay Lamarche

> « Bien qu'il se soit distingué de ses censitaires
> ou de ses métayers par sa foi, sa langue et sa nationalité,
> monsieur MacPherson était singulièrement respecté,
> je dirais même aimé de tous ceux qui l'approchaient.
> L'honnêteté de ses intentions, son application au travail, son
> intelligence et son sens écossais de l'épargne
> lui avaient permis d'amasser une belle fortune que
> la rumeur populaire avait beaucoup grossie[2]. »
>
> James MacPherson Le Moine

Dès les lendemains de la Conquête, bon nombre de Britanniques profitent du départ de plusieurs seigneurs vers la France ou des ennuis financiers de

1. Cet article s'inscrit dans la poursuite de recherches sur la britannisation du corps seigneurial au tournant du XIXe siècle entamées lors du séminaire « Le Québec préindustriel : seigneurs et seigneuries et censitaires de la vallée du Saint-Laurent, 1774-1840 » offert par Alain Laberge à l'automne 2013. Je tiens à remercier Benoît Grenier, Alain Laberge, Michel Morissette, Joseph Gagné et Myriam Cyr pour leur lecture rigoureuse de la première version de cet article qui, grâce à leurs questions et leurs suggestions, m'ont permis de pousser mes réflexions plus loin, ainsi que le Conseil de recherches en sciences humaines (CRSH) qui, par l'octroi d'une bourse Vanier, m'a permis de me consacrer à ces recherches. Je tiens également à exprimer ma gratitude envers Philippe Desaulniers, géographe-cartographe, pour la conception des cartes.

2. James MacPherson Le Moine, *Souvenirs et réminiscences / Glimpses & Reminiscences*, Québec, Presses de l'Université Laval, 2013, p. 31.

certains Canadiens pour se porter acquéreurs de seigneuries dans la vallée du Saint-Laurent. James Murray, par exemple, achète la seigneurie de La Martinière quelques mois à peine après la signature du traité de Paris[3] alors que Gabriel Christie met la main sur les seigneuries de Sabrevois, Bleury et Noyan au cours de l'année suivante[4]. Rapidement, les seigneurs britanniques en viennent à occuper une place importante au sein du monde seigneurial, tant et si bien qu'au moment de l'abolition du régime seigneurial (1854) ils détiendraient les deux tiers des droits seigneuriaux selon Jacques Lacoursière, Jean Provencher et Denis Vaugeois[5]. Beaucoup de ces Britanniques possèdent également plusieurs seigneuries dans des secteurs clefs de la province et en tirent des revenus considérables. Pensons entre autres au marchand James Cuthbert qui acquiert une bonne partie des seigneuries de la région de Lanaudière et qui fait fortune en tirant profit du potentiel agricole de celles-ci[6].

Pourtant, malgré leur importance au sein du monde seigneurial, les seigneurs britanniques ont fait l'objet de peu d'études jusqu'à ce jour et les quelques chercheurs s'étant penchés sur le sujet se sont majoritairement cantonnés aux années suivant la fin de la guerre de Sept Ans et l'ont fait surtout dans le cadre d'études plus larges. Fernand Ouellet, par exemple, fait des nobles et des bourgeois anglophones deux des principaux groupes sociaux détenteurs de la propriété seigneuriale dans la vallée du Saint-Laurent à compter de la seconde moitié du XVIIIe siècle[7]. S'il montre bien

3. Murray acquiert cette seigneurie le 18 juillet 1763, soit à peine plus de 5 mois après la ratification du traité de Paris le 10 février 1763 (Pierre-Georges Roy, *Inventaire des concessions en fief et seigneurie, fois et hommages et aveux et dénombrements conservés aux archives de la province de Québec*, Beauceville, L'Éclaireur, 1929, volume quatrième, p. 61).

4. Christie achète la seigneurie de Noyan le 27 mars 1764 et celles de Sabrevois et Bleury le 3 août de la même année (*ibid.*, p. 242-243, 245-246 et 253).

5. Jacques Lacoursière, Jean Provencher et Denis Vaugeois, *Canada-Québec : synthèse historique, 1534-2010*, Québec, Septentrion, 2011, p. 301.

6. Jean Poirier, « Cuthbert, James », *Dictionnaire biographique du Canada*, Québec et Toronto, Université Laval et University of Toronto, [En ligne], 1980, [http://www.biographi.ca/fr/bio/cuthbert_james_4F.html] (Consulté le 6 mars 2015).

7. Fernand Ouellet, « Propriété seigneuriale et groupes sociaux dans la vallée du Saint-Laurent (1663-1840) », *Revue de l'Université d'Ottawa*, vol. 47, n°s 1-2 (1977), p. 182-213.

la croissance des propriétaires d'origine britannique au sein du groupe, il ne consacre que quelques pages à la question et ne s'intéresse ni aux origines et aux particularités de ces seigneurs, ni à leur répartition géographique et leur enracinement. Seule la *Brève histoire du régime seigneurial* de Benoît Grenier offre une vue d'ensemble des seigneurs britanniques au-delà des lendemains de la Conquête. L'auteur y fait état de l'implantation rapide des Britanniques dans le monde seigneurial à la suite de la signature du traité de Paris, mais, aussi, des motifs les ayant poussés à devenir seigneurs, de leur enracinement et de la manière dont ils sont perçus par les censitaires canadiens[8]. Le format de l'ouvrage ne lui permet toutefois pas de pousser plus loin l'analyse sur ce sujet et plusieurs questions restent en suspens.

Le chercheur s'intéressant aux seigneurs britanniques peut certes se référer à la carte de Louise Dechêne publiée dans l'*Atlas historique du Canada*[9] pour prendre connaissance de leur présence dans la vallée laurentienne à la fin du XVIIIe siècle, mais il doit tirer ses propres conclusions de l'analyse du document et ne peut étendre ses réflexions au XIXe siècle. Qui plus est, la carte ne tient pas compte de bon nombre de seigneuries sises à l'est de la province alors que plusieurs de celles-ci passent entre les mains de Britanniques à cette époque[10]. Pour en savoir plus sur la question, il faut se rabattre sur les multiples études de cas sur le sujet. Celles-ci se divisent principalement en deux catégories : les biographies de seigneurs britanniques[11] et les

8. Benoît Grenier, *Brève histoire du régime seigneurial*, Montréal, Boréal, 2012, p. 147-158.

9. Louise Dechêne, « Les seigneuries », dans R. Cole Harris (dir.), *Atlas historique du Canada. Vol. I : Des origines à 1800*, Toronto, University of Toronto Press, 1987, planche 51.

10. Pensons entre autres aux seigneuries de Mingan et d'Anticosti dont William Grant acquiert des parts importantes au tournant du XIXe siècle afin d'y exploiter les ressources halieutiques (David Roberts, « Grant, William », *Dictionnaire biographique du Canada*, Québec et Toronto, Université Laval et University of Toronto, [En ligne], 1983, [http://www.biographi.ca/fr/bio/grant_william_1744_1805_5F.html] (Consulté le 6 mars 2015).

11. En sus des nombreuses biographies de seigneurs britanniques qu'on compte dans le *Dictionnaire biographique du Canada*, on trouve plusieurs ouvrages et articles faisant état des activités seigneuriales de certains Britanniques. C'est notamment le cas de Malcolm Fraser et des membres de la famille Hart (Jean-Claude Massé, *Malcolm Fraser. De soldat écossais à seigneur canadien, 1733-1815*, Québec, Septentrion, 2006 ;

monographies de paroisses et de seigneuries[12]. La publication de certains de ces ouvrages, comme celui de l'historien torontois George M. Wrong[13], remonte même au début du XXe siècle, preuve que le sujet intéresse les chercheurs depuis longtemps. Si plusieurs de ces études offrent un portrait détaillé des pratiques seigneuriales des Britanniques dans la vallée laurentienne[14], aucune ne donne une vue d'ensemble de la situation ou ne permet de saisir avec plus de recul l'enracinement de ce groupe après la Conquête. Qui plus est, les quelques ouvrages mentionnés précédemment donnent l'impression d'une lente marche vers la « britannisation » du corps seigneurial, mais sont avares de détails sur celle-ci entre la fin du XVIIIe siècle et l'abolition du régime seigneurial. On se contente tout au plus de parler d'un « processus progressif, mais constant[15] » ou de chiffrer l'importance de ce groupe ethnique au sein de la classe seigneuriale[16] : « En 1791, plus du quart des seigneuries du Bas-Canada, à l'exclusion de celles appartenant à la Couronne, sont aux mains de seigneurs anglais ; en 1851, c'est plus de la moitié qui sont dans ce cas[17]. »

Cet article entend donc mettre en lumière la présence seigneuriale britannique dans une perspective prosopographique. Pour ce faire, nous avons fait l'inventaire des seigneurs britanniques du Bas-Canada entre 1790 et 1815, soit de la consignation des seigneurs

---

Denis Vaugeois, *Les Premiers Juifs d'Amérique, 1760-1860 : l'extraordinaire histoire de la famille Hart*, Québec, Septentrion, 2011).

12. Plusieurs fiefs détenus par des Britanniques ont fait l'objet de monographies. C'est notamment le cas des seigneuries d'Argenteuil et de Mount Murray (Benjamin Nathaniel Wales, *Memories of Old St. Andrews, and Historical Sketches of Seigniory of Argenteuil*, Lachute, Watchman Press, 1934 ; Louis Pelletier, *La seigneurie de Mount Murray : autour de La Malbaie, 1761-1860*, Québec, Septentrion, 2008).

13. George M. Wrong, *A Canadian Manor and its Seigneurs : The Story of a Hundred Years, 1761-1861*, Toronto, The MacMillan Company of Canada Limited, 1908.

14. Françoise Noël, *The Christie Seigneuries : Estate Management and Settlement in the Upper Richelieu Valley, 1760-1854*, Montréal et Kingston, McGill-Queen's University Press, 1992 ; André LaRose, *La seigneurie de Beauharnois, 1729-1867 : les seigneurs, l'espace et l'argent*, Thèse (Ph. D.), Université d'Ottawa, 1987.

15. Grenier, *op. cit.*, p. 156.

16. Ouellet, *op. cit.*, p. 195-213.

17. Richard C. Harris, *Le pays revêche : société, espace et environnement au Canada avant la Confédération*, Québec, Presses de l'Université Laval, 2012, p. 226.

par le gouvernement de la Province of Quebec en 1790[18] à la publication de la *Description topographique de la province du Bas-Canada* de Joseph Bouchette[19]. Grâce à ces deux sources ainsi qu'à l'*Inventaire des concessions en fief et seigneurie* de Pierre-Georges Roy, au répertoire des seigneuries du Canada d'Alain Laberge et de François Cantara[20], à la carte des seigneuries en 1791 établie par Louise Dechêne, à la liste des fiefs et seigneuries établie par Benoît Grenier dans sa *Brève histoire du régime seigneurial* et à une série de monographies paroissiales, nous avons pu trouver le ou les propriétaires de 89,8 % (230 sur 256) des fiefs pour l'année 1790 et de 85,7 % de ceux-ci (221 sur 258) pour l'année 1815. De ce nombre, nous avons identifié 86 seigneurs britanniques dont nous avons retracé brièvement la vie grâce au *Dictionnaire biographique du Canada,* au *Dictionnaire des parlementaires du Québec,* à quelques monographies et à un dépouillement ciblé des journaux et des registres paroissiaux. Bien que cet échantillon impose une certaine prudence puisque nous n'avons pas pu retracer le ou les propriétaires de plusieurs seigneuries, il demeure indubitablement assez important pour voir certaines tendances et tirer des conclusions. Cela est d'autant plus vrai que les quelques seigneuries dont nous n'avons pas pu trouver le ou les maîtres occupent une place négligeable dans l'échiquier géopolitique de l'époque[21]. Certaines ont peut-être même été fusionnées à d'autres fiefs ou sont retournées dans les

18. Dans les décennies suivant la Conquête, les autorités coloniales dressent une liste des propriétaires de fiefs et de seigneuries dans la vallée du Saint-Laurent afin de mieux y connaître l'état de la propriété seigneuriale. Ce travail, confié à monsieur Lymburner, aboutit à la création de trois listes distinctes en janvier 1790. La première présente les nouveaux sujets propriétaires de seigneuries, la seconde montre les possessions du Séminaire de Québec et des autres communautés religieuses et la dernière fait état des anciens sujets à la tête d'une seigneurie (Ivanhoë Caron, *La colonisation de la province de Québec. Tome 1 : Débuts du régime anglais, 1760-1791*, Québec, L'Action sociale, 1923, p. 281-287).

19. Joseph Bouchette, *Description topographique de la province du Bas-Canada, avec des remarques sur le Haut-Canada, et sur les relations des deux provinces avec les États-Unis de l'Amérique*, Londres, W. Faden, 1815.

20. Alain Laberge et François Cantara, « Répertoire des seigneuries du Canada, 1626-1854 », document inédit, Québec, Université Laval, 2000-.

21. Pensons entre autres aux fiefs de l'Île-aux-Cochons, de Cap-Chat, de l'Anse-de-l'Étang et de l'Île-Beauregard pour lesquels nous n'avons malheureusement pas trouvé d'information.

terres de la Couronne, comme c'est le cas de quelques seigneuries de la péninsule gaspésienne. Il est donc fort probable que le nombre de seigneuries dont nous ne connaissons pas le propriétaire s'avère au bout du compte encore plus faible que le nombre avancé.

À la lumière de nos recherches, il appert que le tournant du XIXe siècle n'est pas une période d'expansion marquée des Britanniques dans le monde seigneurial, comme l'a sous-entendu l'historiographie, mais plutôt une époque de stabilisation et de créolisation du corps seigneurial britannique faisant suite à une période d'implantation intensive et rapide. Nous reprenons ici l'expression « créolisation » utilisée par Donald Fyson dans l'un de ses articles pour désigner les élites d'origine européenne nées dans la colonie[22]. Bien que ce terme soit peu utilisé dans l'historiographie québécoise où la distinction fondamentale au sein des élites est normalement davantage axée sur l'appartenance ethnolinguistique – les notables britanniques (anglophones) s'opposant à ceux d'origine canadienne (francophones) –, ce concept nous paraît particulièrement à propos pour faire état de l'enracinement de la présence britannique dans la colonie. Afin de le démontrer, nous nous pencherons dans un premier temps sur les mouvements de propriété depuis la Conquête et montrerons que, bien que les seigneurs britanniques possèdent plusieurs des seigneuries les plus importantes à cette époque, leur nombre augmente peu à la suite de la première décennie suivant la Conquête. Puis, nous brosserons un bref portrait de ces seigneurs dont le profil change passablement au cours de ces 25 années. Alors qu'une grande majorité d'entre eux étaient des militaires et des marchands écossais au cours de la seconde moitié du XVIIIe siècle, leur nombre baisse au début du XIXe siècle au profit d'une génération plus jeune née dans la colonie de parents britanniques et de mariages mixtes.

22. Donald Fyson, « Domination et adaptation : les élites européennes au Québec, 1760-1841 », dans Claire Laux et collab., *Au sommet de l'Empire. Les élites européennes dans les colonies (XVIe-XXe siècles)*, Berne, Peter Lang, 2009, p. 169-170.

La stabilisation de la présence seigneuriale britannique

Les 24 années qui suivent l'Acte constitutionnel (1791) ne sont pas marquées par une intensification de la présence seigneuriale britannique dans la vallée laurentienne ou une augmentation significative de l'emprise de ce groupe sur la propriété seigneuriale. Au contraire, il s'agit plutôt d'une époque de stabilisation faisant suite à une période d'achats intensifs dans les années 1760. Ce sont donc toujours les Canadiens qui possèdent le plus de fiefs à cette époque, bien que l'on constate déjà qu'une bonne part des seigneuries les plus importantes – en valeur et en taille – sont passées entre les mains des Britanniques.

La décennie après la Conquête, clef de voûte de la prise de possession de la propriété seigneuriale par les Britanniques

L'analyse des 77 fiefs possédés en partie ou en entier par des Britanniques en 1815 permet de cerner les mouvements de propriété dans le monde seigneurial et de suivre l'implantation de ce groupe ethnique et son expansion depuis son arrivée dans la colonie. L'étude des dates auxquelles ces seigneuries passent entre les mains de Britanniques permet d'ailleurs d'accentuer l'importance des décennies suivant la cession de la Nouvelle-France à l'Angleterre dans ce processus. En effet, le tiers des seigneuries détenues par des Britanniques en 1815 (26 sur 77) sont passées dans le giron de ce groupe ethnique dans les années 1760. De plus, 13 des 17 fiefs acquis par des Britanniques dans les années 1770 le sont au cours des trois premières années de cette décennie. C'est donc un peu plus de la moitié (50,6 %) des seigneuries détenues par des Britanniques en 1815 qui passent entre les mains de représentants de ce groupe ethnique dans les dix années faisant suite à la signature du traité de Paris (1763-1773). Les dix années après la Conquête s'avèrent ainsi bien plus qu'un moment fort de l'implantation de ce groupe ethnique dans le monde seigneurial, c'en est le moment charnière où la plupart des zones d'influence britannique se mettent en place. Si nous sommes également de l'avis que « le passage de seigneurs "français" à des seigneurs "anglais" est [...] un phénomène qui s'observe dans la longue durée», les dates d'acquisition des seigneuries canadiennes par les Britanniques montrent qu'il s'agit aussi en grande partie d'une «conséquence immédiate de la Conquête[23]». Effectivement, le nombre de seigneuries canadiennes passant entre les mains de Britanniques ne cesse de diminuer dans les décennies suivantes si l'on fait exception d'un léger regain dans les années 1790.

TABLEAU I

Décennie au cours de laquelle les seigneuries possédées en entier ou en partie par des Britanniques en 1815 ont passé entre les mains de propriétaires de ce groupe ethnique

Décennie	Nombre
1760	26 (33,8%)
1770	18 (23,4%)
1780	9 (11,7%)
1790	17 (22,1%)
1800	4 (5,2%)
1810	0
Date d'acquisition inconnue	3 (3,9%)
Total	77 (**100%**)

Au lendemain de la chute de la Nouvelle-France, les nouveaux dirigeants cherchent rapidement à implanter leurs assises dans la colonie et cela passe entre autres par l'intégration des nouveaux arrivants au régime seigneurial. C'est notamment le cas du gouverneur James Murray qui concède, dès le 27 avril 1762, de nouveaux fiefs à deux de ses officiers. John Nairne, lieutenant du 78e Régiment, hérite ainsi de la seigneurie de Murray Bay alors que Malcolm Fraser, enseigne au sein du même régiment, reçoit celle de Mount Murray[24]. Le gouverneur achète également quelques seigneuries et en revend rapidement certaines à ses officiers afin de les aider à

23. Grenier, *op. cit.*, p. 157.
24. Pelletier, *op. cit.*, p. 17.

s'installer. Le cas de la seigneurie de La Martinière est à cet égard particulièrement révélateur. Moins de deux semaines après l'avoir acquise, il la revend à Alexander Fraser, lieutenant du 78e Régiment, le 2 août 1763[25].

Bon nombre de marchands britanniques arrivent aussi dans la colonie à la suite de la Conquête afin de tirer profit des ressources qu'ils peuvent y trouver et de les exporter vers l'Europe. Avant même que le traité de Paris ne soit signé, plusieurs d'entre eux cherchent déjà à obtenir le monopole de l'exploitation des ressources halieutiques et de la fourrure. En février 1763, par exemple, le commerçant Thomas Dunn obtient avec son associé John Gray le bail à ferme des postes du roi qui leur garantit la mainmise sur la traite des fourrures et sur les produits de la pêche dans les terres de la Couronne, soit des limites est de la seigneurie de La Malbaie jusqu'à Sept-Îles[26]. Les achats de seigneuries qu'ils font s'inscrivent donc en grande partie dans le but de consolider leur emprise sur l'exploitation de ces ressources. Lorsque Dunn, Grant et Stuart voient leur bail à ferme arriver à échéance, ils se tournent tout naturellement vers l'acquisition de presque toutes les seigneuries de Mingan et d'Anticosti pour pouvoir mettre la main sur les postes de pêche de la basse côte nord du Saint-Laurent situés dans ces seigneuries[27].

Plusieurs autres marchands ciblent plutôt les seigneuries dotées d'un riche potentiel agricole. Avec la hausse importante du prix du blé dans les dernières décennies du XVIIIe siècle et la pression démographique dans la vallée du Saint-Laurent qui amène de nouveaux censitaires dans les seigneuries moins développées[28], ils espérèrent tirer profit de tels investissements en se lançant dans l'exportation de céréales. Le commerçant anglais George Allsopp

---

25. Vente du fief de La Martinière par James Murray à Alexander Fraser, 2 août 1763, BAnQ-Q, CN301, S207, greffe de Jean-Claude Panet.

26. Pierre Tousignant et Jean-Pierre Wallot, « Dunn, Thomas », *Dictionnaire biographique du Canada*, Québec et Toronto, Université Laval et University of Toronto, [En ligne], 1983, [http://www.biographi.ca/fr/bio/dunn_thomas_5F.html] (Consulté le 6 mars 2015).

27. *Ibid.*

28. Richard C. Harris (dir.), *Historical Atlas of Canada. Tome I: From the Beginning to 1800*, Toronto, University of Toronto Press, 1987, planche 53.

en constitue probablement le meilleur exemple. En septembre 1773, il achète les seigneuries d'Auteuil et de Jacques-Cartier avec son beau-frère John Bondfield[29]. Il fait par la suite construire de nombreux moulins et conclut des ententes pour vendre la farine et les biscuits qu'il produit à des marchands œuvrant dans les pêches de Terre-Neuve et du golfe du Saint-Laurent[30].

Les dix années après la signature du traité de Paris s'avèrent donc particulièrement importantes dans l'implantation des Britanniques dans le monde seigneurial. On voit déjà au terme de celles-ci de petits empires territoriaux commencer à se former de part et d'autre. Au sud de la colonie, une bonne partie du Haut-Richelieu devient ainsi la possession du militaire Gabriel Christie qui y acquiert, entre 1764 et 1766, cinq seigneuries contiguës dans la région (Noyan, Bleury, Sabrevois, Lacolle et Léry). Il en va de même au nord de Montréal où une vaste étendue de la région de Lanaudière passe entre les mains du marchand James Cuthbert au cours des années subséquentes[31]. De plus, beaucoup des seigneuries les plus vastes et les plus lucratives, telles que Lauzon, Monnoir, Terrebonne et Anticosti, sont acquises par des Britanniques à cette époque. Le comportement des seigneurs britanniques ne diffère d'ailleurs pas tant à cet égard de celui de leurs confrères canadiens. Tout comme eux, les nouveaux sujets cherchent à acquérir plusieurs seigneuries adjacentes afin d'étendre leur pouvoir sur une région. Il n'y a qu'à penser aux cas de Joseph Drapeau[32] dans le Bas-Saint-Laurent et de Gabriel-Elzéar Taschereau[33] en Beauce pour s'en convaincre. L'expansion des seigneurs canadiens est toutefois plus tardive, celle-ci se concrétisant davantage à la fin du XVIIIe siècle.

---

29. David Roberts, « Allsopp, George », *Dictionnaire biographique du Canada*, Québec et Toronto, Université Laval et University of Toronto, [En ligne], 1983, [http://www.biographi.ca/fr/bio/allsopp_george_5F.html] (Consulté le 6 mars 2015).

30. *Ibid.*

31. Poirier, *loc. cit.*

32. Céline Cyr et Pierre Dufour, « Drapeau, Joseph », *Dictionnaire biographique du Canada*, Québec et Toronto, Université Laval et University of Toronto, [En ligne], 1983, [http://www.biographi.ca/fr/bio/drapeau_joseph_5F.html] (Consulté le 21 avril 2015).

33. Alex Tremblay, « Gabriel-Elzéar Taschereau », dans Gaston Deschênes et Denis Vaugeois (dir.), *Vivre la Conquête: à travers plus de 25 parcours individuels*, tome II, Québec, Septentrion, 2014, p. 240-251.

Une croissance timide des Britanniques au sein du corps seigneurial au tournant du XIXe siècle

En 1790, les Britanniques occupent une place significative dans le paysage seigneurial de la vallée laurentienne. En effet, on compte 60 seigneuries appartenant à un ou plusieurs propriétaires d'origine britannique et 11 fiefs possédés conjointement avec des Canadiens. Ces derniers sont quant à eux à la tête de 120 seigneuries, en plus de partager les 11 fiefs susmentionnés avec des Britanniques. Les autres seigneuries dont nous avons pu identifier le propriétaire appartiennent à l'Église[34] (26) et à la Couronne (13). En 1815, la situation a légèrement changé. Les Britanniques possèdent désormais 69 seigneuries, alors que les Canadiens n'en détiennent plus que 105. Huit fiefs sont détenus par des propriétaires britanniques et canadiens, alors que 25 le sont par l'Église, 12 par la Couronne et 2 par des groupes amérindiens. On note donc une croissance timide des Britanniques à la tête de fiefs, le pourcentage de seigneuries qu'ils détiennent ne passant que de 23,4 % à 26,7 %. Cependant, la grande majorité des seigneuries les plus vastes sont dans le giron des Britanniques en 1790 (Lauzon, Terrebonne, La Chesnaye, Berthier) ou le deviennent au cours des années suivantes (Beauharnois, Monnoir), comme en témoignent les cartes 1 à 9[35]. Leur poids est donc indéniable dans le monde seigneurial, mais il change peu à cette époque.

Même si les Britanniques détiennent bon nombre des seigneuries les plus importantes au tournant du XIXe siècle, la situation des Canadiens est loin d'être dramatique. Malgré le passage de quelques fiefs aux mains des Britanniques, comme nous le verrons plus loin, ils conservent la majorité de leurs seigneuries et en regagnent même 7 qui étaient passées en partie ou entier entre les mains de Britanniques (l'Île-Perrot, l'Île-d'Orléans, Bélair, le fief de Villeray

34. Nous entendons par là les communautés religieuses (Ursulines, Sulpiciens, sœurs de la Congrégation de Notre-Dame, etc.), mais aussi les institutions détenues par des membres du clergé (le Séminaire de Québec, l'Hôtel-Dieu de Québec, les hôpitaux généraux de Québec et de Montréal, etc.) et les fabriques. La paroisse Notre-Dame-de-Québec possède en effet les fiefs du Cap-Diamant et de la Fabrique.

35. Ces cartes se retrouvent à l'annexe A, à la fin du présent texte.

TABLEAU 2

Répartition des seigneuries du Bas-Canada en fonction de l'origine ethnique du ou des propriétaires en 1790 et en 1815

Origine ethnique	1790	1815
Propriétaire(s) d'origine britannique	60 (23,4 %)	69 (26,7 %)
Propriétaire(s) d'origine canadienne	120 (46,9 %)	105 (40,7 %)
Propriétaire(s) d'origine canadienne partageant leur(s) seigneurie(s) avec un ou des propriétaires d'origine britannique	11 (4,3 %)	8 (3 %)
Église	26 (10,2 %)	25 (9,7 %)
Couronne	13 (5,1 %)	12 (4,7 %)
Groupes amérindiens	0	2 (0,8 %)
Inconnu	26 (10,2 %)	37 (14,3 %)
Total	**256 (100 %)**	**258 (100 %)**

à Québec, Mont-à-Peine, la baronnie de Longueuil et la seigneurie de Belœil). Ainsi, l'Île-Perrot, qui appartenait au marchand d'origine anglaise Thomas Dennis en 1790, passe entre les mains de son fils à son décès en 1792. Ce dernier, également nommé Thomas Dennis, ne fait toutefois pas long feu et trépasse cinq ans plus tard, laissant la seigneurie dont il a hérité à sa veuve, Archange Campeau, qui en partage par la suite la possession avec son nouvel époux, l'arpenteur Pierre-Amable Dézéry. En 1808, au décès de Campeau, Maurice-Régis Mongrain, fils de la deuxième épouse de Thomas Dennis père[36], réclame la part de l'Île-Perrot qui lui revient par la succession de sa mère et la seigneurie est finalement partagée entre les Dézéry et Mongrain en 1817[37]. C'est donc le jeu des successions

36. Maurice-Régis Mongrain est le fils de Jean-Baptiste Mongrain et d'Anne Jourdain-Labrosse. Le 12 septembre 1769, quelques années après la mort de son époux, Jourdain-Labrosse se remarie avec Thomas Dennis père. Bien que leur mariage ne laisse pas d'enfants, Jourdain-Labrosse garde des droits sur la succession de son mari en vertu de son douaire, c'est-à-dire la portion de biens que le mari réserve à son épouse dans le cas où celle-ci lui survivrait. Jourdain-Labrosse ne semble toutefois pas avoir de prétentions sur la seigneurie de son vivant et ce n'est qu'à la suite de son décès (1806) que Maurice-Régis Mongrain réclamera la part de sa mère aux Dézery (Lise Chartier, *L'Île Perrot, 1765-1860 : la fin de la seigneurie*, Québec, Septentrion, 2014, p. 53-84 et 290).

37. *Ibid.*, p. 290.

et des remariages qui a ramené ce fief entre les mains de seigneurs canadiens. Les autres seigneuries détenues par des Britanniques – à l'exception de la baronnie de Longueuil et de la seigneurie de Belœil sur lesquelles nous reviendrons ultérieurement – semblent plutôt passer entre les mains de Canadiens après avoir été vendues par leur propriétaire. C'est notamment le cas de la moitié de la seigneurie de l'Île-d'Orléans que possède Malcolm Fraser depuis 1779 et dont il se départit au profit du meunier Louis Poulin le 12 février 1805[38]. Certains des fiefs qui repassent entre les mains de Canadiens n'y sont toutefois que pour quelques années avant de revenir en la possession de Britanniques. La baronnie de Longueuil et la seigneurie de Belœil deviennent ainsi la propriété de Marie-Charles-Joseph Le Moyne de Longueuil au décès de son mari en 1806, mais retournent dans le giron britannique à sa mort en 1841. Bien que le tournant du XIXe siècle ne soit pas marqué par le passage de beaucoup de seigneuries canadiennes entre des mains britanniques, on compte tout de même 15 de ces fiefs qui sont acquis en entier[39] par des Britanniques entre 1790 et 1815 et 4 qui le sont en partie[40]. À l'exception des seigneuries Deguire et du Lac-Matapédia qui sont vendues par les shérifs du district de Montréal et de Québec à la suite d'une saisie[41] et de la seigneurie Hubert sur laquelle nous reviendrons plus loin, toutes sont vendues par le ou les propriétaires. Du nombre, une bonne proportion (Bécancour, Mitis, l'Île-aux-Oies, l'Île-aux-Grues et Saint-Étienne) sont vendues à la suite du

38. Vente du la moitié de la seigneurie de l'Île-d'Orléans par Patrick Langan au nom et comme procureur de Malcolm Fraser à Louis Poulin, 12 février 1805, BAnQ-Q, CN301, S230, greffe de Joseph-Bernard Planté.

39. Les 15 seigneuries acquises par des Britanniques de propriétaires canadiens entre 1790 et 1815 sont celles de Deguire (1790), du Bic (1791), de Grondines-Est (1792), de Grondines-Ouest (1792), de Chambly-Ouest (acquise en partie par des Britanniques en 1793, puis en totalité en 1796), de Monnoir (1794), de Beauharnois (1795), du Lac-Matapédia (1797), de Gaspé (1798), d'Orvillier (date inconnue dans les années 1790), d'Argenteuil (1800), de Mitis (1802), de l'Île-aux-Grues (1802), de l'Île-aux-Oies (1802) et de Saint-Étienne (1803).

40. Les quatre fiefs détenus par des Canadiens sur lesquels les Britanniques mettent la main en partie sont ceux de Bécancour (1791), de Blainville (1794), de L'Islet-de-Bonsecours (1796) et d'Hubert (1797).

41. Roy, *op. cit.*, p. 85-86 et Pierre-George Roy, *Inventaire des concessions en fief et seigneurie, fois et hommages et aveux et dénombrements conservés aux archives de la province de Québec*, volume cinquième, Beauceville, L'Éclaireur, 1929, p. 79.

décès de l'ancien seigneur par ses héritiers. C'est ainsi que le marchand écossais Matthew MacNider prend possession de la seigneurie de Mitis le 29 mai 1802, celle-ci étant vendue par Antoine Joubin dit Boisvert et Madeleine Pinguet, sa femme, pour les héritiers de Charles Lambert[42]. Il en va de même quelques mois plus tard lorsque Marie-Geneviève Le Moyne de Longueuil, veuve du seigneur Louis Liénard de Beaujeu, décide de se départir de l'Île-aux-Oies et de l'Île-aux-Grues en les proposant au marchand d'origine écossaise Daniel Macpherson[43].

Les cas de la baronnie de Longueuil et de la seigneurie de Belœil permettent quant à eux de mettre de l'avant que le mariage constitue aussi un mode d'acquisition des fiefs canadiens – ou de la gestion de ceux-ci à tout le moins – par les Britanniques. C'est en effet à la suite de son mariage avec Marie-Anne-Catherine Fleury Deschambault, veuve du seigneur Charles-Jacques Le Moyne de Longueuil, que le marchand écossais William Grant met la main sur ces terres et quelques autres propriétés en 1770[44]. C'est également le cas de l'imprimeur écossais John Neilson qui obtient l'usufruit du fief Hubert et peut en tirer les fruits et revenus à la suite de son mariage avec Marie-Ursule Hubert, héritière des lieux, puisque les époux sont unis sous le régime de la communauté de biens[45]. Bien qu'on compte plusieurs mariages entre Canadiennes et Britanniques au sein du corps seigneurial à cette époque, ceux-ci ne contribuent pas de façon marquée à la « britannisation » du territoire. Au contraire, la seigneurie de Belœil et la baronnie de Longueuil retournent entre les mains d'une Canadienne en 1815 à la suite d'un jeu de succession. Grant ayant laissé ces deux

---

42. Vente de la seigneurie de Mitis par Augustin Joubin dit Boisvert et Madeleine Pinguet, sa femme à Matthew MacNider, 29 mai 1802, BAnQ-Q, CN301, S284, greffe de Charles Voyer.

43. Pierre-Georges Roy, *Inventaire des concessions en fief et seigneurie, fois et hommages et aveux et dénombrements conservés aux archives de la province de Québec*, volume premier, Beauceville, L'Éclaireur, 1927, p. 79.

44. Roberts, *loc. cit.*

45. Sonia Chassé, Rita Girard-Wallot et Jean-Pierre Wallot, « Neilson, John », *Dictionnaire biographique du Canada*, Québec et Toronto, Université Laval et University of Toronto, [En ligne], 1988, [http ://www.biographi.ca/fr/bio/neilson_john_7F.html] (Consulté le 6 mars 2015).

seigneuries à son neveu David Alexander Grant et à sa femme, Marie-Charles-Joseph Le Moyne de Longueuil, celles-ci passent entièrement entre les mains de cette dernière au décès de son mari en 1806[46]. Les familles seigneuriales offrant une de leurs filles en mariage à un Britannique semblent donc peu portées à inclure une partie de leurs terres nobles dans la dot, bien qu'on dénote quelques exceptions, comme en témoignent les unions susmentionnées.

Même si on ne voit qu'une dizaine de seigneuries canadiennes être acquises par des Britanniques au tournant du XIXe siècle et qu'un certain nombre de fiefs qui étaient déjà passés entre leurs mains retournent entre celles de Canadiens, la période n'est pas pour autant dénuée de transactions dans le monde seigneurial. Celles-ci se font simplement majoritairement entre Canadiens ou entre Britanniques. En effet, tous les fiefs détenus en entier ou en partie par des Britanniques en 1790 ont changé de main en 1815, à l'exception des seigneuries de Cumberland, St-Armand, Mount Murray et La Pocatière. Si 46,5 % de ceux-ci (33 sur 71) demeurent dans les mêmes familles, un peu moins du quart (17 sur 71) sont vendues par le ou les propriétaires à d'autres Britanniques. La majorité des achats de seigneuries par des Britanniques au cours de ces 25 années se fait donc au sein même de ce groupe ethnique, les anciens sujets[47] désireux d'acquérir une seigneurie cherchant vraisemblablement d'abord les occasions qui s'offrent à eux au sein de leurs réseaux de sociabilité. C'est notamment le cas du marchand montréalais d'origine écossaise Simon McTavish qui profite des ennuis financiers de l'une de ses relations d'affaires, le marchand de grains Jacob Jordan, pour mettre la main sur la seigneurie de Terrebonne[48]. C'est également le cas de plusieurs officiers de James

46. Louis Lemoine, « Le Moyne de Longueuil, Marie-Charles-Joseph », *Dictionnaire biographique du Canada*, Québec et Toronto, Université Laval et University of Toronto, [En ligne], 1988, [http://www.biographi.ca/fr/bio/le_moyne_de_longueuil_marie_charles_joseph_7F.html] (Consulté le 6 mars 2015).

47. Cette expression fait référence aux sujets britanniques et s'oppose aux « nouveaux sujets », terme utilisé pour désigner les Canadiens.

48. Fernand Ouellet, « McTavish, Simon », *Dictionnaire biographique du Canada*, Québec et Toronto, Université Laval et University of Toronto, [En ligne], 1983, [http://www.biographi.ca/fr/bio/mctavish_simon_5F.html] (Consulté le 6 mars 2015) ; Pierre-George Roy, *Inventaire des concessions en fief et seigneurie, fois et hommages et aveux et*

TABLEAU 3

Trajectoire des seigneuries détenues en partie et en entier par des Britanniques en 1790 de cette date à 1815

	Nombre
Changent de propriétaire, mais demeurent au sein de la famille*	33 (46,5 %)
Sont vendues par le ou les propriétaires à d'autres Britanniques	17 (23,9 %)
Sont en partie vendues à d'autres Britanniques, en partie conservées au sein de la famille	5 (7 %)
Demeurent entre les mains du même propriétaire	4 (5,6 %)
Sont vendues par le ou les propriétaires à des Canadiens	3 (4,2 %)
Retournent au sein des terres de la Couronne	1 (1,4 %)
Seigneuries dont on ignore la trajectoire	8 (11,3 %)
Total	**71 (100 %)**

* Notons que la baronnie de Longueuil et les seigneuries de Belœil et de l'Île-Perrot demeurent au sein des mêmes familles, mais passent entre les mains de Canadiens.

Murray à qui ce dernier revend des seigneuries qu'il a acquises au lendemain de la Conquête, comme nous le verrons plus loin. Les Britanniques semblent aussi à l'affût des déboires de leurs congénères. Effectivement, 7 des 17 seigneuries détenues par d'anciens sujets en 1790 qui passent entre les mains d'autres Britanniques entre cette date et 1815 le sont à la suite d'une saisie effectuée par shérif. C'était le cas du fief de Terrebonne, comme nous l'avons vu, mais ce l'est tout autant de ceux de Saint-Paul[49], Aubert-Gallion[50], Saint-Charles[51], Matane[52], Mont-Louis[53] et Rivière-de-la-Madeleine[54]. Un tiers de la seigneurie de Mille-Vaches passe aussi entre les mains

dénombrements conservés aux archives de la province de Québec, volume troisième, Beauceville, L'Éclaireur, 1928, p. 121.

49. Roy, *Inventaire des concessions en fief et seigneurie, op. cit.*, volume quatrième, p. 189.

50. Roy, *Inventaire des concessions en fief et seigneurie, op. cit.*, volume cinquième, p. 20.

51. Roy, *Inventaire des concessions en fief et seigneurie, op. cit.*, volume quatrième, p. 97.

52. Roy, *Inventaire des concessions en fief et seigneurie, op. cit.*, volume troisième, p. 102-103.

53. *Ibid.*, p. 101.

54. *Ibid.*, p. 209.

du militaire d'origine irlandaise Patrick Langan en 1808 au cours d'une vente faite par le shérif[55]. Plusieurs fiefs changent donc de propriétaires entre 1790 et 1815, mais cela n'augmente pas pour autant de manière significative la place des Britanniques dans le monde seigneurial puisqu'ils acquièrent davantage de fiefs auprès d'autres Britanniques qu'auprès de Canadiens.

Un corps seigneurial qui s'enracine

Si l'importance des Britanniques s'accroît peu dans le monde seigneurial entre 1790 et 1815, le profil des seigneurs issus de ce groupe ethnique change quant à lui passablement. En effet, à la fin du XVIIIe siècle, on compte encore au sein du corps seigneurial plusieurs des militaires et des marchands – principalement écossais – qui se sont installés au lendemain de la Conquête (Christie, Fraser, Cuthbert, Grant, etc.) alors qu'ils font place graduellement, jusqu'en 1815, à une nouvelle génération de seigneurs britanniques plus jeunes. Ces derniers sont en large partie nés dans la colonie et montrent plusieurs signes d'enracinement, voire de créolisation.

Un corps seigneurial vieillissant marqué par une forte présence écossaise

En 1790, lorsque le gouvernement de la Province of Quebec dresse une liste des propriétaires de seigneuries de la province, il dénombre 166 personnes à la tête d'un fief. Plus des trois quarts (128 personnes) sont de nouveaux sujets, alors que seulement 38 sont d'anciens sujets[56]. Parmi ceux-ci, 32 nous sont connus grâce à des sources complémentaires qui nous permettent de brosser un portrait sommaire des seigneurs britanniques de la fin du XVIIIe siècle. Sept autres seigneurs ne figurent pas dans cette liste, mais dont nous

55. Great Britain Privy Council, *In the Matter of the Boundary between the Dominion of Canada and the Colony of Newfoundland in the Labrador Peninsula*, vol. 7, London, William Cloves and Sons, p. 3159.

56. *List of New Subjects Proprietors of Fiefs and Seigneuries in the Province of Quebec* (Caron, *op. cit.*, p. 286-287).

avons trouvé le nom en faisant la chaîne de titres des seigneuries de la colonie, s'ajoutent à ce groupe. Ainsi, il appert qu'après une première période marquée par l'installation de nombreux officiers[57] les marchands rattrapent les militaires au sein du groupe seigneurial. En effet, sur ces 39 seigneurs, 15 sont marchands, 13 sont militaires, 3 occupent des fonctions de militaire et de marchand en parts plus ou moins égales et 3 sont fonctionnaires. Cependant, les officiers possèdent plus de seigneuries et sont à la tête de celles qui ont le plus de valeur. Le capitaine David Alexander Grant, par exemple, détient la baronnie de Longueuil et la seigneurie de Belœil dont la valeur est estimée à £ 1500 alors que le major Henry Caldwell est à la tête d'un ensemble de seigneuries (Lauzon, Foucault et une part de l'Île-d'Orléans) valant £ 1250[58]. Qui plus est, on constate une nette prédominance des seigneurs d'origine écossaise dans la vallée laurentienne. Parmi les 30 seigneurs dont nous avons pu trouver le lieu de naissance, 16 sont nés en Écosse, 7 en Angleterre, 2 en Irlande et 5 dans d'autres pays (Pays-Bas, Allemagne, Suisse, colonies américaines et Bas-Canada). Plusieurs raisons peuvent expliquer la prédominance des militaires et des marchands écossais dans le monde seigneurial à la fin du XVIIIe siècle. Comme nous l'avons mentionné précédemment, cela est en partie l'œuvre de James Murray, mais, aussi, de réseaux familiaux se mettant en place à cette époque.

Certains Britanniques appelés à devenir seigneurs viennent effectivement avec des membres de leurs familles ou retournent en Europe pour inciter certains proches à venir s'installer dans la colonie avec eux. Les seigneurs britanniques forment, tout comme l'élite seigneuriale canadienne, un petit milieu homogène au sein duquel bon nombre sont liés par des liens familiaux ou par des relations d'affaires. William Grant, par exemple, est particulièrement proche de plusieurs des plus importants seigneurs britanniques de la fin du XVIIIe siècle. Ses partenaires d'affaires, Peter Stuart, Thomas Dunn et Adam Lymburner, possèdent tout comme lui des parts dans les seigneuries de Mingan alors que son neveu, Alexander

57. Grenier, *op. cit.*, p. 146-147.
58. Caron, *op. cit.*, p. 286-287.

TABLEAU 4

Occupation principale des propriétaires de seigneuries d'origine britannique en 1790 et en 1815

Occupation principale	1790	1815
Marchand	15 (38,5 %)	17 (33,3 %)
Militaire	13 (33,3 %)	11 (21,6 %)
Marchand et militaire	3 (7,7 %)	1 (2 %)
Fonctionnaire	3 (7,7 %)	2 (3,9 %)
Profession libérale	0	2 (3,9 %)
Femme	0	7 (13,7 %)
Inconnue	5 (12,8 %)	11 (21,6 %)
Total	**39 (100 %)**	**51 (100 %)**

David Grant, est à la tête de la baronnie de Longueuil et de la seigneurie de Belœil[59]. Malcolm Fraser, quant à lui, voit plusieurs de ses compagnons d'armes recevoir ou acquérir une seigneurie dans les années suivant la Conquête. Son ami John Nairne obtient la seigneurie de Murray Bay en 1762 alors que son confrère Alexander Fraser achète les seigneuries de La Martinière (1763), Vitré (1775) et Saint-Gilles (1782)[60]. Qui plus est, plusieurs de ses enfants suivent ses traces et deviennent seigneurs à leur tour. Son fils Alexander acquiert les seigneuries de Rivière-du-Loup et de Madawaska en 1802 alors que sa fille Juliana épouse le seigneur de Ramezay, Patrick Langan, en 1794[61]. Les membres de l'élite seigneuriale britannique se dotent même de lieux de sociabilité pour fraterniser entre eux et avec les autres acteurs du monde seigneurial laurentien. Ainsi, en 1789, ils créent la Société d'agriculture du district de Québec avec l'évêque catholique, le supérieur

59. Roberts, *loc. cit.*

60. Bien que Malcolm et Alexander Fraser portent le même patronyme et soient tous deux originaires d'Écosse, aucune source ne nous permet de confirmer ou d'infirmer de liens de parenté entre les deux hommes (W. D. Godfrey, « Fraser, Alexander », *Dictionnaire biographique du Canada*, Québec et Toronto, Université Laval et University of Toronto, [En ligne], 1980, [http://www.biographi.ca/fr/bio/fraser_alexander_1799_4F.html] (Consulté le 6 mars 2015).

61. Massé, *op. cit.*, p. 300-301.

du Séminaire de Québec, les supérieurs des communautés religieuses et l'élite seigneuriale canadienne[62]. L'association réunit des seigneurs comme Henry Caldwell, Malcolm Fraser et John Nairne autour d'un même intérêt pour le progrès agricole et le développement du monde rural[63].

Quelques-uns de ces seigneurs se démarquent également par leur désir de créer des seigneuries au sein desquelles la population serait à leur image. Plusieurs profitent à cet égard de la démobilisation de militaires écossais et allemands à la suite de la guerre de Sept Ans et de la guerre de l'Indépendance américaine. Bien que ces situations demeurent peu fréquentes, elles montrent bien la volonté de certains seigneurs d'implanter leur culture dans leur seigneurie et, surtout, leur capacité à mobiliser des concitoyens de leurs pays d'origine à les suivre dans leur seigneurie ou à profiter des circonstances politiques pour peupler leurs terres. Plusieurs entament ainsi des démarches avec plus ou moins de succès. John Nairne, par exemple, s'établit dans sa seigneurie avec un groupe de soldats écossais des Fraser's Highlanders à la suite de la guerre de la Conquête afin de fonder une seigneurie écossaise, protestante et anglophone[64]. Alexander Fraser, seigneur de Saint-Gilles, profite quant à lui de l'accalmie qui suit la signature du traité de Paris (1783) pour attirer dans ses terres plusieurs soldats allemands licenciés à la suite de la guerre de l'Indépendance américaine[65]. Quelques décennies plus tard, le seigneur allemand George Pozer fait de même en recrutant une quarantaine de paysans aux environs de sa ville natale, Wilstedt, pour peupler sa seigneurie d'Aubert-Gallion[66]. Toutefois, ces initiatives ne sont guère couronnées de

62. *The Quebec Gazette/La Gazette de Québec*, 23 avril 1789, p. 3.

63. *Ibid.*, 5 mai 1791, p. 1.

64. Jacqueline Roy, « Nairne, John », *Dictionnaire biographique du Canada*, Québec et Toronto, Université Laval et University of Toronto, [En ligne], 1983, [http://www.biographi.ca/fr/bio/nairne_john_5F.html] (Consulté le 6 mars 2015).

65. Joseph-Edmond Roy, *Histoire de la seigneurie de Lauzon*, Lévis, [s. n.], 1900, vol. 3, p. 159 ; Arthur Caux, « Les colons allemands de Saint-Gilles et leurs descendants de Lotbinière », *Bulletin des recherches historiques*, vol. LVII, nº 1 (1951), p. 50-60.

66. Louise Dechêne, « Pozer, George », *Dictionnaire biographique du Canada*, Québec et Toronto, Université Laval et University of Toronto, [En ligne], 1988, [http://www.biographi.ca/fr/bio/pozer_george_7F.html] (Consulté le 6 mars 2015).

succès. Les soldats écossais venus s'établir dans la seigneurie de Murray Bay se marient à des Canadiennes et s'assimilent rapidement à la culture de leur épouse: «Après seulement une génération, ces nouveaux colons ont formé des familles écossaises de nom, mais canadiennes de foi, de langue et de coutume[67].» Les censitaires de Pozer quittent quant à eux la seigneurie d'Aubert-Gallion devant la dureté du travail et les rigueurs du climat. Seul le marchand écossais Matthew MacNider semble avoir eu plus de succès dans ses entreprises. Au début du XIXe siècle, il établit dans la seigneurie de Mitis un groupe d'Écossais presbytériens qui y fondent une petite communauté. Au milieu du XIXe siècle, celle-ci est toujours vivante et ses membres continuent à être porteurs des traditions de leur pays d'origine[68]. C'est toutefois davantage l'isolement de cette seigneurie que la volonté du seigneur de transposer sa culture natale dans la colonie qui explique que cette communauté soit toujours aussi dynamique.

La créolisation et l'enracinement du corps seigneurial britannique

En 1815, lorsque Joseph Bouchette brosse un portrait du monde seigneurial dans sa *Description topographique de la province du Bas-Canada,* le profil des seigneurs britanniques a passablement changé. Une bonne partie des fiefs de la colonie détenus par des anciens sujets en 1790 sont passés entre les mains de leurs descendants ou de Britanniques nés dans la colonie. Le groupe s'est donc passablement créolisé. Nous entendons par là le processus d'adaptation d'élites européennes au contexte colonial et leur enracinement dans ce milieu, processus qui s'exprime par le rajeunissement des seigneurs britanniques, la diversification des profils de ceux-ci, la naissance d'une grande part d'entre eux dans la colonie et les origines mixtes de quelques-uns, l'arrivée de femmes à la tête de

---

67. Roy, «Nairne, John», *loc. cit.*

68. Lucille H. Campey, *Les Écossais: the Pioneer Scots of Lower Canada, 1763-1855*, Toronto, Natural Heritage Books, 2006, p. 117.

certains fiefs, ainsi que par le resserrement de cette communauté sur elle-même puisqu'elle est désormais assez nombreuse.

En 1815, une nouvelle génération de seigneurs plus jeunes s'impose dans la vallée laurentienne. Seuls 4 des 39 seigneurs recensés en 1790 sont toujours à la tête de leur seigneurie[69]. La moyenne d'âge passe de 53 à 47 ans, voire à 43 ans si l'on ne tient compte que des nouveaux seigneurs et qu'on exclut les quatre passablement âgés qui étaient à la tête d'un fief en 1790[70]. L'un d'eux, Malcolm Fraser, meurt d'ailleurs au cours de l'année 1815 alors que les trois autres – Dunn, Smith et Skeene – le suivent dans la tombe en 1818, 1823 et 1826. Le rajeunissement du corps seigneurial britannique en 1815 s'explique en grande partie par l'ancrage de certaines familles dans la vallée du Saint-Laurent et la transmission des seigneuries familiales à une nouvelle génération. Rappelons d'ailleurs que 33 des 75 seigneuries détenues en partie ou en entier par des Britanniques en 1790 sont transmises à une veuve ou à des enfants au décès de leur propriétaire. Dans ce contexte, nulle surprise de constater que 9 seigneurs d'origine britannique sont âgés de moins de 25 ans en 1815[71].

Le tournant du XIXe siècle est également marqué par une augmentation du nombre de seigneurs britanniques et une diversification de leur profil. Si cela est attribuable entre autres au fractionnement de certaines seigneuries entre les héritiers d'une même famille[72], mais aussi à l'enracinement du groupe dans la

69. Malcolm Fraser (Mount Murray), Thomas Dunn (Saint-Armand), Andrew Philip Skeene (Cumberland) et Laughlin Smith (Sainte-Anne-de-la-Pocatière).

70. Andrew Philip Skeene, Malcolm Fraser et Thomas Dunn sont respectivement âgés de 62, 82 et 86 ans alors qu'on dit Laughlin Smith âgé de plus de 90 ans.

71. En 1815, les seigneurs d'origine britannique de moins de 25 ans sont Walter Davidson (seigneur de Saint-Gilles, né en 1790), les héritiers de Ralph-Henry Bruyères (coseigneurs de Bécancour et de Bruyères, nés après 1790), les héritiers de Simon McTavish (coseigneurs de Terrebonne, des Plaines et de Lacorne, nés après 1793), John Blacwood (seigneur de Rivière-de-la-Madeleine, né probablement en 1793), Nicholas Montour (seigneur de Pointe-du-Lac, né après 1798), Margaret Roberts Eckart (seigneuresse de Saint-Charles-de-la-Belle-Alliance, née vers 1798) ainsi que les sœurs Julia, Maria Johnson et Charlotte Langan (coseigneuresses du Lac-Matapédia, de Ramezay, de l'Île-d'Anticosti, de Mille-Vaches et de Mingan, respectivement nées en 1796, 1799 et 1803).

72. Pensons notamment aux filles de l'ancien officier loyaliste d'origine irlandaise Patrick Langan (Julia, Maria Johnson et Charlotte) qui, au décès de leur père en septembre 1813, se partagent la seigneurie de Ramezay et les parts que leur père détenait dans celles

colonie, celui-ci étant plus nombreux et plus à même de saisir les occasions de devenir propriétaire. Bien que les marchands et les militaires demeurent les groupes le plus représentés au sein du corps seigneurial britannique, leur poids diminue quelque peu avec l'arrivée de veuves et de filles de seigneurs au sein du groupe et de quelques membres des professions libérales. La percée de ces derniers est toutefois timide puisqu'on ne compte que deux seigneurs exerçant une profession libérale en 1815 : l'avocat et homme politique Ross Cuthbert, devenu propriétaire de La Noraye, d'Autray, de l'augmentation de La Noraye et d'Autray, de Du Sablé et de Maskinongé au décès de son père et l'imprimeur et homme politique John Neilson, qui entre en possession du fief Hubert en se mariant avec celle qui en avait hérité. En 1815, la propriété seigneuriale britannique n'est donc plus seulement entre les mains de ceux qui s'en sont portés acquéreurs, comme c'était le cas en 1790 lorsque celle-ci était encore largement détenue par la première génération de seigneurs britanniques en ayant fait l'acquisition. Désormais, elle échoit aussi à des notables faisant carrière dans un autre domaine (le droit, l'imprimerie et la politique dans ce cas-ci), mais qui en héritent. Les nouveaux acheteurs, quant à eux, demeurent majoritairement issus des professions militaires et commerciales. On n'a qu'à penser pour s'en convaincre au marchand James McCallum qui, désireux de se lancer dans le commerce des céréales et de la farine dans les années 1790, se porte acquéreur d'une partie de la seigneurie de L'Islet-de-Bonsecours pour s'y approvisionner en céréales[73] ou au général de brigade John Johnson qui fait l'acquisition des seigneuries d'Argenteuil et de Monnoir et d'une partie de celle de Chambly-Est pour « récupérer au moins l'équivalent de ce qu'il avait perdu dans la colonie de New York[74] » lors de la guerre de l'Indépendance américaine.

du Lac-Matapédia, de l'Île-d'Anticosti, de Mille-Vaches et de Mingan (Massé, *op. cit.*, p. 287-288).

73. James H. Lambert, « McCallum, James », *Dictionnaire biographique du Canada*, Québec et Toronto, Université Laval et University of Toronto, [En ligne], 1987, [http://www.biographi.ca/fr/bio/mccallum_james_6F.html] (Consulté le 6 mars 2015).

74. Earle Thomas, « Johnson, sir John », *Dictionnaire biographique du Canada*, Québec et Toronto, Université Laval et University of Toronto, [En ligne], 1987, [http://www.biographi.ca/fr/bio/johnson_john_6F.html] (Consulté le 6 mars 2015).

L'accession de femmes d'origine britannique à la tête de seigneuries montre aussi l'enracinement de ce groupe ethnique dans le corps seigneurial. Effectivement, le phénomène s'inscrit dans la transmission de la propriété seigneuriale à une nouvelle génération, les sept « seigneuresses » que nous avons recensées étant toutes veuves (Mary Barrow, Christiana Nairne, Jane McCallum, Margaret Roberts Eckart) ou filles de seigneurs (Julia, Maria Johnson et Charlotte Langan). *A priori*, le statut de ces femmes – en particulier les veuves – ne semble pas différer énormément de celui de leurs consœurs canadiennes. Tout comme elles, elles assurent l'administration de leurs fiefs à la suite du décès de leur époux et cèdent la plupart du temps leur place à un fils ou à un gendre par la suite[75]. La seigneurie de Mount Murray passe ainsi de John Nairne à son épouse (1802), puis à leur dernière fille vivante et à un petit-fils (1828), alors que celle de Matane passe de Simon Fraser à sa femme (1805), puis au dernier fils vivant de cette dernière (1843). Christiana Nairne et Jane McCallum demeurent toutefois à la tête de leur seigneurie pendant plusieurs décennies, la première y restant 23 ans et la seconde, 38 ans. Jane McCallum semble même particulièrement active, accordant des concessions, retirant des rentes et construisant un moulin dans sa seigneurie[76]. Faut-il y voir l'affirmation d'un pouvoir féminin dans la sphère seigneuriale au début du XIXe siècle ? Malheureusement, cet échantillon de femmes demeure trop petit pour tirer des conclusions, mais on note plusieurs profils différents. Margaret Roberts Eckart semble ainsi très effacée derrière un mari prenant de multiples initiatives pour mettre en valeur la seigneurie de Saint-Charles-de-la-Belle-Alliance, fief qu'elle a reçu en héritage de son père[77], tandis que Jane McCallum voit quintupler la population de sa seigneurie sous son administration

75. Alain Laberge (avec la collaboration de Jacques Mathieu et Lina Gouger), *Portraits de campagnes : la formation du monde rural laurentien au XVIIIe siècle*, Québec, Presses de l'Université Laval et CIEQ, 2010, p. 92.

76. Léon Boudreault, *Faits nouveaux sur la seigneurie de Matane (1677-1870)*, Matane, Publications de la Société d'histoire de Matane, 1982, p. 139.

77. John E. Langdon, « Hanna, James Godfrey », *Dictionnaire biographique du Canada*, Québec et Toronto, Université Laval et University of Toronto, [En ligne], 1985, [http ://www.biographi.ca/fr/bio/hanna_james_godfrey_8F.html] (Consulté le 6 mars 2015).

efficace[78]. Alors que bon nombre d'historiens perçoivent un « durcissement » à l'égard de la « liberté » des femmes sous le Régime anglais[79], ces exemples appellent à pousser plus loin l'étude du pouvoir féminin dans le monde seigneurial, comme l'a souligné Benoît Grenier en 2009[80].

Le lieu de naissance des Britanniques à la tête d'un fief en 1815 permet également de jauger de la créolisation du groupe. En effet, on observe une forte croissance du nombre de seigneurs nés dans la colonie, sans trop de surprise vu le passage du temps depuis la Conquête. Alors qu'il n'y en avait qu'un seul en 1790 (Ralph Henry Bruyères, fils d'un huguenot français venu au Canada pendant la guerre de Sept Ans et d'une des cohéritières de la seigneurie de Bécancour[81]), on en compte désormais près du tiers (16 sur 51) en 1815. Ceux-ci sont en large partie issus du mariage entre deux parents britanniques. C'est le cas des sœurs Langan comme nous l'avons vu, mais aussi des frères Ross et James Cuthbert, des frères Ezekiel et Moses Hart ainsi que de Walter Davidson, John Caldwell, George Waters Allsopp et Samuel Jacobs fils. Qui plus est, on compte également cinq seigneurs issus d'un mariage mixte : les héritiers de Simon McTavish (issus du mariage de ce dernier et de Marie-Marguerite Chaboillez), les héritiers de Ralph-Henry Bruyères (dont la grand-mère maternelle était Canadienne), les frères Joseph et Alexandre Fraser (issus de l'union de Malcolm Fraser et de Marie Allaire) et Nicholas Montour dont la mère, Geneviève Wills, est née du mariage du marchand Meredith Wills et de la Canadienne Geneviève Dunière. Les seigneurs britanniques sont donc bel et bien en train de s'ancrer dans la colonie. Malgré tout, plusieurs d'entre eux sont natifs de l'extérieur du Bas-Canada et certains n'y ont même jamais mis les pieds. C'est notamment le cas du seigneur de Grande-Vallée-des-Monts, John McCumming, natif de Pensacola

78. Boudreault, *op. cit.*, p. 156.

79. Jan Noel, *Along a River: The First French-Canadian Women*, Toronto, University of Toronto Press, 2013.

80. Benoît Grenier, « Réflexion sur le pouvoir féminin au Canada sous le Régime français », *Histoire sociale/Social History*, vol. 42, nº 84 (novembre 2009), p. 297-324.

81. John W. Spurr, « Bruyères, Ralph Henry », *Dictionnaire biographique du Canada*, Québec et Toronto, Université Laval et University of Toronto, [En ligne], 1983, [http://www.biographi.ca/fr/bio/bruyeres_ralph_henry_5F.html] (Consulté le 6 mars 2015).

(vraisemblablement en Floride) qui termine ses jours en Angleterre après avoir servi au sein de l'armée britannique aux Indes, en Hollande et à Gibraltar[82]. Bien que la plupart des seigneurs ne résident toujours pas dans leur fief au tournant du XIXe siècle, comme le rappelle Benoît Grenier[83], on note à cette époque de plus en plus de seigneurs résidents parmi les anciens sujets. Il n'y a qu'à penser à Daniel Macpherson dont le manoir se trouve dans sa seigneurie de l'Île-aux-Grues, à John Johnson qui réside dans une « petite maison[84] » qu'il a construite au pied du mont Johnson dans la seigneurie de Monnoir ou à Josias Wurtele qui s'est installé dans la seigneurie Deguire pour s'en convaincre. La présence seigneuriale demeure toutefois marginale à cette époque, le nombre de seigneurs résidents n'atteignant 38,8 % qu'à la veille de l'abolition du régime seigneurial[85].

Le tournant du XIXe siècle est également marqué par un certain repli du groupe seigneurial britannique sur lui-même. Alors que près du tiers des seigneurs recensés en 1790 (12 sur 39) avaient pris épouse au sein de l'élite canadienne au cours de la seconde moitié du XVIIIe siècle[86], les détenteurs de fiefs britanniques sont maintenant presque exclusivement unis à des femmes issues des

82. Mentionnons pour information que McCumming est entré en possession de cette seigneurie après en avoir hérité de son père. Il ne tira toutefois vraisemblablement jamais profit de ses prérogatives de seigneur puisque ce n'est qu'au moment de l'abolition du régime seigneurial que ses censitaires auraient appris qu'ils avaient pour seigneur un de ses descendants (Bernard Burke, *A Selection of Arms Authorized by the Laws of Heraldry*, London, Harrison, 1860, p. 155).

83. Benoît Grenier, « "Gentilshommes campagnards" : la présence seigneuriale dans la vallée du Saint-Laurent (XVIIe-XIXe siècle) », *Revue d'histoire de l'Amérique française*, vol. 59, no 4 (2006), p. 426.

84. Thomas, *loc. cit.*

85. Grenier, « "Gentilshommes campagnards" », *loc. cit.*, p. 427.

86. En sus du cas des époux Grant et Le Moyne de Longueuil évoqué précédemment, nous pouvons citer celui des seigneurs Thomas Dunn (Saint-Armand, Île-d'Anticosti, Mille-Vaches et Mingan), Joseph Howard (Ramezay), Thomas Coffin (Pointe-du-Lac), Malcolm Fraser (Île-d'Orléans, Mount Murray, L'Islet-du-Portage), William Grant (Aubert-Gallion, Mingan, Chambly-Est, Île-d'Anticosti et Mille-Vaches), Donald McKinnon (Matane) et Jeremiah McCarthy (Port-Daniel), chacun d'eux étant marié à une Canadienne. Qui plus est, les seigneurs Matthew MacNider (Bélair), Thomas Dennis (Île-Perrot), Samuel Holland (fief Saint-Jean) et Jacob Jordan (Terrebonne, des Plaines et Lacorne) se marient en secondes noces avec une Canadienne.

TABLEAU 5

Origine ethnique des propriétaires de seigneuries d'origine britannique en 1790 et en 1815

Origine ethnique	1790	1815
Écossaise	16 (41 %)	11 (21,6 %)
Anglaise	7 (17,9 %)	3 (5,9 %)
Irlandaise	2 (5,1 %)	0
Américaine	1 (2,6 %)	5 (9,8 %)
Allemande	1 (2,6 %)	2 (3,9 %)
Britannique natif de la colonie issu de deux parents britanniques	0	11 (23,5 %)
Britannique natif de la colonie issu d'un mariage mixte	1 (2,6 %)	5 (7,8 %)
Autre	2 (5,1 %)	2 (3,9 %)
Inconnue	9 (23,1 %)	12 (23,5 %)
Total	**39 (100 %)**	**51 (100 %)**

grandes familles anglo-protestantes de la colonie. John Caldwell (Lauzon), par exemple, est marié à Jane Davidson, fille du chirurgien des Royal Canadian Volunteers[87], alors que le général Napier Christie (Sabrevois, Noyan, Foucault, etc.) a pour épouse Emma Burton, fille du lieutenant-colonel Ralph Burton. À l'exception de John Neilson et des quelques seigneurs vieillissants de la génération précédente (Dunn et Fraser), aucun Britannique à la tête d'une seigneurie en 1815 n'est uni à une Canadienne. Seul Alexander Fraser fils (Rivière-du-Loup) noue une relation avec une servante canadienne de 16 ans à qui il donne huit enfants sans jamais se marier avec elle[88]. Notons également que James Cuthbert fils (Berthier) est marié à Marie-Claire Fleury Fraser, fille du juge John Fraser et de Marie-Claire Fleury Deschambault[89]. Nous comptons

87. Acte de mariage de John Caldwell et Jane Davidson, 21 août 1800, Registre des mariages protestants de Québec (1786-1800), Bibliothèque et Archives Canada (Ancestry).

88. Massé, *op. cit.*, p. 293 et 302.

89. Anonyme, « Cuthbert, James », *Assemblée nationale du Québec*, [En ligne], 2008, [http ://www.assnat.qc.ca/fr/deputes/cuthbert-james-2729/biographie.html] [Consulté le 6 mars 2015].

donc un seigneur uni à une femme issue d'un mariage mixte, ce qui est fort peu en comparaison de la situation en 1790. Au début du XIXe siècle, la population britannique a passablement augmenté et ses élites se ferment davantage sur elles-mêmes en se dotant de leurs propres institutions de charité (St. George's Society of Quebec, St. Andrew's Society, etc.), d'un réseau d'écoles qui leur est propre et de journaux représentant leurs intérêts[90]. Les frontières entre les différentes confessions se font de moins en moins mouvantes et se referment[91]. Bien que plusieurs mariages continuent à unir anciens et nouveaux sujets au sein des élites, ceux-ci se raréfient au sein du corps seigneurial britannique.

Conclusion

Le 27 septembre 1819, la seigneurie de Sainte-Anne-de-la-Pérade passe des mains de la famille des Lanaudière à celles du conseiller législatif John Hale, qui s'adjoint les services de deux procureurs pour administrer ses affaires dans la seigneurie durant ses absences[92]. Quelques années plus tard, en 1844, Jean-Baptiste René de Rouville se départit de la seigneurie de Rouville au profit du major Thomas Edmund Campbell[93]. La « britannisation » du corps seigneurial se poursuit donc lentement à mesure que le siècle avance. Après tout, les approximations mentionnées précédemment font état de la présence de seigneurs britanniques dans plus de la moitié des fiefs du Bas-Canada au moment de l'abolition du régime seigneurial. Toutefois, notre étude amène à relativiser cette impression de lente marche constante et progressive vers une vallée laurentienne dont les seigneurs canadiens s'effacent lentement pour faire place à d'autres d'origine britannique. S'il demeure indéniable que les

90. Le *Quebec Mercury*, par exemple, se fait l'expression des élites anglo-protestantes de la ville de Québec dès 1805.

91. Fyson, *loc. cit.*, p. 187.

92. Christine Veilleux, « Hale, John », *Dictionnaire biographique du Canada*, Québec et Toronto, Université Laval et University of Toronto, [En ligne], 1988, [http://www.biographi.ca/fr/bio/hale_john_7F.html] (Consulté le 6 mars 2015).

93. BAnQ-Québec, Fonds E39 – *Syndicat national du rachat des rentes seigneuriales*, série 100, sous-série 1, Rouville, rapport 226.

anciens sujets prennent de plus en plus de place dans le corps seigneurial, il n'en reste pas moins que certaines périodes ne sont pas marquées par une forte expansion de leur présence, comme c'est le cas au tournant du XIXe siècle. Bien qu'on observe une légère hausse de l'achat de fiefs canadiens par des Britanniques au lendemain de l'Acte constitutionnel, les mouvements de propriété se stabilisent dans les décennies suivantes. Certaines seigneuries repassent également entre les mains de Canadiens après avoir été acquises par des Britanniques. Les transactions dans le monde seigneurial entre 1790 et 1815 s'avèrent donc beaucoup plus nombreuses et complexes que ne l'avait laissé sous-entendre l'historiographie et amènent à se questionner sur les décennies qui suivent cette période. Comment les seigneurs britanniques en viennent-ils à entrer en possession de plus de la moitié des fiefs bas-canadiens alors que leur présence au sein du corps seigneurial s'est si peu accrue au tournant du XIXe siècle ? L'augmentation du nombre de Britanniques à la tête de seigneuries dans les décennies suivantes se fait-elle progressivement ou connaît-elle une expansion rapide après une période de stabilisation ? Malheureusement, les travaux actuels ne permettent pas de répondre à ces questions et des études restent à faire pour mieux cerner le comportement des seigneurs britanniques entre 1815 et 1854.

Le véritable changement qui s'opère au tournant du XIXe siècle a plutôt lieu au sein même des seigneuries détenues par des Britanniques où s'impose une nouvelle génération plus jeune et en grande partie née dans la colonie. Petit à petit, le profil du groupe se diversifie. On y compte désormais des femmes, des membres des professions libérales et des individus issus d'un mariage mixte. Plusieurs s'installent également dans leur fief tout en étant appelés à l'occasion à Québec ou à Montréal par affaires ou pour participer aux travaux de la Chambre d'assemblée[94]. Le portrait du groupe a donc considérablement changé entre 1790 et 1815 et il continue probablement à se créoliser davantage après cette date.

94. Pour plus d'information à ce sujet, on se réfèrera au texte de Katéri Lalancette dans le présent ouvrage.

Notre article permet également de voir que l'étude du corps seigneurial britannique est en encore à ses débuts. Effectivement, plusieurs questions demeurent en suspens ou n'ont été traitées que sommairement dans des monographies paroissiales ou des biographies de seigneurs. Quels liens les détenteurs de fiefs anglophones et protestants entretiennent-ils avec leurs censitaires francophones et catholiques ? Ont-ils souvent recours à un intendant pour administrer leurs terres nobles ou s'en chargent-ils plutôt eux-mêmes ? Quelle est la place des femmes d'origine britannique dans le monde seigneurial ? Disposent-elles d'un réel pouvoir sur leurs terres ? Le corps seigneurial britannique est donc loin d'avoir livré encore tous ses secrets.

Annexe A

Les propriétaires seigneuriaux en 1790 et en 1815

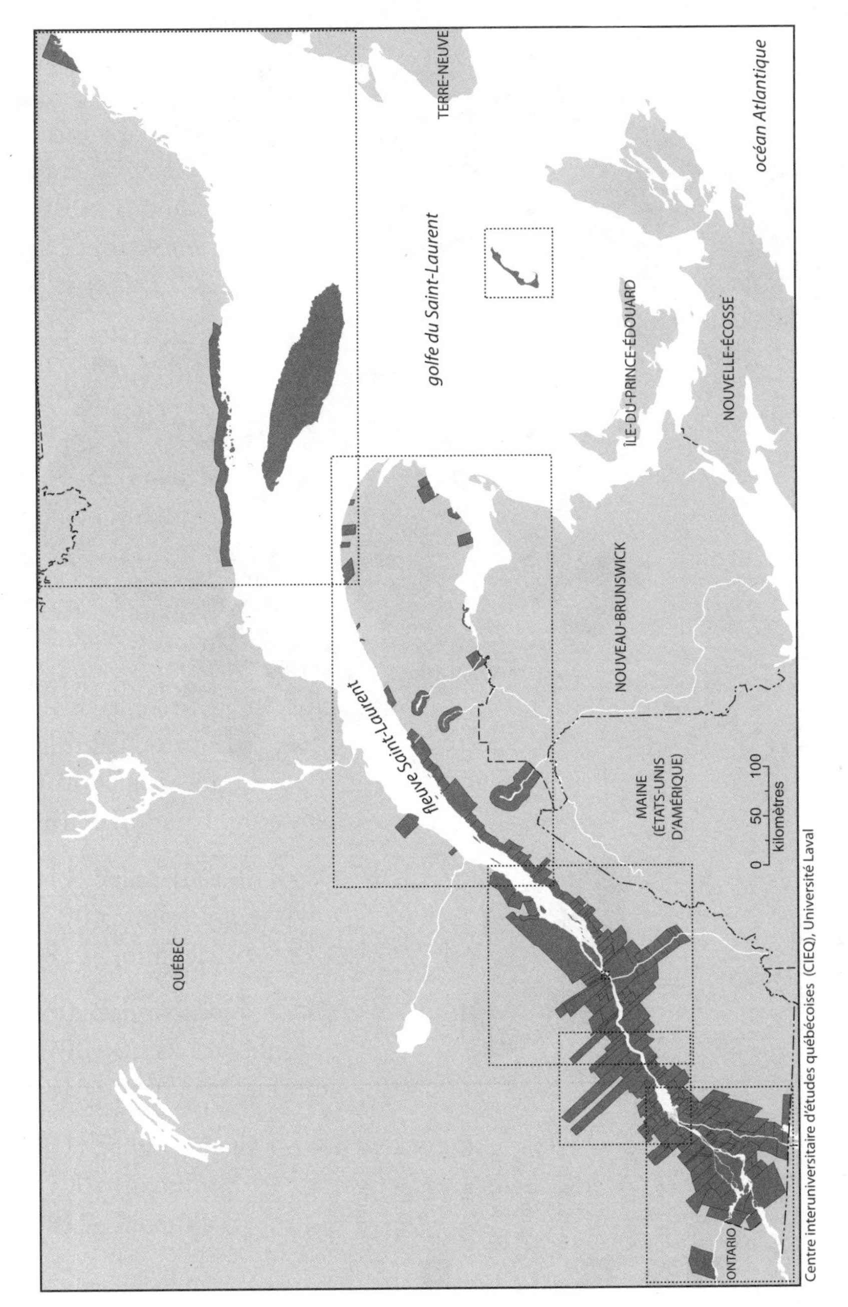

Centre interuniversitaire d'études québécoises (CIEQ), Université Laval

Type de propriétaire

- Couronne
- Église
- Origine amérindienne
- Origine britannique
- Origine britannique et canadienne
- Origine canadienne
- Origine inconnue

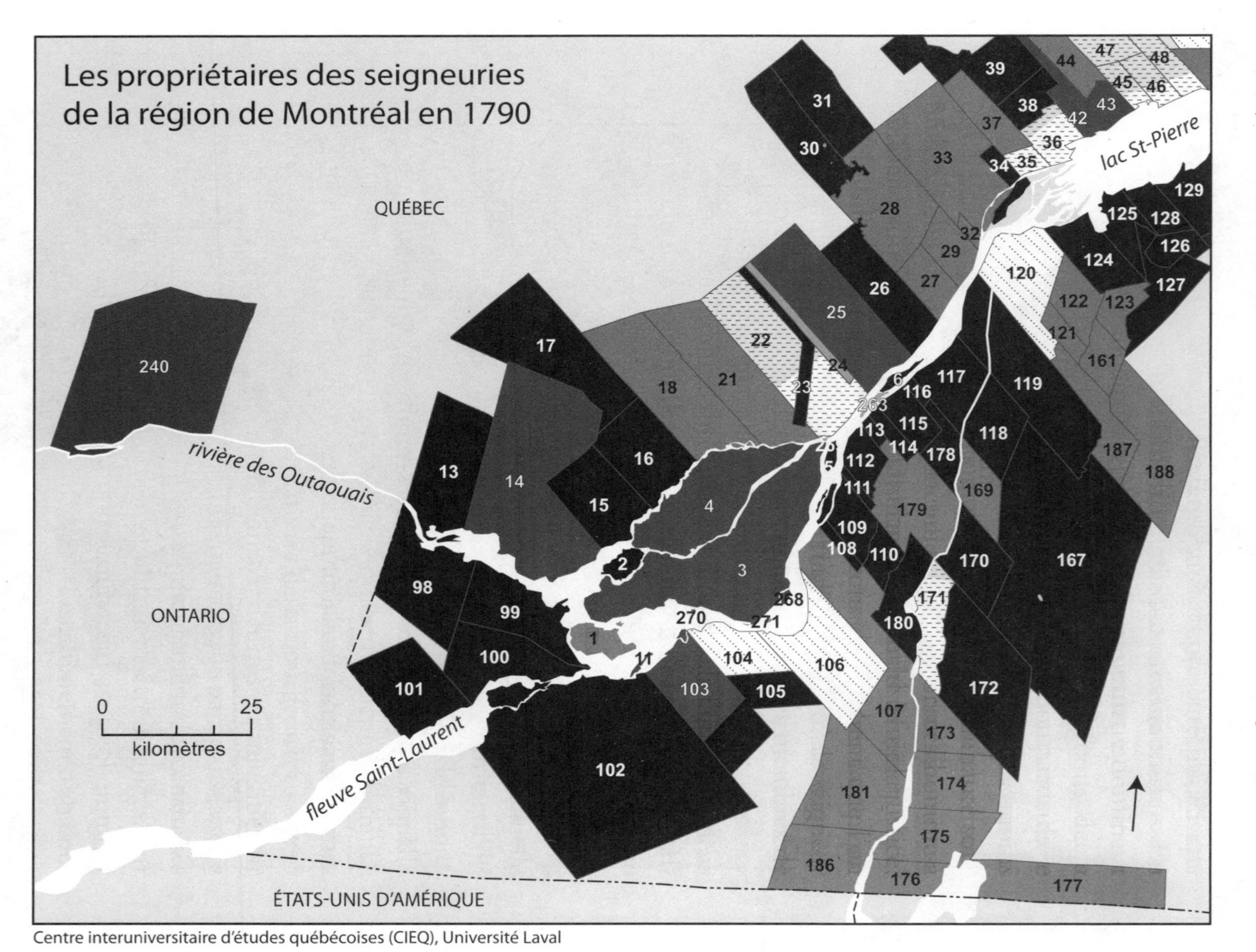

Centre interuniversitaire d'études québécoises (CIEQ), Université Laval

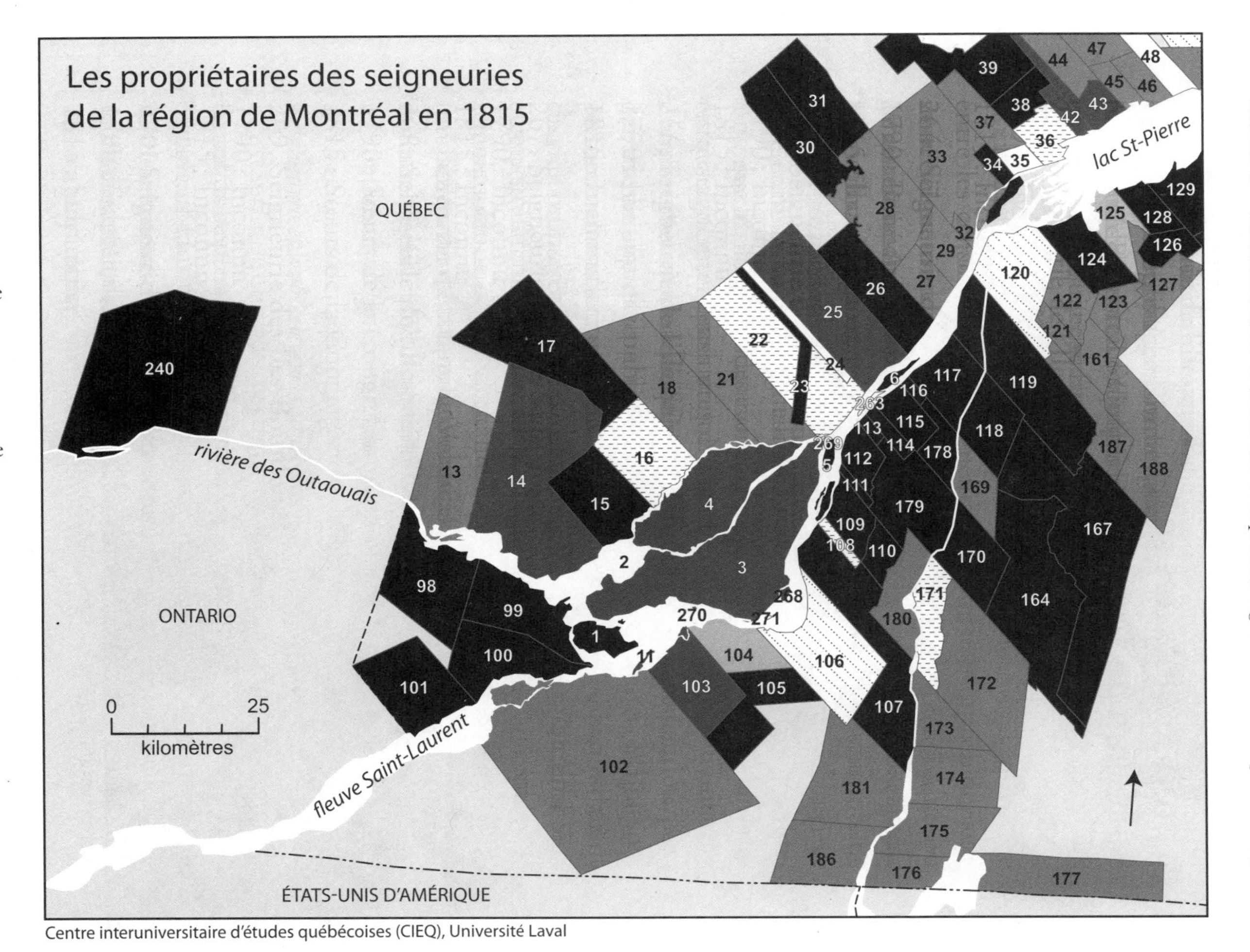

Centre interuniversitaire d'études québécoises (CIEQ), Université Laval

Type de propriétaire

- Couronne
- Église
- Origine amérindienne
- Origine britannique
- Origine britannique et canadienne
- Origine canadienne
- Origine inconnue

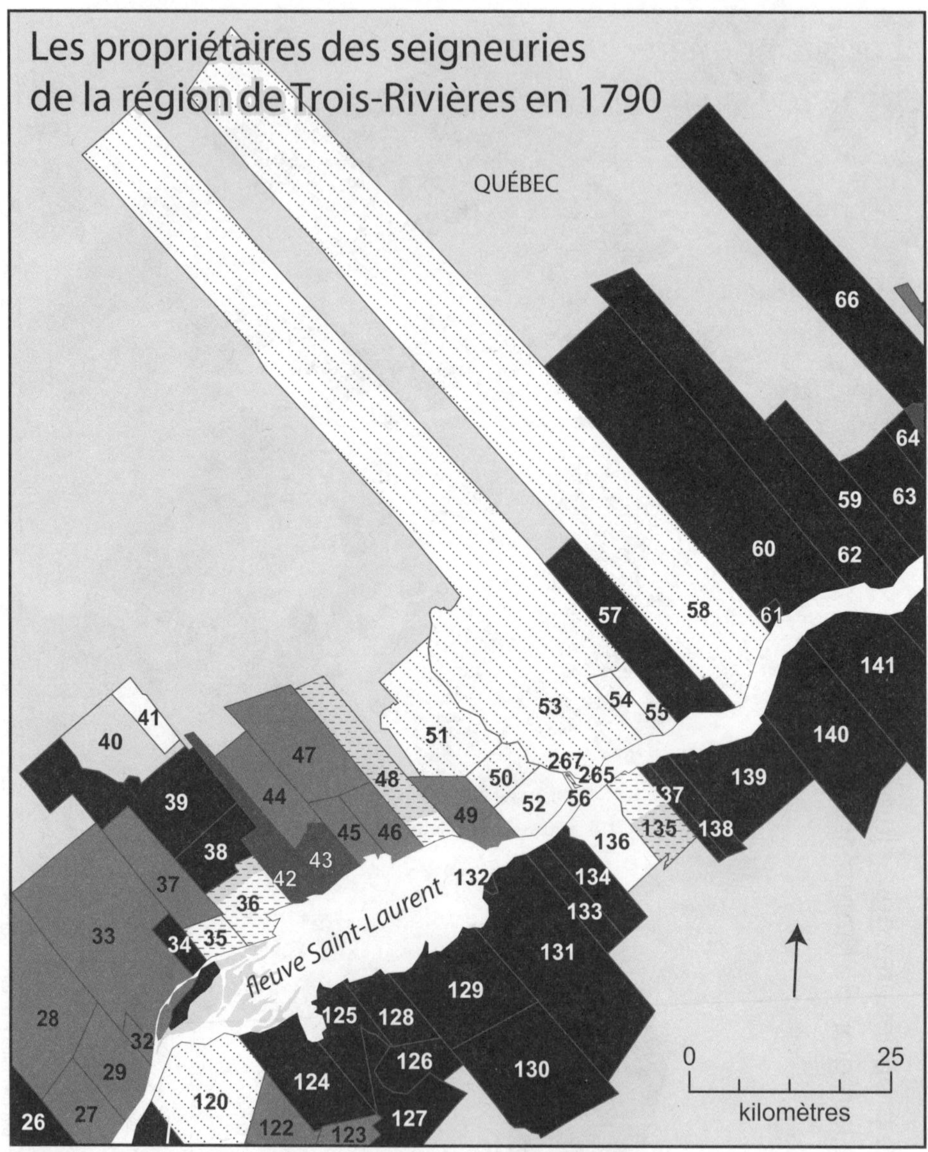

Centre interuniversitaire d'études québécoises (CIEQ), Université Laval

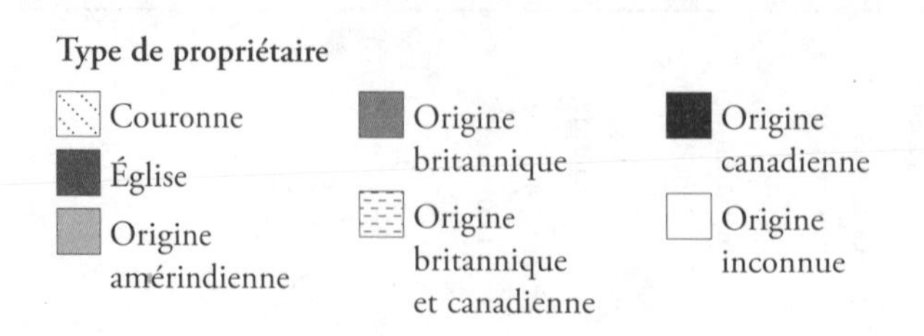

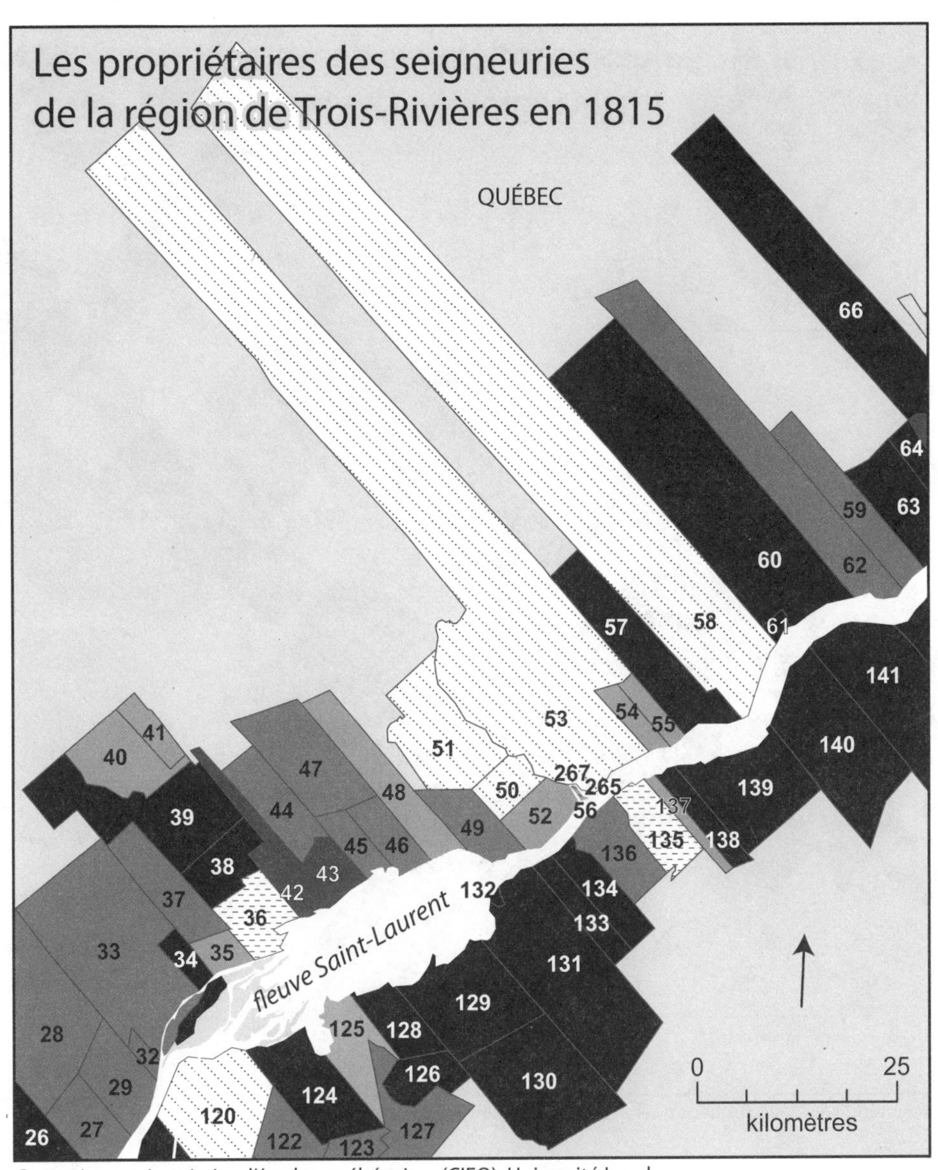

Centre interuniversitaire d'études québécoises (CIEQ), Université Laval

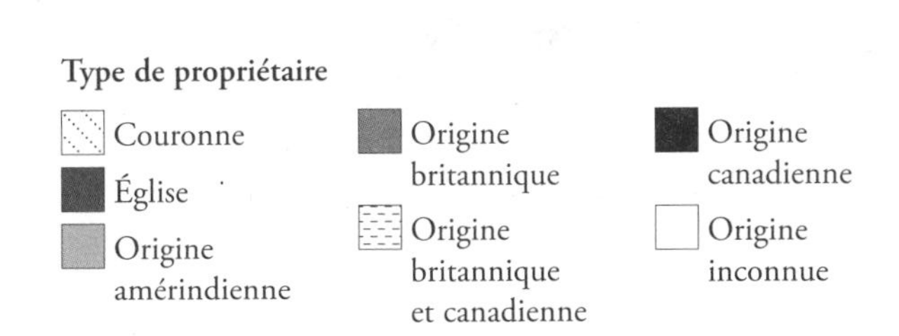

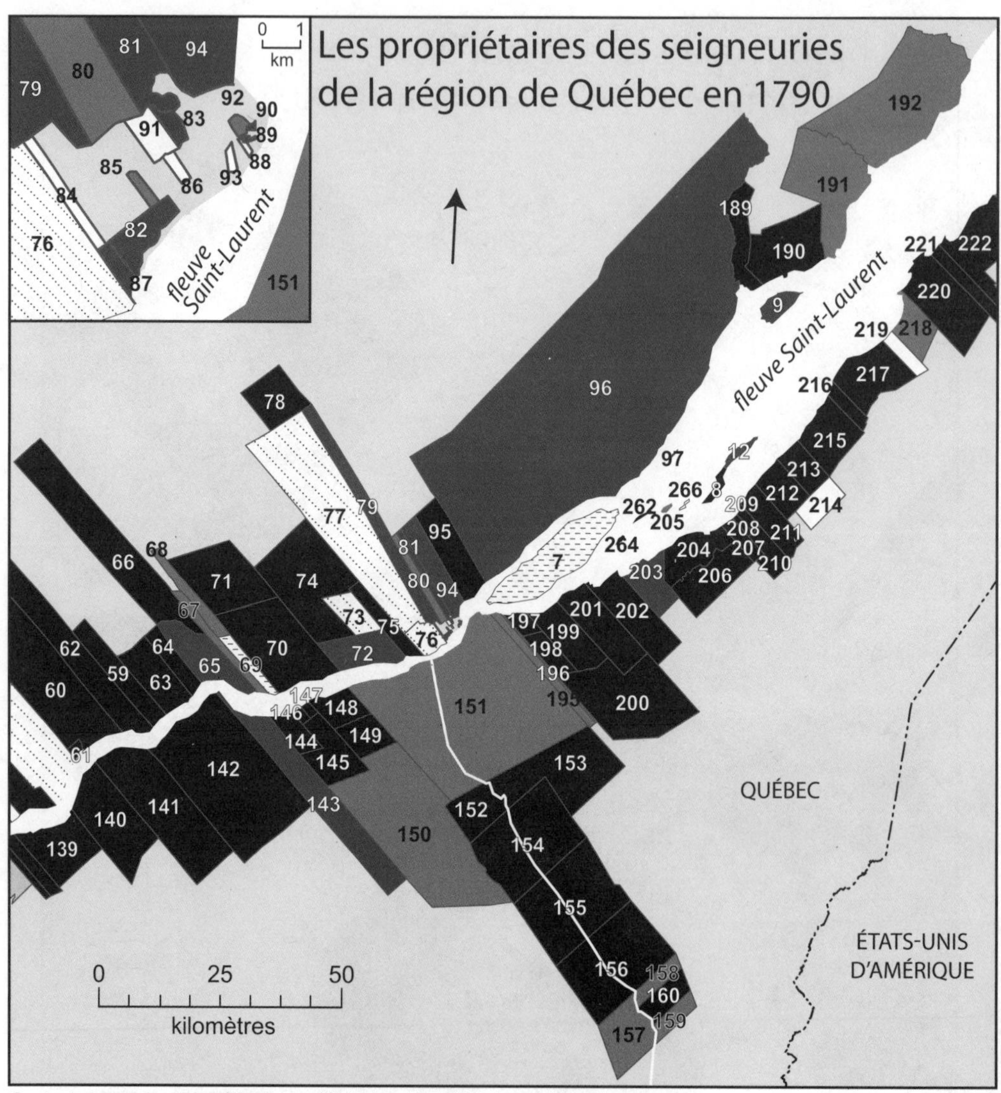

Centre interuniversitaire d'études québécoises (CIEQ), Université Laval

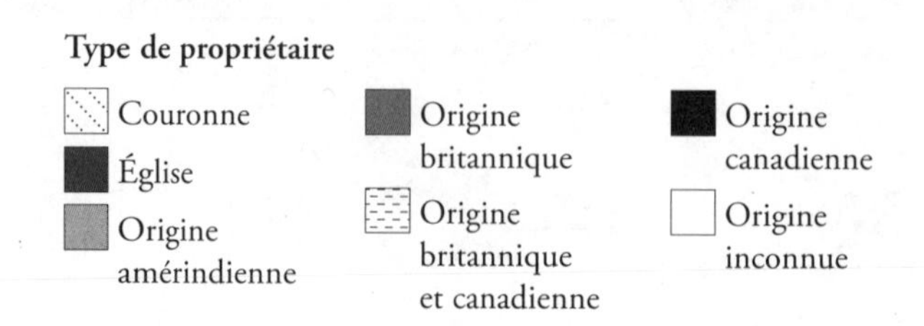

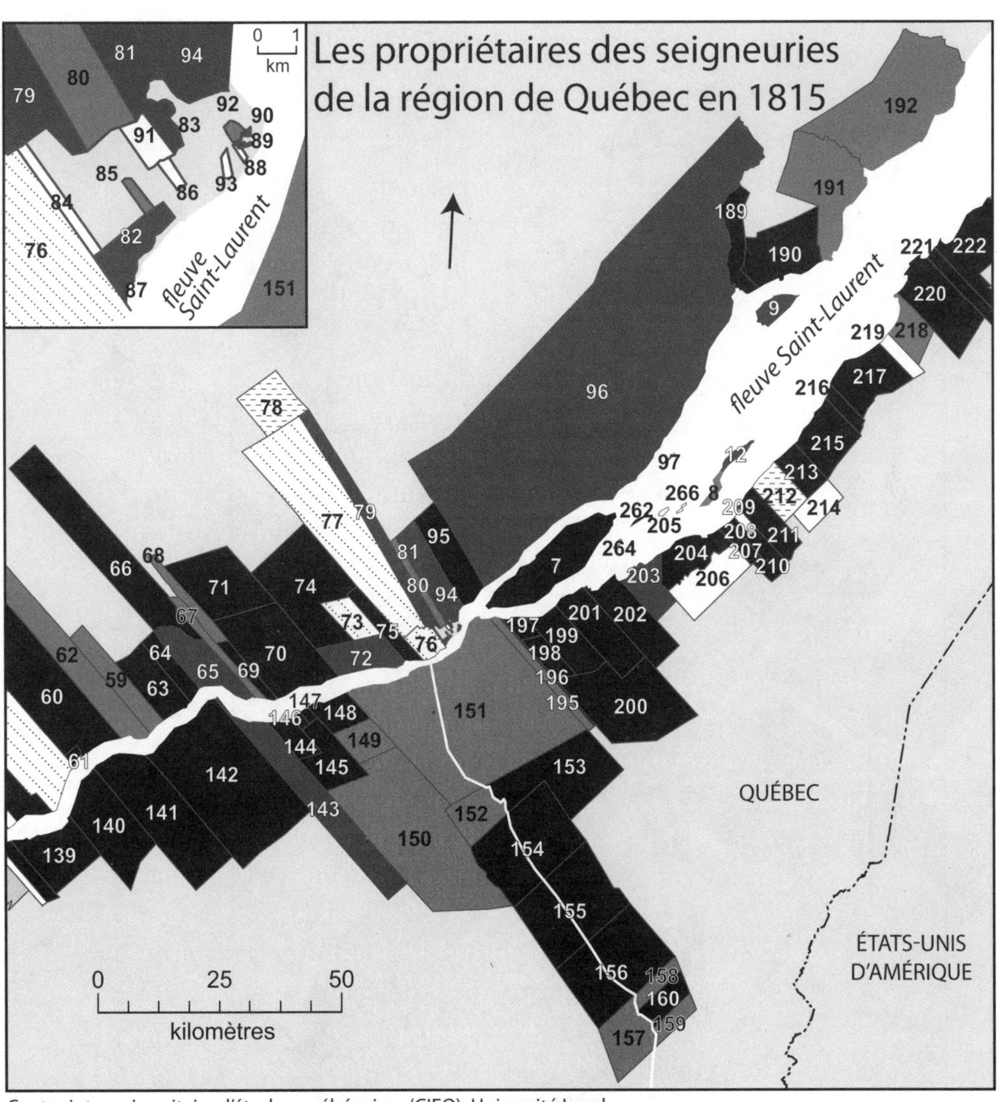

Centre interuniversitaire d'études québécoises (CIEQ), Université Laval

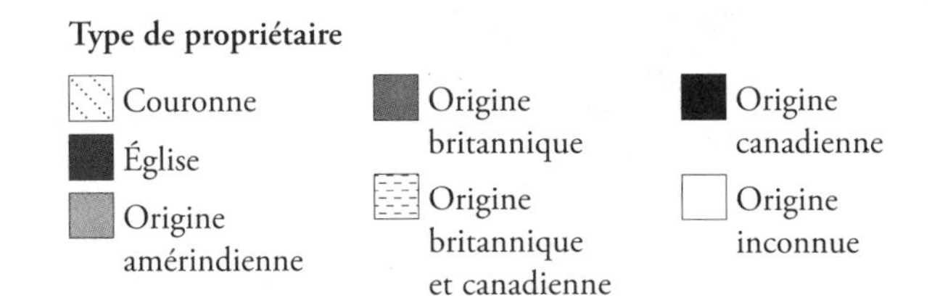

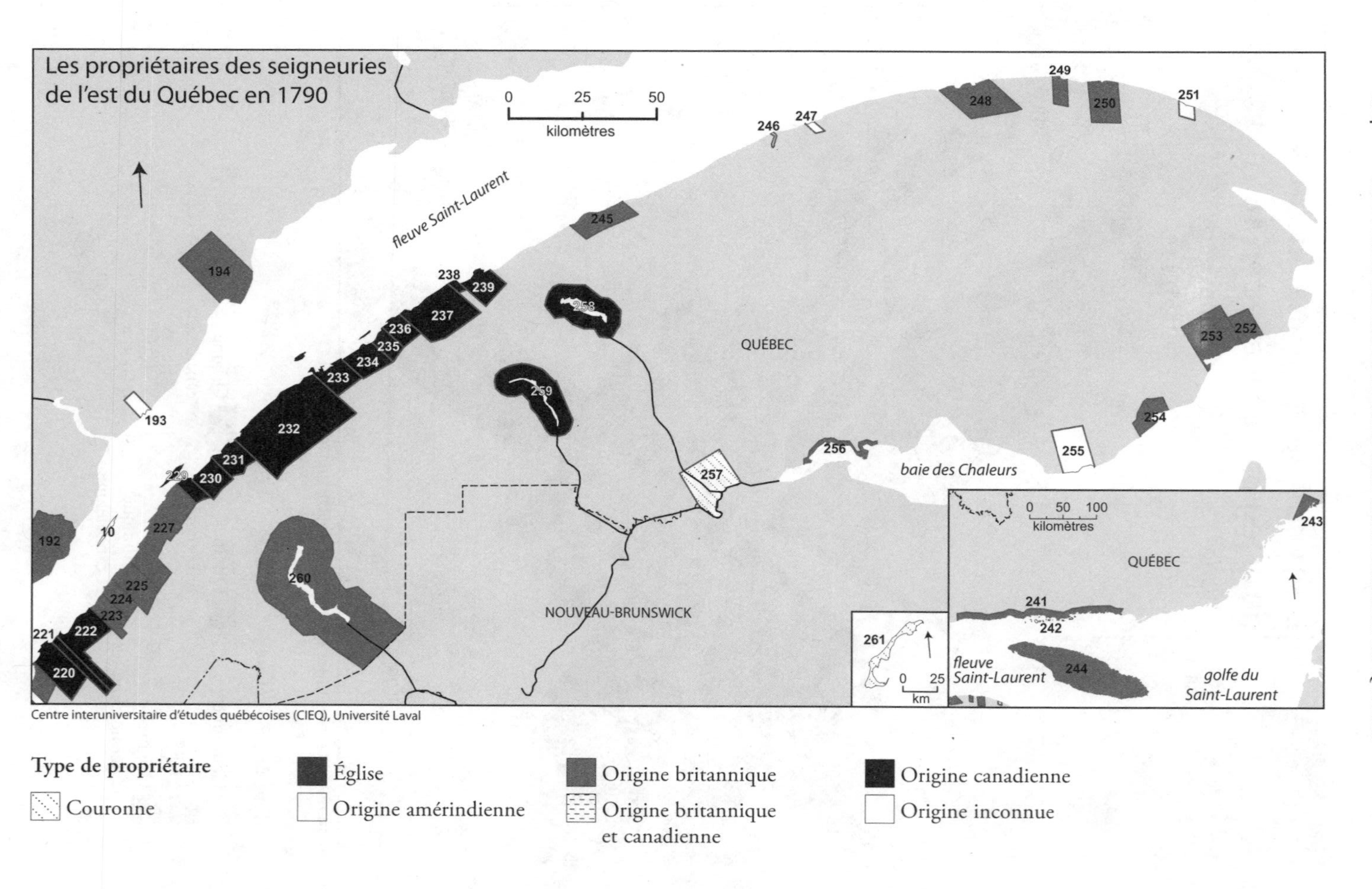
Les propriétaires des seigneuries
de l'est du Québec en 1790
0 25 50
kilomètres
fleuve Saint-Laurent
QUÉBEC
NOUVEAU-BRUNSWICK
baie des Chaleurs
0 50 100
kilomètres
QUÉBEC
fleuve
Saint-Laurent
golfe du
Saint-Laurent
0 25
km
Centre interuniversitaire d'études québécoises (CIEQ), Université Laval
Type de propriétaire
Couronne
Église
Origine amérindienne
Origine britannique
Origine britannique
et canadienne
Origine canadienne
Origine inconnue

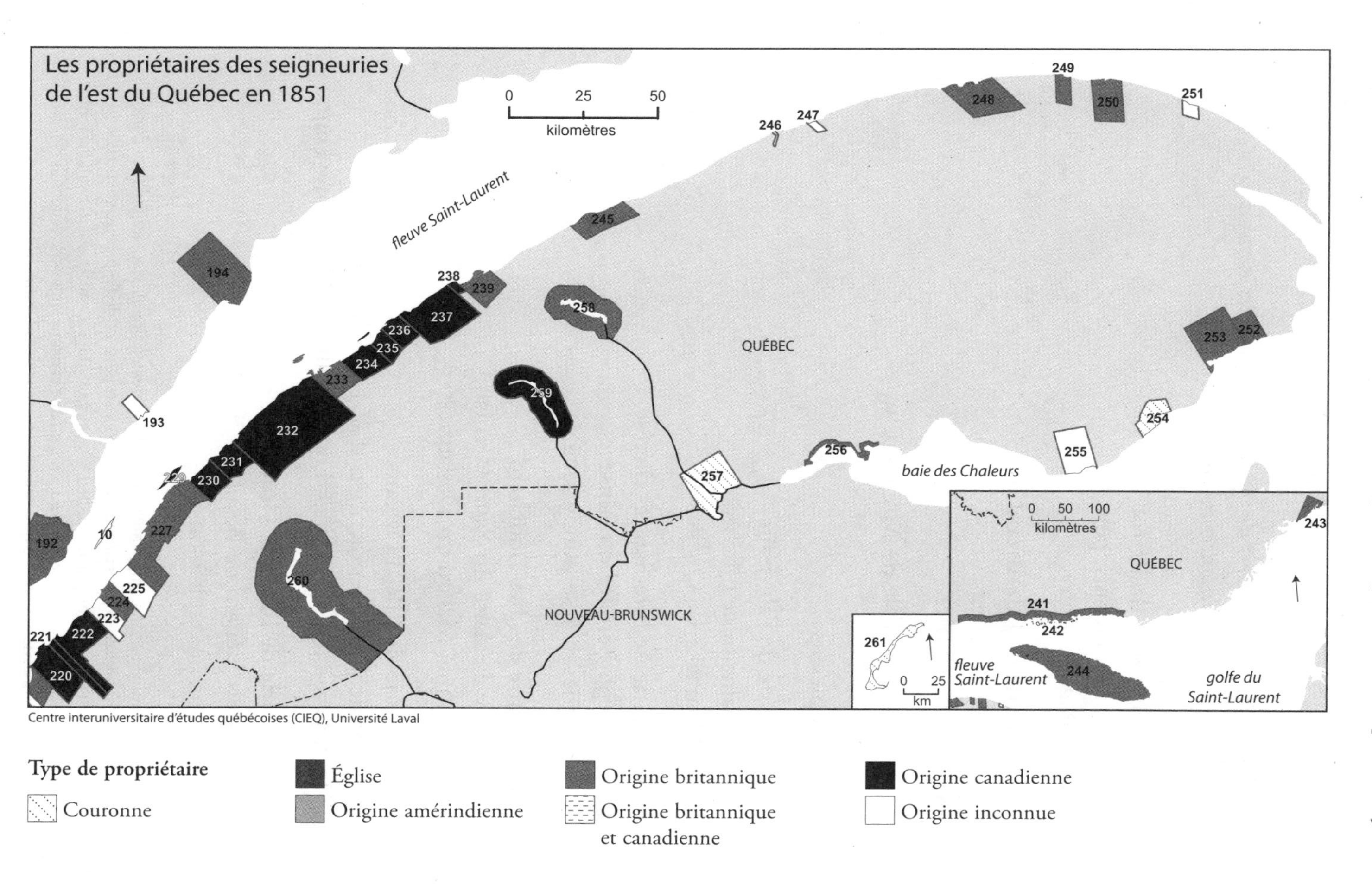
Les propriétaires des seigneuries de l'est du Québec en 1851
0 25 50
kilomètres
fleuve Saint-Laurent
QUÉBEC
NOUVEAU-BRUNSWICK
baie des Chaleurs
192
193
194
10
220
221
222
223
224
225
227
229
230
231
232
233
234
235
236
237
238
239
245
246
247
248
249
250
251
252
253
254
255
256
257
258
259
260
261
0 25
km
0 50 100
kilomètres
QUÉBEC
241
242
243
244
fleuve Saint-Laurent
golfe du Saint-Laurent
Centre interuniversitaire d'études québécoises (CIEQ), Université Laval
Type de propriétaire
Couronne
Église
Origine amérindienne
Origine britannique
Origine britannique et canadienne
Origine canadienne
Origine inconnue

Annexe B

Liste des propriétaires de fiefs et de seigneuries dans la vallée laurentienne en 1790 et 1815[95]

1. Seigneurie de l'Île-Perrot
1790 : Thomas Dennis, père
1815 : Amable Dézery

2. Seigneurie de l'Île-Bizard
1790 : Pierre Fortier
1815 : Pierre Fortier

3. Seigneurie de l'Île-de-Montréal
1790 : Sulpiciens
1815 : Sulpiciens

4. Seigneurie de l'Île-Jésus
1790 : Séminaire de Québec
1815 : Séminaire de Québec

5. Seigneurie de l'Île-Sainte-Thérèse
1790 : Joseph Bernard dit Ainse
1815 : Marie-Thérèse Bondy Douaire

6. Seigneurie des Îles-Bouchard
1790 : C. F. Lemaire dit Saint-Germain
1815 : Antoine Malard dit Deslauriers

7. Seigneurie de l'Île-d'Orléans
1790 : Malcolm Fraser, héritiers d'A. Durocher, etc.
1815 : Marie-Geneviève Noël, Louis Poulin et Mr. le comte Dupré

8. Seigneurie de l'Île-aux-Grues
1790 : Louis Liénard de Beaujeu
1815 : Daniel Macpherson

95. La numérotation emprunte ici celle des cartes de Benoît Grenier publiées dans sa *Brève Histoire du régime seigneurial*. Afin de brosser un portrait de l'espace seigneurial le plus fidèle possible à ce qu'il pouvait ressembler au tournant du XIXe siècle, nous avons fusionné certaines des seigneuries qui n'en faisaient alors qu'une et avons supprimé celles qui n'avaient pas encore été concédées. C'est ce qui explique les trous dans la numérotation.

9. Seigneurie de l'Île-aux-Coudres
1790 : Séminaire de Québec
1815 : Séminaire de Québec

10. Seigneurie de l'Île-aux-Lièvres
1790 : Inconnu
1815 : Inconnu

11. Seigneurie des Îles-de-la-Paix
1790 : Hôpital général de Montréal
1815 : Hôpital général de Montréal

12. Seigneurie de l'Île-aux-Oies
1790 : Hôtel-Dieu de Québec
1815 : Hôtel-Dieu de Québec

13. Seigneurie d'Argenteuil
1790 : Pierre-Louis Panet
1815 : John Johnson

14. Seigneurie du Lac-des-Deux-Montagnes
1790 : Sulpiciens
1815 : Sulpiciens

15. Seigneurie de Rivière-du-Chêne
1790 : Eustache-Louis Lambert Dumont
1815 : Eustache-Nicolas Lambert Dumont

16. Seigneurie de Blainville
1790 : Héritiers de J.-N. Céloron de Blainville
1815 : Joseph-Hubert Lacroix, Wiliam Claus

17. Augmentation de Mille-Îles
1790 : Eustache-Louis Lambert Dumont
1815 : Eustache-Nicolas Lambert Dumont

18. Seigneurie de Terrebonne
1790 : Jacob Jourdan
1815 : Héritiers de Simon McTavish

21. Seigneurie de La Chesnaye
1790 : Gabriel Christie
1815 : Peter Pangman

22. Seigneurie de L'Assomption
1790 : P. R. de Saint-Ours, Christie, M. Martel, etc.
1815 : Héritiers de P. de Saint-Ours, Napier Christie Burton

23. Fief de Martel
1790 : Jean Vienne
1815 : Marie-Charlotte Martel

24. Fief de Bailleul
1790 : Inconnu
1815 : Inconnu

25. Seigneurie de Saint-Sulpice
1790 : Sulpiciens
1815 : Sulpiciens

26. Seigneurie de Lavaltrie
1790 : Pierre-Paul Margane de Lavaltrie
1815 : Famille Lavaltrie

27. Seigneurie de La Noraye
1790 : James Cuthbert
1815 : Ross Cuthbert

28. Augmentation de La Noraye et d'Autray
1790 : James Cuthbert
1815 : Ross Cuthbert

29. Seigneurie d'Autray
1790 : James Cuthbert
1815 : Ross Cuthbert

30. Seigneurie d'Ailleboust
1790 : Héritiers de Joseph et Louis Gauthier
1815 : Héritiers de Pierre-Louis Panet

31. Seigneurie de Ramezay
1790 : Héritiers de Joseph et Louis Gauthier
1815 : Héritiers de Pierre-Louis Panet

32. Seigneurie d'Orvillier
1790 : François Hénault
1815 : Héritiers Cuthbert

33. Seigneurie de Berthier
1790 : James Cuthbert
1815 : James Cuthbert, fils

34. Seigneurie de l'Île-Dupas-et-du-Chicot
1790 : François Hénault et famille Brisset
1815 : Vraisemblablement la famille Hénault

35. Seigneurie de Petit-Bruno
1790 : James Cuthbert, Pierre Baril Duchesnay et famille L. Bélair
1815 : Inconnu

36. Seigneurie de Maskinongé
1790 : James Cuthbert, Pierre Baril Duchesnay et famille, L. Bélair
1815 : Ross Cuthbert, famille Duchesnay et possiblement d'autres seigneurs canadiens

37. Seigneurie Du Sablé
1790 : James Cuthbert
1815 : Ross Cuthbert

38. Seigneurie de Carufel
1790 : Pierre Baril Duchesnay et famille
1815 : Héritiers de Charles de Lanaudière

39. Seigneurie de Lanaudière
1790 : Charles-Louis Tarieu de Lanaudière
1815 : Toussaint Pothier

40. Arrière-fief de Hope
1790 : Inexistante en 1790
1815 : Inconnu

41. Arrière-fief de Hunter
1790 : Inconnu
1815 : Inconnu

42. Seigneurie de Saint-Jean
1790 : Ursulines de Trois-Rivières
1815 : Ursulines de Trois-Rivières

43. Seigneurie de Rivière-du-Loup
1790 : Ursulines de Trois-Rivières
1815 : Ursulines de Trois-Rivières

44. Seigneurie de Granpré
1790 : Héritiers de Conrad Gugy
1815 : Louis Gugy

45. Seigneurie de Grosbois-Ouest
1790 : Héritiers de Conrad Gugy et famille Lesieur
1815 : Louis Gugy

46. Seigneurie de Grosbois-Est
1790 : Héritiers de Conrad Gugy et famille Lesieur
1815 : Louis Gugy

47. Seigneurie de Dumontier
1790 : Héritiers de Conrad Gugy et famille Lesieur
1815 : Louis Gugy

48. Seigneurie de Gastineau
1790 : Thomas Coffin, J.-M. Godefroy de Tonnancour
1815 : Inconnu

49. Seigneurie de la Pointe-du-Lac
1790 : Thomas Coffin
1815 : Nicholas Montour

50. Seigneurie de Saint-Maurice
1790 : Terres de la Couronne
1815 : Terres de la Couronne

51. Seigneurie de Saint-Étienne
1790 : Terres de la Couronne
1815 : Terres de la Couronne

52. Seigneuries de Trois-Rivières
1790 : Inconnu
1815 : Inconnu

53. Seigneurie de Cap-de-la-Madeleine
1790 : Terres de la Couronne
1815 : Terres de la Couronne

54. Seigneurie de Marsolet
1790 : Inconnu
1815 : Inconnu

55. Arrière-fief de Hertel
1790 : Inconnu
1815 : Inconnu

56. Seigneurie de l'Île-aux-Cochons
1790 : Inconnu
1815 : Inconnu

57. Seigneurie de Champlain
1790 : Joseph Drapeau
1815 : Marie-Geneviève Noël

58. Seigneurie de Batiscan
1790 : Terres de la Couronne
1815 : Terres de la Couronne

59. Seigneurie de Grondines-Est
1790 : Augustin Hamelin et famille
1815 : Moses Hart

60. Seigneurie de Sainte-Anne-de-la-Pérade
1790 : Charles Tarieu de Lanaudière et P.-F. Chorel Dorvilliers
1815 : Famille de Lanaudière

61. Seigneurie de Sainte-Marie
1790 : Augustin Jobin dit Boisvert
1815 : Mr. Boisvert

62. Seigneurie de Grondines-Ouest
1790 : Augustin Hamelin et famille
1815 : Moses Hart

63. Seigneurie de La Chevrotière
1790 : Joachim Chavigny de La Chevrotière et famille
1815 : Mr. de La Chevrotière

64. Seigneurie de Deschambault
1790 : Héritiers de Joseph Fleury Deschambault
1815 : Louis de La Gorgendière et Juchereau Duchesnay

65. Baronnie de Portneuf
1790 : Ursulines de Québec
1815 : Hôtel-Dieu de Québec

66. Seigneurie de Perthuis
1790 : Joseph-Gaspard Chaussegros de Léry
1815 : François-Joseph et Charles-Étienne Chaussegros de Léry

67. Seigneurie de Jacques-Cartier
1790 : George Allsopp
1815 : George Waters Allsopp et autres héritiers Allsopp

68. Seigneurie d'Auteuil
1790 : George Allsopp
1815 : George Waters Allsopp

69. Seigneurie de Bélair
1790 : Matthew MacNider, Toupin et Joseph Brassard Deschenaux
1815 : Charles-Joseph Deschenaux

70. Seigneurie de Neuville
1790 : Joseph Brassard Deschenaux
1815 : Charles-Joseph Deschenaux

71. Seigneurie de Bourg-Louis
1790 : Jean-Antoine Panet
1815 : Jean-Antoine Panet

72. Seigneurie de Maur
1790 : Hôtel-Dieu de Québec
1815 : Hôtel-Dieu de Québec

73. Seigneurie de Guillaume-Bonhomme
1790 : Terres de la Couronne
1815 : Terres de la Couronne

74. Seigneurie de Fossambault
1790 : Antoine Juchereau Duchesnay
1815 : Juchereau Duchesnay

75. Seigneurie de Gaudarville
1790 : Antoine Juchereau Duchesnay
1815 : Juchereau Duchesnay

76. Seigneurie de Sillery
1790 : Terres de la Couronne
1815 : Terres de la Couronne

77. Seigneurie de Saint-Gabriel
1790 : Terres de la Couronne
1815 : Terres de la Couronne

78. Seigneurie de Hubert
1790 : Famille Hubert
1815 : Marie-Ursule Hubert et John Neilson

79. Seigneurie de Saint-Ignace
1790 : Hôtel-Dieu de Québec
1815 : Hôtel-Dieu de Québec

80. Seigneurie de Lespinay
1790 : Peter Stuart
1815 : Héritiers de Peter Stuart

81. Comté d'Orsainville ou des Îlets
1790 : Hôpital général de Québec
1815 : Hôpital général de Québec

82. Châtellenie de Coulonge
1790 : Séminaire de Québec
1815 : Séminaire de Québec

83. Seigneurie des Récollets
1790 : Hôpital général de Québec
1815 : Hôpital général de Québec

84. Seigneurie de Saint-François
1790 : Inconnu
1815 : Inconnu

85. Seigneurie de Saint-Jean
1790 : Samuel Holland
1815 : Inconnu

86. Seigneurie de Saint-Joseph
1790 : Inconnu
1815 : Inconnu

87. Seigneurie de Saint-Michel
1790 : Séminaire de Québec
1815 : Séminaire de Québec

88. Fief de Bécancour
1790 : Inconnu
1815 : Inconnu

89. Fief du Cap-Diamant
1790 : Fabrique Notre-Dame de Québec
1815 : Fabrique Notre-Dame de Québec

90. Fief de la Fabrique
1790 : Fabrique Notre-Dame de Québec
1815 : Fabrique Notre-Dame de Québec

91. Fief de Saint-Sauveur
1790 : Inconnu
1815 : Inconnu

92. Fief du Sault-au-Matelot
1790 : David Lynd
1815 : Inconnu

93. Fief de Villeray
1790 : Inconnu
1815 : Vraisemblablement la succession de la famille Lacroix

94. Seigneurie de Notre-Dame-des-Anges
1790 : Terres de la Couronne
1815 : Terres de la Couronne

95. Seigneurie de Beauport
1790 : Antoine Juchereau Duchesnay et famille
1815 : Mr. Duchesnay

96. Seigneurie de Côte-de-Beaupré
1790 : Séminaire de Québec
1815 : Séminaire de Québec

97. Seigneurie de l'Îlet-du-Cap-Brûlé-et-de-l'Îlet-Rompu
1790 : Séminaire de Québec
1815 : Séminaire de Québec

98. Seigneurie de Rigaud
1790 : Michel-Eustache-Gaspard-Alain Chartier de Lotbinière
1815 : Michel-Eustache-Gaspard-Alain Chartier de Lotbinière

99. Seigneurie de Vaudreuil
1790 : Michel-Eustache-Gaspard-Alain Chartier de Lotbinière
1815 : Michel-Eustache-Gaspard-Alain Chartier de Lotbinière

100. Seigneurie de Soulanges
1790 : Joseph Dominique Emmanuel Le Moyne de Longueuil
1815 : Jacques-Philippe Saveuse de Beaujeu

101. Seigneurie de Nouvelle-Longueuil
1790 : Joseph Dominique Emmanuel Le Moyne de Longueuil
1815 : Jacques-Philippe Saveuse de Beaujeu

102. Seigneurie de Beauharnois
1790 : Michel Chartier de Lotbinière
1815 : Héritiers d'Alexandre Ellice

103. Seigneurie de Châteauguay
1790 : Hôpital général de Montréal
1815 : Hôpital général de Montréal

104. Seigneurie du Sault-Saint-Louis
1790 : Terres de la Couronne
1815 : Amérindiens domiciliés

105. Seigneurie de La Salle
1790 : Succession de Simon Sanguinet
1815 : Ambroise Sanguinet

106. Seigneurie de Prairie-de-la-Madeleine
1790 : Terres de la Couronne
1815 : Terres de la Couronne

107. Baronnie de Longueuil
1790 : William Grant
1815 : Marie-Charles-Joseph Le Moyne de Longueuil

108. Seigneurie du Tremblay
1790 : J. Boucher-La Broquerie, Joseph-Pascal Dubuc, J. Lemoine
1815 : Joseph Dubuc, héritiers d'Edward William Gray

109. Seigneurie de Boucherville
1790 : René A. Boucher de Boucherville et famille
1815 : Madame de Boucherville

110. Seigneurie de Montarville
1790 : René Boucher de La Bruère
1815 : René Boucher de La Bruère et X. Beaubien

111. Seigneurie de Varennes
1790 : Christophe Sanguinet, Gaspard Massue, etc.
1815 : Paul Lussier

112. Seigneurie du Cap-Saint-Michel
1790 : Famille Messier, Amable Le Moyne de Martigny
1815 : Jacques Le Martigny et Trapui Gautier

113. Seigneurie de La Guillaudière
1790 : Héritiers de Joseph Hertel de Saint-François
1815 : Mr. Hertel

114. Seigneurie de Saint-Blaint
1790 : Marie-Madeleine Raimbault de Saint-Blain
1815 : Marie-Madeleine Raimbault de Saint-Blain

115. Seigneurie de Verchères
1790 : J.-B. Hertel de Rouville et R. A. Boucher-Boucherville
1815 : Madame de Boucherville

116. Seigneurie de Bellevue
1790 : M. Boisseau et Pierre Chicoine
1815 : Mr. Chicoine

117. Seigneurie de Contrecœur
1790 : F. Boucher-La Perrière, Joseph Boucher-Montarville
1815 : Héritiers de monsieur La Perrière

118. Seigneurie de Saint-Denis
1790 : Joseph Boucher-Montarville
1815 : Héritiers de Montarville

119. Seigneurie de Saint-Ours
1790 : Paul Roch de Saint-Ours
1815 : Charles de Saint-Ours

120. Seigneurie de Sorel
1790 : Terres de la Couronne
1815 : Terres de la Couronne

121. Seigneurie de Bourg-Marie-Ouest
1790: Thomas Barrow
1815: Mary Barrow

122. Seigneurie de Bonsecours
1790: Thomas Barrow
1815: Mary Barrow

123. Seigneurie de Bourg-Marie-Est
1790: Thomas Barrow
1815: Mary Barrow

124. Seigneurie de Yamaska
1790: Héritiers de L.-J. Godefroy de Tonnancour
1815: G. M. Tonnancour

125. Seigneurie de Saint-François
1790: Joseph Crevier
1815: Mr. Le Gendre et famille, Abénaquis

126. Seigneurie de Pierreville
1790: François J. Lemaître et les Abénaquis
1815: Marie-Charles-Joseph Le Moyne de Longueuil

127. Seigneurie de Deguire
1790: Pierre Du Calvet
1815: Josias Wurtele

128. Seigneurie de Lussaudière
1790: Marie-Josephte Simon dit Delorme
1815: Louis Proulx

129. Seigneurie de Baie-Saint-Antoine
1790: René Guay, François Despins et autres
1815: Jean-Baptiste Lozeau

130. Seigneurie de Courval
1790: Pierre-Michel et L.-C. Poulin de Courval
1815: Louis Gouin

131. Seigneurie de Nicolet
1790 : Pierre-Michel et Joseph Poulin de Courval
1815 : Monsieur Cressé

132. Seigneurie de l'Île-Moras
1790 : Louis Beaubien
1815 : Paul Beaubien

133. Seigneurie de Roquetaillade
1790 : Succession Godefroy-Tonnancour, Drouet-Richerville
1815 : Jean-Baptiste Lozeau

134. Seigneurie de Godefroy
1790 : Succession Godefroy-Tonnancour, Drouet-Richerville
1815 : Étienne Le Blanc et Monsieur Lozeau

135. Seigneurie de Bécancour
1790 : Succession Godefroy-Tonnancour, Ralph Henry Bruyères
1815 : Héritiers de Ralph Henry Bruyères, Étienne Le Blanc et Ezekiel Hart

136. Seigneurie de Bruyères
1790 : Inconnu
1815 : Héritiers de Ralph Henry Bruyères

137. Seigneurie de Dutort
1790 : Vraisemblablement Jean Drouet de Richerville
1815 : Inconnu

138. Seigneurie de Cournoyer
1790 : Héritiers de F. Lefebvre de Bellefeuille
1815 : Antoine Lefebvre Bellefeuille

139. Seigneurie de Gentilly
1790 : Joseph-Gaspard Chaussegros de Léry
1815 : Messieurs de Léry

140. Seigneurie de Lévrard
1790 : Héritiers de Charles-François Tarieu de Lanaudière
1815 : François Baby et A. Lanaudière

141. Seigneurie de Deschaillons
1790 : P. R. de Saint-Ours, Joseph-Gaspard Chaussegros de Léry
1815 : Charles de Saint-Ours

142. Seigneurie de Lotbinière
1790 : Michel Chartier de Lotbinière
1815 : Michel-Eustache-Gaspard-Alain Chartier de Lotbinière

143. Seigneurie de Sainte-Croix
1790 : Ursulines de Québec
1815 : Ursulines de Québec

144. Seigneurie de Bonsecours
1790 : Jean-Baptiste Noël
1815 : Jean-Baptiste Noël, fils

145. Seigneurie des Plaines
1790 : Joseph-Gaspard Chaussegros de Léry
1815 : Jean-Baptiste Noël, fils

146. Seigneurie de Duquet-Ouest
1790 : Jean-Baptiste Noël
1815 : Jean-Baptiste Noël, fils

147. Seigneurie de Duquet-Est
1790 : Jean-Baptiste Noël
1815 : Jean-Baptiste Noël, fils

148. Seigneurie de Tilly
1790 : Jean-Baptiste Noël
1815 : Jean-Baptiste Noël, fils

149. Seigneurie de Gaspé
1790 : Ignace Aubert de Gaspé
1815 : John Caldwell

150. Seigneurie de Saint-Gilles
1790 : Alexandre Fraser
1815 : Walter Davidson

151. Seigneurie de Lauzon
1790 : James Murray (louée à Henry Caldwell)
1815 : John Caldwell

152. Seigneurie de Saint-Étienne
1790 : Héritiers de François-Joseph Cugnet
1815 : John Caldwell

153. Seigneurie de Jolliet
1790 : Gabriel-Elzéar Taschereau
1815 : Famille Taschereau

154. Seigneurie de Sainte-Marie
1790 : Gabriel-Elzéar Taschereau
1815 : Famille Taschereau

155. Seigneurie de Saint-Joseph-de-Beauce
1790 : Gabriel-Elzéar Taschereau et famille Fleury de La Gorgendière
1815 : Famille Taschereau

156. Seigneurie de Rigaud de Vaudreuil
1790 : Joseph-Gaspard Chaussegros de Léry
1815 : Joseph-Gaspard Chaussegros de Léry

157. Seigneurie d'Aubert-Gallion
1790 : William Grant
1815 : George Pozer

158. Seigneurie de Cumberland
1790 : Andrew Philip Skeene
1815 : Andrew Philip Skeene

159. Seigneurie de Saint-Charles-de-la-Belle-Alliance
1790 : Jonathan Eckart
1815 : Margaret Roberts Eckart

160. Seigneurie de Sainte-Barbe-de-la-Famine
1790 : Joseph-Gaspard Chaussegros de Léry
1815 : Mr. Chaussegros de Léry

161. Seigneurie de Saint-Charles-de-Yamaska
1790 : Thomas Barrow
1815 : Mary Barrow

164. Seigneurie de Debartzch
1790 : Fait partie de la seigneurie de Saint-Hyacinthe
1815 : Pierre-Dominique Debartzch

167. Seigneurie de Saint-Hyacinthe
1790 : Héritiers de J. Hyacinthe, Simon dit Delorme
1815 : Jean Dessaulles

169. Seigneurie de Saint-Charles
1790 : Héritiers de John Jennison
1815 : André Winckelfos

170. Seigneurie de Rouville
1790 : René-Ovide Hertel de Rouville
1815 : Jean-Baptiste-Melchior Hertel de Rouville

171. Seigneurie de Chambly-Est
1790 : Héritiers de John Jennison, René-Ovide Hertel de Rouville, héritiers de Rouville et William Grant
1815 : John Johnson, Jean-Baptiste-Melchior Hertel de Rouville, héritiers de Rouville et William Yule

172. Seigneurie de Monnoir
1790 : Famille de Ramezay
1815 : John Johnson

173. Seigneurie de Bleury
1790 : Gabriel Christie
1815 : Napier Christie-Burton

174. Seigneurie de Sabrevois
1790 : Gabriel Christie
1815 : Napier Christie-Burton

175. Seigneurie de Noyan
1790 : Gabriel Christie
1815 : Napier Christie-Burton

176. Seigneurie de Foucault
1790 : James Murray
1815 : Napier Christie-Burton

177. Seigneurie de Saint-Armand
1790 : Thomas Dunn
1815 : Thomas Dunn

178. Seigneurie de Cournoyer
1790 : Antoine Lefebvre de Bellefeuille et famille
1815 : A. Bellefeuille

179. Seigneurie de Belœil
1790 : William Grant
1815 : Marie-Charles-Joseph Le Moyne de Longueuil

180. Seigneurie de Chambly-Ouest
1790 : Jean-Baptiste-François de Niverville et Joseph-Claude Boucher de Niverville
1815 : Napier Christie-Burton et Samuel Jacobs

181. Seigneurie de Léry
1790 : Gabriel Christie
1815 : Napier Christie-Burton

186. Seigneurie de Lacolle
1790 : Gabriel Christie
1815 : Napier Christie-Burton

187. Seigneurie de Bourchemin
1790 : Sulpiciens et Thomas Barrow
1815 : Mary Barrow et Gilbert Jenkins

188. Seigneurie de Ramezay
1790 : Joseph Howard
1815 : Julia Langan, Charlotte Langan et Maria Johnson Langan

189. Seigneurie de la Rivière-du-Gouffre
1790 : Jacques Simard et famille
1815 : Marie-Geneviève Noël

190. Seigneurie des Éboulements
1790 : Jean-François Tremblay et autres
1815 : Pierre de Sales La Terrière

191. Seigneurie de Murray Bay
1790 : John Nairne
1815 : Christiana Nairne

192. Seigneurie de Mount Murray
1790 : Malcolm Fraser
1815 : Malcolm Fraser

193. Seigneurie de Saint-Lusson
1790 : Inconnu
1815 : Inconnu

194. Seigneurie de Mille-Vaches
1790 : Thomas Dunn, William Grant et Peter Stuart
1815 : Thomas Dunn, héritiers de Peter Stuart, Julia Langan, Charlotte Langan et Maria Johnson Langan

195. Seigneurie de La Martinière
1790 : Alexandre Fraser
1815 : M. Reid

196. Seigneurie de Mont-à-Peine
1790 : Alexandre Fraser
1815 : Féréol Roy

197. Seigneurie de Vincennes
1790 : Joseph Roy
1815 : Féréol Roy

198. Seigneurie de Livaudière
1790 : Joseph-Brassard Deschenaux
1815 : Joseph-Brassard Deschenaux et héritiers de Lorimier

199. Seigneurie de Beaumont
1790 : Famille C. Couillard et Joseph-Brassard Deschenaux
1815 : Féréol Roy

200. Seigneurie de Saint-Gervais
1790 : Joseph-Brassard Deschenaux
1815 : Joseph-Brassard Deschenaux et héritiers de Lorimier

201. Seigneurie de Saint-Michel
1790 : Joseph-Brassard Deschenaux et famille
1815 : Joseph-Brassard Deschenaux et héritiers de Lorimier

202. Seigneurie de Saint-Vallier
1790 : Famille Tarieu de Lanaudière
1815 : Tarieu de Lanaudière

203. Seigneurie de Bellechasse
1790 : Hôpital général de Québec
1815 : Hôpital général de Québec

204. Seigneurie de la Rivière-du-Sud
1790 : Famille Couillard
1815 : Jean-Baptiste Couillard Dupuy

205. Seigneurie de la Grosse-Île
1790 : Edward Harrison
1815 : Inconnu

206. Seigneurie de Lespinay
1790 : Famille Couillard
1815 : Inconnu

207. Seigneurie de Fournier
1790 : François Marcel Bernier
1815 : François Marcel Bernier

208. Seigneurie de Gagné
1790 : Famille Gagné
1815 : Famille Gagné

209. Seigneurie de Gamache
1790 : Familles Gagné et Gamache, Charles Riverin
1815 : Inconnu

210. Seigneurie de Sainte-Claire
1790 : Joseph Drapeau
1815 : Marie-Geneviève Noël

211. Seigneurie de Vincelotte
1790 : Jean-Gabriel de Vincelotte
1815 : Mr. Vincelot

212. Seigneurie de L'Islet-de-Bonsecours
1790 : Famille Bélanger
1815 : Joseph Couillard Després, Casgrain, famille Bélanger, James McCallum

213. Seigneurie de L'Islet
1790 : Famille Couillard
1815 : Vraisemblablement les familles Couillard et Casgrain

214. Seigneurie de Lessard
1790 : Inconnu
1815 : Inconnu

215. Seigneurie de Port-Joly
1790 : Ignace Aubert de Gaspé
1815 : Pierre Ignace Aubert de Gaspé

216. Seigneurie de l'Îlet-à-la-Peau
1790 : Ignace Aubert de Gaspé
1815 : Pierre Ignace Aubert de Gaspé

217. Seigneurie de la Grande-Anse
1790 : Antoine Juchereau Duchesnay
1815 : Jean-Baptiste Juchereau Duchesnay

218. Seigneurie de La Pocatière
1790 : Laughlin Smith
1815 : Laughlin Smith

219. Seigneurie de Saint-Denis-de-Sainte-Anne
1790 : Inconnu
1815 : Inconnu

220. Seigneurie de Rivière-Ouelle
1790 : Michel Perrault
1815 : Mr. Casgrain

221. Seigneurie de Saint-Denis-de-la-Bouteillerie
1790 : Antoine Juchereau Duchesnay
1815 : François Blanchet et autres

222. Seigneurie de Kamouraska
1790 : Pascal Jacques Taché
1815 : M. Taché

223. Seigneurie de Granville
1790 : Malcolm Fraser
1815 : Inconnu

224. Seigneurie de l'Îlet-du-Portage
1790 : Malcolm Fraser
1815 : Joseph Fraser

225. Seigneurie de Granville-et-de-la-Chesnaye
1790 : Malcolm Fraser
1815 : Inconnu

227. Seigneurie de Rivière-du-Loup
1790 : James Murray
1815 : Alexandre Fraser, fils

229. Seigneurie de Villeray
1790 : J.-B. Côté et famille
1815 : Alexandre Fraser, fils

230. Seigneurie de l'Île-Verte
1790 : J.-B. Côté et famille
1815 : Régis Garon et famille Côté

231. Seigneurie de Trois-Pistoles
1790 : Étienne Rioux et famille
1815 : Famille Rioux et autres

232. Seigneurie de Nicolas-Rioux
1790 : Joseph Drapeau
1815 : Marie-Geneviève Noël

233. Seigneurie du Bic
1790 : Charles Thomas
1815 : Azariah Pritchard

234. Seigneurie de Rimouski
1790 : Joseph Drapeau
1815 : Marie-Geneviève Noël

235. Seigneurie de Saint-Barnabé
1790 : Joseph Drapeau
1815 : Marie-Geneviève Noël

236. Seigneurie de Lessard
1790 : Joseph Drapeau
1815 : Marie-Geneviève Noël

237. Seigneurie de Lepage-et-Thivierge
1790 : Joseph Drapeau
1815 : Marie-Geneviève Noël

238. Seigneurie de Pachot
1790 : Joseph Drapeau
1815 : Marie-Geneviève Noël

239. Seigneurie de Mitis
1790 : Héritiers de Charles Lambert
1815 : John MacNider

240. Seigneurie de la Petite-Nation
1790 : Séminaire de Québec
1815 : Joseph Papineau

241. Seigneurie de Mingan
1790 : Thomas Dunn, William Grant et Peter Stuart
1815 : Thomas Dunn, héritiers de Peter Stuart, Julia Langan, Charlotte Langan et Maria Johnson Langan

242. Seigneurie des Îles-et-Îlets-de-Mingan
1790 : Inconnu
1815 : Inconnu

243. Seigneurie de Saint-Paul
1790 : Adam Lymburner et autres
1815 : Groupe de marchands britanniques

244. Seigneurie de l'Île-d'Anticosti
1790 : Thomas Dunn, William Grant et Peter Stuart
1815 : Thomas Dunn, héritiers de Peter Stuart, Julia Langan, Charlotte Langan et Maria Johnson Langan

245. Seigneurie de Matane
1790 : Donald McKinnon
1815 : Jane McCallum

246. Seigneurie de Cap-Chat
1790 : Inconnu
1815 : Inconnu

247. Seigneurie de Sainte-Anne-des-Monts
1790 : Inconnu
1815 : Inconnu

248. Seigneurie de Mont-Louis
1790 : James Curchard
1815 : Robert Hunter

249. Seigneurie de Rivière-de-la-Madeleine
1790 : Simon Fraser, père
1815 : John Blackwood

250. Seigneurie de Grande-Vallée-des-Monts
1790 : Bryce McCumming
1815 : John McCumming

251. Seigneurie de l'Anse-de-l'Étang
1790 : Inconnu
1815 : Inconnu

252. Seigneurie de Grande-Rivière
1790 : Société Anderson et Smith
1815 : Charles Robin

253. Seigneurie de Grand-Pabos
1790 : Frédéric Haldimand
1815 : Héritiers de Félix O'Hara

254. Seigneurie de Port-Daniel
1790 : Jeremiah McCarthy et Duncan McDonald
1815 : Terres de la Couronne

255. Seigneurie de Paspébiac
1790 : Inconnu
1815 : Inconnu

256. Seigneurie de Shoolbred
1790 : John Shoolbred
1815 : Mathew Stewart

257. Seigneurie de Cloridan
1790 : Terres de la Couronne
1815 : Terres de la Couronne

258. Seigneurie du Lac-Matapédia
1790 : Jean-Baptiste Raymond
1815 : Julia Langan, Charlotte Langan et Maria Johnson Langan

259. Seigneurie du Lac-Mitis
1790 : Famille Hertel de Rouville
1815 : Famille Hertel de Rouville

260. Seigneurie de Madawaska
1790 : James Murray (louée à Henry Caldwell)
1815 : Alexandre Fraser, fils

261. Seigneurie des Îles-de-la-Madeleine
1790 : Terres de la Couronne
1815 : Isaac Coffin

262. Seigneurie de l'Île-aux-Ruaux
1790 : Jean-Baptiste Le Comte Dupré
1815 : Jean-Baptiste Le Comte Dupré

263. Seigneurie de l'Île-Beauregard
1790 : Inconnu
1815 : Inconnu

264. Seigneurie de l'Île-Madame
1790 : René-Amable Durocher
1815 : Inconnu

265. Seigneurie de l'Île-Saint-Christophe
1790 : Inconnu
1815 : Inconnu

266. Seigneurie de l'Île-Sainte-Marguerite
1790 : Inconnu
1815 : Inconnu

267. Seigneurie de l'Île-Saint-Joseph
1790 : Inconnu
1815 : Inconnu

268. Seigneurie de l'Île-Saint-Paul
1790 : Sœurs de la Congrégation de Notre-Dame
1815 : Sœurs de la Congrégation de Notre-Dame

269. Seigneurie des Îles-Bourdon
1790 : Inconnu
1815 : Inconnu

270. Seigneurie des Îles-Courcelles
1790 : Sulpiciens
1815 : Sulpiciens

271. Fief de l'Île-aux-Hérons
1790 : Amos Hayton
1815 : Inconnu

PARTIE III

MÉMOIRE ET PERSISTANCES SEIGNEURIALES

L'argent et la propriété seigneuriale de 1854 à 1940 : qui sont les gagnants du processus d'abolition[1] ?

Michel Morissette

C'est en 1854, avec l'Acte pour l'abolition des droits et devoirs féodaux dans le Bas-Canada[2], que le régime seigneurial est aboli dans la vallée du Saint-Laurent. Cette loi qui a abrogé la grande majorité des droits seigneuriaux, non sans indemniser les derniers seigneurs[3], a perpétué le lien seigneur/censitaire jusqu'au cœur du xxe siècle. En 1854, le législateur a effectivement reconnu aux seigneurs la jouissance des droits de propriété utile et éminente qu'ils détenaient sur leur fief. Le maintien de la propriété utile les a placés en pleine possession de leur domaine et des terres qui n'avaient toujours pas été concédées en censives, tandis que la propriété éminente leur a assuré une indemnisation pour l'abolition des droits qu'ils détenaient sur les censives

1. Le présent article reprend des éléments issus du mémoire de maîtrise de l'auteur. Michel Morissette, *Les persistances de l'« Ancien Régime » québécois : seigneurs et rentes seigneuriales après l'abolition (1854-1940)*, Mémoire (M. A.), Université de Sherbrooke, 2014. L'introduction du présent texte se contente d'esquisser sommairement les modalités de l'abolition. Le lecteur pourra se référer au texte de Benoît Grenier, plus loin dans ce volume, pour une description plus détaillée de ces événements. Nous tenons à remercier Benoît Grenier, Alain Laberge, André LaRose et Alex Tremblay Lamarche pour leurs relectures attentives de cet article, ainsi que le FRQSC et BAnQ pour leur aide financière à nos études.

2. *Acte pour l'abolition des droits et devoirs féodaux dans le Bas-Canada*, S.C. 1854-1855, 1re session, c. 3. Ci-après : *Acte seigneurial.*

3. En tout, ce sont près de cinq millions de dollars qui sont versés au milieu du xixe siècle. Victor Morin, *Seigneurs et censitaires, castes disparues*, Montréal, Éditions des Dix, 1941, p. 74.

concédées[4]. Les dispositions de cette loi ont fait en sorte que les anciens cens et rentes qui étaient dus annuellement aux seigneurs deviennent une rente constituée d'un montant équivalant à ce qui était payé auparavant. Cette nouvelle rente était théoriquement payable le même jour (le plus souvent le 11 novembre, à la Saint-Martin d'hiver), à la même personne (le seigneur) et au même endroit (au manoir seigneurial, à moins d'une entente particulière avec le seigneur) que l'ancienne. Il y avait cependant deux nouveautés. Premièrement, la rente devait dorénavant être payée en argent. Deuxièmement, la rente constituée pouvait maintenant être rachetée moyennant le paiement du capital de ladite rente. La rente était l'équivalent de 6% du capital. Donc, pour une rente de 6 ¢, une somme de 1 dollar était due au seigneur pour en finir avec la rente constituée. Voilà qui se traduit par des changements bien subtils, du moins en ce qui concerne les rentes « seigneuriales » dues annuellement aux seigneurs[5].

Ce n'est qu'en 1935, avec la création du Syndicat national du rachat des rentes seigneuriales (SNRRS), que des mesures concrètes sont prises pour abolir une fois pour toutes ces vestiges d'une autre époque. Cet organisme avait pour objectif d'en finir avec les rentes constituées tout en indemnisant les seigneurs une ultime fois. Afin de déterminer les sommes auxquelles avaient droit les propriétaires de rentes seigneuriales, le SNRRS a confié à deux notaires, Lucien Morin et Laurent Lesage, le soin d'établir les chaînes de titres de toutes les « seigneuries » où des rentes étaient encore payées. Ce travail a donné lieu à la rédaction de 337 rapports entre 1940 et 1945[6].

4. Le texte de loi indique clairement que « la valeur annuelle de chaque classe de droits [seigneuriaux] sur chaque fonds [censives] deviendra une rente constituée ». *Acte seigneurial.*

5. La loi de 1854 stipule clairement que « les mots "seigneur" et "censitaire" s'appliqueront au propriétaire de toute rente constituée créée en vertu du présent acte, et la personne qui en est chargée des dits droits et devoirs représentés par la dite rente ». C'est pourquoi nous utiliserons également ces termes tout au long du présent article. *Acte seigneurial*, chapitre 3, article XXXVII.

6. La très grande majorité du processus se déroule sous le gouvernement libéral d'Adélard Godbout entre 1940 et 1944. Un seul rapport est daté de 1945 : il s'agit de celui concernant la seigneurie de Contrecœur.

L'étude de ces rapports montre que, dans certains cas, les nouvelles réalités économiques, entre les XIXe et XXe siècles, ont engendré la création de sociétés par actions, comme le Montreal Investment Trust, qui n'a rien fait d'autre qu'acheter puis administrer les rentes constituées de la seigneurie de Beauharnois. Avec l'arrivée de ce type de propriétaires, on voit une dépersonnalisation de la propriété seigneuriale dans ce fief. Ainsi, en 1920, à Beauharnois, la rente constituée doit se payer au bureau du notaire J.-C. Trudeau avant le 20 octobre. Voilà qui nous éloigne grandement d'un paiement fait le 11 novembre au manoir seigneurial et d'une vision folklorique de la relation seigneur/censitaire[7]. D'autres références intéressantes semblent montrer que cette « dépersonnalisation » de la propriété seigneuriale n'est pas restreinte à la seigneurie de Beauharnois. Benoît Grenier a, entre autres, relevé que le secrétaire-trésorier du SNRRS, J.-R. Forest, était auparavant au service de la Banque canadienne de commerce en tant que « responsable de la perception des rentes du district de Saint-Hyacinthe, pour laquelle était mandatée cette institution financière[8] ». Dans sa récente biographie de Joly de Lotbinière, seigneur du fief de Lotbinière, Jack I. Little souligne aussi l'existence d'un bureau de perception des rentes seigneuriales, jusqu'en 1947[9]. Malgré la permanence de cet établissement tard dans les années 1940 à Lotbinière, il importe de mentionner que c'est le 11 novembre 1940 que les censitaires payent une dernière fois leurs rentes aux seigneurs. Cependant, afin de rembourser la dette contractée par le SNRRS auprès des banques pour indemniser les seigneurs, les anciens censitaires devront payer une taxe seigneuriale, cette fois à leur municipalité. Le remboursement se poursuit dans certaines municipalités jusqu'en 1970.

7. André LaRose, « Dépersonnalisation et financiarisation de la seigneurie : l'exemple de Beauharnois de 1839 à 1941 », communication présentée au congrès de la Société historique du Canada, St. Catharines (Ontario), 26 mai 2014.

8. Benoît Grenier, « "Le dernier endroit dans l'univers" : à propos de l'extinction des rentes seigneuriales au Québec, 1854-1974 », *Revue d'histoire de l'Amérique française*, vol. 64, n° 2, automne 2010, p. 88.

9. Jack I. Little, *Patrician Liberal. The Public and the Private Life of Sir Henri-Gustave Joly de Lotbinière, 1829-1908*, Toronto, University of Toronto Press, 2013, p. 74.

Les recherches récentes[10] concernant les persistances des rentes seigneuriales jusqu'en 1940 montrent que les derniers seigneurs québécois entre 1854 et 1940 composent un groupe extrêmement diversifié. On y trouve à la fois des individus, des groupes familiaux, ainsi que des institutions laïques et ecclésiastiques. Dans un peu plus de la moitié des fiefs, les seigneurs de 1940 sont les descendants des seigneurs de 1854 alors que, dans l'autre moitié, une fracture dans la lignée seigneuriale s'est effectuée. Tout comme pour les périodes précédentes (1626-1763 et 1763-1854[11]), la transformation du groupe seigneurial entre 1854 et 1940 se fait au rythme des nouvelles structures économiques et sociales. En de nombreux endroits, le prestige attribué à la fonction de seigneur semble également se perpétuer jusqu'en 1940 et même au-delà. Compte tenu de l'historiographie[12] et des nombreux cas de « nouveaux seigneurs », tout laisse à penser que, pour bon nombre d'entre eux, le statut de seigneur constitue une marque de distinction sociale, même dans le Québec de la première moitié du XXe siècle. Parallèlement aux continuités et aux ruptures dans le groupe seigneurial entre 1854 et 1940, la seigneurie semble constituer un placement rentable tout au long de la période. Même si de nombreux droits seigneuriaux sont abolis au terme de la loi de 1854, l'acquisition de seigneuries par de nouveaux venus semble effectivement montrer que les rentes constituées demeurent un investissement de choix

---

10. Benoît Grenier (en collaboration avec Michel Morissette), « Les persistances de la propriété seigneuriale au Québec. Les conséquences d'une abolition partielle et progressive (1854-1970) », *Histoire et sociétés rurales*, vol. 40 (2e trimestre 2013), p. 61-96.

11. Soit les régimes français, puis britannique.

12. Robert Fournier, *Seigneurie de Matane*, Matane, Société d'histoire de Matane, 1978, p. 127 ; Henri Masson, *La seigneurie de Terrebonne sous le Régime français*, Montréal, s.e., 1982, p. 187-188 ; Gérard Bernier et Daniel Salée, *Entre l'ordre et la liberté. Colonialisme, pouvoir et transition vers le capitalisme dans le Québec du XIXe siècle*, Montréal, Boréal, 1995, p. 218 ; Christian Dessureault, « Industrie et société rurale : le cas de la seigneurie de Saint-Hyacinthe des origines à 1861 », *Histoire sociale/Social History*, vol. 28, nº 55, mai 1995, p. 99 ; Brian Young, « Revisiting Feudal Vestiges in Urban Quebec », dans Nancy Christie (ed.), *Transatlantic Subjects. Ideas, Institutions, and Social Experience in Post-Revolutionary British America*, Kingston et Montréal, McGill-Queen's University Press, 2008, p. 137 ; Benoît Grenier, « Élites seigneuriales, élites municipales. Le pouvoir seigneurial à l'heure de l'abolition », dans Thierry Nootens et Jean-René Thuot (dir.), *Les figures du pouvoir à travers le temps. Formes, pratiques et intérêts des groupes élitaires au Québec, XVIIe-XXe siècles*, Québec, Presses de l'Université Laval, 2012, p. 62-63 ; Little, *op. cit.*

jusqu'en 1940. Tout comme les cadastres abrégés de 1864, les procès-verbaux du SNRRS, qui renferment l'état détaillé des chèques versés dans les années 1940, montrent cependant que la valeur des fiefs était très variable.

Sur ce point, nous pouvons réitérer qu'avant 1854 les revenus d'un fief sont directement liés à son niveau de peuplement[13]. Serge Courville apporte cependant une nuance régionale au paiement des cens et rentes[14]. Il en arrive à la conclusion que les cens et rentes sont plus élevés dans la région de Montréal (concédées plus tardivement), ajoutant néanmoins que les rentes sont « très diversifiées, en raison de facteurs historiques, géographiques, démographiques, économiques et sociaux, qui en font un reflet des changements socio-économiques de la période[15] ». Outre les cens et rentes, les autres droits lucratifs du seigneur constituaient des privilèges distinctifs qui pouvaient parfois représenter des montants substantiels[16]. Parmi ces nombreux droits, on retrouve les lods et ventes (le douzième du prix de vente d'une censive qui doit être versé au seigneur), le droit de retrait (qui permet au seigneur de récupérer une terre pour son propre usage ou dans le but de la revendre) ainsi que les banalités et monopoles du seigneur (droits qui se caractérisent le plus souvent par la perception d'une partie de la production du censitaire : droit de mouture, droit de couper son bois, droit de pêche, redevance de commune et corvées). Toutes ces prérogatives ont d'ailleurs engendré de nombreux conflits entre seigneurs et censitaires[17], en plus

---

13. Richard C. Harris, *The Seigneurial System in Early Canada. A Geographical Study*, Montréal et Kingston, McGill Queen's University Press, 1984 (1966).

14. Serge Courville, « Rente déclarée payée sur la censive de 90 arpents au recensement de 1831, méthodologie d'une recherche », *Cahier de géographie du Québec*, vol. 27, nº 70, 1983, p. 43-61.

15. Serge Courville et Normand Séguin, *Le coût du sol au Québec. Deux études de géographie historique*, Sainte-Foy, Presses de l'Université Laval, 1996, p. 77.

16. Benoît Grenier mentionne que « les droits casuels constituent des revenus moins certains, mais souvent plus intéressants pour les seigneurs ». Benoît Grenier, *Brève histoire du régime seigneurial*, Montréal, Boréal, 2012, p. 81.

17. Alain Laberge, « État, entrepreneur, habitants et monopole : le "privilège" de la pêche au marsouin dans le Bas-Saint-Laurent, 1700-1730 », *Revue d'histoire de l'Amérique française*, vol. 37, nº 4, mars 1984, p. 543-556 ; Solange De Blois, « Les moulins de Terrebonne (1720-1775) ou les hauts et les bas d'une entreprise seigneuriale », *Revue d'histoire de l'Amérique française*, vol. 51, nº 1, été 1997, p. 39-70.

d'alimenter la critique de l'institution seigneuriale dans l'historiographie à compter des années 1960[18]. Malgré la perte de nombreux droits, si la tendance s'est maintenue à la suite de l'abolition du régime seigneurial, les revenus seigneuriaux de bon nombre de fiefs ont dû être relativement intéressants. En effet, il est parfaitement logique de croire que, même s'il s'agit le plus souvent de petits montants (la rente constituée pouvait varier de quelques sous à quelques dollars), une fois cumulés, les revenus de cette rente pouvaient probablement représenter un montant substantiel pour beaucoup de propriétaires de rentes. La thèse d'André LaRose sur la seigneurie de Beauharnois montre d'ailleurs que les revenus nets tirés de la seigneurie sont même plus importants après l'abolition du régime seigneurial qu'avant[19].

Ainsi, ce texte traite de la persistance des rentes constituées et de la pérennité de ce type d'investissement. Afin d'explorer les persistances des revenus seigneuriaux entre le XIXe et le XXe siècle, nous abordons d'abord la valeur des rentes en 1854 et la valeur de ce qui est toujours payé en 1940. Par la suite il est question des indemnisations des années 1940 et des rares cas d'indemnités refusées ou de réclamations rejetées.

Un portrait de la valeur des fiefs en 1854

Dans le but d'établir la valeur des fiefs au moment de l'abolition du régime seigneurial au XIXe siècle, nous avons eu recours aux cadastres seigneuriaux[20]. La valeur de la propriété seigneuriale y est effectivement compilée fief par fief. Les données des cadastres

18. Louise Dechêne, *Habitants et marchands de Montréal au XVIIe siècle*, Paris, Plon, 1974, 592 p.; Allan Greer, *Habitants, marchands et seigneurs. La société rurale du bas Richelieu, 1740-1840,* Sillery (Québec), Septentrion, 2000 (1985), 358 p.; Sylvie Dépatie, Mario Lalancette et Christian Dessureault, *Contributions à l'étude du régime seigneurial canadien*, LaSalle (Montréal), Hurtubise HMH, 1987, 296 p.

19. André LaRose, *La seigneurie de Beauharnois, 1729-1867: les seigneurs, l'espace et l'argent*, Thèse (Ph. D.), Université d'Ottawa, 1987, p. 544.

20. *Cadastres abrégés des seigneuries des districts de Québec, Montréal, Trois-Rivières et de la Couronne,* Québec, Derbishire et Desbarats, 1864, 7 volumes. Ci-après *Cadastres abrégés.*

incluent les manoirs seigneuriaux, les domaines, les moulins banaux et autres droits de banalité, les droits lucratifs, incluant les cens et rentes, ce qui permet l'élaboration d'un portrait d'ensemble. Il est à noter que 24 cadastres sur 455 ont été retirés de l'analyse puisqu'ils contenaient des montants en livres sterling ou en louis et non en dollars (1 dans le district de Montréal, 5 dans celui de Trois-Rivières et 18 dans celui de Québec). Certains des cadastres, comme celui de la seigneurie de Sorel[21], où des montants en louis étaient indiqués, ont tout de même fait partie du calcul puisque la conversion en dollars a été faite dans les rapports du SNRRS. Le tableau 1 présente les données relatives à 431 des 455 cadastres établis dans la foulée de la loi de 1854.

Premier constat : la valeur totale de l'ensemble des indemnisations s'élève à un peu plus de 9,2 millions de dollars. Considérant qu'il manque 24 cadastres, dont certains représentent des seigneuries importantes avec une très grande valeur[22], ces chiffres se rapprochent du montant de 10 millions de dollars avancé en 1940 par le notaire et vice-président du SNRRS, Victor Morin[23]. Fait à noter, dans plus de la moitié des seigneuries il n'y a aucune indemnisation pour les banalités, moulins, domaines, manoirs et les terres non concédées. Ce sont donc les cens et rentes ainsi que les lots et ventes qui représentent l'essentiel de la valeur des seigneuries selon ces données. Autre constat : les cens et rentes représentent un peu plus de 40 % de la valeur totale des seigneuries lors de l'abolition. Ainsi, grâce aux rentes constituées, les seigneurs conservent, entre 1854 et 1940, le droit le plus lucratif de leur fief.

21. BANQ-Québec, Fonds E39 – *Syndicat national du rachat des rentes seigneuriales*, série 100, sous-série 1, Sorel, rapport 12. Ci-après BAnQ-Q, E39, S100, SS1.

22. Parmi les 24 cadastres retirés, on en compte plusieurs appartenant à des institutions, dont la Couronne : Laprairie-de-la-Madeleine, Lotbinière, Sainte-Croix, Joliet, Saint-Gabriel, Batiscan et Cap-de-la-Madeleine.

23. Victor Morin, « La féodalité a vécu… », *Les Cahiers des Dix*, n° 6, 1941, p. 280.

TABLEAU I

Valeur globale, en dollars, des seigneuries au moment de leur abolition, d'après les cadastres abrégés

Valeur aux cadastres	Capital des cens et rentes	Lods et ventes	Banalités	Moulins	Domaine et manoir	Terres non concédéeses	Autres	Total
Valeur totale	3 688 488,71*	2 756 030,90	127 019,03	896 680,42	984 004,50	563 541,25	13 336,80	9 201 679,91**
Moyenne	8 538,16	6 379,70	294,02	2 075,64	2 277,78	1 304,49	30,87	21 064,41
Montant le plus élevé	242 276,50	217 301,87	12 000	89 000	200 000	136 250	3 644,66	411 834
Seigneurie concernée	Beauharnois	Île-de-Montréal	Beaupré	Beauharnois	Sault-au-Matelot***	Beaupré	Brussy et Laframboise****	Beauharnois

* La somme totale des cens et rentes, des 455 cadastres, est malgré tout estimée à 3 908 928,09 $ par le SNRRS. BAnQ-Q, E39, S100, SS1.

** Il est à noter que la somme des droits seigneuriaux donne 9 029 101,61 $. Cependant, plusieurs seigneuries ont été cadastrées différemment et la somme indiquée pour la valeur du fief n'est pas détaillée. On y retrouve uniquement la valeur totale du fief sans aucune autre explication. En tout, cinq seigneuries ont été cadastrées de cette manière, il s'agit de seigneuries périphériques qui sont inhabitées au moment de l'abolition : Hubert, Mille-Vaches, Mingan, l'Île-d'Anticosti et Perthuis. *Cadastres abrégés.*

*** Il s'agit du « terrain occupé par le seigneur » : *Cadastres abrégés*, Québec, cadastre 15.

**** Cette seigneurie relève du fief de l'Île-Perrot : *Cadastres abrégés*, Montréal, cadastre 64. Il est à noter que la valeur de l'ensemble de ce fief est de 3 644,66. Le cadastre n'indique pas la provenance des autres revenus.

Source : *Cadastres abrégés.*

La valeur des rentes « seigneuriales » après 1854 et les rentes payées en 1940 : état du rachat

En comparant la valeur totale des rentes déclarées dans les cadastres seigneuriaux publiés en 1864 aux montants réclamés par les seigneurs et mentionnés dans les rapports du SNRRS sur les titres seigneuriaux, datant du début des années 1940, il est aisé de mesurer l'ampleur du processus de rachat entre 1854 et 1940. Ces indicateurs montrent une persistance massive du paiement de la rente constituée vers 1940. Il faut aussi préciser que les sommes dues aux seigneurs en vertu de l'Acte seigneurial de 1854 n'étaient pas indexées ; elles étaient immuables. Cette caractéristique de la rente constituée fait en sorte qu'au fil du temps les rentes perdent de la valeur compte tenu de l'inflation[24] et de l'augmentation du coût de la vie. La même particularité fait aussi en sorte que les montants réclamés en 1940 peuvent être comparés à ceux du XIXe siècle.

TABLEAU 2

Valeur en dollars comparée des rentes constituées en 1854 et en 1940 en proportion de celles qui sont encore dues aux seigneurs en 1940, par district

Districts	Capital des rentes d'après les cadastres de 1864	Capital des rentes réclamées par les seigneurs (1940)	Proportion du capital des rentes dues aux seigneurs en 1940
Québec	1 037 194,72	739 215,49	71 %
Montréal	2 426 514,41	2 013 469,69	83 %
Trois-Rivières	445 218,96	403 457,32	91 %
Total	3 908 928,09	3 156 142,50	81 %

Source : *Cadastres abrégés* et BAnQ-Q, E39, S100, SS1.

Comme l'indique le tableau 2, à l'échelle du Québec « seigneurial », ce sont plus de 80 % des rentes qui sont toujours payées aux

24. Le taux annuel moyen d'inflation entre 1914 et 1940 était de 1,06 % d'après Statistique Canada. Statistique Canada, *Feuille de calcul de l'inflation*, [En ligne] [http :// www.banqueducanada.ca/taux/renseignements-complementaires/feuille-de-calcul-de-linflation/] (Consulté le 3 juin 2014).

détenteurs des droits seigneuriaux autour de 1940. Puisqu'ils sont peu nombreux à avoir procédé au rachat des rentes dans l'intervalle 1854-1940, les censitaires qui paient leur rente annuelle sont donc la norme et non l'exception. Dans la région de Trois-Rivières, le capital réclamé, en 1940, s'élève à 91 % du montant enregistré au cadastre du XIXe siècle, ce pourcentage est de 71 % pour la région Québec et de 83 % pour celle de Montréal. Les données compilées pour l'ensemble des 455 cadastres permettent aussi de dire qu'il y avait 86 086 censives, en 1854, sur l'ensemble du territoire laurentien. Les données du SNRRS révèlent, quant à elles, la persistance de 65 000[25] « censives » (correspondant à près de 500 000 personnes dans le Québec d'alors[26]) ; ainsi près de 75,5 % des censives de 1854 étaient toujours assujetties à des paiements de nature seigneuriale en 1940. Ces chiffres confirment la vraisemblance du taux de 81 % de rentes toujours payées en 1940.

On constate également que certains fiefs montrent en 1940 des revenus supérieurs à ceux de 1854. On peut s'étonner de cette dernière situation compte tenu du caractère supposément immuable des rentes. Comment expliquer pareille croissance de la valeur des rentes après l'abolition du régime ? La réponse se trouve vraisemblablement dans les activités foncières de la seconde moitié des années 1850 et du début des années 1860, soit de l'adoption de la loi abolissant les rentes à la fin des travaux entourant la confection du cadastre. Des concessions de censives ont effectivement lieu dans quelques seigneuries après l'entrée en vigueur de la loi de 1854 et après la réalisation des cadastres dans ces fiefs, avec pour effet de continuer à faire croître la somme des rentes. Par exemple, il est indiqué dans le rapport de la seigneurie Dessaulles Propre (issue du démembrement du fief de Saint-Hyacinthe) que « cette réclamation comprend un certain nombre de rentes constituées créées après le cadastre ». Le cadastre de ce fief ayant été clos le

25. BAnQ-M, P21, Procès-verbaux du SNRRS.

26. Il est difficile d'évaluer avec précision la proportion de la population du Québec des années 1930 (3 millions de personnes) qui est affectée par les rentes constituées. Considérant une moyenne de 4,5 enfants par famille à cette époque, on peut tout de même estimer que les 65 000 ménages correspondent à près de 500 000 habitants, soit un sixième de la population du Québec à l'époque.

24 janvier 1861, cela nous place près de sept ans après la loi de 1854[27].

Des cas d'exceptions, où les rentes ont été rachetées en plus grande proportion, sont malgré tout recensés. Dans le cas de la seigneurie de l'Île-Jésus dans le district de Montréal, la somme capitalisée des cens et rentes s'élevait à 27 457,50 dollars lors de l'abolition de 1854 alors qu'elle n'était plus que de 11 519,93 dollars en 1940, ce qui représente seulement 42 % du montant estimé en 1854. Des études ciblées à l'échelle des localités permettraient sans doute de comprendre pourquoi la commutation de tenure est plus avancée dans certaines seigneuries que dans d'autres. Des hypothèses ont d'ailleurs déjà été formulées. En effet,

> aux 17e et 18e siècles, les conditions d'accès à la terre, notamment les rentes annuelles, étaient inférieures à ce qui sera exigé pour les nouvelles concessions dans les seigneuries à compter de la fin du 18e et plus encore au 19e siècle, lorsque la terre commencera à se faire plus rare dans la vallée du Saint-Laurent. Or, en vertu du droit seigneurial, les rentes sont inamovibles, ne pouvant être augmentées, à la différence d'un loyer par exemple. Or, la valeur des rentes constituées établie pour chaque censive lors de la confection des cadastres des années 1850 équivaut aux anciennes rentes seigneuriales. On peut donc imaginer que, dans certaines vieilles seigneuries comme Beauport [où seulement 25 % des rentes sont toujours payées en 1940], l'état de la commutation est plus avancé pour cette raison[28].

Les archives du SNRRS contiennent également des éléments de réponse à ces questionnements. On y trouve, entre autres, les papiers terriers datant de 1935 montrant l'étendue des paiements effectués à l'échelle de chacune des censives[29]. On peut ainsi savoir qui paie encore sa rente à cette époque. Croisés avec les *Cadastres abrégés* de 1864, ces terriers permettraient de mieux comprendre

27. BAnQ-Q, E39, S100, SS1, rapport 66.
28. Grenier (avec la collaboration de Morissette), *loc. cit.*, p. 76.
29. BAnQ-Q, E39, S100, SS2.

le processus de rachat à l'échelle de chacune des seigneuries. Sans avoir fait ces recherches approfondies, on peut tout de même avancer d'autres hypothèses concernant l'ampleur plus ou moins prononcée du rachat des rentes dans les diverses seigneuries : la proximité de la ville, la détermination de propriétaires de seigneuries d'en finir plus rapidement avec les paiements ou encore la participation des municipalités dans un rachat survenu avant la création du SNRRS. Un processus similaire à celui du SNRRS a effectivement été fait dans le fief Claus, à Blainville, et probablement à d'autres endroits. Le rapport du fief Claus indique effectivement que la paroisse de Sainte-Thérèse-de-Blainville « a fait en 1928, pour les rentes situées dans les limites de son territoire, la même opération que le Syndicat fait présentement à l'égard de toutes les seigneuries de la province[30] ». Nous devons également souligner la présence, dans le fonds du SNRRS, de cahiers rouges qui permettent de savoir quels censitaires n'ont pas payé leurs rentes depuis au moins 1930[31]. Leur consultation révèle que ce ne sont pas tous les censitaires qui sont assidus dans leur paiement (ou tous les seigneurs qui sont rigoureux dans la collecte des rentes constituées), certains n'ayant pas payé depuis la fin du XIXe siècle. Ces sommes impayées depuis plus de cinq ans seront ainsi soustraites des indemnisations versées par le SNRRS dans les années 1940.

Quoi qu'il en soit, ce sont près de quatre censitaires sur cinq qui paient toujours une rente « seigneuriale » vers 1940. La persistance de ces paiements montre-t-elle un certain traditionalisme ou conservatisme de la part des censitaires ? Ou plutôt, comme l'a signalé Télesphore-Damien Bouchard dans son discours prônant l'abolition des rentes seigneuriales en 1926, le rachat des rentes est-il plus coûteux que ne laissent paraître les petites sommes en cause[32] ? On peut effectivement penser que les frais de notaire, de quittance et d'enregistrement, qui doivent être assumés par le censitaire lors d'un rachat, dépassent probablement les coûts liés

30. BAnQ-Q, E39, S100, SS1, rapport 62 ; BAnQ-Q, E39, S100, SS1, rapport 94.

31. BAnQ-Q, E39, S100, SS2.

32. Télesphore-Damien Bouchard, *Le rachat des rentes seigneuriales. Discours prononcé à la Législature de Québec le mercredi 17 février 1926*, Saint-Hyacinthe, Imprimerie Yamaska, 1926.

à la poursuite des paiements. Quelle qu'en soit la raison, la persistance de ces revenus pour les seigneurs va finalement donner lieu à l'envoi massif de chèques d'indemnisation dans les années 1940.

Les chèques d'indemnisation des années 1940 : qui sont les gagnants et les perdants ?

En tout, ce sont 715 chèques[33], totalisant 3 193 997,96 dollars, qui sont envoyés par le SNRRS entre le 4 décembre 1940 et le 25 janvier 1950[34]. Ce chiffre laisse croire que, dans la majorité des cas, les seigneurs de 1940 ont été dédommagés pour leur réclamation qui s'élevait, pour l'ensemble des réclamants, à 3 156 142,50 dollars. Ce total est moins élevé que ce qui a été donné en dédommagement puisque les montants des chèques comprennent également les intérêts dus aux seigneurs depuis le 11 novembre 1940. En combinant les chèques faits à un même seigneur ou à un groupe de propriétaires, on remarque en outre qu'un peu plus de la moitié des chèques dans les années 1940, soit 52,6 % (260 sur 494[35]), présentent des sommes totalisant un montant supérieur à 1 000 dollars. De plus, la moyenne de tous ces chèques s'élève à près de 6 500 dollars. Comme il pouvait y avoir plusieurs seigneurs par seigneurie, la moyenne par fief se situe à 13 947,58 dollars. On constate donc que, malgré les faibles coûts associés au paiement des rentes constituées par les censitaires, il en allait autrement pour les seigneurs puisque la somme capitalisée de l'ensemble de ces paiements peut représenter des montants substantiels pour l'époque. C'est ce montant capitalisé sans égard aux sommes versées par les censitaires depuis le XIXe siècle en guise

33. Fait à noter, comme il n'y a que 550 seigneurs pour 715 chèques, nombre d'entre eux en reçoivent plusieurs.

34. BAnQ-Q, E39, S1, Procès-verbaux du SNRRS.

35. Ce chiffre est différent des 550 seigneurs répertoriés puisqu'un chèque pouvait quelquefois être versé à un seul représentant d'une famille, même si l'on compte de nombreux propriétaires pour ce fief. Aussi, on voit des chèques versés à la fois à une institution et à un individu, d'où la présence de chèques mixtes. Nous utilisons également cette base dans le tableau 3.

de rentes constituées[36] qui est versé aux seigneurs dans les années 1940[37].

Le tableau 3 montre la répartition des versements selon le type de seigneurs. On y constate, sans étonnement, que ce sont les « individus » qui reçoivent la plus grande part des indemnisations, soit plus de 63 % du montant. Cependant, on remarque que les institutions reçoivent un peu plus de 30 % des indemnités tout en représentant moins de 6 % des propriétaires de rentes en 1940. Cette tendance est plus marquée pour les institutions laïques, qui représentent seulement 2,63 % des propriétaires, mais qui touchent plus de 20 % des remboursements. De plus, les chèques à bénéficiaires mixtes (qui concernent à la fois, au moins, une institution et un individu) confirment que les institutions sont présentes dans les fiefs de grande valeur, même si elles partagent les revenus. En proportion, les institutions apparaissent comme les grandes gagnantes de tout le processus d'abolition débuté au XIXe siècle.

TABLEAU 3

Répartition des chèques d'indemnisation du SNRRS par type de seigneurs dans les années 1940

Type de seigneurs	Montant total reçu (en dollars)	% par rapport au total	% des propriétaires
Individus	2 030 183,60	63,60 %	93,32 %
Institutions religieuses	292 591,69	9,17 %	2,83 %
Institutions laïques	669 000,89	20,96 %	2,63 %
Couronne	92 157,82	2,89 %	0,20 %
Chèques mixtes	107 975,02	3,38 %	1,01 %
Total	**3 191 909,02**	**100 %**	**100 %**

Source : BAnQ-Q, E39,S1, Procès-verbaux du SNRRS.

36. Puisque la rente n'était pas « rachetée », la rente constituée était payée à perpétuité et ne réduisait pas le capital. Dans le cas contraire, les paiements se seraient arrêtés après dix-sept années… Or, des témoignages de censitaires des années 1940 montrent que ceux-ci avaient certainement conscience d'avoir payé plusieurs fois la valeur du capital en ne procédant pas au rachat. Gabrielle Roy, « Mort d'extrême vieillesse », *Le Bulletin des agriculteurs*, février 1941, p. 8 et 34-35. Voir la contribution de Benoît Grenier dans le présent ouvrage.

37. Le paiement annuel de la rente constituée ne contribuait pas à amortir le capital de la rente. C'est pourquoi il est racheté en totalité dans les années 1940.

Les cas de certains éminents seigneurs de la catégorie institutionnelle méritent d'être abordés. Parmi eux, plusieurs reçoivent des montants importants, comme le Montreal Investment Trust qui perçoit une somme de 201 677,71 dollars pour son seul, mais très vaste, fief de Beauharnois, ou encore le Crédit foncier franco-canadien qui reçoit 320 193,60 dollars pour ses 19 seigneuries ou parties de fiefs[38]. Le plus grand propriétaire ecclésiastique, le Séminaire de Saint-Sulpice[39], touche, quant à lui, un peu plus de 90 000 dollars, comparativement à un peu plus de 27 000 dollars pour le Séminaire de Québec. Même l'État québécois, par l'entremise du ministère des Terres et Forêts, a reçu 92 157,82 dollars pour tous les anciens fiefs de la Couronne. Propriétaires de moindre envergure, la Cité des Trois-Rivières reçoit 9 377,82 dollars pour ses avoirs dans la commune des Trois-Rivières, tandis que la compagnie d'assurance Les Prévoyants du Canada se distingue avec un dédommagement de 11 869,82 dollars. En pleine Seconde Guerre mondiale, un citoyen français seigneur d'une partie de Rigaud, Antoine Philippe de Ste-Marie D'Agneaux, posera problème au SNRRS, « vu la situation actuelle [en avril 1941] des relations de notre pays [le Canada] avec la France[40] ». Compte tenu de l'invasion allemande de 1940, le chèque de 2 957,39 dollars qui lui était destiné sera finalement versé, à la suite d'un manque de communication résultat d'une correspondance « datant d'il y a cinq ans », au Séquestre des biens ennemis, le 18 novembre 1941[41].

Certains individus reçoivent aussi des montants substantiels. Parmi eux, mentionnons Rosaire Dupuis qui obtient 65 045,45 dollars pour ses fiefs d'Ailleboust, de Ramesay, de Hertel et Linctot. Pour sa part, Edward Vivian De Léry Orr touche près de 82 000 dollars pour le fief de Léry situé dans la vallée du Richelieu. On remarque également le cas de Clara MacGuire-Taschereau, l'une des héritières

38. BAnQ-Q, E39, S1, Procès-verbaux du SNRRS.

39. Le territoire de la ville de Montréal, propriété du Saint-Sulpice, a fait l'objet d'une loi spéciale dès 1840. Ainsi, l'indemnisation pour le Séminaire du Saint-Sulpice concerne uniquement leur seigneurie du Lac-des-Deux-Montagnes, le fief du Saint-Sulpice et la seigneurie de l'Île-de-Montréal (la cité et la paroisse de Montréal exceptées). BAnQ-Q, E39, S100, SS1, rapport 132.

40. BAnQ-Q, E39, S100, SS1, rapport 41.

41. BAnQ-Q, E39, S1, Procès-verbaux du SNRRS.

de l'éminente famille Taschereau, qui reçoit 13 205,17 dollars pour une partie de la seigneurie de Saint-Joseph en Beauce. Ces sommes ne sont donc pas négligeables pour bon nombre de propriétaires, d'autant plus qu'il s'agit alors d'un « revenu d'appoint » pour la plupart de ces individus qui exercent d'autres fonctions, à commencer par Henri Bourassa, fondateur du quotidien *Le Devoir*, qui reçoit 10 141,07 dollars pour sa partie de la seigneurie de la Petite-Nation. Sans avoir procédé à une analyse détaillée des fonctions et professions exercées par les seigneurs, on peut aisément émettre l'hypothèse que les individus concernés ne vivent pas uniquement des revenus de leurs seigneuries. Effectivement, « de nombreux faits corroborent aussi l'engagement des seigneurs dans l'activité industrielle[42] ». Le courtier new-yorkais George Bonner, qui achète la seigneurie de Mount Murray en 1902 pour la somme de 50 000 dollars[43], et le baron du bois Evan John Price[44], qui obtient le fief de Sainte-Anne-de-la-Pérade des héritiers Hale en 1865[45], illustrent très bien ce constat.

En contrepartie, et malgré l'abondance d'argent, certaines personnes ont reçu des montants dérisoires. Parmi eux se trouvent cinq membres de la famille Lozeau à Baie-du-Fevbre, qui reçoivent une indemnisation d'à peine 2,29 dollars chacun. Dans le même ordre d'idées, on compte 6 des 43 propriétaires de la seigneurie Carufel qui touchent un montant négligeable de 3,39 dollars chacun. Autrement dit, la répartition des revenus seigneuriaux entre les seigneurs est très inégale et varie fortement d'une seigneurie

42. John A. Dickinson et Brian Young, *Brève histoire socio-économique du Québec*, quatrième édition, Québec, Septentrion, 2009, p. 197.

43. Louis Pelletier, *La seigneurie de Mount Murray. Autour de La Malbaie, 1761-1860*, Québec, Septentrion, 2008, p. 300.

44. Ce dernier hérita de son père, William Price, d'un grand empire industriel dans le domaine des pâtes et papiers. La famille Price est aussi connue pour avoir développé le secteur forestier de la région du Saguenay–Lac-Saint-Jean. De ce point de vue, il serait également intéressant de savoir si les terres non concédées à l'intérieur de la seigneurie de Sainte-Anne-de-la-Pérade ont également été acquises par Price afin d'y développer l'industrie forestière. Pour plus d'information voir Louise Dechêne, « William Price », dans Andrew Smith et Andrew Ross (dir.), *Les Entrepreneurs canadiens. Du commerce des fourrures au krach de 1929*, Québec, Presses de l'Université Laval, 2011, p. 228-235.

45. Ce fief est d'ailleurs incorporé dans la compagnie familiale des Price en 1905 : la Price Brother & Company Limited (BAnQ-Q, E39, S100, SS1, rapport 35-153).

à l'autre. Certaines, très lucratives, viennent masquer la faible valeur d'autres seigneuries.

Indemnités non réclamées et indemnisations refusées

Malgré tout ce processus, certains seigneurs n'auront toujours pas été remboursés dans les années 1970, faute de réclamation de leur part. Parmi les 23 fiefs « non rachetés », on compte les seigneuries de Saint-Normand, de Monceaux, une partie de Neuville et la troisième partie de L'Islet–Saint-Jean. Les montants associés à ces fiefs varient de 7,50 dollars, pour une partie de Saint-Michel détenue par un certain Joseph Blais, à 2 371,68 dollars, pour une partie du fief de Lavallière possédé par monsieur « Tonnancourt et autres ». Si l'absence de réclamation peut être justifiée dans le cas de la seigneurie de Saint-Michel et des autres fiefs où les montants estimés sont dérisoires[46], elle est toutefois très étonnante pour celui de « Lavallière et de Saint-Normand » qui est évalué à 1 959,30 dollars. La somme de ces indemnités impayées est estimée à 9 568,86 dollars[47] par le SNRRS, soit une moyenne de 416,04 dollars par seigneurie.

Une note dans les procès-verbaux du SNRRS, en septembre 1973, indique « qu'aucune procédure n'a été intentée dans aucun de ces dossiers[48] ». Ces rares cas nous montrent un certain détachement de la part de quelques seigneurs envers leur propriété seigneuriale, soit par indifférence, soit par incapacité à faire une réclamation au Syndicat, ou simplement par ignorance de leurs droits. Quelques autres réclamations ont également été refusées lors du processus de rachat. En tout, ce sont 12 demandes qui sont écartées par le SNRRS au cours des années 1940. Certaines de ces réclamations sont faites sur de supposées seigneuries comme « les soi-disant fiefs

46. Gertrude Chrétien pour une partie du fief de Boucherville avait droit à un capital estimé de 35,34 dollars, Joseph C. Hébert à 25 dollars pour le fief Saint-Joseph ou Fournier, Jean Leblond à 20,82 dollars pour une partie de Trois-Pistoles et Mme Louis Trudeau à 16,17 dollars pour une partie de Boucherville. BAnQ-Q, E39, S1, Procès-verbaux du SNRRS.

47. BAnQ-Q, E39, S1, Procès-verbaux du SNRRS.

48. *Ibid.*

de Kildare, Laviollette, Fort-Ville ou encore celui dit des "Six mille Acres" qui n'est en fait qu'une concession en franc et commun socage de... 6000 acres[49] ! » Que ce soit de la malhonnêteté ou de l'ignorance, ces quelques cas sont malgré tout très marginaux dans l'ensemble des rapports. En tout, les demandes rejetées représentent seulement 3,5 % de l'ensemble des rapports.

On retrouve aussi des situations où le capital des rentes constituées était inférieur au coût de la confection des documents nécessaires à la réclamation, ce qui aurait incité les propriétaires à ne rien réclamer. C'est le cas, entre autres, de la réclamation faite par Arthur Saint-Laurent pour la 12e partie de la seigneurie de Rimouski. De cette réclamation, le notaire Laurent Lesage dira : « Monsieur Saint-Laurent nous paraît de bonne foi et [...] il aime mieux perdre plutôt que de dépenser $50.00 pour en retirer $12.50[50]. » C'est cependant le notaire Lucien Morin qui nous indique la source du problème : « Vu l'absence du Certificat du Revenu pour la succession de Dame Amable Saint-Laurent, je considère les titres produits insuffisants et pour cette raison [je] rejetterais cette réclamation[51]. » Ce « certificat du revenu » n'a probablement jamais été produit puisque la réclamation a finalement été rejetée.

L'exemple d'une partie de la seigneurie de Boucherville, qui a fait l'objet d'un refus de la part du SNRRS, vient s'ajouter à la difficulté de retrouver l'ensemble des titres seigneuriaux dans les fiefs où le morcellement était bien enclenché avant l'abolition. Avant 1854, la seigneurie de Boucherville a été morcelée en 18 parties possédées par autant de seigneurs, certains des propriétaires possédant des rentes « dans le village, une autre dans les rangs ou concessions et enfin une autre dans les îles[52] ». Il n'était donc pas rare que des seigneurs différents prélèvent des rentes sur des terres qui se touchaient et que, vu leur nombre, des confusions soient survenues quant à la possession de certaines parts. Ainsi, vu l'absence de titre, la réclamation de 208,33 dollars de mademoiselle Flore Normandin fut rejetée. Le notaire, Lucien Morin, évoque également

49. Grenier, « "Le dernier endroit dans l'univers" », *loc. cit.*, p. 92.
50. BAnQ-Q, E39, S100, SS1, rapport 35-37.
51. *Ibid.*
52. BAnQ-Q, E39, S100, SS1, rapport 158.

des éléments qui laissent croire que l'établissement des titres de propriété de ce fief aurait peut-être coûté plus cher que la valeur du capital de cette seigneurie[53].

Ces cas marginaux d'indemnités refusées ou de réclamations rejetées montrent clairement qu'il s'agit, le plus souvent, de seigneuries de peu de valeur ou carrément de fiefs « inventés ». Ainsi, la rupture du lien seigneur/censitaire en 1940, marquée par une indemnisation finale, laisse clairement voir que les seigneurs sont les grands gagnants de tout ce processus. Ceux-ci ont, dans une large majorité, su profiter au maximum de cette ultime réparation orchestrée par le SNRRS.

Conclusion

L'analyse des cadastres de 1864 a montré que la valeur de l'ensemble des fiefs était d'environ 10 millions de dollars lors de l'abolition de 1854. Cependant, grâce aux dispositions de l'Acte seigneurial, les seigneurs ont pu conserver, avec les rentes constituées à la suite de l'abolition, des droits représentant un peu plus de 40 % de la valeur de leur fief. La persistance de ces paiements jusqu'en 1940, dans une proportion supérieure à 80 % de la valeur originelle du capital des rentes constituées, a fait en sorte que les seigneurs de 1940 ont reçu de nombreuses indemnisations, parfois substantielles, qui se sont ajoutées à celles qui avaient déjà été touchées au XIXe siècle par leurs prédécesseurs. Ainsi, les derniers représentants de la classe seigneuriale québécoise se sont vu octroyer des montants allant de quelques dollars à plusieurs centaines de milliers, pour un total de près de 3,2 millions de dollars. Pourtant, malgré les indemnisations et la mise en place du SNRRS, certains seigneurs n'ont touché qu'une part dérisoire de l'ensemble du dédommagement, alors que d'autres ont même choisi de ne rien réclamer compte tenu des coûts reliés à la préparation d'une réclamation au SNRRS. Malgré ces rares cas, le choix du législateur, par les lois de 1935 et 1940, d'indemniser une ultime fois les seigneurs pour la perte de leurs

53. BAnQ-Q, E39, S100, SS1, rapport 158.

droits fait nécessairement de ceux-ci les véritables gagnants de tout ce processus.

À l'opposé, les modalités de l'abolition, en créant une taxe « seigneuriale » payable aux municipalités dans certains cas jusqu'en 1970, font des censitaires les grands perdants de toutes ces transformations. En effet, malgré la volonté « moderniste » et « égalitariste » ayant mené à la suppression des rentes constituées, il n'en demeure pas moins que l'idéologie libérale sous-jacente à tout ce processus, où chacun devait payer son dû jusqu'à l'ultime remboursement et où tous devaient être indemnisés pour la perte de leurs droits, aura finalement engendré une grande iniquité entre les acteurs de cette suppression. Ainsi, Marcel Trudel n'avait pas tort lorsqu'il mentionnait que, dans le processus d'abolition, « il coula un peu d'encre et beaucoup d'argent[54] ».

54. Marcel Trudel, *Le régime seigneurial*, Ottawa, Brochure historique nº 6, 1971 (1956), p. 22.

Réalité, fiction et tradition : la représentation du seigneur et de la seigneurie dans Marguerite Volant[1]

Jean-Michel Daoust

1763 La vie du seigneur Claude Volant, membre de la noblesse militaire, ainsi que celle de sa famille sont bouleversées par la signature du traité de Paris. Marguerite Volant, fille de 20 ans du seigneur Volant, s'enfuit de la seigneurie à la suite de sa tentative de meurtre contre le capitaine anglais James Chase, ce dernier lui vouant un amour secret. Plusieurs mois après son exil en territoire sauvage, Marguerite, maintenant enceinte du rebelle Laval Chevigny, revient à la seigneurie Volant, qui a été vendue entretemps à un Anglais dont on ne connaît pas l'identité. Arrêtée par les autorités pour sa tentative de meurtre, Marguerite acquiesce avec réticence à la demande de mariage du capitaine Chase, mariage lui permettant d'être graciée. De retour dans la seigneurie, achetée par l'Anglais mystérieux qui s'avère être le capitaine Chase, la protagoniste découvre l'homme bon et généreux qu'est son époux et apprend à l'aimer. Voilà résumée en quelques lignes l'intrigue de *Marguerite Volant,* série de 11 épisodes et d'un documentaire de tournage, diffusée sur les ondes de Radio-Canada à l'automne 1996.

---

1. Ce texte est tiré d'un travail présenté pour une activité de recherche intitulée *Seigneurie et société au Québec (XVIIe-XXe siècles)* dirigée par Benoît Grenier en troisième année de baccalauréat en histoire à l'Université de Sherbrooke, à l'automne 2013. Un grand merci à M. Grenier pour son soutien continuel et pour m'avoir motivé à faire de ce texte bien plus qu'un simple travail de session, ainsi qu'à M. Frédéric Demers pour sa lecture du présent texte.

Les œuvres de fiction historique connaissent une immense popularité au Québec depuis plusieurs décennies. Si ces œuvres fictives présentent au public des récits accrocheurs, le souci de « véracité historique[2] » n'est pas nécessairement recherché par les créateurs de ces récits. Même dans le cas où les créateurs déclarent avoir respecté la véracité historique, il n'en demeure pas moins que l'interprétation de vides historiques et la modification des connaissances en histoire, pratiques répandues dans la production artistique, ont pour résultat que ces œuvres de fiction historiques ne peuvent être totalement véridiques en raison même du processus de création artistique. Le problème d'une telle création réside dans son influence prépondérante sur les représentations du passé chez le lectorat ou l'auditoire[3], ceux-ci ne se questionnant pas sur la véracité historique à condition que l'histoire racontée soit intéressante[4]. Face à un tel constat, il est nécessaire que l'historien se penche sur ces représentations afin de remettre en question ce que mettent de l'avant les œuvres de fiction historique, dans le but d'éviter une mauvaise conceptualisation du passé chez le public. Durant la dernière décennie, plusieurs historiens se sont intéressés aux phénomènes de construction, transmission et consolidation des représentations dans les fictions historiques télévisuelles québécoises ; pensons notamment aux travaux de Frédéric Demers sur *Les filles*

2. Sans entrer dans un débat épistémologique autour du relativisme historique, le concept de « véracité historique » avancé renvoie aux interprétations faites par les historiens qui, bien qu'elles soient toujours source de débats, se démarquent du mythe ou de la création fictive par leur méthode reconnue en sciences humaines. Définition influencée par Jean Grondin, « Historicité », *Dictionnaire des sciences humaines*, Presses universitaires de France, [En ligne] [http ://www.puf.com/Dictionnaire :Dictionnaire_des_sciences_humaines/HISTORICIT%C3%89] (Consulté le 11 novembre 2013).

3. Le concept de représentation est défini ainsi par Roger Chartier et Pierre-Antoine Fabre : « Une représentation n'est jamais purement et simplement reçue du passé, comme une fenêtre ouverte sur ce passé, mais elle est aussi pour l'historien une interrogation présente sur la manière dont, dans son propre temps, cette représentation se manifeste à lui, grâce à l'ensemble des médiations par lesquelles elle lui aura été transmise, et qui aurait fait qu'aujourd'hui encore elle soit présente. » Roger Chartier et Pierre-Antoine Fabre, « Représentations (histoire des) », *Dictionnaire des sciences humaines*, Presses universitaires de France, [En ligne] [http ://www.puf.com/Dictionnaire :Dictionnaire_des_sciences_humaines/REPR%C3%89SENTATIONS_%28Histoire_des%29] (Consulté le 9 janvier 2015).

4. Paul Ricœur, *L'histoire, la mémoire, l'oubli*, Paris, Seuil, 2000, p. 339.

de Caleb et à l'analyse de la série *Duplessis* par Éric Bédard[5]. Ces études ont su analyser en profondeur les représentations télévisuelles de divers personnages « historiques » québécois et de diverses époques de l'histoire du Québec. Toutefois, la mise en image au petit écran du régime seigneurial en territoire québécois n'a pas été encore abordée par les historiens. Face à un tel constat, la série *Marguerite Volant* s'avère une source incontournable pour pallier cette lacune. Cette télésérie eut une réception assez mitigée dans la presse, la trame narrative et les textes étant jugés faibles, alors que la direction artistique et la reconstitution historique étaient louangées[6]. Et encore, cet enthousiasme dans les médias pour la reconstitution historique dans *Marguerite Volant* se concentre sur les aspects matériels (objets, décors, vêtements)[7], alors que les thèmes de « seigneur » et de « seigneurie » ne sont nullement évoqués. En raison de ce silence dans la presse et de l'absence d'analyse sur les représentations du régime seigneurial au petit écran, il est pertinent de déterminer quelle représentation du seigneur et de la seigneurie la série *Marguerite Volant* présente aux téléspectateurs. Dans quel courant s'inscrit une telle représentation ?

Avant de se pencher sur l'analyse de la télésérie, il est utile de rappeler que différents courants historiographiques ont pu avoir des répercussions sur cette télésérie. Dans un premier temps, il faut reconnaître la grande influence des deux œuvres du seigneur et auteur Philippe Aubert de Gaspé, *Les Anciens Canadiens* (1863) et ses *Mémoires* (1866), sur la « mémoire historique[8] ». Selon Benoît

---

5. Éric Bédard, « Duplessis, ressuscité. Genèse et réception d'une série télévisée controversée », dans Xavier Gélinas et Lucia Ferretti (dir.), *Duplessis, son milieu, son époque*, Québec, Septentrion, 2010, p. 367-388, et Frédéric Demers, *La mise en scène de l'imaginaire national et historique du Québec francophone dans la télésérie* Les filles de Caleb, thèse (Ph. D.), Université Laval, Québec, 2005.

6. Louise Cousineau, « *Marguerite Volant*. Image, décors, musique : la magie de la télé opère », *La Presse*, 21 septembre 1996, p. D1, et Martin Bilodeau, « Belles heures en vues », *Le Devoir*, 14 juin 1997, p. B5.

7. En effet, deux articles de magazines furent consacrés à ces aspects : René Homier-Roy, « Le manoir Volant : la vraie histoire d'un faux », *L'Actualité*, vol. 21, n° 18, novembre 1996, p. 110-112, et Francine Saint-Laurent, « *Marguerite Volant* : la Nouvelle-France sur son 36 ! », *Continuité*, n° 71, 1997, p. 10-11.

8. Selon Christophe Caritey : « La mémoire historique est l'ensemble des contenus mentaux communs aux membres d'une collectivité concernant le récit du passé de

Grenier, ces livres dépeignent une « vision idéalisée et utilitaire de la seigneurie » dans laquelle « les censitaires vivent sous la gouverne bienveillante du seigneur[9] ». Ces deux livres ont influencé l'historiographie pendant plus d'un siècle et leur effet se fait encore grandement ressentir dans la mémoire historique actuelle[10]. L'influence « gaspéiste » se perpétue notamment par les écrits de Marcel Trudel, ce dernier présentant dans sa brochure *Le régime seigneurial* la thèse de la seigneurie comme « système d'entraide », qu'il résume ainsi : « seigneurs et censitaires, se (trouvent) mis sur le même pied, chacun devra apporter sa contribution au bien commun[11] ». Avec cet ouvrage de Trudel, la vision mise de l'avant par Aubert de Gaspé continue d'avoir des répercussions sur les connaissances en histoire ainsi que sur la mémoire historique. En effet, l'utilisation de la brochure de Marcel Trudel, parue d'abord en 1956, dans l'élaboration de manuels scolaires d'histoire dans les années 1970 et 1980 a eu comme résultat une perpétuation de la vision idéalisée du régime seigneurial chez les élèves et d'autres lecteurs[12]. Il faut donc prendre en considération l'influence probable de cette vision sur la mémoire historique des scénaristes et de l'équipe de production.

Face à cette longue tradition quasi apologétique se dresse, dès le début de la décennie 1970-1980, une nouvelle perception de

l'humanité jugé digne d'être conservé. » De plus, Caritey avance l'existence d'une mémoire historique commune et d'une mémoire historique individuelle, certaines interprétations du passé étant différentes d'un individu à l'autre dans une même collectivité. Christophe Caritey, *L'apport du manuel d'histoire et ses limites dans la formation de la mémoire historique*, Thèse (Ph. D.), Université Laval, 1992, p. 30 et 33.

9. Benoît Grenier, *Brève histoire du régime seigneurial*, Montréal, Boréal, 2012, p. 26.

10. *Ibid.*, p. 29.

11. Marcel Trudel, *Le régime seigneurial*, Ottawa, Société historique du Canada, 1971 (1956), p. 18.

12. La brochure est citée comme source dans deux manuels importants des années 1970 et 1980 : Jacques Lacoursière, Denis Vaugeois et Jean Provencher, *Canada-Québec : synthèse historique*, Ottawa, Éditions du Renouveau Pédagogique, 1978 (1968), p. 81 et dans Louise Charpentier et collab., *Nouvelle Histoire du Québec et du Canada*, Montréal, Centre éducatif et culturel, 1985, p. 97. Dans un autre manuel, on cite le livre de Marcel Trudel, *Initiation à la Nouvelle-France*, qui reprend intégralement les conclusions de la brochure : François Charbonneau, Jacques Marchand et Jean-Pierre Sansregret, *Mon histoire*, Montréal, Guérin, 1985, p. 106.

l'histoire du régime seigneurial[13]. Des historiens attaquent vigoureusement la vision « gaspéiste » en présentant le régime seigneurial comme « un instrument de contrainte, de prélèvement et de vexations[14] ». À la suite de cette vague « révisionniste », un nouveau courant plus éclaté apparaît. Les études menées par Benoît Grenier, surtout en ce qui concerne les seigneuresses et l'absentéisme des seigneurs, ainsi que les travaux de nature géo-historique d'Alain Laberge ont transformé la perception de l'histoire du régime seigneurial canadien. Cependant, ces travaux ainsi que les recherches menées par les « révisionnistes » ne semblent pas avoir eu une grande influence sur la conception du régime seigneurial dans la population. En effet, Benoît Grenier mentionne que la vision « gaspéiste » perpétuée chez Trudel est encore largement répandue, que ce soit dans les manuels scolaires ou dans la fiction historique, mentionnant au passage la télésérie *Marguerite Volant*[15].

S'il est vrai que la représentation de la seigneurie et du seigneur dans la télésérie *Marguerite Volant* est en majeure partie influencée par la vision « traditionnelle », il faut toutefois nuancer de tels propos. En effet, il semble que l'équipe de production de cette série qui se déroule dans la région de Québec en 1763 et 1764 a aussi effectué des recherches dans plusieurs ouvrages datant des années 1970 à 1990. De plus, certaines représentations mises de l'avant dans cette série découlent du processus créatif typique d'une narration historique fictive qui ne s'inscrit pas dans un courant historiographique particulier. Notons que les scénaristes et la recherchiste ne sont pas des spécialistes en histoire de la Nouvelle-France[16], ce

13. Dans ce nouveau courant historiographique se retrouvent Louise Dechêne (*Habitants et marchands de Montréal au XVIIe siècle*, 1988), Sylvie Dépatie, Mario Lalancette et Christian Dessureault (*Contributions à l'étude du régime seigneurial canadien*, 1987) et Allan Greer (*Peasant, Lord, and Merchant: Rural Society in Three Quebec Parishes, 1740-1840*, 1985).

14. Grenier, *op. cit.*, p. 28.

15. *Ibid.*

16. Les recherches historiques, outre l'aspect de la représentation physique, furent effectuées par une recherchiste, soit Caroline Masse, M.A. en archéologie littéraire, appuyée à quelques reprises par Mario Patry, historien du cinéma. Une proposition avancée par Mme Masse indique certaines difficultés encourues par celle-ci par rapport au régime seigneurial : « Pour toutes les questions relatives à la Seigneurie (sic) (bâtiment, régime seigneurial, etc.) la question est d'une telle complexité que je conseillerais de faire

qui a une incidence certaine sur la représentation du régime seigneurial dans la télésérie.

Pour mieux cerner les représentations mises de l'avant dans cette télésérie, le texte qui suit est divisé en trois parties. Premièrement, la représentation du seigneur dans *Marguerite Volant* démontre bien l'influence tenace de Philippe Aubert de Gaspé plus de 100 ans après sa mort. Deuxièmement, l'analyse de la représentation de la seigneurie dans cette télésérie fait ressortir l'hétérogénéité des influences. Finalement, les diverses formes de transmission d'une seigneurie présentées dans cette œuvre de fiction démontrent la place centrale de l'aspect créatif dans ce genre de récit.

« Que Dieu vous bénisse seigneur Volant ! » : la représentation du seigneur

Le seigneur Claude de Nohaye dit Volant fait partie de la noblesse militaire française et est devenu seigneur par mariage[17]. Ce dernier et sa famille sont respectés par les censitaires, qui les voient comme bons et honorables[18]. La bonne réputation de cette famille seigneuriale ainsi que son appartenance à la noblesse sont deux caractéristiques centrales de la représentation du seigneur dans *Marguerite Volant*. Si une telle représentation semble être influencée par l'historiographie traditionnelle, il n'en demeure pas moins que certaines limites de la source analysée viennent brouiller les cartes.

Relation seigneur/censitaire : entre idéalisation et lien affectif

Avant de se pencher sur les rapports entre seigneur et censitaires, il est important de mentionner que l'analyse qui suit se concentre

appel à un(e) spécialiste. » Il n'y a aucune preuve dans les documents de production qu'un tel spécialiste fut engagé. Cinémathèque québécoise, « 31 mai 1995/p. 2 », dans Marguerite Volant : recherches historiques, 2011.0699.45.AR, 1er mai au 30 août 1995.

17. *Marguerite Volant*, enregistrement vidéo, Cité-Amérique, 2008, vidéodisque 4/4, épisode 12, 1 min 30 s.

18. *Ibid.*, vidéodisque 2/4, épisode 6, 9 min 35 s.

majoritairement sur le seigneur Claude Volant et sa famille. Il y a intégration de sa famille à l'analyse puisque les rapports entre les membres de celle-ci et les censitaires font partie intégrante du rapport d'altérité seigneur/censitaire[19]. Notons aussi que les « règnes » des deux seigneurs qui succèdent à Claude Volant, soit Antoine de Courval (qui acquiert la seigneurie en mariant Éléonore Volant) puis James Chase (qui achète la seigneurie Volant), sont pris en considération dans la présente analyse.

D'entrée de jeu, il faut mentionner une limite à l'interprétation des rapports seigneur/censitaires dans cette série. En effet, les censitaires sont quasiment absents de la télésérie, le téléspectateur ne les voit que très rarement et qu'en très petit nombre (jamais plus de vingt). La plupart des interactions entre la famille seigneuriale et la population de la seigneurie se font sous l'égide des rapports entre cette famille et les employés (travailleurs ou domestiques) qui travaillent pour le compte du seigneur. Il est donc difficile d'analyser la relation seigneur/censitaires si l'un de ces deux acteurs est absent. Pourquoi une telle absence de censitaires ? L'option des coûts associés à l'embauche de figurants et à la production des habits d'époque peut expliquer cette situation. L'équipe de production a peut-être aussi voulu mettre l'accent sur la relation seigneur/domestiques/travailleurs. Une telle hypothèse est plausible en raison de la déclaration de Charles Binamé, réalisateur de *Marguerite Volant*, qui dit vouloir montrer dans la télésérie le faste et le luxe présents en Nouvelle-France plutôt que la misère qui est omniprésente dans les œuvres québécoises de fiction historique[20]. En raison d'une telle affirmation, il est possible que l'équipe de production ait choisi d'insister sur la présence de plusieurs domestiques et travailleurs afin de montrer la richesse de la famille Volant. Si tel est le cas, il faut se demander pourquoi l'équipe de production n'a pas voulu présenter d'esclaves dans cette série. L'esclave est pourtant un signe de richesse reconnu à cette époque et la noblesse est l'un

19. Si l'on se fie à plusieurs études, la famille seigneuriale est souvent intégrée à l'analyse des rapports seigneurs/censitaires. Grenier, *op. cit.*, p. 183.

20. *Marguerite Volant*, enregistrement vidéo, Cité-Amérique, 2008, vidéodisque 4/4, épisode 12, 16 min 30 s.

des groupes qui possèdent le plus d'esclaves au Canada[21]. Est-ce dans le but de passer sous silence un pan de notre histoire peu glorieux ? Est-ce plutôt dans le but d'éviter que le public juge négativement les Volant, provoquant ainsi une distanciation entre le public et les « héros » de la série ? Dans un cas comme dans l'autre, le résultat reste le même, soit une perpétuation de l'absence de l'esclavage canadien dans la mémoire historique, comme le déplorait Marcel Trudel dès 1960.

Dans le cas des travailleurs/domestiques, on ne peut les substituer aux censitaires dans cette analyse puisque le rapport d'altérité n'est pas le même : pas de rentes ni de cens à payer, subordination différente puisqu'ils sont directement sous le contrôle du seigneur en raison de leur travail salarié ainsi que du logement chez le seigneur. Toutefois, une analyse de la relation seigneur/employés est essentielle puisque cette relation façonne presque intégralement l'image de la famille Volant que l'on présente au public. En effet, les rapports entre ces employés et les Volant révèlent que la famille n'a pas seulement des rapports cordiaux avec ceux-ci, mais que les manifestations d'amitié, voire de familiarité, sont courantes dans ce récit. Par exemple, Marguerite mentionne, en parlant de la servante qui s'appelle Jeanne, « [qu']elle fait partie de la famille[22] ». Ce sentiment est réciproque puisque Jeanne démontre à plusieurs reprises son affection pour la famille seigneuriale, notamment dans la scène où cette dernière prend les mains du seigneur Volant lors de son retour après trois ans en France et s'exclame à plusieurs reprises, la voix remplie d'émotion : « Que Dieu vous bénisse seigneur Volant[23] ! » Pourtant, Louise Dechêne et Marcel Trudel ont clairement démontré dans les décennies précédant la création de *Marguerite Volant* que les rapports entre domestiques et employeurs sont souvent peu amicaux[24]. Après le visionnement

21. Marcel Trudel, *Deux siècles d'esclavage au Québec*, Montréal, Bibliothèque québécoise, 2009 (1960), p. 125-145.

22. *Marguerite Volant*, enregistrement vidéo, Cité-Amérique, 2008, vidéodisque 3/4, épisode 7, 16 min 40 s.

23. *Ibid.*, vidéodisque 1/4, épisode 1, 13 min.

24. Louise Dechêne, *Habitants et marchands de Montréal au XVIIe siècle*, Montréal, Boréal, 1988 (1974), p. 79-81, et Marcel Trudel, *Histoire de la Nouvelle-France. Vol. III : La seigneurie des Cent-Associés, 1627-1663*, Montréal, Fides, 1983, p. 279-282.

complet de la série, il est clair que l'on ne représente pas ici une vision typique du courant historiographique « révisionniste ». En effet, le seigneur n'est jamais représenté comme un être dominant ou oppressant à l'égard des censitaires et des habitants de la seigneurie. Même si l'on faisait abstraction de la relation particulière que la famille entretient avec Jeanne, il n'en demeure pas moins que les rapports avec les autres membres de la communauté sont plus que cordiaux. En effet, le meunier, le forgeron et l'homme à tout faire employé par les Volant aident Marguerite à fuir la justice, au péril de leur vie[25]. Toutes ces situations démontrent que l'on présente au téléspectateur une image traditionnelle où le seigneur et sa famille sont « bienveillants » et amicaux avec les membres de la « communauté » seigneuriale.

Un autre point central de la représentation de la famille seigneuriale comme « bienveillante » est la mise en image de ce qu'on pourrait appeler « la seigneuresse généreuse ». En effet, dans le troisième épisode, Éléonore Volant visite une veuve et lui remet plusieurs vêtements. La veuve s'exclame : « Vous êtes comme votre mère, si généreuse[26]. » Il y a perpétuation ici de la conception traditionnelle de la seigneuresse qui s'occupe des pauvres de sa seigneurie et l'on utilise cette représentation pour caractériser autant la fille, Éléonore, que sa mère, Isabeau. Une telle conception traditionnelle rappelle les notices nécrologiques du XIXe siècle qui reprennent à outrance la formule de la « mère des pauvres » pour caractériser les défuntes seigneuresses ainsi que d'autres femmes de la bourgeoisie[27].

De plus, l'image traditionnelle du seigneur est entretenue par plusieurs silences révélateurs. Premièrement, nulle part dans la série il n'est fait allusion à un quelconque mécontentement des censitaires face aux « devoirs » seigneuriaux qui pourraient être négligés, par exemple l'entretien du moulin ou des routes qui est fréquemment source de tension dans les communautés[28]. Deuxièmement, l'absence

25. *Marguerite Volant*, enregistrement vidéo, Cité-Amérique, 2008, vidéodisque 2/4, épisode 5, 40 min.

26. *Ibid.*, vidéodisque 1/4, épisode 3, 20 min 30 s.

27. Grenier, *op. cit.*, p. 171.

28. Thomas Wien, « Les conflits sociaux dans une seigneurie canadienne au XVIIIe siècle : les moulins des Couillard », dans Gérard Bouchard et Joseph Goy (dir.),

de la représentation du paiement des cens et rentes, pourtant un événement central dans la vie seigneuriale, est très significative. En procédant de la sorte, l'équipe de production évite de représenter un événement qui ne se fait sans doute pas dans la joie et l'allégresse, du moins pour les censitaires.

En résumé, bien que l'on ne puisse définir le rapport qui existe entre les censitaires et le seigneur en raison des limites de cette source, il est toutefois possible d'affirmer que l'équipe de production a mis en image une représentation « traditionnelle » du seigneur bienveillant et généreux qui découle des relations d'amitié et de familiarité, quoiqu'elles soient empreintes de tout le respect nécessaire entre la famille seigneuriale et les habitants de la seigneurie, ainsi que le silence sur des événements pouvant mener à des tensions entre seigneur et censitaires. Néanmoins, il faut noter qu'une telle décision de la part de l'équipe de production a sûrement été prise dans le but que le public s'identifie à des personnages qui sont vertueux. En effet, une telle identification serait difficile dans le cas où l'on présenterait des seigneurs hautains envers les censitaires et qui préfèrent ne pas se mêler à eux en raison de leur statut de seigneur ou de noble. Cette noblesse est aussi une caractéristique fondamentale de la famille Volant et elle vient influencer la représentation que le public se fait de cette famille.

Seigneurie et noblesse : une source de confusion[29]

Avant de se pencher sur le cas des seigneurs nobles de la seigneurie Volant, il faut évoquer une limite importante de l'analyse de la représentation du seigneur dans cette télésérie. En effet, les créateurs de cette télésérie mettent l'accent sur la noblesse canadienne

Famille, économie et société rurale en contexte d'urbanisation (XVIIe-XXe siècle), Montréal et Paris, Université de Montréal et École des hautes études en sciences sociales, 1981, p. 225-236.

29. Il n'est pas dans mon intention d'analyser ici la représentation de la noblesse, mais plutôt de comprendre l'association seigneurie/noblesse dans cette série. Une telle étude serait néanmoins intéressante à mener, notamment en parallèle avec la vision entretenue depuis les *Anciens Canadiens* de Philippe Aubert de Gaspé.

plutôt que sur les seigneurs canadiens[30]. Le téléspectateur se retrouve donc devant une situation où il n'y a pas de ligne claire entre les réalités de la noblesse et celles d'une famille seigneuriale, surtout campagnarde comme les Volant, ce qui entraîne la construction d'une association entre noblesse et seigneurie dans la mémoire historique du public. Cette association n'est accentuée que par le choix de la provenance sociale des seigneurs que l'on présente dans la série. Volant, de Courval ou Chase, tous les seigneurs du fief Volant font partie de la noblesse. Claude de Nohaye, dit Volant, provient de la noblesse militaire française et s'est marié à Isabeau de Rouville, noble et héritière de la seigneurie Volant. William Chase est descendant d'une famille noble anglaise[31]. Quant à Antoine de Courval, sa noblesse n'est pas aussi clairement établie que chez ses vis-à-vis, mais il semble provenir de la noblesse militaire[32]. On se retrouve donc devant une situation où tous les « maîtres[33] » de la seigneurie Volant sont des nobles. Pourtant, dans l'historiographie récente et même dans les ouvrages plus anciens[34], il a été clairement souligné que la noblesse n'est pas le seul groupe social possédant des terres en Nouvelle-France. Deux options permettent de comprendre pourquoi l'équipe de production en est arrivée à une telle représentation.

Premièrement, la mémoire historique des scénaristes a pu influencer la construction de ces trois personnages. Rappelons que les scénaristes et la recherchiste ne sont pas des spécialistes de l'histoire de la Nouvelle-France, ce qui a pour incidence que leurs

---

30. Sur la quatrième de couverture du coffret DVD de *Marguerite Volant* se trouve la mention « cette série remonte le cours du temps pour nous faire découvrir les splendeurs et les misères de la noblesse canadienne du XVIIIe siècle ». La place centrale accordée à la noblesse dans *Marguerite Volant* est aussi confirmée par la citation utilisée plus tôt de Charles Binamé qui veut mettre l'accent sur le faste de la noblesse canadienne.

31. *Marguerite Volant*, enregistrement vidéo, Cité-Amérique, 2008, notice biographique dans le livret se situant à l'intérieur du coffret DVD.

32. Parlant au capitaine Chase, il mentionne : « Entre gentilshommes, une faveur appelle une autre » (épisode 5, 10 min 15 s). Il dit au seigneur Volant : « Je suis un gentilhomme comme vous. J'ai participé à la bataille de Carillon. Malgré la grande défaite, j'ai décidé de rester ici » (épisode 2, 23 min).

33. Le terme « maître » est utilisé à outrance dans la télésérie.

34. Marcel Trudel, *Les débuts du régime seigneurial au Canada*, Montréal, Fides, 1974, p. 51, et Grenier, *op. cit.*, p. 118-119.

connaissances en histoire proviennent d'une construction individuelle et commune d'une représentation du passé. Cette construction mémorielle repose notamment sur l'éducation et les manuels scolaires. À la lecture de tous les manuels d'histoire du secondaire produits depuis le rapport Parent et qui ont pu influencer l'équipe de production, il n'y a pas de mention des groupes sociaux dont sont issus les seigneurs[35]. L'élève en vient donc inévitablement à se construire une image du seigneur pour combler ce vide. Il est probable que l'image du seigneur aristocrate prenne racine dans le terme « seigneur », terme qui sous-entend une forme de domination, de supériorité hiérarchique envers le simple paysan. De plus, les images dans les manuels peuvent façonner la représentation du seigneur. Dans les manuels *Nouvelle Histoire du Québec et du Canada* et *Mon histoire*, il y a présence d'un même dessin, soit le seigneur enlevant ses armes et son chapeau devant l'intendant pendant l'acte de foi et hommage. Une telle illustration apporte inévitablement un certain exotisme à la représentation du seigneur et favorise chez le lecteur l'association de la noblesse (l'action ressemble à l'adoubement chez les chevaliers) à la fonction de seigneur. Une autre image utilisée à outrance dans les manuels scolaires a un effet certain sur la représentation du seigneur comme noble. Ce dessin présente le censitaire payant ses redevances et le seigneur dans ses plus beaux habits (des médailles, une perruque, un jabot) souriant au censitaire qui vient porter deux chapons. La table du seigneur est remplie de victuailles (oies, œufs, poisson, poulet déplumé, grands sacs de blé) et de pièces de monnaie[36]. Bref, on représente un seigneur qui est clairement hiérarchiquement supérieur en raison de ses apparats, notamment ses médailles militaires, ainsi que par sa richesse. De plus, dans le manuel *Mon histoire*, on reprend intégralement certains passages du chapitre « La fête du Mai » des *Anciens Canadiens*,

35. Lacoursière, Vaugeois et Provencher, *op. cit.*, p. 82. Dans le manuel *Mon histoire* (p. 82), on fait un lien entre le seigneur et la noblesse. Dans le manuel *Nouvelle Histoire du Québec et du Canada* (p. 97), on mentionne que seigneur ne rime pas automatiquement avec noblesse, sans toutefois apporter plus de détails à propos de la provenance des seigneurs.

36. Charpentier et collab., *op. cit.*, p. 78, et Charbonneau, Marchand et Sansregret, *op. cit.*, p. 83.

perpétuant ainsi l'image du seigneur noble (la famille d'Haberville étant noble) et l'image du seigneur « bienveillant » qui est aimé par « ses » censitaires[37]. Bien que la construction d'une mémoire historique ne repose pas uniquement sur la lecture des manuels scolaires[38], il n'en demeure pas moins que la concordance entre la représentation du seigneur dans *Marguerite Volant* et l'image du seigneur noble omniprésent dans les ouvrages scolaires démontre certainement une influence de la vision proposée dans de tels livres sur le processus de création de la télésérie.

La deuxième hypothèse quant à l'association seigneur/noblesse implique certaines recherches effectuées par cette équipe. En effet, il se peut que les artisans de la télésérie aient respecté le fait que la majorité des seigneuries de la Nouvelle-France appartenaient à la noblesse, appliquant cette généralité à l'ensemble des seigneurs représentés. Cette option implique un choix délibéré de faire fi de certaines informations historiques, soit une diversité de la provenance sociale des seigneurs, et de rester plus proche d'une vision traditionnelle mise de l'avant, entre autres, dans les manuels. Cela a pour effet d'être en concordance avec la mémoire historique du public, ce qui est en soi un objectif des œuvres de fiction historique[39].

Il est aussi questionnable que les créateurs de la série aient choisi de présenter des seigneurs qui sont tous de la noblesse militaire[40]. Il est vrai que la noblesse est le groupe social qui possède le plus de seigneuries sous le Régime français et que ces nobles sont majoritairement issus de l'aristocratie militaire[41]. Toutefois, cette association entre seigneur et aristocratie militaire perpétue la représentation traditionnelle du seigneur basée sur une lecture sans analyse des

37. Charbonneau, Marchand et Sansregret, *op. cit.*, p. 99-100.

38. La télévision, la radio, le cinéma, les livres, les journaux, les musées et la transmission orale sont aussi des éléments qui influencent la mémoire historique. L'influence qu'a chacun de ces éléments varie d'un individu à l'autre. Caritey, *op. cit.*, p. 308.

39. Frédéric Demers, « La ville, la campagne, l'Anglais, *Les filles de Caleb* et la mémoire historique : notes sur quelques liens difficiles à démêler », *Francophonies d'Amérique*, n° 21, 2006, p. 79.

40. Comme nous l'avons exposé précédemment, le cas d'Antoine de Courval est nébuleux, mais il mentionne clairement qu'il a fait la guerre. Ce qui peut avoir comme résultat que le public associe ce dernier à la noblesse militaire.

41. Grenier, *op. cit.*, p. 119.

devoirs et privilèges des seigneurs. Cette vision traditionnelle est très bien exprimée par Marcel Trudel : « La noblesse canadienne est essentiellement besogneuse et n'a guère qu'un seul privilège : celui de porter le titre d'écuyer et l'épée[42]. » En mettant l'accent sur ce privilège qui n'est qu'honorifique, Trudel propose une vision traditionnelle de la noblesse canadienne-française, soit celle d'une noblesse intimement associée au militarisme en raison du port des armes. À l'instar de la représentation du seigneur noble, on met sous silence un pan de la « vérité » historique. Bien que l'objectif premier des producteurs de téléséries de fiction historique ne soit pas de servir la « vérité » historique, les producteurs de *Marguerite Volant* ont toutefois fait la promotion de leur série en partie sur sa véracité historique. En effet, le documentaire de tournage diffusé avant la télésérie sert notamment à démontrer que *Marguerite Volant* est une série historiquement valable : on met l'accent sur le travail conjoint qui a été réalisé entre l'équipe de recherche de la série et le Musée McCord et la productrice de la série, Lorraine Richard, parle de la volonté d'être historiquement le plus juste possible[43]. Notons aussi que l'on retrouve dans la majorité des articles parus dans la presse, avant et pendant la diffusion originale, des propos des artisans de cette télésérie abondant en ce sens, ceux-ci affirmant que cette série est historiquement véridique[44]. Bien que l'historien doive être sensible au fait que les contraintes commerciales et matérielles inhérentes aux productions télévisuelles ont pour effet que les séries de fiction historique ne constituent pas un matériau historique, les créateurs de *Marguerite Volant* ont néanmoins une responsabilité accrue de représenter l'histoire « véridiquement » en raison de la promotion faite en ce sens.

Pour conclure, l'association seigneurie-noblesse mise de l'avant par les scénaristes de *Marguerite Volant* semble découler d'une représentation périmée se situant entre ce qu'avancent de Gaspé

---

42. Marcel Trudel, *Initiation à la Nouvelle-France*, Montréal, Les Éditions HRW, 1971, p. 153.

43. *Marguerite Volant*, enregistrement vidéo, Cité-Amérique, 2008, vidéodisque 4/4, épisode 12, de 14 min 10 s à 15 min.

44. Voir Cousineau, *loc. cit.*, p. D1, et Josée Lapointe, « La série *Marguerite Volant* : autant en emporte le vent en Nouvelle-France », *Le Soleil*, 16 septembre 1996, p. C1.

puis Trudel et une représentation erronée présente notamment dans des manuels scolaires. Ainsi, la représentation du seigneur, autant dans son rapport avec la « communauté » seigneuriale que dans son caractère de seigneur noble, est très traditionnelle puisque, d'un côté, on le représente comme bienveillant et généreux et, d'un autre côté, on fait fi de ce que l'on retrouve dans l'historiographie depuis plusieurs décennies.

« La seigneurie a besoin d'un maître » : la représentation de la seigneurie

La seigneurie Volant, située proche de la ville de Québec, est caractérisée par ses nombreux bâtiments qui forment le cœur du fief ainsi que par son paysage bucolique, rempli de vallons et de secteurs boisés. À la tête de la seigneurie se retrouve le seigneur qui s'occupe de la gestion seigneuriale, gestion qui est caractérisée par la présence d'un régisseur et d'un meunier. Devant cette communauté assez vivante, il est important de se questionner sur les influences qui ont poussé l'équipe de production à représenter la configuration et l'emplacement de la seigneurie de cette manière ainsi qu'une telle forme de gestion seigneuriale.

La construction de l'espace : la configuration et l'emplacement de la seigneurie Volant

La majeure partie de l'action de *Marguerite Volant* se déroule dans la seigneurie Volant, près de Québec. Les péripéties ont lieu sur le domaine du seigneur, sur lequel on retrouve le manoir seigneurial, un moulin à vent, une chapelle-église et quelques bâtiments d'exploitation agricole qui appartiennent à la famille Volant. À quelques centaines de mètres du manoir se trouve une forge. Le rassemblement de tous ces bâtiments donne l'impression que le cœur de la seigneurie se retrouve autour du domaine seigneurial.

Tout semble indiquer que l'emplacement de ces bâtiments centraux à la vie communautaire a été choisi par l'équipe de production après plusieurs recherches. En effet, une telle représentation est en concordance avec ce que les études contemporaines à cette télésérie proposent. Cette rigueur démontrée par les artisans de la série provient de leur volonté d'être le plus juste possible dans leur représentation « physique » de l'époque. Beaucoup de soin a été mis dans la confection des vêtements, des objets et des bâtiments. De plus, le travail conjoint réalisé entre l'équipe de recherche de la série et le Musée McCord a notamment porté sur l'organisation d'une seigneurie[45]. À la première écoute de la télésérie, il peut sembler étrange que tous les bâtiments se retrouvent au même endroit. Néanmoins, ces bâtiments se situent la plupart du temps sur les terres du domaine seigneurial[46]. En ce qui concerne la chapelle-église, Conrad Graham, historien de l'architecture engagé pour la série, reconnaît que la représentation de ce bâtiment est erronée. Effectivement, les chapelles privées près des domaines sont apparues durant le XIXe siècle et les églises, plus typiques du XVIIIe siècle, se retrouvent en territoire plus densément peuplé[47]. C'est justement au cours du XVIIIe siècle que la paroisse devient, plus que la seigneurie, le cœur de la communauté. L'intérêt pécuniaire est derrière la construction d'un petit bâtiment religieux, dont la représentation est anachronique. Dans le cas du manoir que l'équipe de production a bâti pour la série, son architecture se situe entre véracité historique et modification des connaissances en histoire. Ce manoir peut être considéré comme historiquement « véridique » puisque les artisans de la télésérie se sont basés sur l'architecture des manoirs normands à quatre versants pour construire le manoir Volant[48] et que cette architecture est répandue en Nouvelle-France, comme en fait foi le manoir François-Pierre-Boucher à Boucherville. Toutefois, les créateurs de la série ont construit un bâtiment beaucoup plus imposant que les manoirs normands, dans le but d'avoir l'espace nécessaire

---

45. *Marguerite Volant*, enregistrement vidéo, Cité-Amérique, 2008, vidéodisque 4/4, épisode 12, 12 min 50 s.

46. Serge Courville, *Entre ville et campagne : l'essor du village dans les seigneuries du Bas-Canada*, Québec, Presses de l'Université Laval, 1990, p. 88.

47. Homier-Roy, *loc. cit.*, p. 110.

48. *Marguerite Volant*, enregistrement vidéo, Cité-Amérique, 2008, vidéodisque 4/4, épisode 12, 17 min 15 s.

pour le tournage des scènes à l'intérieur du bâtiment[49]. Ainsi, la représentation du domaine seigneurial se situe entre les connaissances en histoire des dernières décennies et certains besoins inhérents aux productions télévisuelles.

La présence d'une commune est aussi mentionnée dans la télésérie[50]. Or, Alain Laberge a démontré récemment que les terres communales sont presque absentes dans le district de Québec et que la majorité des communes de la vallée du Saint-Laurent se retrouvent sur une île ou un îlet[51], deux éléments absents de la seigneurie Volant en raison de son emplacement à l'intérieur des terres. Bien que les probabilités jouent contre la présence d'une commune en raison de l'emplacement géographique de la seigneurie, il n'en demeure pas moins que le choix de l'inclure respecte la véracité historique puisque les artisans de cette télésérie tiennent compte d'une réalité propre à l'époque abordée, soit la présence d'une commune dans plusieurs seigneuries de la vallée laurentienne. De plus, il faut noter que l'ouvrage d'Alain Laberge n'existait pas lors des recherches faites par l'équipe de *Marguerite Volant* et que la commune n'était pas un thème abordé en profondeur dans l'historiographie au même moment. En effet, soit les historiens précisaient qu'il pouvait y avoir présence d'une commune dans une seigneurie, soit l'on présentait une seigneurie typique comprenant toujours une commune[52]. Bref, les artisans de *Marguerite Volant* ont respecté les ouvrages disponibles à leur époque.

La seigneurie fictive présentée dans la télésérie semble très peu peuplée (pour une seigneurie très près de Québec) et peu défrichée, même aux alentours du domaine seigneurial. Une telle représentation est en contradiction avec le fait qu'il s'agisse d'une famille seigneuriale résidante et opulente vivant dans un beau manoir en

49. Homier-Roy, *loc. cit.*, p. 110.

50. *Marguerite Volant*, enregistrement vidéo, Cité-Amérique, 2008, vidéodisque 4/4, épisode 10, 35 min 18 s.

51. Alain Laberge (en collaboration avec Lina Gouger et Jacques Mathieu), *Portraits de campagnes: la formation du monde rural laurentien au XVIIIe siècle*, Québec, Presses de l'Université Laval, 2010, p. 112.

52. Richard C. Harris, *The Seigneurial System in Early Canada: A Geographical Study*, Kingston et Montréal, McGill-Queen's University Press, 1984 (1966), p. 122, et Trudel, *Le régime seigneurial*, p. 8.

pierre. Bien que cette mise en image ne soit pas exacte, il y a tout de même une certaine véracité historique derrière une telle représentation. En effet, il y a amalgame de deux réalités propres à une époque, soit celle d'une seigneurie « neuve » peu défrichée et celle d'une seigneurie plus « ancienne » possédant un manoir imposant. Un choix narratif et économique est derrière cette mise en image puisque les créateurs de la série ont eu besoin de situer la seigneurie Volant proche de la ville de Québec afin que les protagonistes puissent se déplacer rapidement vers cette ville, tout en construisant une fausse seigneurie qui se retrouve dans un lieu bucolique et romantique. La présentation d'un paysage majestueux et romantique sert à attirer le public ainsi que des acheteurs étrangers[53]. En effet, la volonté de vendre la série à des distributeurs étrangers a poussé la compagnie de production Cité-Amérique à mettre en image de beaux espaces canadiens pour charmer le public hors Canada, sans nécessairement que ce type de paysage représente la réalité seigneuriale. Contrairement à la représentation du seigneur, on ne peut parler ici de conception « traditionnelle » de la seigneurie, mais plutôt d'une représentation qui se situe entre la véracité historique et un processus créatif découlant de certaines libertés prises par l'équipe de production.

Le fardeau seigneurial : la gestion de la seigneurie Volant

La gestion de la seigneurie Volant se fait par les seigneurs qui se succèdent ainsi que par le régisseur, Renaud Larochelle. Celui-ci en vient à s'occuper intensivement de la seigneurie en raison de la dépression puis de la mort de Claude Volant, qui laisse la seigneurie sans seigneur pendant plusieurs mois. Durant cette période, Éléonore Volant affirme que « la seigneurie a besoin d'un maître[54] ». L'arrivée

53. Louise Cousineau, « Une Angélique à la québécoise dans une série sur nos riches de 1763 », *La Presse*, 28 septembre 1995, p. D8. Notons que, malgré un succès mitigé au Québec, la série peut être considérée comme un succès financier en raison de plusieurs ventes à des distributeurs à travers le monde.

54. *Marguerite Volant*, enregistrement vidéo, Cité-Amérique, 2008, vidéodisque 3/4, épisode 7, 41 min 30 s.

d'Antoine de Courval à la tête de la seigneurie n'allège pas la charge de travail de Larochelle puisque le nouveau seigneur est moins versé dans l'administration de la seigneurie que son prédécesseur. L'absence du nouveau seigneur est critiquée à de nombreuses reprises, notamment par Larochelle qui déclare à de Courval : « Vous êtes un maître très négligent de sa seigneurie[55]. » Les déclarations d'Éléonore et de Larochelle résument bien une conception mise de l'avant dans la télésérie, soit l'idée que l'absence du seigneur est une anomalie qui peut mener jusqu'à la mauvaise gestion de la seigneurie. Cette conception de l'absentéisme des seigneurs est typique d'une représentation traditionnelle du « gentilhomme campagnard[56] ». En effet, l'importance accordée aux droits et aux devoirs seigneuriaux dans l'historiographie « traditionnelle » et dans les manuels d'histoire a une influence considérable sur la représentation du seigneur et de la seigneurie dans la mémoire historique québécoise. En ne nuançant pas l'application des droits et devoirs par les seigneurs, les tenants de la représentation traditionnelle du seigneur ont perpétué dans la mémoire historique l'image du seigneur qui tient toujours résidence en raison de son devoir de tenir feu et lieu[57]. Notons que les artisans de la télésérie font fi de l'historiographie contemporaine, alors que les historiens ont abordé l'absentéisme seigneurial dans leurs ouvrages, bien avant la création de la télésérie étudiée[58]. Mentionnons au passage que les scripteurs du documentaire de tournage ont mis un accent particulier sur les droits et les devoirs des seigneurs et des censitaires en énumérant et décrivant ceux-ci, mais en ne nuançant pas leur application dans la réalité de la Nouvelle-France (le taux d'absentéisme élevé des seigneurs par rapport au devoir de tenir feu et lieu, la mise en

---

55. *Marguerite Volant*, enregistrement vidéo, Cité-Amérique, 2008, vidéodisque 3/4, épisode 8, 20 min 55 s.

56. Benoît Grenier, *« Gentilshommes campagnards de la Nouvelle-France » : présence seigneuriale et sociabilité rurale dans la vallée du Saint-Laurent à l'époque préindustrielle*, Thèse (Ph. D.), Université Laval, 2005, p. 3.

57. *Ibid.*, p. 3-4.

58. Alain Laberge, « Propriété et développement des seigneuries du Bas-Saint-Laurent : 1656-1790 », mémoire (M. A.), Université York, 1981, p. 62. Raymond Douville, « Trois seigneuries sans seigneurs », *Cahiers des Dix*, nº 16, 1951, p. 135-150.

application très rare du devoir de justice seigneuriale...)[59]. Cela a pour effet de perpétuer la représentation traditionnelle du seigneur et de la seigneurie.

Il faut toutefois reconnaître que la recherchiste a évité de représenter les Volant comme une famille de seigneurs colonisateurs-défricheurs. En effet, cette représentation traditionnelle a eu la vie longue en raison de la reprise à outrance d'une lettre du gouverneur Denonville qui dépeint la famille seigneuriale pauvre et laborieuse de Saint-Ours, cette vision du régime seigneurial canadien étant présente dans certains manuels d'histoire de la décennie 1980-1990[60]. Dans le cas des Volant, la famille ne participe pas aux tâches agricoles et peu aux tâches ménagères. Ces tâches sont plutôt confiées aux domestiques et aux travailleurs agricoles.

Revenons sur le cas du régisseur Renaud Larochelle. Celui-ci est dépeint comme un employé qui appuie les tâches du seigneur et qui est incapable de s'occuper du bon déroulement de la seigneurie en l'absence de son supérieur. Par exemple, Larochelle attend la décision du seigneur pour une tâche qui ne nécessite pas nécessairement ce dernier, soit la mise à jour du censier[61]. Cette situation renvoie encore à l'image traditionnelle du seigneur présent, alors que la série présente au public une seigneurie qui ne peut fonctionner adéquatement en l'absence de son « maître », même s'il y a présence d'un régisseur. Toutefois, il faut être indulgent envers l'équipe de *Marguerite Volant* qui a dû avoir des difficultés à saisir le niveau de compétence des régisseurs ainsi que leur rôle dans le cadre du régime seigneurial, en raison de l'absence d'analyses sur l'histoire du régisseur en Nouvelle-France, vide historiographique encore présent de nos jours. Cependant, les scénaristes et la recherchiste ont bien cerné le fait que le régisseur doit faire face à une charge de travail imposante. Effectivement, Renaud Larochelle est

59. Michel Morissette et Olivier Lemieux, « Le régime seigneurial : un regard sur les manuels (2e partie) », *Traces*, vol. 51, nº 2, printemps 2013, p. 40.

60. Charpentier et collab., *op. cit.*, p. 97 : « Certains seigneurs sont aussi pauvres que leurs censitaires et doivent cultiver eux-mêmes leurs propres terres. » Charbonneau, Marchand et Sansregret, *op. cit.*, p. 82 : « Le seigneur est un propriétaire menant une vie semblable à celle du censitaire. »

61. *Marguerite Volant*, enregistrement vidéo, Cité-Amérique, 2008, vidéodisque 3/4, épisode 8, 20 min 40 s.

souvent présenté alors qu'il s'affaire à de nombreuses tâches ou durant des moments où il est épuisé. L'historienne Sylvie Dépatie a bien énuméré les nombreuses tâches auxquelles doit faire face le seigneur ou son régisseur, ces tâches étant majoritairement mises en image dans la série: la concession des terres, la perception des redevances fixes, l'entretien du moulin et la gestion de l'exploitation de la ferme[62]. Les artisans de cette télésérie ont bien représenté l'attention quotidienne et constante que demande une seigneurie[63].

Si la représentation du régisseur est traditionnelle, l'interaction de cet employé avec le meunier s'éloigne d'une telle représentation alors que Renaud Larochelle participe à la gestion du moulin et interagit à plusieurs reprises avec ce dernier, ses actions rappelant celles d'un seigneur. Comme l'a démontré Jacques Mathieu quatre ans avant la diffusion de la série, la relation meunier-seigneur (dans le cas qui nous intéresse, meunier-régisseur) est caractérisée par une certaine proximité entre ces deux acteurs du régime seigneurial en raison de l'importance des revenus qui proviennent de la mouture du grain[64]. Cette relation de proximité est bien démontrée dans la série alors que Renaud visite le meunier et l'aide à démarrer le moulin[65]. De plus, les créateurs de la série sont cohérents avec une autre conclusion de Jacques Mathieu, soit celle de l'importance du meunier dans le fonctionnement de la seigneurie[66]. En effet, le réalisateur a mis en image des censitaires qui se plaignent de l'absence d'un farinier et les difficultés de trouver un nouveau meunier compétent[67]. De plus, il y a présentation de la charge de travail exigeante à laquelle le meunier doit faire face. Effectivement, plusieurs employés du seigneur aident le meunier dans ses tâches et celui-ci mentionne à une reprise qu'il va travailler toute une nuit

62. Sylvie Dépatie, Mario Lalancette et Christian Dessureault, *Contributions à l'étude du régime seigneurial canadien*, Montréal, Hurtubise HMH, 1987, p. 57.

63. *Ibid.*

64. Jacques Mathieu, *La Nouvelle-France: les Français en Amérique du Nord, XVIe-XVIIIe siècle*, Québec, Presses de l'Université Laval, 2001 (1991), p. 145.

65. *Marguerite Volant*, enregistrement vidéo, Cité-Amérique, 2008, vidéodisque 3/4, épisode 9, 3 min 10 s.

66. Mathieu, *op. cit.*, p. 145.

67. *Marguerite Volant*, enregistrement vidéo, Cité-Amérique, 2008, vidéodisque 1/4, épisode 3 15 min 20 s.

en raison des bons vents qui soufflent sur la seigneurie[68]. Toutefois, la représentation sociale du meunier dans la télésérie n'est pas tout à fait exacte. En effet, il est assez surprenant que le premier meunier, Vincent Léry, exerce un tel métier puisqu'il fait partie de la noblesse, ou du moins du cercle social de la noblesse, Vincent étant fils du seigneur Léry et le mari d'Éléonore Volant. Il a existé en Nouvelle-France des seigneurs qui tournent eux-mêmes leur moulin, le seigneur Hamelin aux Grondines étant un exemple probant (quoique les censitaires se plaignent de son inexpérience)[69]. Contrairement à Vincent Léry, ce seigneur appartient au groupe des roturiers. Ainsi, la représentation du meunier mise de l'avant dans *Marguerite Volant* respecte en majeure partie les connaissances contemporaines en histoire, plus précisément les conclusions de Jacques Mathieu, alors que, dans la vision traditionnelle de la seigneurie, on n'aborde pas la question du meunier.

En raison de sa configuration et de sa gestion, la seigneurie dans *Marguerite Volant* est source de multiples représentations. En effet, on présente au public une seigneurie à la fois « traditionnelle » (présence des seigneurs), « réaliste » (l'emplacement des bâtiments, la représentation du meunier) et fictive (la chapelle).

« On peut racheter la seigneurie au même prix » : la transmission d'une seigneurie

Que ce soit par la vente ou par héritage, les représentations de la transmission de la seigneurie Volant sont souvent erronées. Malgré ces erreurs, il est nécessaire de comprendre les représentations du passé que *Marguerite Volant* propose au public et les influences qui sont derrière de telles représentations.

---

68. *Ibid.*, vidéodisque 3/4, épisode 9, 3 min 10 s et vidéodisque 2/4, épisode 4, 31 min 30 s.

69. Grenier, *Brève histoire, op. cit.*, p. 180.

La mort d'un seigneur : testament et transmission de la seigneurie

À la suite de la mort du seigneur Claude Volant, un notaire vient lire son testament à la famille. Il y est stipulé que « la première de mes deux filles qui prendra époux héritera de la totalité de la seigneurie[70] ». Le frère de Claude, Godefroy Volant, un religieux, s'insurge devant une telle clause, mentionnant que la seigneurie revient au fils aîné. Les deux représentations de la transmission de la seigneurie mises de l'avant dans la série, soit à l'une des filles à la suite de son mariage ou au fils aîné, sont erronées. En effet, décider de la succession par voie testamentaire constitue un fait inexact puisque la Coutume de Paris dicte les règles testamentaires et privilégie une succession mâle[71] et les clauses du testament ne peuvent imposer des conditions telles que le mariage des filles et l'exclusion d'un fils de la succession seigneuriale, même si l'on représente dans la série ce dernier qui consent à une telle décision. Lambert aurait pu renoncer à la seigneurie, mais il ne peut y avoir exclusion testamentaire *a priori*, sauf dans des cas graves et sous forme d'exhérédation ou de substitution[72]. Même lorsque l'oncle avance l'argument de la primogéniture mâle, ce que l'on propose n'est que partiellement exact puisque l'héritier mâle n'obtient pas l'entièreté de la seigneurie, mais plutôt une partie de celle-ci. Dans le cas qui nous intéresse, Lambert Volant recevrait la moitié de la seigneurie et ses sœurs chacune un quart de celle-ci[73]. Une telle mise en image erronée de la succession seigneuriale semble s'expliquer par la nécessité des œuvres fictives de créer des péripéties dans le but d'augmenter l'intérêt du public qui veut connaître le dénouement de ce coup de théâtre qu'est le mariage d'une des deux filles Volant. De plus, on procède à un appel au connu du public qui est un anachronisme. En effet, de nos jours, les testaments formulent plusieurs demandes du défunt que les héritiers doivent suivre. Comme le démontre Frédéric Demers, en faisant appel au « connu »

70. Grenier, *Brève histoire*, *op. cit.*, p. 180. Vidéodisque 2/4, épisode 4, 36 min. 30 s.

71. Grenier, *Brève histoire*, *op. cit.*, p. 74.

72. Pour plus d'information sur les cas et les modalités d'exhérédation et de substitution, voir le texte de Jonathan Fortin dans le présent ouvrage.

73. Grenier, *Brève histoire*, p. 74.

et à des stéréotypes du public[74], la véracité de cette représentation mise de l'avant par les créateurs de *Marguerite Volant* n'est pas remise en question par le téléspectateur en raison de son intuition ou de ses impressions qui sont confortées par une telle représentation[75]. De plus, comme l'indique Paul Ricœur à propos des œuvres de fiction historique, les créateurs de tels récits ne proposent pas au public une distinction entre la lisibilité propre à la narration et le souci de la « visibilité de la recherche[76] ». Ainsi, les « libertés » prises par les créateurs de la série ne se distinguent pas des informations qui découlent de véritables recherches. Le public en vient donc à croire que ce qui est mis en image représente la réalité en raison de l'aura de véracité historique autour de cette télésérie.

Outre sa transmission par voie testamentaire, la seigneurie Volant est vendue un an après la mort du seigneur Claude de Nohaye dit Volant. Après l'obtention de la seigneurie Volant par son mariage avec Éléonore, Antoine de Courval veut la vendre dans le but de rembourser ses dettes de jeu. Une telle situation fait fi de la réalité juridique de l'époque[77]. Si le mari peut se poser comme le véritable seigneur (et sans doute être considéré comme tel), c'est l'épouse qui possède les droits sur la seigneurie. Cependant, le mari possède la gestion des biens propres de la seigneuresse, dont il ne peut cependant disposer sans son consentement. Toutefois, le flou juridique de la période post-Conquête pourrait expliquer le fait qu'Antoine de Courval outrepasse la Coutume de Paris.

Malgré cette image erronée de la transmission de la seigneurie, il faut mentionner que l'on présente dans *Marguerite Volant* une certaine image des femmes en Nouvelle-France qui est assez juste et en rupture avec d'autres représentations bien ancrées. En mentionnant qu'Éléonore ou Marguerite ne peuvent hériter de la seigneurie

74. Dans ce cas-ci, le stéréotype est celui de la représentation de la soumission complète de la femme face à l'homme à travers l'histoire, soumission qui est rappelée par les clauses du testament qui mentionnent l'obligation du mariage pour toucher à l'héritage seigneurial.

75. Demers, *loc. cit.*, p. 67.

76. Ricœur, *op. cit.*, p. 305.

77. Comme dans le précédent paragraphe, il y a ici présence d'une représentation du passé découlant du stéréotype de la soumission complète de la femme face à l'homme à travers l'histoire.

qu'en prenant époux, la série évacue totalement le thème de transmission seigneuriale au féminin alors que les deux filles du seigneur ne sont jamais présentées comme de possibles successeurs au seigneur décédé. Il faut toutefois mentionner qu'au moment de la diffusion de la série aucun historien ne s'est penché sur le cas des seigneuresses de la Nouvelle-France[78]. Néanmoins, on présente dans cette série une forme de pouvoir au féminin. En présentant Marguerite qui s'occupe activement de la gestion de la seigneurie en raison de la dépression de son père[79], les artisans de la télésérie démontrent bien le rôle qu'ont joué plusieurs femmes durant l'absence de leur mari ou de leur père, comme l'a démontré l'historienne Lilianne Plamondon dès 1974[80]. La population de la seigneurie Volant voit d'un mauvais œil la participation d'une femme dans un rôle typiquement masculin, soit la gestion d'une seigneurie. En effet, le premier mari d'Éléonore exprime bien ce point de vue alors qu'il affirme: « C't'a (sic) ton père de diriger la seigneurie[81]. » Cette opinion est sans doute conforme à celle des censitaires, mais on ne peut affirmer ce que pense la population de la seigneurie. Comme l'a avancé Benoît Grenier dans le cas de la seigneuresse Marie-Catherine Peuvret, la participation d'une femme dans l'administration de sa seigneurie pourrait être un facteur expliquant les frictions avec les censitaires[82]. Toutefois, il semble que la mise en image de la participation de Marguerite dans la gestion de la seigneurie sert à des fins plus narratives qu'historiennes. En effet, cette mise en image semble avoir pour but un attachement, une identification du public envers l'héroïne (une femme fonceuse,

78. Benoît Grenier, *Marie-Catherine Peuvret, 1667-1739: veuve et seigneuresse en Nouvelle-France*, Québec, Septentrion, 2005, p. 16. Par contre, lors de la diffusion de la télésérie, on sait déjà que les filles ne sont pas exclues de la succession : Yves F. Zoltvany, « Esquisse de la Coutume de Paris », *Revue d'histoire de l'Amérique française*, vol. 25, nº 3, 1971, p. 365-384.

79. *Marguerite Volant*, enregistrement vidéo, Cité-Amérique, 2008, vidéodisque 1/4, épisode 2, 3 min 30 s.

80. Lilianne Plamondon, « Une femme d'affaires en Nouvelle-France : Marie-Anne Barbel, veuve Fornel », *Revue d'histoire de l'Amérique française,* vol. 31, nº 2, septembre 1977, p. 165-185.

81. *Marguerite Volant*, enregistrement vidéo, Cité-Amérique, 2008, vidéodisque 1/4, épisode 2, 4 min 10 s.

82. Grenier, *Marie-Catherine Peuvret*, *op. cit.*, p. 143.

donc franchement « moderne ») plutôt que de démontrer les formes de participation d'une femme de cette époque à des fonctions typiquement masculines.

Ainsi, la représentation de cette forme de transmission seigneuriale dans *Marguerite Volant* découle majoritairement d'un processus de modification de la « réalité » typique de la fiction historique qui vise à créer des péripéties au détriment de la « réalité » historique. Bien qu'il y ait absence de transmission seigneuriale au féminin et que l'on conforte certaines représentations stéréotypées des femmes en Nouvelle-France, on présente tout au moins d'une façon assez réelle ce qu'aurait pu être une seigneuresse, sans bien sûr donner ce titre à Marguerite ni à sa sœur aînée alors que le terme « seigneuresse » est clairement attesté par les documents de cette époque.

La spéculation foncière : la vente de la seigneurie

Comme nous l'avons mentionné précédemment, Antoine de Courval cherche à vendre sa seigneurie. Il vendra celle-ci 600 livres sterling à un acheteur anonyme (James Chase) dont le contrat de vente est signé par un intermédiaire[83]. En abordant la question de la vente d'une seigneurie, l'équipe de production prouve qu'elle a effectué des recherches qui dépassent les ouvrages « traditionnels », ceux-ci n'abordant pas la question de la vente des terres nobles. Afin de déterminer si ce prix est crédible, comparons-le avec ceux qui ont été payés par le gouverneur James Murray en 1763 et 1765 pour l'achat de trois seigneuries. Ces prix sont idéaux pour une telle comparaison puisque les ventes de ces seigneuries sont contemporaines aux événements décrits dans la télésérie et ces seigneuries se retrouvent dans le district de Québec, comme la seigneurie Volant. Le gouverneur paie 5 000 livres tournois pour La Martinière[84] (environ 250 livres sterling), 40 000 livres tournois pour

83. *Marguerite Volant*, enregistrement vidéo, Cité-Amérique, 2008, vidéodisque 3/4, épisode 9, 6 min à 8 min 15 s.

84. BAnQ-Q, CN 301, Fonds Cour supérieure. District judiciaire de Québec. Greffe de Jean-Claude Panet, Acte de vente de la seigneurie et fief de la Martinière par Catherine Parsons à James Murray. [Microfilm], 4M01-4572, 18 juillet 1763.

Rivière-du-Loup[85] (environ 2000 livres sterling) et 80000 livres tournois pour Lauzon[86] (environ 4000 livres sterling[87]). On ne peut comparer la seigneurie Volant à la seigneurie La Martinière puisque cette dernière est vraiment un petit fief en comparaison à la seigneurie Volant, qui mesure une lieue sur trois[88]. Le prix de la seigneurie Volant est plus bas que les deux autres seigneuries achetées par Murray, mais la seigneurie fictive est très peu défrichée et, comme nous allons voir, elle rapporte très peu de revenus. Donc, un prix se situant entre ce que Murray a payé pour La Martinière et pour Rivière-du-Loup semble représentatif et révèle un souci de la recherche documentaire à ce sujet.

La question de la rentabilité de la seigneurie Volant est aussi évoquée dans la série. Renaud Larochelle mentionne le peu de profits que dégage la seigneurie Volant en affirmant: « La seigneurie se suffit à peine[89] ! » Encore aujourd'hui, il est difficile d'affirmer la rentabilité exacte d'une seigneurie et cette question ne fait pas consensus chez les historiens, mais il est possible de proposer des estimations. En se basant sur l'emplacement possible de la seigneurie Volant et sur le petit nombre de censitaires qui habitent cette seigneurie, la rentabilité de la seigneurie serait assez faible, présentant des revenus se situant entre 400 et 4000 livres tournois par année[90]. Il faut soustraire à ce montant les dépenses seigneuriales,

85. BAnQ-Q, CN 301, Fonds Cour supérieure. District judiciaire de Québec. Greffe de Jean-Claude Panet, Acte de vente de la seigneurie de la Rivière-du-Loup par Jean-Antoine-Nicolas Dandanne-Danseville de l'Étendard à James Murray. [Microfilm], 4M01-4572, 20 juillet 1763.

86. BAnQ-Q, CN 301, Fonds Cour supérieure. District judiciaire de Québec. Greffe de Jean-Claude Panet, Acte de vente de la seigneurie de Lauzon par Étienne Charest à James Murray. [Microfilm], 4M01-4573, 12 février 1765.

87. La conversion de livres tournois en livres sterling vient des estimations avancées dans Fernand Ouellet, *Histoire économique et sociale du Québec, 1760-1850*, Montréal, Fides, 1966, p. 54.

88. Dans le documentaire de tournage, on présente une carte de la seigneurie et l'on indique qu'une seigneurie « mesure habituellement une lieue par trois ». *Marguerite Volant*, enregistrement vidéo, Cité-Amérique, 2008, vidéodisque 4/4, épisode 12, 18 min 40 s.

89. *Ibid.*, vidéodisque 3/4, épisode 7, 35 min.

90. Estimation basée sur Laberge (en collaboration avec Mathieu et Gouger), *op. cit.*, p. 120.

qui comptent souvent pour la moitié des revenus[91]. Le bas niveau de profits qui résulte de cette soustraction des dépenses aux revenus permet d'affirmer que cette entrée d'argent sert de revenu d'appoint aux seigneurs de la seigneurie Volant, ces derniers devant trouver une autre source de revenus[92]. Les artisans de *Marguerite Volant* ont bien cerné une telle réalité en inscrivant la famille Volant dans la noblesse militaire, permettant ainsi que cette famille obtienne des revenus supplémentaires qui permettent aux membres de la famille d'avoir un train de vie « digne » de la noblesse.

Un élément curieux est mentionné lors des événements entourant l'achat de la seigneurie. En annonçant à Marguerite qu'il a acheté la seigneurie Volant, le capitaine Chase dit à sa nouvelle épouse : « Cette seigneurie portera toujours le nom des Volant[93]. » Cette scène présente une information erronée au public, soit le fait que la seigneurie change de nom selon le seigneur qui possède celle-ci. Dans la réalité, les noms des seigneuries changent très rarement[94], et encore moins suivant le transfert de la possession d'une seigneurie d'une famille à une autre.

Ainsi, la représentation de la vente d'une seigneurie se situe entre véracité historique et création fictive qui, dans ce cas-ci, présente une information erronée. En effet, le prix d'achat de la seigneurie est représentatif de la réalité géographique, de la période touchée (soit l'immédiat après-Conquête) et de la rentabilité des seigneuries en Nouvelle-France alors que la question du changement du nom de la seigneurie Volant est inexacte.

Conclusion : *Marguerite Volant* et la mémoire historique

La télésérie *Marguerite Volant* propose des représentations du seigneur et de la seigneurie qui sont hétérogènes, c'est-à-dire parfois traditionnelles, parfois réalistes par rapport aux connaissances en

91. Harris, *op. cit.*, p. 78.
92. *Ibid.*
93. *Marguerite Volant*, enregistrement vidéo, Cité-Amérique, 2008, vidéodisque 4/4, épisode 10, 30 min 14 s.
94. Laberge (en collaboration avec Gouger et Mathieu), *op. cit.*, p. 3.

histoire du présent et souvent fictives, c'est-à-dire découlant du processus de création propre aux récits de fiction historique. Certaines tendances apparaissent lors de l'analyse de chacune de ces représentations. La représentation du seigneur dans cette série est très traditionnelle en raison de la présence d'une vision « gaspéiste » du rapport entre le seigneur et la « communauté » seigneuriale ainsi que de l'absence évidente d'une utilisation des ouvrages historiens contemporains à la série. La représentation de la seigneurie prouve que l'équipe de production a respecté à plusieurs reprises l'historiographie récente, mais la présence d'une représentation traditionnelle ainsi que la modification de la « réalité » ont pour résultat que l'image de la seigneurie présentée est un hybride de ces trois formes de représentations. La représentation de la transmission d'une seigneurie est marquée par des influences diverses, mais ce sont les nombreuses libertés que l'équipe de production a prises en modifiant les connaissances en histoire ou en mettant en image des représentations du passé complètement erronées qui ressortent. Devant cette vaste représentation hétéroclite du passé, il est presque impossible de savoir quelles sont les influences que ces diverses représentations ont pu avoir sur le public. Notons toutefois que les cotes d'écoute de *Marguerite Volant* n'ont certainement pas été à la hauteur des espérances des créateurs de la série, ayant atteint un pic à 1,3 million de téléspectateurs lors du premier épisode, descendant par la suite[95]. C'est peu si on les compare au succès phénoménal de 3 millions de téléspectateurs hebdomadaires des *Filles de Caleb* et de *Blanche*, autres productions de Cité-Amérique qui avaient précédé *Marguerite Volant* au début de la décennie 1990-2000. Ce succès relatif a certainement limité l'influence des représentations projetées par la série sur la mémoire historique du téléspectateur québécois. Rappelons que la vision de l'histoire mise de l'avant dans *Marguerite Volant* tend à conforter la mémoire historique du public plutôt qu'à brusquer le téléspectateur ou à apporter de possibles nouvelles connaissances. Notons ici l'absence de l'esclavage canadien et de frictions entre seigneur et censitaires.

95. Didier Fessou, « *Marguerite Volant*, série extraordinaire », *Le Soleil*, 19 octobre 1996, p. D5.

Le fait de conforter ces connaissances, action typique des œuvres de fiction historique, n'est pas sans conséquence sur la mémoire historique. L'effet de répétition d'une même représentation du passé produit un durcissement de la mémoire historique collective. Il faudrait peut-être cesser de jeter le blâme sur les manuels scolaires comme seul fléau de la transmission d'une certaine représentation du passé et plutôt se tourner, comme le propose Frédéric Demers, vers les œuvres de fiction pour mieux comprendre le processus de construction et de consolidation d'une mémoire historique[96].

96. Demers, *loc. cit.*, p. 76.

L'imaginaire seigneurial : les points de convergence entre recherche fondamentale, initiatives touristiques et mémoires communautaires

Jean-René Thuot

Nos anciens seigneurs n'étaient pas riches ; ils aimaient, cependant, à se bien loger en se construisant de petits châteaux dans leur domaine rural. Certes, leurs manoirs n'avaient pas l'aspect guerrier des forteresses du moyen âge. On n'y voyait ni donjons, ni mâchicoulis, ni pont-lévis [*sic*], ni fossés. C'étaient, tout simplement, de grandes maisons en pierres des champs unies les unes aux autres par du bon mortier[1].

Pierre-Georges Roy

Le patrimoine seigneurial est un bel objet culturel, en ce sens qu'il ne laisse personne indifférent : manoirs et domaines, moulins à farine et à scie, habitations des agents seigneuriaux attirent chaque année des milliers de touristes. Les reportages et les documentaires sur le sujet abondent[2], alimentés par les chercheurs universitaires, les organismes publics voués à la culture et les citoyens.

---

1. Pierre-Georges Roy, *Vieux manoirs, vieilles maisons*, Québec, Ls-A. Proulx (impr.), 1927, p. VI.

2. Micheline Lachance, « La route des manoirs », *L'Actualité*, [En ligne], 1er août 2004, [http ://www.lactualite.com/societe/la-route-des-manoirs/] (Consultée le 5 décembre 2014).

Pour les historiens, ces objets de patrimoine seigneurial représentent un point de départ – moins souvent un objet de recherche en soi – pour faire état de la socioéconomie préindustrielle, pour étudier le rapport à l'espace et aux ressources, les stratifications sociales du monde rural ou encore les modes de gestion du régime en tant que tel. Au fil des décennies se sont multipliées les études sur l'ancien terroir québécois, depuis la seigneurie de l'Île-de-Montréal jusqu'à celle de la Vallée-du-Richelieu, pour en arriver ces dernières années avec les bilans et rétrospectives[3]. De ces démarches historiennes émerge une mémoire, issue de la recherche fondamentale et constituée essentiellement d'archives manuscrites. Les plans d'arpenteur, les livres de comptes, les correspondances diverses, les greffes de notaires et les archives judiciaires mettent en scène une mémoire de l'écrit.

Pour les associations touristiques et les professionnels de la culture, les objets de mémoire seigneuriaux représentent des éléments précieux pour des activités d'animation ou de mise en valeur. Les propriétaires des seigneuries ont laissé des bâtiments imposants, souvent liés à des figures emblématiques de l'histoire régionale ou nationale ; ils offrent une belle vitrine sur la culture des élites et des bourgeois, c'est-à-dire le plus souvent des seigneurs comme tels. Les lieux seigneuriaux deviennent ainsi les lieux de la noblesse, de la distinction, les symboles d'une culture dominante où l'esthétique occupe une place importante. Pour ces associations et organismes voués à la promotion touristique, la plupart de ces sites sont investis en fonction de la charge émotive qu'ils peuvent susciter dans leur communauté, en marge de considérations proprement historiques ou même patrimoniales. Ces lieux de mémoire

3. Louise Dechêne, *Habitants et marchands de Montréal au XVIIe siècle*, Paris, Plon, 1974 ; Allan Greer, *Habitants, marchands et seigneurs. La société rurale du bas Richelieu, 1740-1840*, Sillery, Septentrion, 2000 ; Sylvie Dépatie, Mario Lalancette et Christian Dessureault, *Contributions à l'étude du régime seigneurial canadien*, Montréal, Hurtubise HMH, 1987 ; Colin M. Coates, *Les transformations du paysage et de la société au Québec sous le régime seigneurial*, Sillery, Septentrion, 2003 ; Alain Laberge et Benoît Grenier (dir.), *Le régime seigneurial au Québec 150 après : bilans et perspectives de recherches à l'occasion de la commémoration du 150e anniversaire de l'abolition du régime seigneurial*, Québec, Presses de l'Université Laval et CIEQ, 2009 ; Benoît Grenier, *Brève histoire du régime seigneurial*, Montréal, Boréal, 2012.

témoignent de cette appropriation par l'industrie touristique, laquelle bénéficie parfois de l'appui des instances gouvernementales (ministère du Tourisme et ministère de la Culture et des Communications du Québec), qui contribuent à soutenir et à catalyser les initiatives. Les firmes professionnelles spécialisées dans la mise en valeur du patrimoine participent à ce même mouvement. Le domaine de la seigneurie des Aulnaies (à Saint-Roch-des-Aulnaies) constitue un exemple à cet égard, au même titre que le manoir Couillard-Dupuis à Montmagny, la maison Lamontagne à Rimouski, le manoir Rouville-Campbell à Mont-Saint-Hilaire ou encore l'île des Moulins à Terrebonne. Cet état de fait a conduit à une mise en valeur des lieux physiques, à une mémoire de la pierre, de la construction, de l'architecture. Dans tous les cas, la mémoire mise en scène ici est celle du bâti : celle des bâtiments (ou ce qu'il en reste), mais plus largement, celle des lieux physiques, des espaces de vie, le plus souvent liés à des ouvrages construits.

Enfin, pour les citoyens qui les côtoient au quotidien, quelquefois depuis plusieurs générations, ces objets de mémoire seigneuriaux incarnent une mémoire encore bien vivante. C'est la mémoire du censitaire, du payeur de rentes, celle du murmure, de la bavette de poêle, de la boîte à souliers. Elle est composée d'anecdotes, de chansons, de rumeurs, d'histoires et de ouï-dire sur le seigneur, la micro-économie et des lieux d'exercice du pouvoir seigneurial. Si elles ne peuvent restituer le passé seigneurial, ces mémoires vivantes portent les stigmates d'un rapport à la terre qui participe à modeler la conscience communautaire[4]. Ces mémoires s'alimentent certes aux nouvelles sources d'informations – mises au jour notamment par les historiens et les associations touristiques –, mais elles conservent une part d'insaisissable, de patrimoine immatériel qui se révèle au détour d'une conversation. On récolte ici la mémoire de l'oralité, à la fois vive, flottante, déformée, étouffée, non écrite.

En constatant la cohabitation de ces perspectives – historique, touristique, citoyenne – sur les anciens territoires seigneuriaux de

4. À noter que l'actuel projet dirigé par Benoît Grenier, *Les persistances du monde seigneurial après 1854 : culture, économie, société. Phase 2 – identité et mémoire*, travaille à colliger les témoignages d'anciens payeurs de rentes et descendants de familles seigneuriales.

la vallée du Saint-Laurent, plusieurs questions se sont alors posées. Ces mémoires sont-elles réconciliables ? Peuvent-elles cohabiter, vivre parallèlement ? Y a-t-il adéquation entre les initiatives de mise en valeur des organismes voués à la promotion touristique, les mémoires communautaires et les recherches fondamentales menées par les historiens ? La mémoire seigneuriale – et le patrimoine qui y est rattaché – s'ancre dans des lieux variés et à des degrés variables, mais fait-elle toujours écho aux « réalités historiques » telles qu'elles sont reconstituées par les historiens ? Enfin, ces recherches sur l'histoire sont-elles toujours intéressantes ou mises à profit par les associations touristiques, ou même pertinentes pour les populations locales ?

Au-delà des objets et des lieux seigneuriaux comme tels, il faut s'interroger sur ce que l'on commémore exactement. Quelle mémoire du régime seigneurial souhaite-t-on pérenniser ? L'importance accordée au lieu dans les récits historiques et le rôle des historiens dans la construction des imaginaires collectifs des communautés locales sont aussi des aspects essentiels. Toutes ces questions invitent à réfléchir sur les relations entre la construction de la mémoire et des imaginaires et la production des récits, en phase avec les études actuelles dans le champ du patrimoine[5].

Nous tenterons ici de répondre à ces interrogations par un examen de la place du fait seigneurial dans les processus commémoratifs de plusieurs localités du Québec. Nous mettrons ainsi en relation trois catégories de sources : les récits monographiques et les enquêtes en histoire, les documents émanant des unités administratives ou culturelles liées au tourisme et les témoignages des résidents des localités étudiées (lorsqu'ils sont disponibles). Nous analyserons donc l'interaction entre les mémoires historiques, touristiques et communautaires sous trois angles : celui où une

5. Voir notamment Anne Gilbert, Michel Bock et Joseph Yvon Thériault (dir.), *Entre lieux et mémoire. L'inscription de la francophonie canadienne dans la longue durée*, Ottawa, Presses de l'Université d'Ottawa, 2009 ; cette réflexion sur la mécanique du récit historique a également été traitée par Lucie K. Morisset et Luc Noppen, dans « Édifier une mémoire de lieux en recyclant l'histoire. Usages et fonctions du passé dans l'architecture actuelle », dans Jacques Mathieu (dir.), *La mémoire dans la culture*, Québec, Presses de l'Université Laval, 1995, p. 203-233.

place prépondérante est laissée à la commémoration de l'héritage seigneurial, celui où des imaginaires sont créés pour animer des objets et celui, enfin, où aucune commémoration n'est élaborée autour de cet héritage. L'idée n'est évidemment pas d'établir la valeur heuristique de la discipline historique, mais plutôt d'apprécier la cohabitation des différents types de discours attachés aux objets seigneuriaux dans l'espace public.

Bien que notre propos ne soit pas de retisser ici le fil de l'histoire de l'ensemble des processus de commémoration ou de développement de la conscience patrimoniale au Québec[6], il nous a semblé que l'ouvrage *Vieux manoirs, vieilles maisons* offrait un point d'ancrage intéressant à notre réflexion. Publiée par l'archiviste Pierre-Georges Roy en 1927, cette étude met en scène l'héritage seigneurial dans la vallée du Saint-Laurent, offrant un portrait des « marques significatives » de ce régime d'hier dans le paysage québécois, à la manière d'une commémoration. Si Roy n'a ni la prétention de dresser un portrait exhaustif ou exclusif du patrimoine seigneurial ni le mérite de poser un premier jalon dans la glorification de cet héritage des seigneurs[7], il considère les traces seigneuriales comme des objets patrimoniaux porteurs de sens et de noblesse : « On nous permettra [...] de faire appel à toutes les bonnes volontés pour garder ce qui nous reste de l'héritage de nos ancêtres[8]. » Le paradigme d'une définition du patrimoine qui se rapporte au seul bâti se construit à cette époque ; Roy embrasse cette perspective, faisant de ces *vieilles demeures* les « gardiennes du passé et des traditions familiales[9] ». À titre de secrétaire de la Commission des monuments

6. Sur les processus commémoratifs, voir notamment H. V. Nelles, *L'histoire spectacle. Le cas du tricentenaire de Québec*, Montréal, 2003 ; pour des réflexions sur la genèse du champ patrimonial au Québec, voir Karine Hébert, « Entre champ d'intérêt et objet de pression, le patrimoine. Les luttes pour la conservation du Château Ramezay, 1893-1932 », dans Stéphane Savard et Jérôme Boivin (dir.), *De la représentation à la manifestation. Groupes de pression et enjeux politiques au Québec, XIXe et XXe siècles*, Québec, Septentrion, 2014, p. 342-365.

7. Les récits produits par Philippe Aubert de Gaspé, parmi d'autres, ont largement précédé cette mise en capsule temporelle de l'héritage seigneurial par Pierre-Georges Roy. Voir notamment Aubert de Gaspé, *Les Anciens Canadiens*, Québec, Imprimerie Auguste Côté, 1877, 240 p.

8. Roy, *op. cit.*, p. VII.

9. *Ibid.*, p. VIII.

historiques depuis 1922, il participe *de facto* à édifier le socle d'une future expertise gouvernementale dans le champ de la culture, perspective qui se concrétisera plus tard avec la création d'un ministère des Affaires culturelles au moment s'amorceront les démarches systématiques d'inventaires du patrimoine culturel[10]. C'est parce que ce paradigme de la conservation du bâti anime toujours une part significative des processus de mise en valeur (et de commémoration) actuels que le travail de Pierre-Georges Roy représente un point de départ intéressant pour évaluer la trajectoire de certains objets seigneuriaux qu'il répertorie.

Quand le domaine s'impose : l'exemple des témoins « forts »

Plusieurs bâtiments liés au régime seigneurial et décrits par Roy ont connu une longue vie : pensons au manoir Mauvide-Genest (île d'Orléans, devenu lieu historique national), au manoir Louis-Joseph-Papineau (à Montebello, lieu historique national), au manoir Tonnancour (à Trois-Rivières, désigné immeuble patrimonial), au manoir Couillard-Dupuis (à Montmagny, immeuble patrimonial), au moulin de la Chevrotière (à Deschambault, immeuble patrimonial) et au domaine seigneurial de Saint-Ours (à Saint-Ours-sur-Richelieu, site patrimonial). Ces objets, à divers degrés, ont été intégrés aux imaginaires collectifs dans leurs régions respectives. L'étude de la patrimonialisation de ces icônes du régime seigneurial, aussi divers soient-ils, pourrait-elle révéler une trajectoire commune ? En somme, de quelle manière émergent et évoluent ces objets

10. *Vieux manoirs, vieilles maisons* est d'ailleurs publié par la Commission des monuments historiques. Il faut attendre les travaux de Raymonde Gauthier sur les manoirs pour établir un portrait d'ensemble du patrimoine seigneurial. Si Pierre-Georges Roy avait mis au jour quelque 45 maisons seigneuriales, Gauthier en propose 90. Voir Raymonde Gauthier, *Les manoirs du Québec*, Éditeur officiel du Québec et Fides, 1976. Pour plus d'information sur cette évolution des structures institutionnelles vouées à la culture, voir Paul-Louis Martin, « La conservation du patrimoine culturel : origines et évolution », dans Commission des biens culturels du Québec, *Les chemins de la mémoire. Monuments et sites historiques du Québec*, Québec, Publications du Québec, 1990, t. 1, p. 1-17.

seigneuriaux, et quelle place leur réserve-t-on dans l'offre patrimoniale actuelle ? Observons quelques cas de figure.

Le domaine des Aulnaies

Sur la Côte-du-Sud, le domaine seigneurial érigé par la famille Dionne à Saint-Roch-des-Aulnaies au milieu du XIXe siècle est classé immeuble patrimonial en 1965 par le ministère des Affaires culturelles. À l'époque, c'est un peu le vacuum au niveau de l'héritage seigneurial sur la Côte-du-Sud. À l'ouest, le manoir de la famille Aubert de Gaspé dans l'ancienne seigneurie de Port-Joly n'était plus que ruines ; à l'est, le manoir de la même famille Dionne, situé dans les limites de la seigneurie de La Pocatière, avait été démoli quelques décennies plus tôt, tandis que le moulin banal se dégradait. Du côté de L'Islet (seigneuries L'Islet–Saint-Jean et Bonsecours) ne subsistait aucun vestige notable de l'époque seigneuriale. Le domaine des Aulnaies, qui offre la particularité de regrouper dans un périmètre relativement restreint un ensemble de bâtiments se rapportant à l'exploitation d'une seigneurie, apparaît alors comme un choix logique pour pérenniser le souvenir du régime seigneurial sur la Côte-du-Sud. Le domaine seigneurial est classé en dépit de l'absence d'études historiques – car, si Pierre-Georges Roy avait mis en scène les Aulnaies et les Dionne en s'appuyant sur la chronique de Mgr Henri Têtu[11], c'est seulement à compter de la décennie 1970-1980 que les historiens documenteront le site[12]. Ces travaux, en faisant valoir l'héritage des élites socioéconomiques, ont été mobilisés par l'industrie culturelle et touristique pour mettre en valeur l'architecture des bâtiments et miser sur leur esthétique

11. Roy, *op. cit.*, p. 219-221 ; Henri Têtu, *Histoire des familles Têtu, Bonenfant, Dionne, Perrault*, Québec, Dussault et Proulx, 1898, 636 p.

12. Roland Martin, *Saint-Roch-des-Aulnaies. Les Seigneurs, le manoir, le moulin banal, les maisons de pierre*, La Pocatière, Société historique de la Côte-du-Sud, Cahier nº 10, 1975 ; Béatrice Chassé, *La seigneurie des Aulnaies*, Québec, ministère des Affaires culturelles, 1984 ; Serge Gagnon, « Dionne, Amable », *Dictionnaire biographique du Canada*, vol. 8, Université Laval et University of Toronto, [En ligne], 2003 [http://www.biographi.ca/fr/bio/dionne_amable_8F.html], (Consultée le 5 décembre 2014).

exceptionnelle, attribuée aux architectes Baillairgé[13]. Le domaine seigneurial des Aulnaies est présenté aujourd'hui par la Corporation touristique de la seigneurie des Aulnaies comme « le site d'interprétation de la vie seigneuriale par excellence au Québec[14] ». La plateforme Web de la région touristique de Chaudière-Appalaches, quant à elle, en fait la promotion en évoquant le « régime seigneurial en Nouvelle-France[15] » : cependant ni le manoir, ni la famille seigneuriale qui y a habité, ni le moulin n'étaient en place à l'époque de la Nouvelle-France. La relative harmonie entre l'état physique des lieux (de surcroît dans un cadre enchanteur) et les récits historiques – exception faite d'une périodisation douteuse – aura permis à terme au domaine d'occuper tout l'espace destiné à la promotion de la culture et du patrimoine. Le projet de mise en valeur met en scène des seigneurs canadiens-français – dont le puissant homme d'affaires Amable Dionne, symbole de réussite économique – qui ont érigé des bâtiments imposants ayant conservé plusieurs de leurs attributs d'origine. Lors d'une récente mise à jour de sa politique culturelle et patrimoniale, la municipalité de Saint-Roch-des-Aulnaies réitérait avec force les conditions gagnantes de son développement, qui passait d'abord et avant tout par le domaine seigneurial[16].

En fait, à la lecture de ce document de concertation, on a l'impression que la communauté travaille en symbiose autour du patrimoine et que ce patrimoine se limite à la seigneurie des Aulnaies. La communauté a-t-elle toujours été en phase avec les promoteurs du projet, c'est-à-dire d'abord le ministère et ensuite la corporation, en passant par les chantres des élites seigneuriales ?

13. Claire Desmeules, *Concept d'aménagement des pièces du rez-de-chaussée au manoir de Saint-Roch-des-Aulnaies*, s.l., Corporation touristique de la seigneurie des Aulnaies, 1993 ; Christina Cameron, *Charles Baillairgé : Architect and Engineer*, Montréal, McGill's University Press, 1989.

14. La Corporation touristique des Aulnaies, « La seigneurie des Aulnaies », [En ligne] [http ://www.laseigneuriedesaulnaies.qc.ca/index.php] (Consultée le 25 février 2014).

15. Le site de Tourisme Chaudière-Appalaches : [https ://www.chaudiereappalaches.com/fr/voyage-quebec/la-cote-du-sud/saint-roch-des-aulnaies/seigneurie-des-aulnaies/musee-et-centre-d-interpretation/].

16. Municipalité de Saint-Roch-des-Aulnaies, *Saint-Roch-des-Aulnaies, entre mer et monts – reconnaissance collective de notre culture et de notre patrimoine*, [En ligne], mai 2007, 8 p. [http ://www.saintrochdesaulnaies.ca/doc/PolitiqueCulturePatrimoine2.pdf].

Pas exactement. Le même énoncé de politique culturelle prend d'ailleurs soin de rappeler que le territoire de Saint-Roch est depuis longtemps composé de différentes parties, les deux principales étant le village des Aulnaies à l'est (qui correspond au domaine seigneurial) et le village de Saint-Roch, plus à l'ouest[17]. Le village des Aulnaies incarne le pouvoir seigneurial, et plus tard le domaine de villégiature d'une certaine élite. L'hypothèse d'une appropriation progressive du projet par les habitants de la paroisse se pose, en phase avec le recul de la pratique agricole traditionnelle dans cette communauté rurale où le rapport à la mémoire de « l'ancien monde rural » s'impose. Dès le début des années 1980, les promoteurs tentent de susciter l'adhésion avec une démarche de médiation culturelle ; faut-il y voir les réminiscences d'un certain arbitraire seigneurial à déconstruire[18] ? Quoi qu'il en soit, le domaine seigneurial des Aulnaies acquiert au fil du temps un statut de centre culturel local, pierre angulaire d'une nouvelle sensibilité patrimoniale en germe depuis quelques années. Une démarche d'enquêtes orales reste à effectuer pour valider ces hypothèses.

La Mauricie

À l'instar de la Côte-du-Sud, où la place du fait seigneurial s'impose dans l'entreprise commémorative, la région de Trois-Rivières mise elle aussi sur des objets de patrimoine seigneurial « forts ». Contrairement au domaine des Aulnaies, ces bâtiments sont dispersés sur un grand territoire. Ils ont toutefois l'avantage d'être mieux intégrés dans le récit national, notamment à travers l'histoire de la ville de Trois-Rivières, mais également sous l'impulsion du récit des exploits de l'héroïne Madeleine de Verchères. Si cette dernière a

17. Municipalité de Saint-Roch-des-Aulnaies, *Saint-Roch-des-Aulnaies, entre mer et monts – reconnaissance collective de notre culture et de notre patrimoine*, [En ligne], mai 2007, [http://www.saintrochdesaulnaies.ca/doc/PolitiqueCulturePatrimoine2.pdf], p. 1.

18. Pierre Lessard, *Trois démarches de sensibilisation et d'animation d'un milieu amorcées par un groupe de travail autour d'un élément de patrimoine bâti : le vieux moulin Marcoux de Pont-Rouge, le vieux presbytère de Deschambault, la seigneurie des Aulnaies*, Québec, Conseil de la culture de la région de Québec, 1981.

noirci les pages de plusieurs mémorialistes et historiens de la première heure, elle a encore interpellé jusqu'à tout récemment les historiens académiques[19]. Quant à l'histoire du fait seigneurial dans la région, elle a été campée tour à tour par les récits de Raymond Douville, Philippe Jarnoux et Colin M. Coates, qui ont fait vivre les lieux et les personnages marquants du régime[20]. Cette mémoire historienne a-t-elle participé à incliner les processus de mise en valeur du fait seigneurial, à faciliter l'ancrage d'un récit dans les lieux physiques ?

L'équation est loin d'être évidente. En 1927, Pierre-Georges Roy avait certes donné le ton en suggérant quelques pistes à envisager pour la conservation de plusieurs bâtiments se rapportant à l'époque seigneuriale trifluvienne. Consignés dans une même section, Roy nous transportait de Pointe-du-Lac (moulin seigneurial) à Sainte-Anne-de-la-Pérade (manoir seigneurial), en passant par Cap-de-la-Madeleine (moulin seigneurial aujourd'hui détruit), au « manoir-presbytère » (*sic*) de Batiscan et, enfin, aux manoirs de Tonnancour et Boucher-De Niverville (monuments historiques classés)[21]. À défaut d'avoir un domaine intègre comme sur la Côte-du-Sud, les démarches de patrimonialisation du seigneurial entamées par le ministère des Affaires culturelles s'ancrent d'abord autour des structures les plus imposantes, caractérisées par leur niveau d'ancienneté, d'authenticité et d'intégrité, qui font écho à des personnages « plus significatifs ». Les demeures des seigneurs, situées dans les limites de la ville de Trois-Rivières (le manoir Boucher-De Niverville, 1960 ; le manoir de Tonnancour, 1966), répondent à ces critères. Le moulin seigneurial de Pointe-du-Lac suivra en 1975, retenu pour des critères similaires. La patrimonialisation passe alors par l'architecture, une *certaine* architecture : celle qui évoque la Nouvelle-France. Une importante entreprise monographique contribue d'ailleurs à faire connaître les mérites

---

19. Colin M. Coates et Cecilia Morgan, *Heroines and History: Representations of Madeleine de Verchères and Laura Secord*, Toronto, University of Toronto Press, 2002.

20. Raymond Douville, *Les premiers seigneurs et colons de Sainte-Anne-de-la-Pérade, 1667-1681*, Trois-Rivières, Éditions du Bien public, 1946 ; Philippe Jarnoux, « La colonisation de la seigneurie de Batiscan aux 17e et 18e siècles : l'espace et les hommes », *Revue d'histoire de l'Amérique française*, vol. 40, no 2, 1986, p. 163-191 ; Coates, *op. cit.*

21. Roy, *op. cit.*, p. 67-91.

de cette installation industrielle du seigneur[22] ; dans les années qui suivent son classement, plusieurs études sont commandées par le ministère, avec pour objectif de poursuivre cette construction d'une mémoire des lieux physiques, d'une architecture, du bâti[23]. Comme dans le contexte sud-côtois, la logique de la présence matérielle prime : la majeure partie des structures recensées par Roy en 1927 qui sont encore debout ont bénéficié d'un processus de commémoration. Dans ce paradigme de commémoration, les absents ont toujours tort… En dépit de ce qu'en disent les historiens.

Au cours des dernières années, l'élargissement du concept de patrimoine dans la sphère publique[24], qui laisse notamment une place à l'immatériel, aux *traces* et aux sites, a permis de réinviter Madeleine de Verchères. Si l'historienne de l'art Raymonde Gauthier avait appelé à la restauration du manoir en 1976[25], la démarche entreprise par la municipalité de Saint-Anne-de-la-Pérade en 2010 choisit plutôt de désigner « patrimonial » le site qui contient les restes de l'ancien manoir seigneurial encore présents sur le site – malgré le fait qu'il soit tout à fait méconnaissable. Plus récemment, Tourisme Mauricie a rassemblé au sein d'un même portail centré sur le patrimoine seigneurial le site du manoir de Sainte-Anne, celui du moulin de Pointe-du-Lac et celui du presbytère de Batiscan[26]. La proposition, qui recrée un ensemble seigneurial-paroissial virtuel, est centrée sur les récits que peuvent révéler les sites, beaucoup plus que sur les seules particularités architecturales ; le bâtiment (ou ce

22. Alexandre Dugré, *La Pointe-du-Lac*, Trois-Rivières, Les Éditions du Bien public, 1934 ; Albert Tessier, « Deux enrichis : Aaron Hart et Nicolas Montour », *Les Cahiers des Dix*, n° 3, 1938, p. 217-242 ; Emmanuel F. Brissette, *Pointe-du-Lac. Au pays de Tonnancour*, Pointe-du-Lac, Imprimerie Saint-Joseph, s.d. [1977].

23. Jean-Charles Lefebvre, « Moulin seigneurial de Tonnancour », Commission des biens culturels du Québec, *Les chemins de la mémoire. Monuments et sites historiques du Québec. Tome I*, Québec, Les Publications du Québec, 1990, p. 40 ; Denise Béchard, *Concept préliminaire de mise en valeur du moulin seigneurial de Pointe-du-Lac*, s.l., 1991, s.p. ; Jean-François Larose, *Le moulin de Pointe-du-Lac : plan d'interprétation et d'aménagement*, Montréal, Corporation du moulin seigneurial de Pointe-du-Lac, 1993.

24. La Loi sur le patrimoine culturel adoptée en 2012, qui visait à réformer l'ancienne Loi sur les biens culturels, fait écho à ce changement de paradigme.

25. Gauthier, *op. cit.*, p. 100.

26. Le manoir-presbytère de Pierre-Georges Roy a entretemps été démystifié, recouvrant son simple statut de maison curiale.

qu'il en reste) devient un prétexte pour évoquer des imaginaires. À la faveur de ce changement de paradigme du patrimoine culturel, la mémoire des manuscrits historiens s'arrime à la mémoire des espaces et du bâti, entretenue par les professionnels de la culture. Dans ces processus mauriciens de mise en valeur du fait seigneurial, la mémoire communautaire apparaît périphérique.

Le domaine de Mascouche

La région de Lanaudière offre un troisième cas de figure avec le manoir seigneurial de Mascouche. Alors que la seigneurie des Aulnaies laissait transparaître un certain synchronisme entre les mémoires historiques, corporatives et communautaires, que les témoins mauriciens semblaient portés davantage par des récits historiques, nombreux, mais divergents, le domaine de Mascouche présente un cas tout autre. Situé anciennement dans les limites de la seigneurie de Lachenaie, il offre également un témoin « fort » de l'ère seigneuriale, mais sa mémoire est plus trouble. Il représente l'un des plus imposants domaines seigneuriaux de la couronne nord de Montréal, autant par sa superficie qu'en vertu de l'importance et de la qualité de ses installations[27]. Le domaine de Mascouche regroupe sur un même site un manoir et plusieurs bâtiments de service, dont d'anciennes installations industrielles (moulin à farine, à scie), en plus d'une forêt domaniale de 2 043,9 mètres carrés. Pourtant, jusqu'à tout récemment (nous y reviendrons plus bas), le site n'a fait l'objet d'aucune protection particulière. Contrairement aux deux cas précédents, les zones grises du récit historique ont participé à embrouiller les processus de commémoration et de mise en valeur. En 1910, Luc-Antoine-Ferdinand Crépeau campe le décor du manoir :

> Bati [*sic*] au pied du versant septentrional du grand coteau qui l'abrite contre la violence des vents, placé au sein d'un frais et

27. L'île des moulins de Terrebonne a accueilli des installations plus puissantes, mais le domaine qui lui était attaché n'avait rien de semblable.

> riant vallon en forme d'amphithéâtre que resserre et borne le grand côteau [*sic*], le manoir est environné de toute part d'arbres géants, restes magnifiques encore, d'une forêt jadis immense et impénétrable[28].

Le même Crépeau laisse entendre que le manoir est l'œuvre de la famille Legardeur de Repentigny, quelque part avant la vente de la seigneurie en 1764[29]. Quelques années plus tard, *Vieux manoirs, vieilles maisons* de Pierre-Georges Roy renchérit en précisant qu'il peut être attribué à nul autre que Jean-Baptiste Legardeur, au tournant du XVIIIe siècle[30]. Le mythe connaît une seconde vie sous la plume de Raymonde Gauthier en 1976, alors qu'elle évoque une filiation architecturale qui remonterait au début du XVIIIe siècle[31]. Les recherches menées par l'historien Claude Martel dans les années 1980 et 1990 viennent toutefois refroidir les descendants de la célèbre famille canadienne qui avaient des prétentions commémoratives[32]. Martel suggère que la maison en pierre présente lors de la vente de la seigneurie en 1766 n'était pas un manoir, et qu'elle a possiblement été convertie en manoir par la suite[33]. Ses plus récents travaux l'incitent d'ailleurs à associer la construction du manoir et le démarrage en bonne et due forme des activités du domaine à la famille Pangman, qui prend le contrôle de la seigneurie à compter de 1795[34]. Les études menées successivement par la firme Ethnoscop et l'historienne Lise St-Georges permettent de faire état d'un ensemble qui date fort probablement du Régime

28. Luc-Antoine-Ferdinand Crépeau, *Mascouche en 1910*, Montréal, The Regal Litho and Printing Co., 1910, p. 22.

29. *Ibid.*, p. 22-23.

30. Roy, *op. cit.*, p. 46.

31. Gauthier, *op. cit.*, p. 48.

32. Des descendants du seigneur Pierre Legardeur, membres de l'Association des familles Le Gardeur de Repentigny et de Tilly, ont visité le manoir en 2002. Voir Stéphane Fortier, « Des descendants de Pierre Le Gardeur visitent le manoir », *La Revue de Terrebonne,* édition du mercredi 9 octobre 2002.

33. Claude Martel, *Lachenaie : du fort à la ville,* Terrebonne, Presses de litho Mille-Îles ltée, 1994, p. 17.

34. Claude Martel, « Synthèse historique du domaine seigneurial de Mascouche », *La Revue de Terrebonne,* [En ligne] [http://www.larevue.qc.ca/actualites_synthese-historique-domaine-seigneurial-mascouche-n30611.php] (Consultée le 14 octobre 2014).

britannique, donc le fruit d'un des seigneurs anglophones qui ont exploité le domaine entre 1766 et 1881[35]. Les baux à ferme de la même seigneurie consentis en 1770 et 1777 révèlent toutefois la présence d'un manoir seigneurial sur le domaine[36]. Là repose toute l'ambiguïté : les interventions successives sur le manoir rendent plus difficile l'établissement d'une date de construction, et aucun document ne permet de l'établir à ce jour. Plusieurs structures se sont probablement succédé sur le site du domaine.

À cette ambiguïté du parcours se sont ajoutés les changements de vocation du site. À compter de 1930, le site est converti en résidence de villégiature par Hazel Kempt-Colville. Son architecte transforme le manoir, lui donnant des allures de gentilhommerie française d'Ancien Régime[37], accréditant par le fait même la thèse soutenue par Crépeau et Roy quelques années plus tôt[38]. En 1954, le manoir est converti en juvénat par les Frères de Saint-Gabriel, avant de devenir une école secondaire, un statut qu'elle maintient jusqu'en 2000. Se sont succédé plusieurs propriétaires, avant que le bâtiment ne soit abandonné et abîmé par un incendie. Les discussions des dernières années entourant l'avenir du bâtiment ont montré une relative méconnaissance de cet objet seigneurial. En raison à la fois de son statut et des altérations qu'a subies la structure d'origine, ce vestige d'une époque révolue a suscité jusqu'à présent peu d'intérêt chez les promoteurs touristiques et les spécialistes en patrimoine.

---

35. Ethnoscop, *Évaluation patrimoniale du domaine de Mascouche, rapport d'expertise*, tomes 1, 2 et 3, Montréal, ministère des Affaires culturelles et Ville de Mascouche, 1987 ; Lise St-Georges, *Étude historique du moulin à farine et de la maison du meunier du domaine seigneurial de Mascouche*, Montréal, ministère des Affaires culturelles, 1990.

36. BAnQ, greffe du notaire Pierre Panet de Méru, 24 décembre 1770 : Bail à ferme de la seigneurie de Lachenaie, par Gabriel Christie, seigneur de Lachenaie, à Ambroise Magnan, négociant de la ville de Montréal ; BAnQ, greffe du notaire Pierre Panet de Méru, 10 octobre 1777 : Bail à ferme de la seigneurie de Lachenaie, par Gabriel Christie, seigneur de Lachenaie, à Félix Jolly, négociant de Lachenaie.

37. Voir Gauthier, *op. cit.*, p. 48 ; voir également Claude Martel, « Synthèse historique du domaine seigneurial de Mascouche », *loc. cit.* Le même auteur a publié une série de trois articles sur l'histoire du domaine seigneurial de Mascouche dans la chronique « Brin d'histoire » de la *Revue de Terrebonne*.

38. Voir notamment Jean-Claude Coutu, *La millionnaire de Mascouche : le manoir seigneurial de 1930 à 1954*, Mascouche, SODAM, 2006.

Manoir Colville de Mascouche peu après les travaux de reconstruction, vers 1932. Source : Société d'histoire de la Société de Terrebonne, Fonds Aimé-Despatis.

Dans la mémoire de la population des environs, l'épisode seigneurial obtient peu d'écho. Plusieurs raisons expliquent cette situation. D'abord, le domaine est depuis longtemps associé à une occupation anglophone, à l'instar des terres à proximité du domaine, sur lesquelles ont habité des populations anglophones et protestantes avec lesquelles les grandes familles terriennes francophones de Mascouche avaient moins de contacts. Soulignons en outre le fait qu'à compter du dernier quart du XIXe siècle les rentes seigneuriales ne sont plus acquittées au manoir du domaine, mais bien chez des cultivateurs des environs qui avaient racheté ce droit de percevoir[39]. Encore, on peut légitimement poser l'hypothèse d'un certain héritage acrimonieux envers la famille seigneuriale Pangman, qui a longtemps possédé le domaine, sans que le sentiment puisse être lié directement à une famille en particulier, mais plutôt par

39. À Mascouche, il est de notoriété que le « sieur Archambault », du rang Saint-Henri sur le coteau, était l'un de ces proto-seigneurs. Voir Denis Gravel, *Histoire de Saint-Henri-de-Mascouche*, Montréal, Société de recherche historique Archiv-histo, 2000, p. 29.

association avec l'arbitraire, les privilèges et l'oppression d'une certaine classe de possédants[40]. Les annales de la seigneurie de Lachenaie permettent de soulever cette piste[41]. En contrepartie, la situation géographique du domaine a involontairement contribué à cette mise à l'écart mémorielle : en retrait du village, dans un secteur où les terres sont pour la plupart ingrates, le domaine a peu à peu sombré dans l'oubli[42]. Ces facteurs expliquent que le projet de conservation du domaine seigneurial appuyé par la Ville de Mascouche se fera sur la base de l'intérêt du patrimoine forestier que recèle la forêt domaniale[43]. Mentionnons que l'adhésion de la population s'est mesurée à l'aune de l'attachement de plusieurs citoyens au site de l'école secondaire de leur enfance, plutôt qu'à l'attachement pour la forêt ou le patrimoine seigneurial[44]. Le fait seigneurial survivra donc au domaine de Mascouche, mais il sera pour l'heure porté d'abord et avant tout par le récit historien.

La création d'imaginaires seigneuriaux : les mémoires nomades

Les commémorations *in situ* du passé seigneurial ne représentent qu'une part des exercices mis en œuvre sur les territoires des anciennes seigneuries de la vallée laurentienne. Plusieurs localités

40. Le sociologue Horace Miner, dans sa célèbre étude sur la paroisse de Saint-Denis-de-la-Bouteillerie, avait jadis souligné la propension des citoyens à pester contre les « collecteurs des rentes seigneuriales ». Voir Horace Miner, *Saint-Denis, un village québécois*, Chicoutimi, Jean-Marie Tremblay, 2008 (1939), p. 64-65.

41. En 1843, à la faveur d'une commission sur l'état de la tenure seigneuriale dans la vallée du Saint-Laurent, plusieurs habitants de la seigneurie de Lachenaie ont critiqué la gestion des seigneurs. Voir Bibliothèque et Archives nationales du Canada, base de données *Notre mémoire en ligne*, appendice des journaux de l'Assemblée législative de la province du Canada, *Rapport des commissaires sur la tenure seigneuriale dans le Bas-Canada*, 1843.

42. Commentaires recueillis à l'hiver 2015 auprès de Claude Martel, historien régional à Archives Lanaudière.

43. Ville de Mascouche, « La ville de Mascouche se porte acquéreur du manoir et de sa forêt domaniale », [En ligne] [http://ville.mascouche.qc.ca/nouvelles-la-ville-de-mascouche-se-porte-acquereur-du-manoir-et-sa-foret-domaniale-3720.php] (Consultée le 15 octobre 2014).

44. Commentaires recueillis à l'hiver 2015 auprès de Claude Martel, historien régional à Archives Lanaudière.

ont ainsi recours à d'autres moyens pour mettre en scène le régime seigneurial, particulièrement là où le hasard – ou l'histoire – a été moins généreux en matière de témoins matériels tangibles. Ces moyens sont configurés par le contexte propre à chaque localité ou région. Si les difficultés à faire converger les mémoires à la fois historiques, institutionnelles et communautaires dans l'exercice commémoratif sont réelles lorsqu'un objet tangible et très évocateur est en vitrine, l'opération est plus complexe lorsqu'il faut débusquer et mettre au jour ces objets. Il suffit le plus souvent d'un seul récit, d'une initiative bien menée ou d'une trouvaille pour créer le mythe et faire basculer la mémoire. Un des cas observés est la création d'objets pour faire vivre des mémoires nomades ou qui ne bénéficient pas de supports matériels.

Le manoir de Saint-Jean-Port-Joli

En matière seigneuriale, l'exemple du manoir de Saint-Jean-Port-Joli est assez évocateur. Pierre-Georges Roy lui-même est peut-être à la source de cet exemple d'une résurrection d'un monument voué à la mémoire seigneuriale. En 1927, sa célébration de l'héritage seigneurial survient quelques années trop tard : le manoir seigneurial de l'icône par excellence du régime déchu, l'écrivain Philippe Aubert de Gaspé, a été la proie des flammes en 1909. Roy trouvera tout de même le moyen de consacrer quelque six pages aux ruines du manoir[45]... Le choix éditorial de l'auteur était à la fois clair et paradoxal : dans un ouvrage dédié aux archives de pierre, il consacre le plus grand nombre de pages à un objet dont il ne subsiste que quelques traces au sol. Porté ainsi par l'œuvre de la Commission des monuments historiques à laquelle il participe, Roy consacre par le fait même le mythe d'Aubert de Gaspé, auquel il donne une seconde vie. L'idée de patrimonialiser l'héritage du célèbre auteur des *Anciens Canadiens* demeure ancrée dans les esprits tout au long du XXe siècle, portée par différents projets et

45. Roy, *op. cit.*, p. 211-216.

Manoir Aubert de Gaspé à Saint-Jean-Port-Joly en 1900. Source : Musée de la mémoire vivante, Saint-Jean-Port-Joly, pièce 2006-1-13.

passionnés du patrimoine[46]. Elle gagne en popularité après la publication par la Société d'histoire de la Côte-du-Sud d'une étude plus approfondie sur le site du manoir (1986) et la mise sur pied de la Corporation Philippe-Aubert-de-Gaspé (1987), alors qu'on envisage sérieusement la reconstruction pure et simple du manoir[47]. La mise au rancart du projet pendant quelques années correspond à une période de mutation ; s'opère alors un glissement du patrimoine matériel vers le patrimoine immatériel. Le fondement même

---

46. Serge St-Pierre, « Philippe-Aubert de Gaspé, des *Anciens Canadiens* au Musée de la mémoire vivante », *Encyclopédie du patrimoine culturel de l'Amérique française*, [En ligne] [http ://www.ameriquefrancaise.org/fr/article-265/Philippe-Aubert#.VPmjSo10y1t] (Consultée le 15 février 2015).

47. André Chouinard, *Le manoir Aubert de Gaspé, son histoire, son architecture*, La Pocatière, Société historique de la Côte-du-Sud, 1986 ; Louise St-Pierre, *Le complexe Philippe-Aubert-de-Gaspé : étude de marché, Saint-Jean-Port-Joli*, Mémoire vive, 2004 ; François-X. Côté, *Le manoir Philippe-Aubert-de-Gaspé : vers un Musée de la mémoire vivante*, Québec, ministère de la Culture et des Communications du Québec, 2004.

Musée de la mémoire vivante à Saint-Jean-Port-Joly. Source : Musée de la mémoire vivante à Saint-Jean-Port-Joly, pièce A2015-0009-.

de l'érection du bâtiment repose maintenant sur l'idée de recueillir les « mémoires vivantes ». Le Musée de la mémoire vivante a ouvert ses portes en 2008, à l'heure où le paradigme du bâti est en pleine transition dans les instances gouvernementales – ce qui se traduit par un désengagement au niveau des immobilisations depuis le début des années 1990. La mise au monde d'une telle structure dans ce contexte relève d'un véritable exploit. La puissance évocatrice des imaginaires est ici en cause : porté par les récits des mémorialistes, des historiens et des littéraires, patiemment codifié dans les mémoires des citoyens et soutenu par les instances gouvernementales, le manoir seigneurial associé à une certaine Nouvelle-France (soit celle d'après 1760 !) est sorti de terre. L'intégration du site au Répertoire du patrimoine culturel a eu lieu dans la foulée de la première pelletée de terre en 2004. Le cycle est complet : la reconstitution passe à l'histoire, à quelques mètres du socle où reposait le manoir d'origine, en dépit du fait qu'un autre domaine seigneurial – en l'occurrence celui du village voisin de Saint-Roch-des-Aulnaies – soit dédié à faire vivre le régime seigneurial dans la région depuis quelques décennies. La pertinence du projet repose sur un inversement de perspective ; le truchement du régime seigneurial devient un prétexte pour recueillir l'ensemble des récits comme porteurs d'un patrimoine immatériel, plutôt qu'un ensemble matériel auquel on attribue des valeurs d'authenticité et d'ancienneté. En définitive, le processus aboutit à la création d'une archive architecturale qui renvoie paradoxalement à l'ancien paradigme commémoratif de *l'objet pour l'objet*, comme symbole sourd d'un pouvoir qui reprend sa place dans le paysage.

La maison Louis-Bertrand à L'Isle-Verte

En contrepartie, là où Pierre-Georges Roy n'a rien trouvé en 1927, d'autres s'appliqueront à combler les vides. Le cas de L'Isle-Verte demeure peut-être l'un des plus curieux à cet égard. Roy ne relève à l'époque que la présence de ce qu'il appelle le moulin Saint-Laurent, construit en 1823, mieux connu aujourd'hui comme le moulin du Petit-Sault (ou encore le moulin Dumas). Il n'est fait par contre aucune mention de la maison appartenant aux descendants du marchand et ancien seigneur Louis Bertrand, construite en 1853, qui trône au village près de l'église paroissiale. Le bâtiment en question, véritable monument d'architecture néo-classique, ne peut échapper au passant, encore moins à un œil averti en matière d'architecture. Comment expliquer cette omission de Pierre-Georges Roy ? Certains pourraient arguer que la Commission ne retient que les bâtiments les plus anciens – particulièrement ceux se rapportant à la Nouvelle-France –, mais d'autres bâtiments cités dans le volume sont contemporains de la maison des Bertrand. Est-il possible que Roy ait ignoré qu'il s'agissait de l'ancienne demeure d'un seigneur ? Au tournant du XXe siècle, l'association de la seigneurie aux Bertrand n'allait pas de soi, du moins si l'on en croit le récit de Charles-Arthur Gauvreau[48]. Même l'ouvrage sur les manoirs québécois de Raymonde Gauthier n'y fait aucune allusion en 1976[49]. De fait,

48. Charles-Arthur Gauvreau, *Nos paroisses : L'Isle-Verte (St Jean Baptiste)*, Lévis, Mercier et Cie (Libraires et imprimeurs), 1889.

49. Le choix demeure surprenant dans la mesure où la définition du manoir retenue par Raymonde Gauthier invitait simplement à considérer « la demeure du seigneur sur les terres dont il était propriétaire ». Voir Gauthier, *op. cit.*

Maison Louis-Bertrand vers 1890. Source : Musée canadien de l'histoire, Fonds Marius-Barbeau.

l'histoire de la famille Bertrand à L'Isle-Verte est restée relativement méconnue jusqu'à ce que l'écrivain et homme d'Église Robert Michaud, un descendant de Louis Bertrand, la mette en scène[50]. La figure du seigneur a en effet ressurgi dans l'imaginaire local au moment des célébrations du 150e anniversaire de l'érection canonique de la paroisse dans les années 1970 ; or, en l'absence de recherches fondamentales associées aux premières générations des seigneurs Côté, le récit de Michaud a progressivement occupé l'espace commémoratif, le tout culminant avec la désignation de la maison comme monument historique au tournant des années 2000. La commémoration du fait seigneurial a donc été associée de plus en plus étroitement à une seule famille – et dans son prolongement à un seul bâtiment. Une certaine mémoire historique, propulsée par le discours des organismes voués à la promotion du

50. Jean-René Thuot, « Patrimonialisation des mémoires, mémoire de la patrimonialisation : le cas de L'Isle-Verte », dans Karine Hébert (dir.), *L'apport des disciplines à la recherche en patrimoine*, Québec, Presses de l'Université du Québec (à paraître).

Maison Louis-Bertrand en 2012. Source : Jean-René Thuot.

tourisme régional et l'expertise gouvernementale[51], a ainsi donné naissance à un nouvel objet seigneurial. La mémoire de la population de L'Isle-Verte est-elle en phase avec cette orientation de la commémoration du fait seigneurial ? Les témoignages recueillis ces dernières années lors du processus de restauration de la maison supervisé par l'Université du Québec à Rimouski (UQAR) laissent comprendre que cette mémoire seigneuriale est univoque. La population n'adhère pas à l'ensemble de la démarche, comme le laisse comprendre le plan de développement réalisé par la fondation Rues principales avec des groupes de concertation dans la municipalité en 2012-2013 : l'apport du monument historique à la démarche de vitalisation est complètement occulté[52].

51. L'Université du Québec à Rimouski s'est notamment porté acquéreur du site en 2005. Les portes sont ouvertes au public l'été. Sur la nouvelle vocation de la maison, voir Karine Hébert, Julien Goyette et Manon Savard, « La Maison Louis-Bertrand, laboratoire d'histoire et d'archéologie », *L'Estuaire*, n° 66, juin 2006, p. 10-13.

52. Fondation Rues principales, *Plan de développement*, Municipalité de L'Isle-Verte, 2013.

L'ancien domaine seigneurial de Saint-Roch-de-l'Achigan

Saint-Roch-de-l'Achigan offre un autre exemple de lieu où la commémoration du seigneurial sera à la recherche d'un support. Déjà en 1927, les traces du régime seigneurial sont assez minces sur le territoire ; voilà qui explique la page blanche de Pierre-Georges Roy. La famille seigneuriale fondatrice, bien qu'elle n'ait jamais habité Saint-Roch, a conservé une partie de son patronyme en héritage : Pierre-*Roch* (et son fils Paul-*Roch* après lui) aura donc laissé une trace toponymique. Le site du village correspondait jadis à un domaine réservé par les Saint-Ours, domaine qui s'est morcelé au fil du temps, au gré de l'agrandissement du village. Sur ce domaine était construit un important moulin banal qui desservait une bonne partie des censitaires de la seigneurie de L'Assomption ; de plus, pendant une vingtaine d'années, l'agent seigneurial et homme de confiance de la famille Saint-Ours, Barthélémy Rocher, tenait sa résidence au village de Saint-Roch. Les récits historiques sur la paroisse témoignent de ces éphémérides ; peu à peu, ils ont engendré une conscientisation de la population locale à son histoire, permettant au passage de situer le fait seigneurial dans le parcours du village[53]. À la faveur du processus de commémoration de la construction de l'église dans les années 2000, la société d'histoire locale a souhaité souligner la contribution du seigneur. La presqu'île qui avait jadis accueilli le moulin portant déjà le nom de Masson[54] et la maison de l'agent seigneurial étant disparue, la décision fut prise de réaliser un buste en l'honneur de Paul-Roch de Saint-Ours, seigneur à l'époque de la construction de l'église en 1803. Ce buste a été intégré à un monument en hommage aux fondateurs inauguré en 2005, près de l'hôtel de ville. En raison de l'absence d'un objet bâti ou d'un site qui pourrait accueillir la mémoire sans attache du seigneur Saint-Ours – son souvenir dans sa propre localité de

53. Roger Lemay, *Saint-Roch-de-l'Achigan. 200 ans de souvenirs, 1787-1987*, Saint-Roch-de-l'Achigan, s.n., 1987 ; Jean-René Thuot, *Parcours de bâtisseurs à Saint-Roch-de-l'Achigan. Les lieux de mémoire revisités*, Montréal, Société de recherche Archiv-histo, 2006.

54. En l'honneur des propriétaires qui avaient occupé la presqu'île pendant plusieurs années. Le projet de rebaptiser la presqu'île n'a pas suscité l'adhésion.

résidence (L'Assomption) étant pratiquement inexistant –, on choisit de pallier par une création. Ce ne sont ni les mémoires des grandes institutions culturelles ni celles d'une mobilisation citoyenne, mais plutôt celles des seuls récits historiques, sur lesquels repose l'argumentaire de la société d'histoire. Chez les *anciens* interrogés, les ruines de l'ancien moulin seigneurial avaient toujours été attribuées à une vieille maison, tandis que la famille seigneuriale des Saint-Ours et leur agent Rocher leur étaient jusqu'à récemment complètement inconnus.

La maison Lamontagne à Rimouski

Ce processus d'association de la mémoire seigneuriale à un nouvel objet s'observe également dans d'autres municipalités, comme Rimouski, où Pierre-Georges Roy n'avait rien relevé non plus. Pourtant, contrairement à Saint-Roch-de-l'Achigan, le seigneur avait tenu résidence à Rimouski, dès le XVIIIe siècle. En dépit de cette occupation à long terme, le paysage rimouskois ne livre pas facilement son patrimoine seigneurial aux yeux du visiteur. Dans les limites de la ville même, aucun moulin de l'époque du régime seigneurial n'a traversé le temps. Au sujet des maisons habitées par des seigneurs, outre celle qui a disparu lors du grand incendie de 1950[55] – qui a ravagé une partie significative de l'ancien village –, la recherche n'a pas terminé de livrer ses fruits à ce jour[56]. Sur le régime seigneurial, la recherche a produit ces dernières années les avancées nécessaires[57]. En dépit de ces jalons sur le plan de la

55. Il s'agit du manoir Tessier, situé jadis tout près de l'embouchure de la rivière Rimouski. L'ouvrage sur les manoirs de Raymonde Gauthier ne contient aucune notice sur la seigneurie rimouskoise. Voir Gauthier, *op. cit.*

56. Sur les seigneurs rimouskois, on pourra notamment consulter Pascal Gagnon, « Les mystérieuses origines de la maison Perron », *L'Estuaire,* n° 71, 2011, p. 44-48 ; Béatrice Chassé, *Rimouski et son île : les seigneurs Lepage, l'île Saint-Barnabé,* UQAR-GRIDEQ-Société d'histoire du Bas-Saint-Laurent, coll. « Cahiers de l'Estuaire » (n° 2), 2003 ; Gabriel Langlois, « Le manoir des seigneurs Lepage », *L'Estuaire,* vol. XXI, n° 1 (n° 52), janvier 1998, p. 3-5.

57. Voir notamment Paul Larocque et collab., *Rimouski depuis ses origines,* Rimouski, Société d'histoire du Bas-Saint-Laurent et GRIDEQ, 2006.

La Maison Lamontagne, circa 1920. Photographe inconnu. Épreuve argentique noir et blanc. Collection : Site historique de la Maison Lamontagne. SHML-2007.214.

recherche, l'entreprise commémorative du fait seigneurial s'est emballée depuis longtemps à Rimouski avec la maison Lamontagne. Mise au jour dans les années 1970 par l'historien de l'art Michel Lessard, cette maison en colombage pierroté datant du Régime français a subi une restauration spectaculaire. La structure du bâtiment, qui servait alors de grange, a été déplacée et largement reconstruite : le plan d'aménagement comprenait en outre des jardins. Son classement comme monument historique fut effectué dès 1974 ; on y emménagea un centre d'interprétation de l'architecture domestique du Québec à compter de 1982. Du ministère des Affaires culturelles, elle passa entre les mains de la Municipalité de Rimouski, qui en assure la gestion par l'entremise de la Société rimouskoise du patrimoine[58]. Entretemps, les recherches ont permis d'identifier les premiers occupants de la maison en 1744 : Basile Côté et surtout Marie-Agnès Lepage, fille du seigneur du lieu. La famille Lepage a été à la tête de la seigneurie de Rimouski pendant plusieurs années. Ainsi, la maison Lamontagne incarnait soudainement à la fois l'architecture en Nouvelle-France et le régime

58. Amélie Brière et collab., *La Maison Lamontagne : une architecture, un héritage*, Rimouski, Site historique de la Maison Lamontagne, 2010.

La Maison Lamontagne. Photo : Site historique de la Maison Lamontagne – Carl Johnson.

seigneurial. L'empreinte de la famille Lepage a toujours été forte à Rimouski, et l'est encore aujourd'hui. Ainsi, ajouté au monument commémoratif des Lepage sur la rue Saint-Germain et au parc Lepage situé plus haut dans la ville, la Maison Lamontagne – qui doit son nom à l'un de ses propriétaires au début du XIXe siècle – permet de faire l'apologie d'une famille seigneuriale. Si la recherche fondamentale a notamment révélé le parcours des familles seigneuriales Drapeau et Tessier, cette mémoire n'a que peu de place dans les processus commémoratifs actuels, bien scénarisés depuis plusieurs années autour de la Maison Lamontagne avec l'appui des firmes spécialisées et du ministère de la Culture et des Communications. Plusieurs sites potentiellement porteurs de sens pour d'autres mémoires seigneuriales demeurent ainsi dans l'ombre à ce jour[59]. Parmi la population rimouskoise, la restauration du bâtiment n'avait pas suscité l'adhésion générale au point de départ ; le processus d'acculturation de ce nouvel objet n'est pas terminé.

---

59. Le guide d'excursion et d'interprétation du patrimoine bâti de Rimouski réserve une page au manoir seigneurial attribué aux familles Drapeau et Tessier. Voir Antonio Lechasseur et Claire Soucy, *Les promenades historiques de Rimouski. Guide d'excursion et d'interprétation*, Rimouski, Société rimouskoise du patrimoine, 2007, p. 21.

L'absence de commémoration, ou l'effacement du fait seigneurial

Les processus commémoratifs faisant état du fait seigneurial prennent place autour d'objets dits « significatifs » ou « de premier plan », ou s'articulent autour d'autres objets – une reconstitution, un buste, une maison de particulier – qui font écho à cet univers ou simplement qui offrent un tremplin pour le mettre au jour. Il se trouve enfin un troisième cas de figure : celui où le fait seigneurial est ignoré, occulté, voire volontairement mis à l'écart[60]. *Vieux manoirs, vieilles maisons* nous fait découvrir plusieurs sites et monuments qui n'ont pas connu de trajectoires heureuses ou dont la mémoire a été effacée dans les décennies suivantes, en fonction de différents contextes et trajectoires.

Le manoir de l'île Jésus

Le manoir de Clément-Charles Sabrevois de Bleury, érigé dans la paroisse Saint-Vincent-de-Paul sur l'île Jésus (aujourd'hui Laval) dans les années 1830, est de ceux-là. Situé au milieu d'un énorme domaine de plus de 400 acres, le manoir épousait les formes du néoclassicisme anglais, détonnant dans la campagne d'alors. Également propriétaire d'une partie de la seigneurie de Boucherville, Sabrevois de Bleury se vit affublé du titre peu envieux de « vire-capot », en raison de sa volte-face dans le tumulte des mouvements révolutionnaires des années 1830. Après sa mort en 1862, le domaine finit par se retrouver entre les mains d'une autre famille seigneuriale, les Lussier de Varennes, qui le vendra au gouvernement fédéral en 1930. Demeuré inoccupé pendant plusieurs années, le manoir sera détruit par un incendie en 1957[61]. Si l'histoire de la trajectoire de

60. Cette perspective a déjà retenu l'attention de Benoît Grenier, à partir de l'exemple de la seigneurie de Beauport. Voir Benoît Grenier, « La seigneurie de Beauport », *Encyclopédie du patrimoine culturel de l'Amérique française,* [En ligne] [http://www.ameriquefrancaise.org/fr/article-290/Seigneurie_de_Beauport.html#.VP5KPI6j-Yk] (Consultée le 15 février 2015).

61. Susanne Commend, *Histoire de raconter le Vieux Saint-Vincent-de-Paul,* Laval et Québec, Route du patrimoine de Laval et Villes et villages d'art et de patrimoine, 2010, p. 7.

Manoir Sabrevois de Bleury à Saint-Vincent-de-Paul. Photo prise par Edgar Gariépy vers 1925. Source : BAnQ, P600, S6, D5, P541.

ce monument reste à écrire, il demeure surprenant que le site n'ait pas retenu l'attention des chercheurs jusqu'à tout récemment, à la faveur de la création de circuits patrimoniaux par la Ville de Laval[62]. Le bâtiment avait pourtant attiré l'attention successive de Pierre-Georges Roy, J. Roy Wilson et Raymonde Gauthier[63], à tout le moins en vertu de ses propriétés architecturales. Aussi, le déficit d'attention réside plutôt dans la méconnaissance de l'histoire du régime seigneurial de l'île Jésus au XIXe siècle[64], un régime dont il reste peu de traces – peut-être en raison de seigneurs non résidents[65]. En fin de compte, ce cas de figure soulève l'hypothèse selon laquelle la présence seigneuriale constituerait un critère significatif pour que s'érige une mémoire des seigneurs. En même temps, Sabrevois de

62. *Ibid.*

63 Roy, *op. cit.*, p. 31-33 ; J. Roy Wilson, *Les belles vieilles demeures du Québec*, Montréal, Éditions HMH, 1977, p. 100-101 ; Gauthier, *op. cit.*, p. 44-45.

64. À noter cependant que les XVIIe et XVIIIe siècles ont déjà fait l'objet d'un regard attentif de la part de Sylvie Dépatie. Voir notamment Sylvie Dépatie, *L'évolution d'une société rurale : l'île Jésus au XVIIIe siècle*, Thèse (Ph. D.), Université McGill, 1988.

65. La seigneurie de l'île Jésus appartenait alors au Séminaire de Québec.

Bleury aurait établi son manoir en partie sur le domaine racheté d'Hubert-Joseph Lacroix, lui-même seigneur de Blainville[66].

Le domaine de Berthier-en-Bas

Au chapitre des monuments qui, à l'instar du manoir Bleury, ont connu la seconde moitié du XXe siècle sans pour autant être mis en valeur, signalons la curiosité que représente le domaine seigneurial de Berthier-en-Bas (aujourd'hui Berthier-sur-Mer), situé dans les limites de l'ancienne seigneurie de Bellechasse. Dans la première moitié du XIXe siècle, le domaine, en plus de profiter des avantages du port de Berthier (qui le bornait à l'ouest), était constitué d'un manoir et de ses bâtiments de service, d'une forge, d'une fabrique de tonneaux, de trois moulins à vent et de bâtiments « pour traiter et entreposer la farine[67] ». Louis Dunière et Claude Dénéchaud, hommes d'affaires influents pendant le Régime britannique, y mèneront leurs affaires. Il n'est guère surprenant de voir Pierre-Georges Roy réserver quatre pages au domaine en 1927 ; dès les années 1960, des citoyens du secteur et des chercheurs de l'Université Laval cherchent à sauvegarder le site et à le mettre en valeur. Au milieu des années 1970, le domaine attire l'attention des historiens de l'art et des architectes[68]. La mobilisation communautaire prend de l'ampleur : de la Société Saint-Jean-Baptiste à la Ligue des citoyens de Berthier, en passant par la Société du patrimoine de Berthier-sur-Mer, les démarches conduisent à obtention d'une protection patrimoniale par le ministère des Affaires culturelles, contre la volonté de la

66. Susanne Commend, *op. cit.*, p. 7 ; W. Stanford Reid, « Lacroix, Hubert-Joseph », dans *Dictionnaire biographique du Canada*, vol. 6, Université Laval et University of Toronto, [En ligne], 2003 [http ://www.biographi.ca/fr/bio/lacroix_hubert_joseph_6F.html] (Consulté le 15 mars 2015).

67. Philippe Picard et Alain Prévost, *Site du manoir Dénéchaud à Berthier-sur-Mer (CfEq-3). Intervention de sauvetage*, s. l., ministère de la Culture et des Communications du Québec, 1994, p. 23-25.

68. Raymonde Gauthier plaide pour la restauration du manoir ; de son côté, J. Roy Wilson l'intègre à sa galerie des quelque cinquante plus beaux monuments d'architecture de la vallée laurentienne. Voir notamment Gauthier, *op. cit.*, p. 176 ; Wilson, *op. cit.*, p. 26-27.

propriétaire (qui réside à l'extérieur du pays)[69]. Parallèlement à cette mobilisation, les récits historiques faisant état du domaine s'alignent et mettent en évidence le caractère exceptionnel du site[70]. Malgré les projets de mise en valeur soumis au cours des années 1980, le ministère ne parvient pas à négocier la cession de la propriété avec la propriétaire récalcitrante. L'état de dégradation avancé oblige le ministère à exproprier cette dernière en 1993 en prévision de la démolition des restes du manoir. Alors que la Corporation du Havre poursuit le développement de son projet de marina sur le site de l'ancien domaine seigneurial, le domaine et son histoire sombrent dans l'oubli. Aujourd'hui, la Corporation touristique de Berthier-sur-Mer a fait installer sur le site, devenu marina, des panneaux d'interprétation qui présentent exclusivement les caractéristiques de l'environnement fluvial du secteur. Seuls une plaque de bronze avec un court texte et les vestiges d'une cheminée en pierre rappellent que ce lieu était celui d'un domaine seigneurial d'exception. Il est surprenant qu'une aussi parfaite convergence d'intérêts entre les récits d'historiens, les démarches de conservation des institutions culturelles et la volonté des citoyens ne puisse empêcher un effacement aussi violent de la mémoire seigneuriale.

Le manoir de Saint-Ours à L'Assomption

Un autre cas d'oubli a été observé sur le territoire de l'ancienne seigneurie de L'Assomption, dans le secteur de la ville lanaudoise du même nom. Pierre-Georges Roy avait pris soin de pointer les ruines d'un manoir en 1927 ; en 1976, Raymonde Gauthier se limite à citer

69. *Ibid.*, p. 31-32.

70. Robert Lavallée, *Petite histoire de Berthier*, La Pocatière, Société historique de la Côte-du-Sud, 1973 ; Barbara Salomon De Friedberg, *Le manoir Dénéchaud, Berthier-sur-Mer : recueil de photographies et de textes*, Québec, ministère des Affaires culturelles, Direction de l'inventaire des biens culturels, 1977, s.p. ; Louis-Philippe Bonneau, *Histoire de la seigneurie Bellechasse-Berthier*, Saint-François-de-la-Rivière-du-Sud, Société de conservation du patrimoine de Saint-François-de-la-Rivière-du-Sud, 1983 ; Jacques Dorion, « Manoir Dénéchaud », Commission des biens culturels du Québec, *Les chemins de la mémoire. Monuments et sites historiques du Québec. Tome I*, Québec, Les Publications du Québec, 1990, p. 374.

le travail de Roy, sans accorder une notice complète au bâtiment[71]. La paroisse de L'Assomption fut en effet le lieu de résidence de la famille Saint-Ours à compter de l'achat de la seigneurie par Paul-Roch en 1786, jusqu'à la mort de Marie-Aurélie Faribault en 1880 (sa bru, alors seigneuresse). Les faits d'armes de cette famille canadienne de premier plan, qui possédait des seigneuries sur les deux rives du Saint-Laurent, ont été racontés dans diverses monographies[72] ; les fonds d'archives se rapportant à cette époque permettent d'apprécier la place qu'occupaient les Saint-Ours dans la vie publique[73]. Ils entretenaient des liens avec toutes les familles d'importance de la colonie, en qualité de nobles et d'hommes publics. L'architecture de leurs demeures, notamment celles de Charles-Roch (1753-1834) à Saint-Ours[74] et de Paul-Roch (1747-1814) à L'Assomption, atteste de leur statut. Selon l'historien Christian Roy, le manoir de Paul-Roch, situé jadis sur une terre du rang du Bas-de-l'Assomption en aval du village, aurait été complété en 1789 ; il sera détruit par les flammes en 1913[75]. Dans l'intervalle, le régime seigneurial avait été aboli et la perception des rentes, continuée par d'autres. Cette nouvelle distribution des rôles a pu contribuer à briser la chaîne de sens, en désarticulant le lien avec le seigneur résidant au manoir. Les habitants du secteur consultés ne conservaient aucune mémoire de la présence d'un manoir dans le secteur. À l'heure actuelle, rien ne signale la présence des Saint-Ours à l'endroit en question, pas plus que le site n'est intégré dans les circuits patrimoniaux de la région. L'histoire du fait seigneurial dans l'une des seigneuries les plus prospères de la région de Montréal a donc été mise en veilleuse.

---

71. Voir Roy, *op. cit.*, p. 55 ; Gauthier, *op. cit.*, p. 214.

72. Voir notamment Sophie Imbeault, *Les Tarieu de Lanaudière. Une famille noble après la Conquête, 1760-1791*, Québec Septentrion, 2004 ; voir également Christian Roy, *Histoire de L'Assomption*, L'Assomption, Commission des fêtes du 250e anniversaire, 1967 ; Azarie-E. Couillard-Després, *Histoire de la seigneurie de Saint-Ours*, Montréal, Imprimerie de l'Institut des sourds-muets, 1917.

73. Pour la rive nord du Saint-Laurent, voir Jean-René Thuot, *D'une assisse locale à un réseau régional : élites et institutions dans la région de Lanaudière (1825-1865)*, Thèse (Ph. D.), Université de Montréal, 2008.

74. Le domaine seigneurial de Saint-Ours, situé à Saint-Ours, est classé site patrimonial depuis 1982.

75. C. Roy, *op. cit.*, p. 184-188. Pierre-Georges Roy a publié la photo des ruines du manoir. Voir P.-G. Roy, *op. cit.*, p. 55.

Manoir seigneurial de Saint-Ours à L'Assomption. Source : Christian Roy, *Histoire de l'Assomption*, p. 184.

Le domaine de Lachenaie

Il existe un autre cas de figure au chapitre de l'effacement : les objets ou sites seigneuriaux qui sont révélés par la recherche fondamentale, mais dont il ne subsiste aucune photo ou trace tangible dans le paysage (ou presque) – pas même une évocation dans le volume de Pierre-Georges Roy. C'est le cas du domaine seigneurial de Lachenaie (situé dans la localité du même nom), pourtant l'un des îlots les plus dynamiques dans le commerce de la farine au XVIIIe siècle dans l'est de Montréal, notamment en vertu de sa position géographique stratégique[76]. À ce jour, en dépit des projets de mise en valeur soumis au fil des années par certains chercheurs, le site est

76. Le domaine était situé à la confluence des rivières des Prairies et des Mille-Îles, tout près du fleuve Saint-Laurent. Voir notamment Jean-René Thuot, « L'évolution du paysage bâti de Lachenaie, XVIIIe-XXe siècles : statuts élitaires et architecture domestique dans les campagnes laurentiennes », *Journal de la Société pour l'étude de l'architecture au Canada/Journal for the Study of Architecture in Canada*, vol. 39, n° 1, 2014, p. 71-86.

toujours inoccupé et désert près de la rivière[77]. L'imaginaire seigneurial a en quelque sorte été aspiré par le deuxième domaine de la seigneurie, celui de Mascouche dont il a été question plus haut et qui a, pour sa part, intéressé récemment certains organismes. À Lachenaie, les ruines de l'ancien moulin et de la maison du meunier adjacente ont disparu du paysage depuis le XIXe siècle, la première moitié du XXe n'ayant laissé paraître que quelques débris difficiles à interpréter. Même parmi les plus anciens habitants du territoire, aucun n'a mémoire d'un quelconque moulin ou d'un domaine seigneurial[78]. Ainsi, sans mobilisation communautaire et sans appui des grandes institutions culturelles, la place du fait seigneurial à Lachenaie demeure improbable.

Conclusion

Les processus de commémoration du fait seigneurial prennent différentes formes dans la vallée du Saint-Laurent. Nous avons proposé ici un portait général de ces processus en observant le sort réservé à certaines des marques les plus tangibles de cet héritage seigneurial. Nous avons constaté que l'ancrage des imaginaires seigneuriaux n'est pas qu'une affaire d'objets « forts » : plusieurs facteurs peuvent concourir à incliner la puissance d'évocation et même, plus simplement, l'aboutissement des projets de mise en valeur. En fait, l'examen dans un second temps des « greffes » d'imaginaires seigneuriaux sur d'autres objets ou sites montre bien le rôle que peuvent jouer les acteurs dans le théâtre de la patrimonialisation. Cette capacité à faire émerger une figure, un site ou un bâtiment peut aussi, à l'inverse, occasionner des maux de tête, si la mobilisation ou la collaboration ne sont pas au rendez-vous. Les cas évoqués dans le troisième volet, qui traitent du « déficit commémoratif », en apportent la preuve.

---

77. Commentaires recueillis à l'hiver 2015 auprès de Claude Martel, historien régional à Archives Lanaudière.

78. Témoignages recueillis lors du projet Construction des identités élitaires et architecture : l'évolution du bâti dans le milieu rural québécois aux XVIIIe et XXe siècles, appuyé par le FQRSC entre 2008 et 2010.

L'absence de commémoration procède aussi, jusqu'à un certain point, de l'oubli, conscient ou non. Cette absence peut révéler une rupture dans la chaîne de transmission mémorielle qui se lit à la fois dans les récits historiques, au sein des institutions culturelles et dans les mémoires communautaires ; elle est parfois le fruit d'un choix. Ce constat nous force à conclure que l'adéquation entre les lieux avérés de la présence d'objets seigneuriaux et la présence de lieux de commémoration demeure toute relative. Enfin, l'examen plus général de l'ensemble des cas soulevés ici nous laisse également comprendre que l'adéquation entre les trois types de mémoires (historiens, grandes institutions culturelles et citoyens) demeure assez fortuite, procédant plutôt de l'exception.

Par ailleurs, la notion de choix nous ramène aux considérations de départ sur la nature de ce que l'on souhaite commémorer plus fondamentalement en regard du fait seigneurial. La mémoire de l'archive, celle des récits d'histoire, nous propose une lecture des mécanismes de pouvoir à partir des documents créés le plus souvent par les mêmes acteurs décisionnels. La mémoire du bâti, soit celle des professionnels gouvernementaux, renferme elle aussi les stigmates d'une hiérarchie, qui filtre de manière intemporelle, et trouve son chemin à travers les contextes de patrimonialisation. Elle participe à mettre en capsule une culture élitaire incarnée le plus souvent dans l'architecture. Quant à la mémoire du censitaire, celle de la parole et de l'oralité, elle nous livre également une lecture qui reflète les rapports de pouvoir entretenus au sein du monde rural depuis des temps immémoriaux. L'imaginaire seigneurial ne serait-il en fin de compte qu'un objet d'élites ? Ainsi, au-delà des lieux et des objets autour desquels il peut s'incarner, cet imaginaire n'en est pas à ses dernières réminiscences.

« *Mort d'extrême vieillesse* » : *histoire et mémoire du régime seigneurial depuis 1854*[1]

Benoît Grenier

> Il n'est guère de société [...] qui n'ait laissé quelque trace d'elle-même dans des groupes plus récents où nous sommes plongés ; la subsistance de ces traces suffit à expliquer la permanence et la continuité du temps propre à cette société ancienne.
>
> Maurice Halbwachs, « La mémoire collective et le temps », *Cahiers internationaux de sociologie* (1947), p. 23.

Février 1941 : Gabrielle Roy n'a pas encore amorcé sa carrière de romancière. Alors reporter, elle publie dans *Le Bulletin des agriculteurs* un article intitulé « Mort d'extrême vieillesse[2] ». La future auteure de *Bonheur d'occasion* ne donne pas dans la recherche historique, elle propose une lecture journalistique d'un fait alors contemporain. C'est qu'au début de la décennie 1940-1950 la propriété seigneuriale n'est pas affaire du passé dans la province de Québec. L'analyse de Roy, nettement plus critique à

1. Ce texte s'inscrit dans les travaux que je dirige sur les persistances seigneuriales au Québec, dont la phase 2 (identité et mémoire) est financée par le CRSH (Subvention Savoir, 2014-2019). Je tiens à remercier Michel Morissette pour son indispensable collaboration à cette recherche depuis 2011. J'adresse également mes remerciements aux autres assistants qui ont contribué aux diverses étapes de la recherche : Jessica Barthe, Francis Hébert-Bernier et Jonathan Fortin. Le titre fait écho à un article publié par Gabrielle Roy en février 1941, consacré à l'extinction du régime seigneurial : Gabrielle Roy, « Mort d'extrême vieillesse », *Le Bulletin des agriculteurs*, février 1941, p. 8 et 34-35.

2. *Ibid.*

l'égard de cette « vénérable » institution que ses contemporains[3], rappelle que, près d'un siècle après l'adoption par le Parlement du Canada de l'Acte pour l'abolition des droits et devoirs féodaux dans le Bas-Canada[4] (1854), « nous éprouvons encore les derniers effets du régime colonial qu'il [Richelieu] nous imposa il y a plus de trois cents ans[5] ». Ce sont justement ces persistances dans le Québec du XXe et même du XXIe siècle que ce texte veut présenter.

Lorsque j'ai amorcé la réflexion sur les persistances du régime seigneurial après son abolition, au terme de mes études doctorales, je n'avais pas idée de la multitude de traces et de témoins qui se présenteraient à moi. Certes, j'étais bien conscient que ces permanences ne résidaient pas seulement dans les paysages et le patrimoine, mais j'ignorais à quel point cette piste allait être fertile. La date de 1854 est généralement considérée comme marquant la fin du régime seigneurial au Québec. Elle constitue, comme c'est presque toujours le cas en histoire, une norme, un consensus pratique et un outil didactique[6]. Ces repères chronologiques, tout en ayant leur utilité, occultent néanmoins des réalités bien plus complexes. Les ruptures sont rarement totales, en particulier dans les pays comme le nôtre qui n'ont pas connu de révolutions. L'étude de la seigneurie en sol québécois constitue une illustration exemplaire des limites de telles balises chronologiques. On sait depuis longtemps que le régime seigneurial est un fait séculaire dans l'histoire du Québec. Instauré sur les rives du Saint-Laurent dès la décennie 1620-1630, il survit à la Conquête et dure jusqu'à cette fameuse année 1854. On sait moins, cependant, que son extinction a été progressive, partielle et très favorable aux seigneurs.

---

3. Victor Morin, par exemple, signe une brochure et un article sur la question la même année, dans un ton qui est dans la droite ligne de l'historiographie canadienne-française depuis François-Xavier Garneau. Marcel Trudel, qui publiera une brochure intitulée *Le régime seigneurial*, 15 ans plus tard, fera aussi l'apologie de la seigneurie canadienne. Il faudra en fait attendre Fernand Ouellet et Louise Dechêne pour voir émerger une réflexion critique sur l'institution seigneuriale au Québec.

4. S.C., 1854-1855, 1re session, c. 3. Ci-après Acte seigneurial.

5. Roy, *op. cit.*, p. 34.

6. Antoine Prost, « Les dates, les notes et le sens », dans Alain Corbin (dir.), *1515 et les grandes dates de l'histoire de France revisitées par les grands historiens d'aujourd'hui*, Paris, Seuil, 2005, p. 527-530.

Depuis le milieu du XXe siècle, les travaux portant sur le régime seigneurial ont été nombreux et la perspective des historiens sur ce sujet a connu une profonde transformation. À compter principalement des années 1960 et 1970, plusieurs historiens ont contribué à renouveler l'historiographie, délaissant la figure du seigneur-colonisateur entretenue depuis un siècle au profit d'interprétations tantôt géohistoriques, tantôt socioéconomiques[7]. Autrefois perçu essentiellement comme outil de peuplement[8], le régime seigneurial a été revisité de manière critique et soumis à de nouvelles approches méthodologiques[9]. Cependant, au cours des années 1980 et 1990, l'objet seigneurial a été délaissé, servant surtout de cadre aux travaux d'histoire rurale qui ont contribué à mieux comprendre la socio-économie du Québec préindustriel. Si certains travaux ont porté précisément sur les événements entourant l'abolition[10], souvent dans une perspective juridique ou sociopolitique, la question seigneuriale demeure un objet ignoré des historiens du Québec

7. Pour ne citer que les plus remarquables contributions : Richard C. Harris, *The Seigneurial System in Early Canada. A Geographical Study*. Kingston et Montréal, McGill-Queen's University Press, 1984 (1966) ; Louise Dechêne, *Habitants et marchands de Montréal au XVIIe siècle*, Montréal, Boréal, 1988 (1974) ; Allan Greer, *Habitants, marchands et seigneurs. La société rurale du bas Richelieu 1740-1840*, Sillery, Septentrion, 2000 (1985) ; Sylvie Dépatie, Mario Lalancette et Christian Dessureault, *Contributions à l'étude du régime seigneurial canadien*, Montréal, Hurtubise, 1987 ; Colin M. Coates, *Les transformations du paysage et de la société au Québec sous le régime seigneurial*, Sillery, Septentrion, 2003 (2000).

8. Voir notamment la brochure de Marcel Trudel, publiée pour la première fois en 1956 par la Société historique du Canada, et qui va contribuer à cristalliser cette vision : Marcel Trudel, *Le régime seigneurial*, Ottawa, Société historique du Canada, 1956 (nombreuses rééditions). Désormais accessible en ligne [http ://www.collectionscanada.gc.ca/cha-shc/008004-119.01-f.php?&b_id=H-6&ps_nbr=1&brws=y&&PHPSESSID=a2oh69sbepm4eir0ul3ls1j0k2].

9. Voir Serge Jaumain et Matteo Sanfilippo, « Le régime seigneurial en Nouvelle-France : un débat historiographique », *The Register*, vol. 5, n° 2, 1980, p. 226-247. Ou pour ceux qui maîtrisent l'italien : Matteo Sanfilippo, *Il feudalesimo nella valle del San Lorenzo : un problema storiografico*, Viterbo, Sette Città, 2008.

10. Fernand Ouellet, « L'abolition du régime seigneurial et l'idée de propriété », *Hermès*, vol. 4, n° 2, 1955, p. 14-36 ; Jean-Pierre Wallot, « Le régime seigneurial et son abolition au Canada », dans *Un Québec qui bougeait. Trame socio-politique au tournant du XIXe siècle*, Trois-Rivières, Boréal Express, 1973 (1969), p. 225-251 ; Jean Benoît, *La question seigneuriale au Bas-Canada, 1850-1867*, mémoire (M.A.), Université Laval, 1978, 215 f. ; Sylvio Normand, « Confection du cadastre seigneurial et du cadastre graphique », *La Revue du notariat*, vol. 91, nos 3-4, novembre-décembre 1988, p. 184-199.

contemporain, sans doute en partie parce qu'elle est perçue comme une « affaire » réglée au XIXe siècle[11]. L'histoire des persistances révèle pourtant souvent d'étonnantes continuités, comme l'a montré l'historien Arno Mayer en suivant les traces de l'Ancien Régime jusqu'à la Grande Guerre[12]. Dans le cas présent, cette perspective révèle l'influence non négligeable du groupe des seigneurs québécois au cœur du XXe siècle. Les historiens du temps présent se sont peu intéressés à ces événements, recherchant sans doute davantage les traces de la modernité naissante que les vestiges d'une féodalité en principe disparue. Dans une récente biographie consacrée à un acteur clé de ces événements, le député et maire de Saint-Hyacinthe T.-D. Bouchard, son rôle dans le règlement de cette épineuse question – il a été l'instigateur du Syndicat national du rachat des rentes seigneuriales (ci-après SNRRS) et un ardent défenseur de l'abolition des rentes seigneuriales dans la province de Québec – n'est pas même souligné[13]. Or, Bouchard qualifiait lui-même le Québec, en 1926, du « dernier endroit dans l'univers » où sévissaient des rentes seigneuriales[14]. Quelques historiens et juristes intéressés par la question se sont aventurés au-delà de 1854 et ont évoqué la longévité du régime seigneurial québécois[15]. Cependant, à l'exception du cas montréalais, lequel a fait l'objet d'une loi à part dès

11. Certaines synthèses font cependant mention, brièvement, des persistances du régime seigneurial : John A. Dickinson, et Brian Young, *Brève Histoire socio-économique du Québec,* Sillery, Septentrion, 2009, p. 151.

12. Arno Mayer, *La persistance de l'Ancien Régime. L'Europe de 1848 à la Grande Guerre,* Paris, Aubier, 2010 (1981).

13. Frank M. Guttman, *Le diable de Saint-Hyacinthe. Télesphore-Damien Bouchard,* Montréal, Hurtubise, 2013 (2007).

14. Télesphore-Damien Bouchard, *Le rachat des rentes seigneuriales. Discours prononcé à la Législature de Québec le mercredi 17 février 1926,* Saint-Hyacinthe, imprimerie Yamaska.

15. Victor Morin, « La féodalité a vécu... », *Les Cahiers des Dix,* no 6, 1941, p. 225-287 ; Jean-Charles Bonenfant, « La féodalité a définitivement vécu... », dans *Mélanges d'histoire du Canada français offerts au professeur Marcel Trudel,* Ottawa, Éditions de l'Université d'Ottawa, p. 14-26 ; André LaRose, *La seigneurie de Beauharnois, 1729-1867 : les seigneurs, l'espace et l'argent,* Thèse (Ph. D.), Université d'Ottawa, 1987, 2 vol. ; Paul-Yvan Marquis, *La tenure seigneuriale dans la province de Québec,* Montréal, Chambre des notaires, 1987.

1840[16], aucune analyse des survivances seigneuriales n'a été menée; l'étude de ces persistances reste donc à faire pour l'essentiel de l'aire seigneuriale laurentienne. Notre objectif est de montrer que faire l'histoire seigneuriale du Québec au XXe siècle n'est pas du tout un anachronisme. La seigneurie est une institution séculaire dans l'histoire québécoise, un fait structurel pour parler la langue braudélienne[17]. Dans la foulée de Fernand Ouellet, lequel insistait sur la longue durée comme temporalité dans l'étude du régime seigneurial (dans un article portant sur la période 1663-1840[18]), notre ambition est de prolonger la périodisation de l'histoire seigneuriale encore plus en avant dans le temps[19].

La présente contribution à ce volume veut esquisser les aspects de ces survivances, de 1854 à nos jours, et proposer une réflexion sur les enjeux d'histoire et de mémoire qui entourent la question seigneuriale. Pour permettre aux lecteurs d'y voir clair, il sera d'abord question du processus d'abolition du XIXe siècle ainsi que des conséquences à long terme de cette loi, en particulier sur le maintien de la propriété seigneuriale. Dans la seconde partie, j'aborderai les enjeux plus diffus de la mémoire seigneuriale, tant matérielle que sociale et symbolique. En somme, cette contribution se situe à la

16. Georges-E. Baillargeon, *La survivance du régime seigneurial à Montréal. Un régime qui ne veut pas mourir*, Ottawa, Le Cercle du livre de France, 1968; Brian Young, *In Its Corporate Capacity. The Seminary of Montreal as a Business Institution, 1816-1876*, Montréal et Kingston, McGill-Queen's University Press, 1986; Brian Young, « Revisiting Feudal Vestiges in Urban Quebec », dans Nancy Christie (ed.), *Transatlantic Subjects. Ideas, Institutions, and Social Experience in Post-Revolutionary British America,* Montréal et Kingston, McGill-Queen's University Press, 2008, p. 133-156; Robert Sweeny, « La commutation à Montréal, 1840-1859 », dans Christian Dessureault, John A. Dickinson et Joseph Goy (dir.), *Famille et marché XVIe-XXe siècles*, Sillery, Septentrion, 2003, p. 161-166.

17. Fernand Braudel, « Histoire et sciences sociales: la longue durée », *Réseaux*, vol. 5, n° 27, 1987, p. 7-37.

18. Fernand Ouellet, « Propriété seigneuriale et groupes sociaux dans la vallée du Saint-Laurent (1663-1840) », *Revue de l'Université d'Ottawa*, vol. 47, n° 1, 1977, p. 183-213. Il concluait cet article par ces mots: « Parler du régime seigneurial, c'est poser le problème de l'évolution de la société dans la seule perspective qui soit vraiment significative: la longue durée », p. 213. On pourrait longuement débattre de cette affirmation. D'ailleurs, le texte d'Alain Laberge dans ces pages révèle bien la nécessité de jouer avec des temporalités à la fois longues et courtes pour saisir la transformation de l'institution seigneuriale au Québec.

19. *A contrario*, le temps court offre une autre perspective non moins intéressante. Voir à cet effet la réflexion d'Alain Laberge dans le présent ouvrage.

croisée des deux premières phases de mes recherches sur les persistances seigneuriales et vise à présenter un programme de recherche qui a pour ambition d'inclure l'enjeu seigneurial dans l'histoire contemporaine du Québec, notamment par la tenue d'enquêtes orales.

Une abolition partielle et progressive (1854-1970)[20]

L'acte d'abolition et ses conséquences

L'Acte seigneurial est porteur d'un curieux paradoxe puisqu'il confirme, en quelque sorte, la propriété seigneuriale. Bien que cette loi éteigne les droits et devoirs ainsi que les privilèges féodaux, elle s'inscrit dans l'esprit libéral du XIXe siècle et consacre le caractère inaliénable du droit de propriété privée[21]. Or, comme l'a rappelé David Gilles au début de cet ouvrage, ce droit concerne les deux « parties » de la seigneurie : le domaine et la mouvance (ou censives). En effet, les seigneurs détiennent la propriété utile du domaine, mais aussi la propriété éminente sur les terres concédées, en vertu du cens versé annuellement par les censitaires, entente tacite par laquelle ces derniers reconnaissent leur assujettissement à l'autorité du seigneur et les droits de celui-ci sur leur censive[22].

---

20. Cette question a été plus longuement discutée dans quelques articles récents : Benoît Grenier, « "Le dernier endroit dans l'univers" : à propos de l'extinction des rentes seigneuriales au Québec, 1854-1971 », *Revue d'histoire de l'Amérique française*, vol. 64, n° 2, automne 2010, p. 75-98 ; Benoît Grenier (avec la collaboration de Michel Morissette), « Les persistances de la propriété seigneuriale au Québec. Les conséquences d'une abolition partielle et progressive (1854-1970) », *Histoire et sociétés rurales*, vol. 40, 2e trimestre 2013, p. 61-96 ; Benoît Grenier, « L'Église et la propriété seigneuriale au Québec (1854-1940) : continuité ou rupture », *Études d'histoire religieuse*, vol. 79, n° 2, 2013, p. 21-39. La présente section reprend d'ailleurs certains passages de l'article paru dans la *Revue d'histoire de l'Amérique française*. Nous remercions la direction de la revue de nous autoriser à les reproduire ici.

21. Acte seigneurial, préambule. Voir aussi : « Observations de sir L.-H. La Fontaine » dans *Questions seigneuriales : décisions des tribunaux du Bas-Canada*, Québec et Montréal, Lelièvre et Angers, 1856, p. 3 b.

22. Pour de plus amples définitions : Benoît Grenier, *Brève histoire du régime seigneurial*, Montréal, Boréal, 2012.

En 1854, le législateur a tenu compte de ces deux formes de propriété. Il réservait aux seigneurs la pleine possession des terres domaniales, incluant les espaces non concédés[23]. Jusque-là contraints par les règles du système (notamment l'interdiction de vendre des terres du domaine), les seigneurs devenaient des propriétaires fonciers comme les autres et pouvaient disposer librement de leur « domaine » ; certains ne tarderont pas en en tirer profit. Des propriétaires fonciers comme les autres ? Pas tout à fait, puisque, d'autre part, l'Acte seigneurial prévoyait une compensation pour la perte de la propriété éminente sur les censives qui leur assurait jusque-là une série de paiements annuels ou occasionnels. Ce second élément témoigne nettement de la disposition très favorable aux seigneurs de la part du législateur.

L'Acte seigneurial de 1854 dicte les principales lignes directrices sur la manière dont la commutation, obligatoire, affectera seigneurs et censitaires. En premier lieu, la loi décrète l'abolition des droits et devoirs féodaux, à commencer par la disparition, sans compensation, des droits honorifiques[24]. Par ailleurs, tous les autres droits seigneuriaux, qu'il s'agisse de la banalité, des droits casuels (comme les lods et ventes[25]), et même les corvées, sont reconnus comme des pertes pécuniaires encourues par les seigneurs. Pour chacun de ces droits lucratifs, des calculs servent à déterminer le mode de compensation le plus juste[26]. Le législateur avait anticipé des difficultés d'interprétation et d'application de l'Acte. Par conséquent, dans le but d'éviter « les frais, l'incertitude et les délais inutiles[27] », il a prévu la création d'une cour spéciale, composée des juges de

23. Ces propriétés pouvaient inclure des terres agricoles exploitées directement ou non par les seigneurs et parfois de vastes terres forestières, en « bois debout », comme dans le cas du Séminaire de Québec.

24. Acte seigneurial, art. 14.

25. Les lods et ventes sont un droit de mutation foncière. À chaque transaction onéreuse dans une seigneurie, l'acquéreur d'une censive est tenu de les verser au seigneur, ils s'élèvent le plus souvent à 1/12 du prix de l'achat.

26. Acte seigneurial, art. 6. Par exemple, pour les lods et ventes, le calcul est basé sur la valeur de ceux-ci pour les dix dernières années (à l'échelle de la seigneurie), répartie entre tous les censitaires au prorata de la valeur de leur propriété. Pour le droit de banalité, on a estimé la diminution probable des revenus annuels des seigneurs, montant également réparti entre les censitaires.

27. *Ibid.*, art. 16.

Cour spéciale assemblée en vertu de l'Acte seigneurial du parlement provincial de 1854 par William Lockwood (vers 1856). Crédit : Musée McCord, M5524.

la Cour du banc de la reine et de la Cour supérieure du Bas-Canada. Cette cour spéciale est chargée de répondre à une série de questions de droit qui lui a été soumise d'office par le procureur général, Lewis Thomas Drummond[28], ainsi qu'aux questions et contre-questions des seigneurs, dument représentés par leurs avocats[29]. Cette cour tiendra ses sessions au palais de justice de Québec, du 4 septembre 1855 au 11 mars 1856[30], sous la présidence du juge

28. Avocat de formation, Drummond est l'instigateur en chambre du projet de loi d'abolition du régime seigneurial. Par son alliance à la fille et héritière de Pierre-Dominique Debartzch, il avait lui-même accédé, en 1842, à une éminente famille seigneuriale de la région du Richelieu. À propos de Drummond : Jack I. Little, « Drummond, Lewis-Thomas », *Dictionnaire biographique du Canada*, vol. XI, Québec, Presses de l'Université Laval, 1982, p. 309-312.

29. Les censitaires n'ont pas comparu devant cette cour où étaient débattues les questions les concernant, contrairement aux seigneurs représentés par certains des meilleurs juristes de l'époque, dont Côme-Séraphin Cherrier, Christopher Dunkin, Robert Mackay et T.-R. Ramsay.

30. Les décisions de cette cour ont été publiées : *Questions seigneuriales, op. cit.*

en chef de la Cour du banc de la reine, Louis-Hippolyte La Fontaine. Le jugement, rendu en mars 1856, permit de statuer sur des points de droit litigieux[31].

À la suite des travaux de cette cour, et en conformité avec l'Acte seigneurial, on procède à des enquêtes sur le terrain, menées par dix commissaires qui ont pour mission d'évaluer très précisément, à l'échelle de chaque seigneurie, et pour chaque censive, les droits lucratifs que détiennent les seigneurs[32]. Il s'agit de mesurer, en se basant sur les articles de l'Acte seigneurial et les décisions de la Cour spéciale, la valeur annuelle des droits seigneuriaux sur chaque fonds[33]. Cela se traduira par la confection des *Cadastres abrégés* de 1864 qui recensent 330 seigneuries et détaillent les sommes à rembourser aux seigneurs[34]. Ces opérations terminées, le dédommagement des seigneurs sera assumé à la fois par l'État et par les anciens censitaires. Le gouvernement met en place un fonds seigneurial[35] qui permet de rembourser quelque cinq millions de dollars aux seigneurs en compensation de tous les droits pécuniaires perdus, à l'exception des cens et rentes[36]. Pour ces derniers, demeurés à la charge des censitaires[37], la loi de 1854 a donné deux choix. Ils peuvent verser une somme forfaitaire désignée comme le « capital »

---

31. Par exemple, la vingt-neuvième question formulée par le procureur général concerne la propriété des eaux non navigables par les seigneurs et leur prétention à l'usage exclusif de cette force. Ce droit leur fut reconnu par la cour : *Questions seigneuriales*, p. 71-72a.

32. Normand, « Confection du cadastre », *loc. cit.*, p. 188-189.

33. Le mandat et les pouvoirs des commissaires sont inscrits dans l'Acte seigneurial, art. 2 à 13.

34. *Cadastres abrégés des seigneuries des districts de Québec, Montréal, Trois-Rivières et de la Couronne*, Québec, Derbishire et Desbarats, 1864, 7 volumes. On compte 110 seigneuries dans le district de Québec, 132 dans celui de Montréal, 74 dans celui de Trois-Rivières et 14 qui appartiennent à la Couronne.

35. Provenant pour l'essentiel des revenus seigneuriaux de la Couronne (notamment des fameux Biens des Jésuites) : Acte seigneurial, art. 18 et 19.

36. Ce montant, accordé par l'Assemblée législative du Canada-Uni à la session de 1859, permit de rembourser les seigneurs ainsi que de payer les frais encourus par le travail effectué par les commissaires.

37. Les cens et rentes demeurent à la charge des censitaires sans aucune diminution. La cour spéciale s'est penchée, à la demande du procureur général Drummond, sur la possibilité de réduire le montant des cens et rentes pour les censitaires de seigneuries concédées plus tardivement, proposition qui fut rejetée par les juges : *Questions seigneuriales, op. cit.*, p. 129-130a.

de la rente, équivalant à environ 17 années de rentes annuelles (la rente annuelle représentant 6 % de ce capital). Ils peuvent aussi continuer à verser annuellement une rente qu'on appelle désormais « rente constituée » et qui est du même montant que la rente préexistante[38]. Par exemple, un censitaire dont le capital de la rente est établi à dix dollars pourra se libérer complètement en versant une fois pour toutes cette somme à son seigneur ou encore payer annuellement un montant de soixante cents à perpétuité, jusqu'à ce qu'il décide de procéder au rachat pour le même montant de dix dollars, le paiement de la rente constituée n'étant pas appliqué à la réduction du capital.

Les modalités prévoient que la nouvelle rente sera payée « aux temps et lieux où les cens et rentes sont maintenant payables », c'est-à-dire au manoir seigneurial et, sauf exception, à la Saint-Martin d'hiver (11 novembre). Cela se traduit donc par des changements bien subtils pour ces ex-censitaires qui, après l'abolition, vont continuer à verser une rente équivalente à l'ancienne, au même seigneur et à la même date, ce qui laisse imaginer le maintien, bien après 1854, d'un rapport d'altérité fondé sur cette dépendance à la fois socioéconomique et symbolique. Le rachat des rentes ne pourra, quant à lui, s'effectuer qu'à un moment précis de l'année, soit durant la semaine suivant le paiement annuel, en novembre[39].

Les lois du XXe siècle

La majorité des anciens censitaires québécois ont continué, dans une proportion de plus de 80 %, à payer les rentes constituées. Nos travaux ont révélé cette persistance massive qui eut pour effet de maintenir des rentes « seigneuriales » durant la première moitié du XXe siècle[40]. Les parlementaires discutent occasionnellement à Québec de la nécessité de parachever le processus entamé au siècle précédent,

38. Acte seigneurial, art. 6.5, 14, 28 et 29.

39. Initialement prévue à la seule date du 11 novembre, la période autorisée pour le rachat des rentes constituées sera par la suite étendue aux sept jours suivant cette date : Acte pour amender l'Acte seigneurial de 1854, S.C., 1855-1856, c. 103., art. 1.3.

40. Grenier (avec la collaboration de Morissette), *loc. cit.*, p. 72 et suivantes.

puisque la situation qui perdure occasionne de « grands inconvénients » pour la population du Québec « seigneurial », ce qui la place dans une singularité qui apparaît de plus en plus anachronique. En 1909, la possibilité d'abolir les rentes est soulevée par le député de Saint-Jean, Gabriel Marchand, mais aucune mesure concrète n'est entreprise. À compter de 1926, c'est le député libéral et maire de Saint-Hyacinthe, Télesphore-Damien Bouchard (1873-1962), qui entreprend de convaincre l'Assemblée législative de mettre fin aux derniers vestiges de l'âge seigneurial. Dans un discours à saveur fortement historique, prononcé en février 1926, il affirme : « Depuis l'abolition de la tenure seigneuriale en cette province qui nous a laissé les rentes constituées [...] les populations assujetties à ce tribut ont vainement cherché à le faire disparaître de notre territoire qui est probablement un de derniers à le subir dans l'univers[41]. »

Outre une vision progressiste et la volonté de placer les habitants des anciennes seigneuries sur un pied d'égalité avec le reste des citoyens de la province qui jouissent d'une parfaite propriété, Bouchard soutient que le rachat des rentes constituées est plus coûteux que ce que laissent imaginer les sommes modiques en cause. Au capital, peut-être peu élevé, s'ajoutent les frais de quittance et de notaire qui sont à la charge du censitaire ; celles-ci constituent bien souvent une somme plus élevée que la rente elle-même. Qui plus est, argumente Bouchard, le « rachat » effectué ne donne vraisemblablement aucune plus-value à la propriété en cas de vente. Cela peut sans doute expliquer le *statu quo* qu'il dénonce, dicté davantage par le pragmatisme que par un réel conservatisme des anciens censitaires. Pour le député Bouchard, cette situation doit être corrigée une fois pour toutes puisqu'« un nombre très considérable de censitaires ne se sont pas encore rachetés après au-delà de soixante et dix ans qu'il leur a été possible de le faire » et ceux-ci doivent « encore [...] faire un pèlerinage annuel pour payer [les rentes], très souvent, à un étranger qui s'est porté acquéreur des droits appartenant originairement à nos anciennes familles[42] ». Dans ses mémoires, Bouchard se remémorera les raisons

41. Bouchard, *op. cit.*, p. 3.
42. *Ibid.*, p. 13 et 16.

qui l'avaient décidé à s'attaquer à la question des rentes seigneuriales : « L'acquisition des terres seigneuriales par l'ancien roturier du Domaine du bas de la ville que j'étais m'inspira l'idée de faire disparaître de notre province les derniers vestiges du régime féodal : les rentes constituées[43]. » Maire de Saint-Hyacinthe depuis 1917[44], il propose de recourir aux municipalités pour mettre un terme à cette survivance anachronique. Dans son discours de 1926, on trouve formulé l'essentiel de ce qui deviendra loi en 1935. Il y propose la création d'un « syndicat national » qui regrouperait toutes les municipalités du Québec où subsistent des rentes constituées ; son projet s'inspire de la loi adoptée en 1770 dans le duché de Savoie pour y abolir la féodalité[45]. À titre de membre fondateur de l'Union des municipalités du Québec et de secrétaire de 1919 à 1937, il bénéficie d'une tribune de choix pour tenter de convaincre ses homologues de la nécessité de recourir aux institutions municipales pour régler le sort des rentes seigneuriales.

Le projet tarde à se concrétiser, mais, en 1928, le gouvernement Taschereau fait adopter la Loi concernant les droits seigneuriaux dans cette province[46]. Cette loi avait pour objectif de préparer le terrain en exigeant que tous les « seigneurs » ou créanciers de rentes

---

43. Télesphore-Damien Bouchard, *Mémoires. vol. 3 : Quarante ans dans la tourmente politico-religieuse*, Montréal, Beauchemin, 1960, p. 69. Pour cerner les motivations de Bouchard, nous avons aussi consulté avec peu de résultats le fonds Télesphore-Damien Bouchard (P10) conservé au centre de Québec de BAnQ, dont deux boîtes contiennent quelques copies de documents relatifs au SNRRS.

44. Échevin à Saint-Hyacinthe dès 1905, il en devient maire en 1917, fonction qu'il occupera jusqu'en 1944. Parallèlement, il représente la circonscription de Saint-Hyacinthe à l'Assemblée législative de 1912 jusqu'en 1944 également, à l'exception de la période 1919-1923. De 1936 à 1939, il occupe le poste de chef de l'opposition officielle. En 1944, sa nomination au Sénat canadien met fin à son emprise sur la vie politique maskoutaine. On lui reconnaît aussi un rôle prédominant dans la création de la société d'État Hydro-Québec. Il représente sans contredit une figure marquante de la politique québécoise de la première moitié du XXe siècle et mériterait que lui soit consacrée une biographie.

45. Bouchard, *Le rachat des rentes*, *op. cit.*, 13-14. Sur l'abolition de la féodalité en Savoie : Jean Nicolas, « La fin du régime seigneurial en Savoie (1771-1792) », dans *L'abolition de la féodalité dans le monde occidental*, tome I, Paris, Éditions du CNRS, 1971, p. 27-107 et Max Bruchet, *L'abolition des droits seigneuriaux en Savoie (1761-1793)*, Marseille, Laffitte Reprints, 1979 (1908).

46. 18 George V, c. 77.

seigneuriales transmettent au Bureau des statistiques de Québec, avant le 1er novembre 1928, un bilan de leurs créances seigneuriales. Cette enquête permit de savoir que des rentes étaient toujours perçues dans 190 seigneuries. Le capital de toutes ces rentes s'élevait à 3 577 573,38 $[47] et les versements annuels par les censitaires représentaient un montant de 212 486,53 $, dû par environ 60 000 familles[48].

La création du SNRRS : un difficile commencement

En 1935, 81 ans après l'« abolition » du régime seigneurial, le projet de T.-D. Bouchard[49] aboutit à l'adoption de la Loi abolissant les rentes seigneuriales[50], créant le SNRRS. Son objectif est de « faciliter la libération de toutes les terres ou lots de terre des rentes constituées ayant remplacé les droits seigneuriaux[51] ». Concrètement, il vise à rembourser les seigneurs une fois pour toutes et à rompre le lien qui avait jusque-là persisté par le paiement des rentes constituées[52]. Le SNRRS contractera un emprunt, garanti par le gouvernement,

47. Cela représenterait une somme de 49 966 774,87 $ en valeur de 2014 selon la feuille de calcul de l'inflation proposée par la Banque du Canada [http://www.bank-banque-canada.ca/fr/taux/inflation_calc-f.html].

48. G.-E. Marquis (chef du Bureau des statistiques), *Le régime seigneurial au Canada*, Québec, s.e., 1931, p. 23-24 et *Rapport des seigneuries, fiefs et arrière-fiefs de la province de Québec*, Québec, Rédempti Paradis, 1930. Les données sont légèrement différentes au moment de l'adoption de la loi en 1935 : 242 seigneuries, capital de 3 582 728,21 $ et rentes annuelles de 212 795,46 $. Chiffres mentionnés dans le rapport du SNRRS pour l'exercice fiscal 1960-1961 : BAnQ-Q, S1, SS5, SSS1, D1, Rapport d'Edgar Turpin, président du Bureau des commissaires du rachat des rentes seigneuriales au ministre des Affaires municipales.

49. Entretemps, en 1935, il est devenu ministre des Affaires municipales.

50. 25-26 George V, 1935, c. 82.

51. *Ibid.*, art. 3.

52. Les seigneurs doivent préalablement faire la preuve qu'ils possèdent en toute légitimité les droits seigneuriaux en question. Cela donnera lieu à deux opérations distinctes : d'une part des chaînes de titres seront réalisées pour attester de la propriété du capital des rentes que le SNRRS remboursera et, d'autre part, des terriers seront réalisés pour chaque seigneurie de manière à savoir qui paye encore ces rentes. BAnQ procède actuellement à la numérisation de ces terriers des années 1930, véritables artefacts féodaux au XXe siècle. Cette dernière source constitue une richesse tant pour les historiens que pour les généalogistes.

pour exécuter son mandat[53]. Les anciens censitaires, même débarrassés de la visite annuelle chez le seigneur, n'en auront cependant pas fini avec les rentes constituées puisque ce seront dorénavant les municipalités qui prendront la relève (jusqu'en 1970) en prélevant une nouvelle taxe (dite taxe spéciale ou seigneuriale) équivalant à ce qui était encore dû aux créanciers-seigneurs. La loi de 1935 transformait la somme due, en vertu de la loi de 1854, en un montant égal à ce capital. Cette somme pouvait être acquittée en un seul versement ou en un maximum de 41 versements annuels du même montant que l'ancienne rente constituée[54].

En novembre 1940, comme l'évoque Gabrielle Roy dans l'article publié quelques mois plus tard, censitaires et seigneurs cessent d'exister légalement. Les dernières rentes sont payées de personne à personne[55] et le lien « féodal » n'existe plus. Les archives du SNRRS, qui incluent de précieuses chaînes de titres visant à indemniser les détenteurs légitimes des droits seigneuriaux[56], permettent d'identifier ceux que Michel Morissette considère à juste titre dans son récent mémoire comme les derniers seigneurs québécois[57] :

---

53. BAnQ-Q, E39, S1, SS2, SSS1 : un document non daté, rédigé entre le 11 novembre 1970 et le 31 mars 1971, intitulé « Emprunt et remboursement de la dette du Syndicat » dresse un récapitulatif très utile. L'emprunt est contracté en 1941 auprès de quatre banques.

54. BAnQ-Q, E39, S2, SS1, SSS1, circulaire aux débiteurs de rentes seigneuriales du 15 novembre 1940 adressée par le SNRRS. Cette circulaire explique concrètement aux anciens censitaires les changements consécutifs aux lois sur l'abolition des rentes seigneuriales.

55. Il faut toutefois préciser qu'après 1854 on assiste dans plusieurs localités, surtout lorsque le seigneur est une institution ou qu'il est absent, à une forme de dépersonnalisation de la relation seigneur/censitaire. Jack I. Little évoque le bureau de paiement des rentes seigneuriales de la seigneurie de Lotbinière qui eut pignon sur rue jusqu'en 1947 : Jack I. Little, *Patrician Liberal. The Public and Private Life of Sir Henri-Gustave Joly de Lotbinière, 1829-1908*, Toronto, University of Toronto Press, 2013, p. 74. Dans une récente communication, André LaRose met de l'avant la « dépersonnalisation » de la relation seigneur/censitaire dans la seigneurie de Beauharnois, propriété du *Montreal Investment Trust* jusqu'en 1940 : « Dépersonnalisation et financiarisation de la seigneurie : l'exemple de Beauharnois de 1839 à 1941 », communication inédite présentée au congrès de la Société historique du Canada, Université Brock, 26 mai 2014.

56. BAnQ-Q, E39, S100, SS1.

57. Michel Morissette, *Les persistances de l'« Ancien Régime » québécois : seigneurs et rentes seigneuriales après l'abolition (1854-1940)*, Mémoire (M. A.), Université de Sherbrooke, 2014.

Les derniers seigneurs québécois constituent un groupe diversifié, composé à la fois d'individus, de familles, d'institutions laïques et religieuses. En 1940, la moitié du groupe était directement liée aux seigneurs de 1854 et certaines familles et institutions sont demeurées en possession de leurs fiefs de l'époque de la colonisation de la Nouvelle-France jusqu'au terme de la ligne du temps seigneuriale. L'autre moitié témoigne, au contraire, des changements socio-économiques du tournant du XXe siècle qui voit se poursuivre l'ascension de la bourgeoisie d'affaires et préside à l'apparition de plusieurs institutions financières parmi le groupe ; l'investissement dans les rentes seigneuriales exerce encore un attrait certain[58].

Ce groupe diversifié se partagea près 3,2 millions de dollars en argent de l'époque[59]. Gabrielle Roy avait bien saisi que la classe seigneuriale était seule à gagner au terme de ce processus. Elle formulait de manière ironique : « En 1854, on lui fit [au régime seigneurial] un procès retentissant et il fut définitivement mis à sa retraite. Habile soutireur, il eut encore, à cette extrémité, le tour de force de se faire payer une pension de vieillesse qu'il toucha pendant quatre-vingt-quatorze ans[60]. » Reporter lucide, Gabrielle Roy fut peut-être la seule, à cette époque, à relever le coût de cette ultime opération d'indemnisation ; elle ajoutait : « On vient d'emprunter, pour régler sa succession, la somme de 3 200 000 $[61]. » Les journaux de l'époque ont bien fait écho à la fin de l'ère seigneuriale au Québec ; mais ils se contentaient de reprendre quelques généralités historiques sans aucunement jeter un regard critique sur le processus d'indemnisation. Autres temps, autres mœurs. Les pratiques journalistiques étaient alors bien loin du journalisme d'enquête. Qui plus est, la Seconde Guerre mondiale bat alors son plein et l'événement se perd à travers le flot de nouvelles venues d'Europe.

---

58. Grenier (avec la collaboration de Morissette), *loc. cit.*, p. 93.

59. Voir l'analyse de Michel Morissette dans le présent ouvrage sur cette question de l'argent.

60. Roy, *loc. cit.*, p. 8.

61. *Ibid.*

Les rentes seigneuriales disparaissent du Québec

Le 11 novembre, les propriétaires de seigneuries percevront leurs rentes pour la dernière fois. — Historique des rentes par l'hon. M. Bouchard.

(Du correspondant de la PRESSE)

Québec, 9. — Le 11 novembre, les propriétaires actuels des seigneuries percevront leurs rentes pour la dernière fois. Ainsi disparaîtra l'un des derniers vestiges du régime féodal qui a longtemps contribué à retarder le progrès matériel de l'agriculteur québecois. La loi abolissant définitivement les rentes seigneuriales, insérée dans nos statuts à la dernière session par le gouvernement Godbout est entrée en vigueur le 17 mai 1940.

Cette législation libérera à jamais nos vieilles terres françaises de servitudes remontant aux premiers temps de la colonie. Le problème de l'abolition des rentes seigneuriales a fait l'objet, depuis plus d'un siècle, de brûlantes controverses.

L'hon. T.-D. Bouchard nous a donné, hier, d'intéressantes notes constituant l'historique des rentes seigneuriales jusqu'à date. C'est une question qui intéresse 60,000 cultivateurs de la province.

Plusieurs hommes d'Etat canadiens éminents se sont préoccupés du règlement de ce problème épineux. Sir Louis-Hippolyte Lafontaine fut l'un des premiers protagonistes de cette réforme et sir Auguste-Norbert Morin et sir Georges-Etienne Cartier furent les principaux auteurs de l'acte seigneurial de 1854 qui scellait la pierre tombale sur des institutions périmées.

Depuis cet époque, la classe agricole avait réclamé la disparition de cette charge onéreuse. La province de Québec demeure probablement l'un des derniers Etats démocratiques où subsiste encore cette institution qui n'a plus sa raison d'être.

Historique du régime

L'organisation du régime seigneurial remonte très loin dans l'histoire de la Nouvelle-France. Le premier seigneur canadien fut Louis Hébert qui obtenait, en 1623, la concession du Sault-au-Matelot, près de Québec.

Toutes les vieilles terres concédées avant la cession du pays le furent sous le régime des anciennes lois françaises; toutes les terres nouvelles concédées par la Couronne depuis 1760 le furent comme terres libres de toutes charges féodales.

En principe, cette tenure seigneuriale fut maintenue par le gouvernement anglais et il y eut même certaines concessions des seigneurs sous la domination anglaise. La capitulation de Montréal et l'Acte de Québec de 1774 confirmèrent les droits seigneuriaux. Mais cette coutume ne tarda pas à tomber en désuétude.

A SUIVRE SUR LA PAGE 65

…0 dus par
…es au fédéral

La Presse, 9 novembre 1940.

Les anciens domaines après 1854

L'étude des derniers seigneurs et de la lente et complexe abolition ne constitue qu'un pan de la question des persistances de la propriété seigneuriale. L'autre pan, qui reste à étudier[62], est celui des domaines et des terres non concédées, entièrement cédés aux seigneurs après 1854. Cette décision est peut-être apparue la plus « juste » aux législateurs du XIXe siècle, mais, considérant que les seigneurs canadiens avaient obtenu des fiefs dans une perspective de peuplement-colonisateur et qu'il leur était clairement interdit, depuis le début du XVIIIe siècle, de vendre des terres non concédées, on aurait pu imaginer un autre dénouement. Ces terres n'auraient-elles pas pu (ou dû), au moment de l'abolition du régime, être réintégrées au « domaine » de la Couronne (c'est-à-dire aux terres publiques) dans la perspective d'une mise en valeur ultérieure par l'État ? L'exemple extrême des conséquences de cette décision se fera sentir durant la crise des années 1930, alors que le gouvernement du Québec va mettre de l'avant un vaste plan de colonisation pour faire retourner les chômeurs à la terre[63]. Un problème va cependant se poser : d'importantes parties du territoire des régions convoitées (Témiscouata, Rimouski, Gaspé et Charlevoix) sont occupées par d'anciennes seigneuries qui n'avaient pas été exploitées avant 1854 et qui appartiennent depuis, dans leur intégralité, aux descendants des anciens seigneurs ou aux particuliers qui ont acheté ces terres. Le gouvernement devra, ironiquement, procéder au rachat de ces « seigneuries », une par une, jusqu'en 1938[64].

Les propriétaires des domaines et des terres non concédées, au gré de leur emplacement et de leur potentiel, en feront de multiples usages après 1854. T.-D. Bouchard, lui-même, dans ses *Mémoires* évoque avoir fait fortune en acquérant du seigneur de

62. C'est l'objet de la thèse de doctorat récemment entreprise par Michel Morissette.

63. Paul-André Linteau et collab., *Histoire du Québec contemporain. Tome II. Le Québec depuis 1930,* Montréal, Boréal, 1989, p. 40-41.

64. La plupart de ces « seigneuries » semblent avoir été rachetées par le gouvernement sans trop de problème, à l'exception de la seigneurie « Thomas » dont le propriétaire refusait de se départir. À ce sujet voir *Débats reconstitués de l'assemblée législative du Québec,* session du 5 février 1930, p. 31 ; session du 3 avril 1930 p. 17 ; session du 27 février 1935, p. 8-9 et session du 18 mars 1938, p. 10.

Saint-Hyacinthe les terres du domaine où sera établi un quartier résidentiel[65]. Souvent bien situés dans les seigneuries, les domaines et autres terres réservées[66] ont dès lors pu faire l'objet de lotissement, en particulier en milieu urbain ou péri-urbain. C'est le cas à Saint-Hyacinthe et à Beauport notamment, mais certainement aussi dans de nombreuses seigneuries situées à proximité de Québec ou de Montréal. D'autres fiefs se caractérisent au contraire par de vastes étendues forestières (parfois sans aucune censive au moment de l'abolition) et vont donc échoir aux seigneurs qui pourront les vendre ou y exploiter (ou faire exploiter) les ressources. Il suffit de penser à l'île d'Anticosti qu'acquerra le chocolatier français Henri Menier et, par la suite, une importante compagnie forestière. Seigneurie d'exploitation centrée d'abord sur les pêches, ensuite sur l'exploitation forestière, on pourrait, au risque de s'attirer la foudre des écologistes, voir dans les actuels projets d'exploitation pétrolière la poursuite d'une longue tradition… Plus près de nous, le Séminaire de Québec continue de parler de sa « seigneurie de Beaupré » pour désigner les 1 600 km^2 de forêt qu'il possède entre Stoneham et Charlevoix ; cette forêt privée est un héritage direct de la loi d'abolition de 1854. On y retrouve aujourd'hui un important parc éolien justement nommé « seigneurie de Beaupré[67] »… L'étude qu'entreprend Michel Morissette, dans une perspective géohistorique, viendra jeter la lumière sur cette question négligée et montrera peut-être que ces terres furent le plus grand cadeau jamais donné à des particuliers par l'État dans l'histoire du Québec. Il serait également pertinent d'explorer la piste de la propriété des eaux, à la fois celles des rivières non navigables, que la loi de 1854 a partiellement cédée aux seigneurs, mais aussi les battures et autres terres sujettes aux marées, lesquelles ont fréquemment fait l'objet de litiges devant les tribunaux

---

65. Michel Morissette, « L'abolition des droits seigneuriaux : une affaire d'argent », *Cap-aux-Diamants*, nº 112, hiver 2013, p. 27-30.

66. Sur la distinction entre domaines et terres réservées, consulter Alain Laberge (avec la collaboration de Jacques Mathieu et Lina Gouger), *Portraits de campagnes : la formation du monde rural laurentien au XVIII*e *siècle*, Québec, Presses de l'Université Laval, 2010, p. 100.

67. [www.seigneuriedebeaupre.com] (Consultée le 3 septembre 2014).

jusqu'au XXIe siècle[68]. Toutes ces réminiscences de la propriété seigneuriale (rentes constituées, domaines, accès aux battures ou droit aux eaux non navigables) ont pour effet de ramener épisodiquement la seigneurie au cœur de litiges devant les tribunaux du Québec. Il serait fascinant d'entreprendre une recension doublée d'une analyse de ces litiges ayant pour objet des droits seigneuriaux au XXe et même au XXIe siècle. Voilà une autre belle piste pour une thèse...

La mémoire seigneuriale au Québec de 1940 à aujourd'hui : les fondements d'une enquête

Une journaliste sur les traces d'un moribond...

Il est trop tard, bien sûr, pour interroger ceux qui ont connu cette ultime phase de l'histoire du régime seigneurial. Comment ces censitaires des années 1930-1940 ont-ils vécu cette transition ? Comme une libération inespérée ? Comme la fin d'un joug qui avait asservi leurs aïeux ? Ou peut-être simplement comme la fin d'une tradition devenue quelque peu folklorique ? Difficile à dire. Dans son texte de février 1941, Gabrielle Roy fait état de rencontres avec des censitaires. Elle cite les propos d'un « vieil habitant » de l'île Perrot, qu'elle dit avoir interviewé quelques mois plus tôt. Avec l'habileté de la romancière qu'elle deviendra, elle relate les propos de ce « Jean-Baptiste » que je reprends ici dans leur entièreté :

> — Ben oui, je l'ai t'y payé longtemps un peu, ma rente ! Pendant une trentaine d'années, je cré ben. En effette c'est depuis que j'ai acheté icitte, su' l'Ile. Ah !, c'était pas le 'iable à payer. On sait ben : deux piasses et que'que cents par année. Mais à la longue, ça vient fatiguant, savez-vous, de toujours sortir la piasse... Je me suis tanné. Ça fait qu'un beau jour...

68. Henri Brun, « Le droit québécois et l'eau (1663-1969) », *Les Cahiers de droit*, vol. 1 no 1, 1970, p. 7-45 ; Jean Bouffard, *Traité du domaine*, Québec, Le Soleil, 1921, chapitres 4 et 5.

MORT D'EXTRÊME VIEILLESSE

Par Gabrielle Roy

Avec la féodalité disparaîtra un régime qui fut très ennuyeux pour les habitants du Québec

SUR les bords du Saint-Laurent, vient de mourir d'extrême vieillesse un géant qui fut maître de la terre.

Il naquit en Europe après l'invasion des barbares. Pour sauvegarder ses biens et protéger le menu peuple contre les hordes envahissantes, il se fit bâtisseur de châteaux-forts et de donjons. En France, en Angleterre, en Allemagne, en Italie, en Espagne, il eut des repaires imprenables, avant de réduire son train de vie et d'en avoir de très modestes au Canada.

Sa jeunesse fut éblouissante: lutte victorieuse contre les Sarrasins, croisades saintes, tournois chevaleresques, guerres et conquêtes. Il s'assit à la Table Ronde, arbora les couleurs des belles dames, s'entoura de troubadours, offrit l'hospitalité aux moines et aux mendiants. Justicier, il s'autorisa aussi à châtier les détrousseurs de grands chemins, les hérétiques et les rebelles. Il en pendit quelques-uns haut et court sous les arbres de son domaine pour que s'imposât le respect de la propriété et de l'ordre. Parfois exalté d'un saint désir, parfois avide de domination, parfois vertueux, parfois cruel, il se nomma sir Galahad au blanc coursier, Saint Louis, Guillaume de Normandie, Pierre de Bayard ou Charles le Téméraire. Les poètes l'aimaient alors et célébraient ses aventures.

Il grandit lentement. Ni en bonté, ni en sagesse. Avec la force lui vint l'appétit insatiable du pouvoir. En 1215, il avait contraint le roi Jean d'Angleterre à signer la Grande Charte, premier espoir des libertés démocratiques. Ce beau précédent ne l'empêcha pas plus tard d'opprimer le peuple. Pour guerroyer sans cesse selon son tempérament et retrouver entre deux expéditions sa table plantureuse, il lui fallait de l'or, des monceaux d'or. Impôts sur impôts tarirent les maigres ressources des paysans. Mais déjà les penseurs avaient dénoncé le tyran. Et, de toutes parts, accoururent les révoltés, faucilles, pierres et bâtons à la main.

Attaqué partout en Europe, le géant lâcha d'abord pied en Angleterre. Avant d'être menacé en France il avait pourtant établi son empire au "pays de Canada" où il lui fallut bientôt mener le petit train de vie du gentilhomme de campagne.

La Révolution française réclama sa tête, mais il survécut en Nouvelle-France, semblable aux reptiles dont la vie subsiste dans un seul et dernier tronçon.

L'esprit naissant du Nouveau-Monde avait cependant changé sa nature. Sur ses vieux jours, il se faisait doux et bénin. Il bâtissait des églises et des moulins plutôt que des forteresses. Et il cédait parfois au désir de s'enrichir rapidement en faisant la traite des pelleteries, du moins, il avait bien modifié ses rapports avec les petites gens. On lui pardonnera de nombreuses fautes à cause de ses dernières bonnes oeuvres.

L'Amérique marchant toujours vers le progrès, le peuple canadien ne pouvait longtemps tolérer les airs et privilèges du gentilhomme resté un tant soit peu autocrate. En 1854, on lui fit un procès retentissant et il fut définitivement mis à sa retraite. Habile soutireur, il eut encore, à cette extrémité, le tour de se faire payer une pension de vieillesse qu'il toucha pendant quatre-vingt-quatorze ans. Puis il mourut en l'an mil neuf cent quarante du Seigneur. Les journaux ont publié en ces termes la nouvelle de son décès:

Les rentes seigneuriales disparaissent du Québec.

Mais on vient d'emprunter, pour régler sa succession, la somme de $3,200,000.

Les seigneurs canadiens des dix-septième et dix-huitième siècles possédaient sur leurs tenanciers, certains droits qui paraissent avoir été vexatoires, mais non despotiques. L'application de ces droits n'alla pas sans de fréquentes disputes, et les intendants de la Nouvelle-France durent passer une grande partie de leur temps à éclaircir quantités de points en litige.

Ainsi, au sujet du droit de banalité, on prit près d'un siècle à s'entendre, et, pour tout dire, on ne s'en tendit jamais complètement. En vertu de ce droit, les censitaires étaient tenus de venir faire moudre leur grain au moulin seigneurial et de céder à leur seigneur, en guise de paiement, un quatorzième de leur blé. Mais ils pestaient en ce temps-là contre la grossièreté de la farine et l'inconvénient de se déplacer.

Le droit de lods et ventes stipulait que le censitaire qui vendait sa terre devait payer un douzième du capital à son seigneur.

Enfin, il y avait le droit de corvée. Après bien des tâtonnements, l'Intendant Begon le fixa en 1714 en une formule que l'on peut résumer ainsi: le censitaire travaillera pour son seigneur trois jours par année; le sei-

(lire la suite à la page 34)

La demeure solide et trapue bâtie selon l'agréable plan normand que nos ancêtres introduisirent au Canada

Le manoir Mauville-Genest qui vit les joyeuses réunions de censitaires, à la Saint-Martin

La féodalité nous a laissé de bons vieux moulins que les touristes dénichent au fond des bois et au bord des rivières

Un des plus anciens manoirs de la province de Québec: la maison Grant de Longueuil

Première page de l'article de Gabrielle Roy, *Le Bulletin des agriculteurs*, février 1941.

Ici, crachat énergique, dirigé adroitement sur la tôle, sous le poêle.

— ... j'ai été voir le notaire. I'm'a fait des papiers et j'ai tout payé en bloc : $41.33. Astheur, j'ai p'us rien à faire avec la seigneuresse.

Il disait d'ailleurs encore «la seigneuresse» avec une pointe de respect malgré son beau détachement. Madame de Sévigné s'en serait pâmée d'aise.

— Et comme ça, conclut Jean-Baptiste, j'suis p'us achalé par personne[69].

Cette vision est-elle celle de l'auteure ou celle du censitaire ? À l'époque, Gabrielle Roy demeure à Montréal et a entrepris l'écriture de *Bonheur d'occasion*. La conscience qu'elle développe alors de la misère de certains de ses concitoyens canadiens-français doit concourir à ce regard peu flatteur qu'elle jette sur les seigneurs et la seigneurie. Son biographe François Ricard a insisté sur le rôle que tiennent les textes que rédige Gabrielle Roy à cette époque dans sa formation idéologique. Ricard résume sa vision du monde, complexe, comme un «socialisme idéaliste ou libéral qui, sans aller jusqu'à prôner la lutte des classes ou la révolution, dénonce les méfaits et les malheurs engendrés par le capitalisme...[70]» On aurait envie d'ajouter, dans le cas présent, le féodalisme... Nonobstant la subjectivité de la journaliste, l'ambiguïté des sentiments de l'habitant de l'île Perrot qu'elle décrit est crédible : une fatigue voire une répugnance pour le paiement des rentes qui se double pourtant d'une évidente marque de respect pour la vieille autorité seigneuriale. Nous sommes avant la Révolution tranquille et la transformation significative des rapports entre individus ; la déférence pour ceux que l'on estime nos supérieurs a encore tout son sens. Ce paradoxe n'est pas non plus sans rappeler les anecdotes racontées par Philippe Aubert de Gaspé pour qui les habitants sont de mauvais payeurs, mais par ailleurs portent une quasi-vénération envers leurs seigneurs[71].

---

69. Roy, *loc. cit.*, p. 34.

70. François Ricard, *Gabrielle Roy. Une vie*, Montréal, Boréal, 1996, p. 231.

71. Benoît Grenier, «L'influence de l'œuvre de Philippe Aubert de Gaspé sur l'historiographie du régime seigneurial québécois (1863-1974)», dans Claude La Charité

L'historien salive devant ces quelques lignes rédigées par la reporter franco-manitobaine. Plus loin, elle évoque un second censitaire, « Onésime » de Sainte-Anne-de-Bellevue. Celui-ci, contrairement à l'habitant de l'île Perrot, ne s'est pas « racheté » ; sa femme et lui payent toujours leurs soixante-cinq cents de rente annuelle. Le témoignage de ce couple vient conforter l'hypothèse selon laquelle la grande majorité des habitants n'avaient pas procédé au rachat de leur rente parce que les frais de notaire étaient plus élevés que le capital. Il illustre aussi que ces habitants avaient conscience qu'au fil du temps, leurs grands-parents, leurs parents et eux avaient sans doute payé, depuis 1854, plus que leur dû :

> — Tu te souviens que ton père en a payé toute sa vie des rentes, Onésime, et que son père, avant lui, en a payé pour la même ferme. Je me demande ben pourquoi i' s'est pas racheté. […]
>
> — Ça fait des années, pauv'toi qu'on paye soixante-cinq cents.
>
> — On sait ben. J'avais toujours l'idée de settler, mais ça me le disait pas de courir après un notaire.
>
> — Oui, avec tout ça, on aura payé le capital ben des fois[72].

Leur cas sert surtout à la reporter pour expliquer, de manière assez pédagogique sous la forme d'un dialogue entre le mari et sa femme, les modalités de la loi de 1940 qui concrétise la municipalisation des rentes et la fin du lien seigneur/censitaires. Onésime explique à sa femme qu'ils peuvent opter pour un règlement définitif en un seul paiement ou se prévaloir de la possibilité de verser annuellement, pendant 41 ans, une rente à leur municipalité jusqu'à l'amortissement de la dette du SNRRS… Gabrielle Roy écrit même noir sur blanc la date (qui doit alors paraître terriblement lointaine) de 1982, année où prendrait théoriquement fin ce processus (la dette sera finalement amortie dès 1970 et l'auteure, devenue célèbre, décédera à Québec en 1983…).

---

et collab., *Les Anciens Canadiens, 150 ans après. Préfigurations, représentations et réfractions*, Québec, Presses de l'Université du Québec, à paraître.

72. Roy, *loc. cit.*, p. 34-35.

Sans pouvoir retrouver des témoins qui auraient vécu personnellement les événements en question, il n'est cependant pas vain de mener, en 2015, des enquêtes orales sur cette question. Lors des conférences que je prononce depuis 2010 à propos des survivances seigneuriales, des aînés m'ont relaté des souvenirs qui corroborent les propos consignés par Roy. Ainsi, cet homme âgé de 80 ans environ, après une conférence à Sorel, m'accoste avec un souvenir qui lui semblait tout frais en mémoire: « La seule fois où je me rappelle avoir vu ma grand-mère, toujours douce et aimable, se mettre en colère, c'est lorsque le collecteur des rentes seigneuriales était venu à la maison[73]. » Un peu partout dans l'ancien Québec seigneurial, on m'a fait part de souvenirs relatifs aux anciens seigneurs et aux relations entretenues avec eux. D'autres conservent une mémoire associée à leurs fonctions qui les ont mis en contact avec les réminiscences légales ou comptables de la propriété seigneuriale: notaires, secrétaires-trésoriers de municipalité et juges. Qui plus est, il est possible d'interroger les enfants et les petits-enfants de certains de ces derniers seigneurs, notamment pour connaître la manière dont on leur a transmis la mémoire de ces événements et de leur statut distinctif et pourquoi pas, du même coup, repérer quelques documents demeurés dans les greniers.

À compter de la période de la longue abolition (1854-1940), une mémoire seigneuriale va en effet s'ériger, en particulier dans les localités où ces acteurs étaient partie prenante de la sociabilité locale. Comme je l'ai montré dans une précédente étude, la présence seigneuriale a, de tout temps, constitué un critère significatif dans la dynamique sociale du Québec rural[74]. Ainsi, la disparition officielle des derniers liens féodaux en 1940 va parfois cristalliser des pratiques et maintenir des égards d'une autre époque. L'usage des titres de « seigneur » et de « seigneuresse », par exemple, va se maintenir très longtemps (il persiste encore en certains endroits), tout comme l'attitude envers la résidence seigneuriale (manoir),

73. Propos recueillis par l'auteur de ce texte en marge d'une conférence prononcée à Sorel en avril 2014.

74. Benoît Grenier, *Seigneurs campagnards de la Nouvelle France. Présence seigneuriale et sociabilité rurale dans la vallée du Saint-Laurent à l'époque préindustrielle*, Rennes, Presses universitaires de Rennes, 2007.

voire la persistance d'honneurs associés au banc d'église[75]. Dans certains cas, ces persistances d'ordre symbolique se sont accompagnées, après 1854 et peut-être aussi après 1940, du maintien d'une autorité encore plus manifeste, notamment l'obtention de fonctions électives (maire, échevin, président de commission scolaire...) par les anciens détenteurs du pouvoir seigneurial[76]. Et que penser de la présence parmi les premiers ministres québécois de cette période d'au moins trois hommes issus d'éminentes familles seigneuriales : Boucher, Joly et Taschereau[77] ? Quelle mémoire s'est construite dans la société québécoise relativement à cette longue survivance et aux derniers représentants de la classe seigneuriale ? Comment les localités et les familles ont-elles érigé et entretenu cette mémoire ? Comment le patrimoine seigneurial et les traces qui en subsistent ont-ils contribué à étoffer ou, au contraire, à effacer cette mémoire ? Quels furent les processus de patrimonialisation (de formation de la mémoire patrimoniale) à l'œuvre ? Ce sont quelques-uns des questionnements qui orientent nos recherches actuelles.

La mémoire seigneuriale : un objet inexploré

Dans un texte issu d'une conférence qu'il prononce devant le Canadian Club de Toronto, en 1930, alors qu'il est premier ministre du Québec depuis une décennie, Louis-Alexandre Taschereau est très explicite sur la place que continue d'occuper la « noblesse

75. Éric Mension-Rigau dresse des constats similaires en ce qui concerne les « châtelains » de la France contemporaine : Éric Mension-Rigau, *La vie des châteaux. Mise en valeur et exploitation des châteaux privés dans la France contemporaine. Stratégies d'adaptation et de reconversion*, Paris, Perrin, 1999, p. 73 et suivantes.

76. Benoît Grenier, « Élites seigneuriales, élites municipales. Le pouvoir seigneurial à l'heure de l'abolition », dans Thierry Nootens et Jean-René Thuot (dir.), *Les figures du pouvoir à travers le temps. Formes, pratiques et intérêts des groupes élitaires au Québec, XVIIe-XXe siècles*, Québec, Presses de l'Université Laval, p. 57-64.

77. Brian Young vient de publier une fascinante étude comparative des familles Taschereau et McCord sur quatre générations. Il montre à la fois les traces manifestes de la respectabilité seigneuriale jusqu'au XXe siècle et des pratiques seigneuriales qui se sont perpétuées jusqu'à nos jours à Sainte-Marie de Beauce : Brian Young, *Patrician Families and the Making of Quebec. The Taschereaus and McCords*, Montréal et Kingston, McGill-Queen's University Press, 2014, p. 325.

canadienne » dans la société de son temps : « Si vous doutez de la survivance des familles nobles [...] je vous les ferai voir continuellement mêlées aux événements de notre vie nationale jusqu'en ces dernières années[78]. » S'ensuit une longue liste de noms et de positions dominantes, en particulier dans les sphères militaire et juridique. Plusieurs indices laissent entrevoir la persistance de cette influence tard dans le siècle, voire jusqu'à nos jours.

> Homme de distinction, de générosité et de bonté, il fut le fils unique, seul héritier d'une des plus anciennes seigneuries du Canada. Concédée à René-Louis Chartier de Lotbinière en 1672 par Jean Talon, Intendant de Louis XIV, la seigneurie est restée dans la famille jusqu'en 1967[79].

Ces lignes se trouvent dans la notice nécrologique d'Edmond Joly de Lotbinière, décédé à Québec le 5 février 2014. Comment, en lisant cette nécrologie, ne pas songer au sous-titre du livre de Georges Baillargeon, paru en 1968, *Un régime qui ne veut pas mourir*[80] ? Voilà un exemple parmi tant d'autres de la survivance d'une forme de légitimité seigneuriale au-delà même du XXIe siècle. C'est sur les traces de cette mémoire que nous nous lançons.

La mémoire seigneuriale appartient à la mémoire collective du Québec. À l'échelle locale, elle participe à la construction des identités. Cette mémoire est particulièrement présente lorsque ces derniers acteurs seigneuriaux ont représenté une figure identitaire concrète dans une localité donnée où ils étaient associés à un lieu physique précis. Il s'agit d'une mémoire à la fois « culturelle » et « communicationnelle », pour emprunter aux concepts de Jan Assmann[81]. Mémoire culturelle parce qu'on peut retrouver des référents patrimoniaux, comme dans le cas des Tessier dit Laplante à Beauport, dont la maison sur l'avenue Royale, aujourd'hui

---

78. Louis-Alexandre Taschereau, « La noblesse canadienne-française », *La Revue moderne* (juillet 1930), p. 9.

79. *Le Soleil*, nécrologie, 13 février 2014.

80. Baillargeon, *op. cit.*

81. Jan Assmann et Tonio Hölscher (dir.), *Kultur und Gedächtnis*, Francfort-sur-le-Main, Suhrkamp, 1988, p. 10-12.

Banc seigneurial dans l'église Saint-Louis de Lotbinière, avec armoirie de la famille. Crédit : Benoît Grenier, septembre 2013.

propriété de la ville de Québec, est présentée comme le dernier manoir seigneurial des lieux. C'est à cet endroit que cette famille, pourtant d'origine paysanne, mais entrée en possession des droits seigneuriaux vers 1880, a perçu les rentes seigneuriales jusque vers 1940. Mémoire communicationnelle aussi puisque l'oralité et les souvenirs des aînés continuent à transmettre une mémoire de cette extinction tardive et des réminiscences de nature seigneuriale. Ainsi, Edmond Joly était jusqu'à son décès désigné comme le « seigneur » de Lotbinière et fréquentait encore épisodiquement le banc seigneurial arborant les armoiries de sa famille dans l'église Saint-Louis-de-Lotbinière lors de ses séjours d'été dans la région.

Comme l'ont montré les historiens qui se sont penchés sur la mise en récit d'événements ou de personnages, la mémoire est construite et sélective[82]. Ce processus de construction de la mémoire s'avère souvent douloureux[83] et l'histoire s'érige parfois même en oubli[84]. La construction de l'identité et de la mémoire collective québécoise a donné lieu à divers travaux et interprétations muséales. L'exposition *Mémoires*, longtemps présentée au Musée de la civilisation à Québec, s'inscrivait dans cette mouvance identitaire nationale. En marge de cette exposition, Jacques Mathieu et Jacques Lacoursière rappelaient que les « mémoires québécoises [...] présentent les sensibilités qui se muent en sentiments d'appartenance et en engagements, face à une identité voulue, reçue et représentée[85] ». Ainsi, la mémoire de la Nouvelle-France a suscité l'engouement de chercheurs de part et d'autre de l'Atlantique[86]. « La mémoire s'enracine dans le concret, l'espace, le geste et l'objet »,

82. Patrice Groulx, *Pièges de la mémoire. Dollard des Ormeaux, les Amérindiens et nous*, Gatineau, Asticou, 1998 ; Bogumil Jewsiewicki et Jocelyn Létourneau (dir.), *L'histoire en partage. Usages et mises en discours du passé*, Paris, L'Harmattan, 1996.

83. Jean-Pierre Le Glaunec et Geneviève Piché (dir.), *Quand le passé ne passe pas. Histoires et mémoires de l'esclavage : Québec, États-Unis, France et Afrique*, Sherbrooke, Éditions GGC.

84. Anne Grynberg, « Les camps français, des non-lieux de mémoire », dans Dimitri Nicolaïdis (dir.), *Oublier nos crimes*, Paris, Autrement, 2002, p. 43-59 ; Isabelle Backouche, « Histoire et oubli », *Genèses*, vol. 61, nº 4, 2005, p. 2-4.

85. Jacques Mathieu et Jacques Lacoursière, *Les mémoires québécoises*, Québec, Presses de l'Université Laval, 1991, p. 1.

86. Philippe Joutard et Thomas Wien (dir.), *Mémoires de Nouvelle-France. De France en Nouvelle-France*, Rennes, Presses universitaires de Rennes, 2005 ; Thomas Wien, Cécile

écrivait Pierre Nora[87]. Or, les lieux de mémoire du Québec et de l'Amérique française ont intéressé des chercheurs et donné lieu à d'importants colloques et ouvrages qui ont mis en perspective, par exemple, les traces de la Nouvelle-France au Québec et en Poitou-Charentes[88] ou de la francophonie à l'échelle du Canada[89]. Ces lieux de mémoire, envisagés d'un point de vue historique, viennent fonder ou refonder des identités individuelles ou collectives : l'identité seigneuriale en constitue une illustration. C'est que la mémoire seigneuriale se situe, elle aussi, « au carrefour de l'histoire, du patrimoine et de la mémoire[90] ». Elle a laissé des traces encore perceptibles et évocatrices d'une altérité d'Ancien Régime qui a longtemps refusé de mourir. Mais la mémoire seigneuriale est discrète, on en retrouve les traces surtout à l'échelle locale et encore. « Que reste-t-il, aujourd'hui, de ces "traces" mémorielles dans le paysage contemporain[91] ? », se demande Murielle Hladik à propos d'un tout autre contexte. C'est un questionnement qui sera au cœur de notre réflexion sur la patrimonialisation de la mémoire seigneuriale à l'échelle de localités ciblées.

La mémoire seigneuriale ne constitue pas, à ce jour, un objet d'étude au Québec[92]. On pourrait même la qualifier d'objet inexistant autant chez les historiens que chez les ethnologues ou même les historiens de l'art. Les littéraires, en s'intéressant de près au seigneur et auteur Philippe Aubert de Gaspé, sont parmi les

Vival et Yves Frenette (dir.), *De Québec à l'Amérique française. Histoire et mémoire*, Québec, Presses de l'Université Laval, 2006.

87. Pierre Nora, *Les lieux de mémoire*, volume 1, Paris, Gallimard, 1984, p. xix.

88. Marc St-Hilaire et collab., *Les traces de la Nouvelle-France au Québec et en Poitou-Charentes*, Québec, Presses de l'Université Laval, 2008.

89. Anne Gilbert, Michel Bock et Joseph-Yvon Thériault (dir.), *Entre lieux et mémoire. L'inscription de la francophonie canadienne dans la durée*, Ottawa, Presses de l'Université d'Ottawa, 2009.

90. St-Hilaire et collab., *op. cit.*, p. 1.

91. Murielle Hladik, « Trace(s) du paysage. Monuments et "lieux de mémoire" au Japon », *Sociétés et représentations*, vol. 22, n° 2, 2006, p. 104-119.

92. En France, on peut faire état de certains travaux qui analysent le devenir des familles et du patrimoine de la noblesse. Citons la contribution d'Éric Mension-Rigau qui a mené des entretiens auprès de 150 « châtelains » issus de lignées nobiliaires et habitant toujours la demeure ancestrale.

seuls à avoir proposé une réflexion en ce sens[93]. Même dans une perspective purement patrimoniale, très rares sont les travaux qui portent un regard sur l'institution seigneuriale. On peut évoquer quelques exceptions relatives au patrimoine bâti, dont le très ancien ouvrage de l'archiviste Pierre-Georges Roy, *Vieilles maisons, vieux manoirs*[94], certains travaux d'érudits locaux et quelques études concernant les moulins[95] ou relatives à un seul bâtiment[96]. Mais cette lacune paraît d'autant étonnante que la seigneurie a été la première institution d'encadrement de la population de l'histoire du Québec. « La seigneurie a précédé tout le reste[97] », écrivait naguère Louise Dechêne. Elle a été implantée avant la paroisse, et force est de constater que le régime seigneurial n'a pas donné lieu à la même prégnance dans l'imaginaire collectif québécois que les églises paroissiales et le patrimoine religieux dans son ensemble[98]. Plus globalement, on doit admettre que, depuis une trentaine d'années, le patrimoine rural n'a pas reçu autant d'intérêt des chercheurs que

93. Marc-André Bernier et Claude La Charité (dir.), *Philippe Aubert de Gaspé mémorialiste*, Québec, Presses de l'Université Laval, 2009.

94. Pierre-Georges Roy, *Vieux manoirs, vieilles maisons*, Québec, Commission des monuments historiques de la province de Québec, 1927. Signalons aussi l'ouvrage de Raymonde Gauthier, publié en 1976 dans la foulée de l'adoption de la Loi sur les biens culturels adoptée par l'Assemblée nationale du Québec en 1972 : *Les manoirs du Québec*, Montréal, Fides et Éditeur officiel du Québec, 1976.

95. Samantha Rompillon et Alain Roy, « Une trace mythique : les moulins laurentiens », dans St-Hilaire, *op. cit.*, p. 162-165 ; Association des moulins du Québec, « Mémoire sur le livre vert *Un regard neuf sur le patrimoine culturel* », présenté le 28 avril 2008 à la ministre de la Culture et des Communications, 14 p. ; Gilles Deschênes, *Quand le vent faisait tourner les moulins. Trois siècles de meunerie banale et marchande au Québec*, Sillery, Septentrion, 2009.

96. Robert Larin et Marie-Joëlle Larin-Lampron, *Le Manoir Rioux-Belzile à Trois-Pistoles. Histoire d'une maison, d'une famille, d'une société et d'un village*, Sillery, Septentrion, 2013. Citons aussi l'application virtuelle du ministère de la Culture et des Communications du Québec, « Répertoire du patrimoine culturel Québec », qui ne recense que les manoirs et moulins à eau classés bâtiments historiques (http ://pinterest.com/rpcq/).

97. Louise Dechêne, *Habitants et marchands de Montréal au XVIIe siècle*, Montréal, Boréal, 1988 (1974), p. 241.

98. Luc Noppen et Lucie K. Morisset, *Les églises du Québec : un patrimoine à réinventer*, Québec, Presses de l'Université du Québec, 2005 ; Laurier Turgeon et Louise Saint-Pierre, « Le patrimoine immatériel religieux au Québec : sauvegarder l'immatériel par le virtuel », *Ethnologies*, vol. 31, n° 1, 2009, p. 201-233.

le patrimoine urbain et industriel[99]. Plusieurs spécialistes, notamment des historiens de l'architecture et des ethnologues, se sont cependant penchés sur les processus de patrimonialisation, visant à saisir le travail mémoriel qui s'exerce autour des objets patrimoniaux[100]. Jean-René Thuot et Maude Flamand-Hubert ont révélé, avec l'exemple de L'Isle-Verte et de la place qu'y tient la famille Bertrand, que le patrimoine local et la mémoire seigneuriale peuvent être l'objet de mémoires concurrentes ou consécutives, invitant du même coup à « débusquer les mémoires » qui participent à nourrir les représentations du passé[101]. Cette perspective, de même que les réflexions livrées par Thuot dans ces pages, nous semble particulièrement stimulantes.

Mémoire de soi, mémoire de l'autre : les enquêtes orales

Le processus d'enquêtes orales sera limité à une catégorie de seigneurs : les individus et familles (par opposition aux institutions). Des enquêtes orales ciblées et consignées sur un support vidéo seront menées à l'échelle du Québec seigneurial, en particulier dans certaines localités où la mémoire seigneuriale est plus susceptible d'être vivante, notamment en raison de la résidence sur place des « seigneurs », minimalement de façon saisonnière[102]. Les conférences

99. Nicole Dorion, *Inventaire des sites industriels patrimoniaux au Québec*, Montréal, Association québécoise pour le patrimoine industriel, 1996.

100. Paul-Louis Martin, « La conservation du patrimoine culturel, origines et évolution », dans Commission des biens culturels du Québec, *Les chemins de la mémoire*, Québec, Publications du Québec, 1990, tome I, p. 1-17 ; Étienne Berthold, *Patrimoine, culture et récit : l'île d'Orléans et la place Royale de Québec*, Québec, Presses de l'Université Laval, 2012 ; Marie-Blanche Fourcade (dir.), *Patrimoine et patrimonialisation – Entre le matériel et l'immatériel*, Québec, Presses de l'Université Laval, 2007 ; Morisset et Noppen, *op. cit.*

101. Maude Flamand-Hubert, « La Maison Louis-Bertrand : lieu de mémoire et d'histoire », dans Karine Hébert et Julien Goyette (dir.), *Histoire et idées du patrimoine, entre régionalisation et mondialisation*, Québec, Éditions MultiMondes, 2010, p. 141-160 ; Jean-René Thuot, « Patrimonialisation des mémoires, mémoire de la patrimonialisation : le cas de L'Isle-Verte », communication inédite présentée lors de la Journée d'étude en patrimoine organisée pour le Forum canadien de recherche publique en patrimoine, Centre Joseph-Charles-Taché de l'UQAR, 20 janvier 2012.

102. Grenier, *Seigneurs campagnards*, *op. cit.*

publiques que j'ai prononcées au cours des dernières années ont confirmé qu'il existe une mémoire à l'échelle locale de ces ultimes soubresauts de l'histoire seigneuriale québécoise et des individus qui s'y rattachent. Nous ciblerons non seulement des familles d'ascendance franco-catholique (tels les Rioux ou les Dessaulles), mais aussi des familles anglo-protestantes (Ross à Saint-Gilles de Beaurivage, par exemple) pour refléter l'importante part des anglophones au sein du groupe des seigneurs depuis le XIXe siècle. Qui plus est, à l'instar des Joly de Lotbinière, certaines de ces familles ont été particulièrement enclines à des alliances mixtes aux XIXe et XXe siècles. Il sera donc possible d'inclure les facteurs de l'ethnicité et de la religion comme indicateurs d'une altérité additionnelle à celle de classe dans les campagnes pour l'époque postérieure à 1854. Pour rejoindre le plus grand nombre de témoins, un appel à participation a été lancé à l'automne 2014 et diffusé le plus largement possible, notamment par l'intermédiaire des sociétés d'histoire et de généalogie. À l'heure de rédiger ces lignes, les entretiens oraux ont débuté et le projet « Persistances seigneuriales au Québec » est devenu une réalité[103].

Sauf exception, les derniers acteurs de l'histoire seigneuriale, qu'il s'agisse des seigneurs ou des censitaires adultes des années 1940, sont décédés. Or, si les faits qui nous intéressent ici sont inscrits dans la mémoire historique locale ou familiale, ils n'ont pas été vécus directement par les témoins. L'enquête orale sur la mémoire seigneuriale ne vise donc pas à approfondir la connaissance sur les acteurs interrogés et leur vécu, mais à consigner des pans d'une mémoire familiale[104] et locale, laquelle ne les concerne pas (ou plus) directement, un peu à la manière des premiers « folkloristes ». Cela ne constitue pas un biais de la recherche dans la mesure où notre objectif est de saisir une perception de ces survivances à

103. Les entretiens sont menés par l'auteur de ces lignes, avec la précieuse collaboration de Michel Morissette et de Stéphanie Lanthier, cinéaste-historienne, qui assure la captation vidéo de ces témoignages. Je tiens à souligner le partenariat du Musée de la mémoire vivante de Saint-Jean-Port-Joli qui conservera, au terme de la recherche, les témoignages oraux sur la mémoire seigneuriale.

104. La mémoire institutionnelle nous intéresse également dans certains cas précis, par exemple le Séminaire de Québec. Nous avons déjà rencontré à cet effet le supérieur du Séminaire.

l'échelle locale et non de relater les faits (qui, eux, sont documentés par les sources). Ce volet mémoriel semble d'autant plus pressant que les personnes qui portent cette mémoire sont souvent âgées et que la transmission intergénérationnelle implique nécessairement une inévitable altération. Il est donc grand temps d'interroger ces témoins pour mieux comprendre la valeur symbolique qu'on a continué à accorder, longtemps après 1940, aux « seigneurs » québécois.

Conclusion : souvenir et amnésie de l'histoire seigneuriale

Les mots seigneurie, domaine et autres châteaux font aujourd'hui figure de lieux communs dans le vocabulaire du marketing immobilier (et pas seulement au Québec). Et que dire d'un oxymore qu'il m'a été donné de constater récemment : un projet résidentiel nommé « Seigneurie des cantons[105] », à proximité de Farnham en Montérégie... En dehors de ces désignations de développements résidentiels ou de résidences pour personnes âgées auxquels on semble vouloir associer la splendeur d'une époque révolue, les toponymes à saveur seigneuriale sont omniprésents au Québec. Combien de rues, écoles, hôpitaux et autres bâtiments publics rappellent un passé seigneurial ? Certainement beaucoup trop pour en dresser une liste. Mais que signifient concrètement ces noms, surtout dans des localités autrefois rurales qui connaissent une forte croissance démographique et, par le fait même, un réel risque de voir s'accélérer la destruction des vestiges seigneuriaux, notamment le paysage[106] ? Cette omniprésence « seigneuriale » dans le territoire québécois doit être confrontée à l'absence de mémoire significative de ce passé. Le passé seigneurial de référence semble être essentiellement lointain (sinon la Nouvelle-France, au mieux le XIXe siècle).

105. Seigneurie des cantons, [En ligne]. [http://seigneuriedescantons.com/index.html].

106. Je me suis penché sur cette question à l'échelle d'une seigneurie : Benoît Grenier, « Seigneurie de Beauport », *Encyclopédie du patrimoine culturel de l'Amérique française*, [En ligne]. [http://www.ameriquefrancaise.org/fr/article-290/seigneurie_de_Beauport.html] (Consulté le 28 août 2013).

La lente extinction et les persistances de la propriété seigneuriale, que nous avons ici rappelées, demeurent des faits ignorés de l'histoire du Québec, sauf peut-être à l'échelle locale. C'est justement afin de comprendre comment cette mémoire, lorsqu'elle existe, s'est érigée à l'échelle locale, que nous entreprenons un processus d'enquêtes orales qui pourront permettre de mesurer comment ces derniers seigneurs étaient perçus dans les communautés et quelle mémoire en conservent leurs descendants. Enfin, cette enquête devrait se doubler d'un inventaire à jour du patrimoine seigneurial québécois : un patrimoine matériel certes plus durable que la mémoire humaine, mais néanmoins fragile, peut-être justement en raison de l'oubli entourant la mémoire seigneuriale. Si l'avenir et la préservation des églises et du patrimoine religieux revêtent un intérêt certain pour la population québécoise qui y voit un « bien collectif » érigé à la sueur de leurs ancêtres, on ne saurait en dire autant du patrimoine seigneurial. Pourtant, manoirs, moulins et autres bâtiments seigneuriaux n'ont-ils pas tout autant été érigés sur le labeur des habitants ? C'est malheureusement trop souvent lorsqu'il y a abandon ou risque de démolition que ce patrimoine retient l'attention des médias[107].

Terminons en redonnant la parole à Gabrielle Roy qui concluait son article de 1941 par une vision sur l'avenir, consciente de la valeur patrimoniale et touristique de cet « Ancien Régime québécois » : « Un jour probablement nous nous aviserons d'exploiter, à notre tour, le grand exploiteur, de relever ses ruines et de reconstruire ses légendes. Alors, qui sait ?… il nous rapportera peut-être plus après sa mort qu'il nous a coûté de son vivant[108]. » Puisse l'avenir lui donner raison.

107. Deux exemples parmi d'autres : Marc Larouche, « Un moulin du XVIIIe siècle en ruine à L'Isle-Verte », *Le Soleil*, [En ligne], 3 juin 2012. [http://www.lapresse.ca/le-soleil/maison/patrimoine/201206/02/01-4531202-un-moulin-du-xviiie-siecle-en-ruine-a-lisle-verte.php] ; Tristan Cloutier, « La maison Dessaulles n'est plus qu'un souvenir », *Le Courrier de Saint-Hyacinthe*, [En ligne], 7 juillet 2011. [http://www.lecourrier.qc.ca/actualites/actualites/2011/07/07/maison-dessaulles-plus-souvenir].

108. Roy, *loc. cit.*, p. 35.

EN GUISE DE POSTFACE

Le retour du pendule ou l'observation du temps court dans la recherche en histoire seigneuriale : l'époque de la Conquête

Alain Laberge

L'évolution de la recherche sur le régime seigneurial laurentien peut grossièrement se ramener à deux grandes phases successives. Dans l'historiographie traditionnelle, le traitement repose largement sur l'exploitation des documents officiels dont on tire une interprétation plus impressionniste qu'analytique qui s'incorpore sans peine aux grandes synthèses à visée nationaliste et nationalisante. L'objet de la recherche paraît aussi défini de façon mouvante, correspondant tantôt à un régime foncier, tantôt à un mode de peuplement, ici à une institution plus ou moins distincte de la paroisse, là à la société canadienne dans sa globalité. Le spectre chronologique privilégié est bien évidemment celui de la Nouvelle-France ou du Régime français. L'observation de terrain n'est pas de mise dans ce contexte. D'ailleurs, les études de cas (les premières monographies pourrait-on dire) sont associées à la « petite histoire », qui doit alimenter la grande histoire nationale[1].

À cet égard, il faut souligner (une fois de plus !) le caractère novateur de l'ouvrage *Habitants et marchands de Montréal au XVIIe siècle* de Louise Dechêne en 1974[2] qui, entre autres, vient

1. Alain Laberge, « 1897. Joseph-Edmond Roy, *Histoire de la seigneurie de Lauzon* », dans Claude Corbo (dir.), *Monuments intellectuels de la Nouvelle-France et du Québec ancien. Aux origines d'une tradition culturelle*, Montréal, PUM, 2014, p. 363-371.

2. Louise Dechêne, *Habitants et marchands de Montréal au XVIIe siècle*, Paris, Plon, 1974, 588 p.

modifier radicalement le traitement et l'interprétation du régime seigneurial. Sur le plan particulier de la recherche, cette étude marque le début de l'ère des monographies d'histoire rurale, lesquelles, inspirées principalement du modèle français largement cautionné par le courant des Annales, visent à rejoindre les réalités du monde rural à partir de l'observation et de l'analyse des enjeux et des rapports de force s'exprimant dans un cadre géographique restreint et dans une certaine durée. Dans cette perspective, le régime seigneurial n'a plus l'exclusivité ; il ne constitue qu'un des aspects, fondamental et incontournable certes, de la vie des communautés rurales qui s'implantent et se développent ici et là dans la vallée du Saint-Laurent durant le Régime français et au-delà de 1760[3]. Mais la monographie, par définition, consacre la primauté du particulier sur le général et il est souvent hasardeux d'extrapoler les finalités locales ou sous-régionales à l'ensemble du territoire. La représentativité des monographies est d'autant plus problématique que la couverture spatiale qu'elles assurent du monde rural seigneurial laurentien est limitée, d'une part par leur faible nombre et, d'autre part, par le réflexe bien naturel des chercheurs de privilégier les seigneuries les mieux documentées qui sont bien souvent ecclésiastiques.

Dans cette évolution plutôt fortement contrastée, la récente parution de la synthèse de Benoît Grenier, *Brève histoire du régime seigneurial*[4], arrive à point nommé. Cet ouvrage rigoureux permet d'avoir enfin une vision claire et complète de l'ensemble des finalités du régime seigneurial durant toute son existence. Remettant à leur place les idées reçues qui parsèment l'historiographie et nuançant avec justesse le faisceau des interprétations même les plus récentes, ce « petit » livre, par son format, apparaît déjà, la pluie d'éloges des comptes rendus le confirme, comme un géant, bilan incontournable des acquis et phare inspirant pour la recherche à venir. Car, aussi

3. Pour les principales références, voir la bibliographie publiée dans Alain Laberge et Benoît Grenier (dir.), *Le régime seigneurial au Québec 150 ans après : bilans et perspectives de recherches à l'occasion de la commémoration du 150e anniversaire de l'abolition du régime seigneurial*, Québec, CIEQ, 2009, p. 93-100.

4. Benoît Grenier, *Brève histoire du régime seigneurial*, Montréal, Boréal, 2012, 248 p.

attendue qu'utile, cette synthèse n'est évidemment pas une fin en soi. Bien au contraire, comme le démontrent les travaux de son auteur sur les persistances du régime seigneurial après 1854, de même que les thématiques de recherche exposées tant dans un premier bilan de la situation, en 2004[5], que dans le programme de la présente journée d'étude, le régime seigneurial du XVIIe siècle à nos jours demeure un sujet de recherche fécond qui suscite même un certain engouement.

La présente réflexion découle d'une des grandes forces de la synthèse de Benoît Grenier, soit l'inscription efficace de l'évolution du régime seigneurial dans la longue durée. Perspective éminemment nécessaire pour une synthèse, celle-ci a aussi en contrepartie le défaut inévitable de gommer ce que l'on pourrait appeler les soubresauts du temps court. On sait qu'à l'époque où l'école des Annales dominait le paysage historiographique mondial, notamment après l'article fondamental de Fernand Braudel en 1958[6], la longue durée a fait figure de véritable credo chronologique, laissant de côté tout ce qui apparaissait comme aléatoire, anecdotique ou événementiel. Fernand Ouellet ne pensait pas autrement quand il affirmait à propos de la propriété seigneuriale que la longue durée était « la seule perspective qui soit vraiment significative[7] ». Or, l'hégémonie de la longue durée n'a pas résisté au « retour de l'événement » annoncé dès les années 1970[8] et qui s'est confirmé depuis[9]. C'est pourquoi je voudrais, non pas pour prendre en défaut la *Brève Histoire du régime seigneurial*, mais bien plutôt pour contribuer à la stimulation et au renouvellement de la recherche que cette synthèse inspirera, plaider ici en faveur des vertus du

---

5. Laberge et Grenier (dir.), *op. cit.*

6. Fernand Braudel, « Histoire et sciences sociales : la longue durée », *Annales économie-société-civilisations*, 1958, republié dans *Écrits sur l'histoire*, Paris, Flammarion, 1969, p. 41-83.

7. Fernand Ouellet, « Propriété seigneuriale et groupes sociaux dans la vallée du Saint-Laurent (1663-1840) », *Mélanges d'histoire du Canada français offerts au professeur Marcel Trudel*, Ottawa, Éditions de l'Université d'Ottawa, 1978, p. 213.

8. Pierre Nora, « Le retour de l'événement », dans Jacques LeGoff et Pierre Nora (dir.), *Faire de l'histoire*, Paris, Gallimard, 1974, t. 1, p. 210-228.

9. Par exemple : Claire Dolan (dir.), *Événement, identité et histoire*, Sillery, Septentrion, 1991, 280 p.

temps court. Une telle approche chronologique vise à mettre en lumière des événements ou des épisodes qui restent le plus souvent secondaires ou même carrément invisibles dans l'observation de longue durée. Pourtant, replacés dans leur contexte du moment, ceux-ci occupent une place qui peut être très significative, notamment dans les termes dichotomiques de continuité et rupture qui jalonnent habituellement le cours de l'évolution historique.

La Conquête de 1760, le traité de Paris de 1763 et leurs suites immédiates représentent un cadre pertinent pour illustrer notre propos. Indubitablement, il s'agit là d'une période charnière fondamentale de la trame historique du Canada et du Québec, à propos de laquelle les historiens et autres chercheurs des sciences humaines n'ont toujours pas fini de s'interroger pour savoir de quelle manière et jusqu'à quel point elle constitue un moment de continuité ou de rupture dans le parcours de la collectivité québécoise. Dans le cas précis du régime seigneurial, le verdict fait largement consensus : 1760 et 1763 n'ont pas causé de transformations radicales dans la nature et le fonctionnement de l'institution, ce qui est cautionné par sa reconnaissance officielle dans l'Acte de Québec de 1774 et par sa survie jusqu'au milieu du XIXe siècle. Ainsi tout indique, comme l'a affirmé Marcel Trudel, qu'à partir de 1760 le régime seigneurial se maintient « comme sous le Régime français[10] ».

En gros et à première vue, pourrait-on dire, car les choses ne sont pas si simples, et ce dès l'époque du régime militaire. Dans les faits, le régime militaire, qui est instauré dans les semaines qui suivent la capitulation 1760, constitue un régime d'occupation temporaire en attendant les conclusions des négociations de paix qui viendront éventuellement. Il ne s'agissait donc pas pour les Britanniques de procéder à des changements profonds dans le fonctionnement d'une institution d'une colonie dont le destin restait incertain. D'ailleurs, on assiste à la continuation immédiate de plusieurs aspects du régime seigneurial comme la perception du

10. Marcel Trudel, *Histoire de la Nouvelle-France. Vol. X: Le régime militaire et la disparition de la Nouvelle-France, 1759-1764*, Montréal, Fides, 1999, p. 135.

droit de quint[11] et des lods et ventes[12] lors des transactions foncières, la prestation d'actes de foi et hommage[13], de même que le paiement des redevances des censitaires envers leurs seigneurs, réitérés par des ordonnances des gouverneurs dans l'un ou l'autre des trois gouvernements.

Cela dit, il reste que certaines décisions de la part de ces derniers laissent penser qu'ils n'ont pas renoncé entièrement à leur droit de gouvernance, en dépit du *statu quo* semblant découler des protections incluses dans la capitulation de Montréal relativement à la propriété foncière, recouvrant donc la réalité seigneuriale du Canada. C'est ainsi que trois circonstances peuvent être interprétées comme des gestes d'ingérence en matière seigneuriale de la part de l'autorité britannique sous le régime militaire: la suppression de la justice seigneuriale dès 1760, le transfert de la propriété du Sault-Saint-Louis des Jésuites au profit des Iroquois domiciliés en 1762 et, le 27 avril de la même année, la concession de deux seigneuries, Mount Murray et Murray Bay, à des officiers britanniques, Malcolm Fraser et John Nairne. Quels que soient les tenants et aboutissants de ces gestes, sur lesquels il n'est pas nécessaire d'élaborer ici, ils constituent autant d'entorses au *statu quo* qui, en théorie du moins, pouvait garantir la continuité du régime seigneurial. Sous le régime militaire, celle-ci n'est pas sans faille.

En principe, le traité de paix définitif signé à Paris le 10 février 1763 garantit aux habitants du Canada la jouissance et la disposition de leurs biens, incluant la propriété foncière[14]. Sur cette base, on pouvait penser que le régime seigneurial allait se poursuivre selon le *modus vivendi* en vigueur durant le régime militaire. Cela va effectivement se concrétiser dans les années suivantes, malgré la Proclamation royale d'octobre 1763 et son objectif avoué de britannisation de la vallée du Saint-Laurent. Sur le plan foncier, cette

11. Le droit de quint consiste à payer au roi le cinquième du prix de vente d'une seigneurie.

12. Les lods et ventes, soit le douzième du prix d'une transaction foncière, doivent être remis au seigneur.

13. La foi et hommage est une cérémonie marquant la subordination des seigneurs envers le roi ou son représentant.

14. Adam Shortt et Arthur G. Doughty (dir.), *Documents relatifs à l'histoire constitutionnelle du Canada, 1759-1791*, Ottawa, Thomas Mulvey, 1921 (1911), vol. 1, p. 86.

constitution ne dit mot du régime seigneurial, ce qui ne contribue pas peu au caractère équivoque de son statut, mais elle insiste sur la nécessité de concéder les terres selon la tenure anglaise. Comme pour tous les autres aspects de la britannisation attendue (chambre d'assemblée et lois anglaises notamment), l'absence d'une immigration britannique consistante après 1763 va faire en sorte que la Proclamation royale sera inapplicable sur le terrain colonial. Même le projet d'enregistrement des terres évoqué dans les instructions au gouverneur Murray de décembre 1763 sera ultimement abandonné[15]. Seul le nouveau tracé des frontières de la province de Québec aura un effet tangible sur la propriété seigneuriale en éliminant une douzaine de fiefs situés autour du lac Champlain, maintenant rattaché au territoire du New York[16].

Si la conjoncture à court terme s'avère favorable à la continuité de l'institution, il n'en demeure pas moins que le régime seigneurial n'est pas à l'abri de toute menace. Le problème vient du fait que la question de la propriété seigneuriale est intimement liée à celle des lois civiles françaises. En effet, le fonctionnement même du régime seigneurial repose sur la Coutume de Paris. Or, les lois françaises ne sont que tolérées dans la Proclamation royale. Cette situation fait en sorte que le destin du régime seigneurial est largement tributaire des résultats des débats intenses autour de la reconnaissance des lois civiles françaises dans les années menant à l'Acte de Québec de 1774. Dans ces conditions, la position des gouverneurs Murray et Carleton en faveur du régime seigneurial, motivée tant par leur réalisme politique que par leur proximité sociale avec la noblesse seigneuriale, sera un atout déterminant pour sa continuité, toute circonstancielle soit-elle.

La reconnaissance officielle du régime seigneurial par l'Acte de Québec de 1774 met fin à la précarité relative dans laquelle il se trouvait depuis 1760. À partir de ce moment, tout semble indiquer que l'institution pourra effectivement se maintenir sans aucune crainte « comme sous le Régime français ». Pour un temps seulement, car l'arrivée dans la vallée du Saint-Laurent de loyalistes fuyant la

---

15. Shortt et Doughty (dir.), *op. cit.*, p. 168.
16. Trudel, *op. cit.*, p. 519. Voir le texte de Joseph Gagné dans le présent ouvrage.

Révolution américaine va engendrer les conditions nécessaires à la mise en place de la tenure en franc et commun socage qu'ils réclament absolument. À partir de l'Acte constitutionnel de 1791 qui va statuer définitivement sur la question, le régime seigneurial sera désormais confiné au territoire qu'il occupait avant la Conquête. Le processus d'expansion qui l'avait jusqu'alors caractérisé était bel et bien achevé.

Si l'on s'en tient au fonctionnement même de l'institution seigneuriale après l'Acte de Québec, il est indéniable qu'un grand nombre d'éléments militent en faveur de la continuité. Toutefois, le déroulement d'un épisode particulier de la relation vassal-suzerain à cette époque illustre que, derrière ce qui ressemble fort à la situation du Régime français, peut se cacher un ferment de mutation.

Le 15 juillet 1777, comparaissait au Château Saint-Louis de Québec, devant le gouverneur Guy Carleton, Christophe Sanguinet, seigneur des deux tiers de la seigneurie de Varennes dans le district de Montréal. Le motif de cette comparution est de prêter foi et hommage pour sa propriété seigneuriale. Sanguinet reviendra le 25 août pour rendre l'aveu et dénombrement pour la même seigneurie. Ces deux actes s'inscrivent dans les relations entre un vassal et son suzerain. L'acte de foi et hommage consiste en la présentation par le vassal des titres sur lesquels est fondée sa qualité de propriétaire seigneurial, propriété qui, ultimement, provient du suzerain. C'est pourquoi il renferme une promesse solennelle de fidélité du vassal au suzerain. Quant à l'aveu et dénombrement, il s'agit d'une description précise et détaillée de tout ce qui compose le fief, incluant les droits exercés par le vassal (seigneur). Il est requis de le fournir dans les 40 jours suivant la foi et hommage, ce que Sanguinet respectera scrupuleusement d'ailleurs ! Ce sont donc deux documents complémentaires.

La comparution de Sanguinet est la première d'une série s'insérant dans la procédure de confection du papier terrier du Domaine du roi en la province de Québec. En théorie, une telle opération d'envergure peut être entreprise à chaque changement de règne (ou de suzeraineté). L'ancienneté du papier terrier précédent

– 1723-1745[17] –, la cession du Canada par la France à la Grande-Bretagne en 1763, combinée à la reconnaissance officielle du régime seigneurial et des lois civiles françaises le régissant par l'Acte de Québec de 1774, forment les circonstances légitimant cette action.

À bien des égards, l'opération qui s'amorce en 1777 s'apparente à celle qui avait été menée à partir de 1723 sous le Régime français. Pour les seigneurs, il s'agissait d'obtenir sur le plan individuel la reconnaissance de leurs titres de propriété seigneuriale, ce qui est fondamental pour eux. De son côté, en faisant comparaître les seigneurs, l'administration coloniale britannique se donnait les moyens d'obtenir (enfin !) un portrait précis de la propriété seigneuriale dans la vallée du Saint-Laurent, c'est-à-dire qui possède quoi, où et sur quelles bases ? Ce portrait obtenu, les autorités coloniales pouvaient également prendre connaissance de mutations seigneuriales récentes entraînant le paiement du droit de quint au roi. Ces deux objectifs sont similaires à ceux qui étaient visés en 1723.

L'examen attentif du corpus documentaire produit par cette opération laisse toutefois voir qu'il ne s'agissait pas d'une réplique à l'identique de la démarche comme elle avait été réalisée antérieurement sous le Régime français. Le contenu des registres utilisés pour la confection du papier terrier montre que la nature même de l'opération semble avoir subi une certaine transformation. Alors qu'un papier terrier repose habituellement sur la complémentarité de la reconnaissance des titres de propriété et la reconduction du lien de fidélité vassal-auzerain (la foi et hommage) et de la reddition de comptes – pourrait-on dire – des actions des seigneurs sur le terrain (les aveux et dénombrements), la comparution des seigneurs entre 1777 et 1782 donne un tout autre résultat.

La primauté affichée par les actes de foi et hommage confirme la priorisation de la reconnaissance des titres et de la loyauté à fortifier dans le contexte de la Révolution américaine. Toutes les catégories de seigneurs (qui forment un groupe passablement hétérogène, faut-il le rappeler) sont présentes, bien que l'on sente que

17. À ce sujet, voir Jacques Mathieu et Alain Laberge (dir.), *L'occupation des terres dans la vallée du Saint-Laurent : les aveux et dénombrements, 1723-1745*, Sillery, Septentrion et Centre de recherche Lionel-Groulx, 1991.

les plus humbles d'entre eux le soient moins que la noblesse seigneuriale. Cela va dans le sens que la loyauté seigneuriale recherchée par l'administration coloniale britannique est essentiellement celle de l'élite du groupe, particulièrement les nobles, ce qui est conséquent avec l'attitude adoptée à leur égard par le passé.

L'absence marquée des aveux et dénombrements (seulement 41) illustre éloquemment la mise en sourdine de la vérification de l'état de la colonisation sur le territoire seigneurial. Cette dimension, qui était si importante sous le Régime français, n'apparaît plus aussi nécessaire à une époque où les seigneuries bien occupées sont devenues monnaie courante.

La situation des seigneurs ecclésiastiques fournit un éclairage supplémentaire intéressant par rapport aux enjeux en cause. Compte tenu des réserves affichées dans les instructions secrètes accompagnant l'Acte de Québec par rapport aux propriétés foncières des communautés d'hommes, et notamment des Jésuites, on ne se surprendra pas de constater que les actes de foi et hommage sont loin d'être exhaustifs pour les seigneurs ecclésiastiques. Ainsi, les Jésuites n'en font aucun. On comprend que le pouvoir colonial ne tient pas vraiment à leur accorder une reconnaissance de leurs titres. Par contre, les Jésuites et les autres communautés religieuses d'hommes comme de femmes ont produit les aveux et dénombrements de toutes leurs seigneuries. Cela fait en sorte que la moitié des aveux et dénombrements des années 1777-1782 concernent des fiefs ecclésiastiques, ce qui est loin de correspondre à la place que ceux-ci occupent dans l'ensemble. Les seigneurs ecclésiastiques (surtout masculins), qui avaient fait des pieds et des mains dans les années 1720 pour vérifier et faire valoir des prétentions qui leur auraient peut-être permis d'échapper au filet de la confection du papier terrier de cette époque, sont bien moins vindicatifs cinquante ans plus tard. Dans leur cas, l'objectif principal des autorités coloniales semble avoir été de chercher à connaître l'état de développement des seigneuries ecclésiastiques, notamment de celles qu'on pouvait éventuellement convoiter, comme les fiefs des Jésuites.

De toute évidence, les usages liés à la confection du papier terrier ont subi une transformation subtile après l'Acte de Québec en cherchant à répondre aux besoins du moment. L'illusion d'une procédure identique à celle du Régime français va durer pratiquement jusqu'à l'abolition de l'institution seigneuriale en 1854 : dans les actes de foi et hommage qui se poursuivent par intervalles après 1782, il est toujours indiqué à la fin que le comparant devra produire son aveu et dénombrement dans les quarante jours suivants ! Or, il n'y a plus d'aveux et dénombrements dans les archives à partir de la fin du XVIIIe siècle...

Conclusion

Pour conclure, l'intention des propos qui précèdent n'était nullement de chercher à invalider le consensus historiographique sur la continuité du régime seigneurial de 1626 à 1854. Encore une fois, il faut répéter que, dans la perspective de la longue durée, le régime seigneurial présente en effet une évolution assez peu bouleversée, même par rapport à l'époque de la Conquête. Cela dit, on ne peut s'empêcher de faire la remarque suivante relativement au processus de validation de cette interprétation. Tout se passe comme si, connaissant au préalable la durabilité du régime seigneurial, l'historiographie affichait une prédisposition à accentuer la continuité de l'institution et de ses usages. Cela est particulièrement patent dans l'historiographie traditionnelle où cette continuité cautionnait celle de la collectivité canadienne-française. Plus récemment, les choses se sont présentées dans un autre cadre idéologique, mais le réflexe a persisté et, à ce chapitre, la *Brève histoire* de Benoît Grenier se démarque encore. Car, en toute justice, il faut effectivement faire remarquer que la *Brève histoire* se montre plutôt sensible à bon nombre d'éléments ponctuels de la chronologie seigneuriale. Cependant, compte tenu de son objectif de synthèse, on ne devait pas s'attendre à y trouver de longs développements.

C'est pourquoi nous avons voulu mettre en évidence un moment potentiellement charnière de l'évolution du régime seigneurial, comme l'époque de la Conquête, afin de stimuler cette sensibilité envers le temps court, de nuancer les circonstances qui, à première vue, semblent militer en faveur de la continuité, mais qui comportent des doses variables de changement ou de volonté de changement qui risquent de demeurer mineures, imparfaites ou incomplètes. L'important selon nous est d'aviver la conscience de la nécessité de scruter en profondeur chacun de ces moments[18] et de montrer à quel point ces épisodes ont pu constituer des périodes fertiles en soubresauts du temps court qui ont pu toucher rudement les sensibilités et susciter inquiétudes et angoisses pour la population touchée.

18. Parmi d'autres moments potentiellement intéressants à cet égard, on peut mentionner 1663 (transition entre la Compagnie des Cent-Associés et le gouvernement royal, notamment la période charnière de la Compagnie des Indes occidentales de 1664 à 1674; 1711 (Édits de Marly); 1723 (début de la confection du papier terrier de la colonie déjà analysé sous plusieurs angles dans Alain Laberge (avec la collaboration de Jacques Mathieu et Lina Gouger), *Portraits de campagnes: la formation du monde rural laurentien au XVIIIe siècle*, Québec, Presses de l'Université Laval et CIEQ, 2010). Pour le Régime britannique après 1791, on peut penser à chacune des périodes où le régime seigneurial a été interpellé lors des débats à la Chambre d'assemblée.

ANNEXE

Publications relatives aux terriers et autres documents fonciers de l'aire seigneuriale au Québec

André LaRose

La publication de terriers ou de documents se rapportant à la propriété foncière a intéressé jusqu'ici un petit nombre de chercheurs au Québec, généalogistes ou érudits locaux pour la plupart. Leurs œuvres – nous en avons relevé 45 au total – se répartissent en trois catégories, suivant la nature de l'exercice auquel s'est livré l'auteur ou l'éditeur intellectuel :

1. les reproductions de documents anciens ;
2. les reconstitutions de terriers ;
3. les index onomastiques de documents fonciers.

Les reproductions font connaître un document ancien ou un ensemble de documents existants, quel que soit le moyen utilisé pour y parvenir (fac-similé, transcription, transposition standardisée, édition annotée et complétée, adaptation). Cette première catégorie se subdivise en deux, selon que le document comporte ou non une chaîne de titres. Quant aux reconstitutions, elles sont le produit d'un travail de recherche, car elles établissent, à partir de sources diverses, la chaîne des titres de propriété relatifs à une entité territoriale plus ou moins vaste, depuis les origines jusqu'à une date donnée. Précisons que nous ne retenons pas ici les travaux consacrés à l'histoire d'une seule terre. Pour ce qui est des index, ils témoignent d'un effort visant à faciliter le repérage des noms des tenanciers dans des documents fonciers publiés ou non.

Les reproductions de documents concernent divers types de documents seigneuriaux : terriers, censiers, aveux et dénombrements, et cadastres abrégés. Certaines portent aussi sur des livres de renvoi, un document cadastral postérieur à l'abolition du régime seigneurial.

- Le terrier est le registre des terres de la seigneurie ; s'il est fait suivant les règles, il est l'œuvre d'un commissaire à terrier – un notaire mandaté par le tribunal pour recueillir les déclarations des censitaires concernant leurs biens-fonds et les redevances qui y sont attachées.
- Le censier est le registre dans lequel le seigneur ou son représentant inscrivait les sommes perçues au titre des cens et rentes.
- L'aveu et dénombrement est un état détaillé d'une seigneurie, une sorte de recensement que le seigneur devait présenter dans certaines circonstances à son suzerain (le seigneur de qui il tenait sa seigneurie, généralement le roi).
- Le cadastre abrégé est un document imprimé découlant de l'abolition du régime seigneurial en 1854. Il a été dressé dans chaque seigneurie à une double fin : a) déterminer la valeur des droits lucratifs du seigneur pour l'abolition desquels celui-ci allait être indemnisé ; b) établir le montant de la rente constituée désormais payable par chaque censitaire en lieu et place des cens et rentes. On le qualifie d'abrégé par opposition au cadastre intégral, qui, lui, est manuscrit et comporte quelques colonnes de plus que sa version imprimée. Les cadastres abrégés ont été réunis et publiés en sept gros volumes dans les années 1860[1].
- Le livre de renvoi est un document découlant de l'instauration du cadastre officiel, aux termes d'une loi de 1860, l'Acte concernant les bureaux d'enregistrement et les privilèges et hypothèques dans le Bas-Canada (23 Vict., chap. 59). Complément du plan cadastral, il fournit une description de chacun des lots ou lopins de terre figurant sur ce plan ainsi que le nom de leur propriétaire, le numéro du lot ou du lopin sur le plan en question et des indications contribuant à la compréhension de ce plan.

1. *Cadastres abrégés des seigneuries des districts de Québec, Montréal, Trois-Rivières et de la Couronne*, Québec, Derbishire et Desbarats, 1864, 7 vol.

Notre enquête se borne à l'aire seigneuriale. Pour en connaître l'étendue et les limites, on se reportera aux cartes illustrant la *Brève Histoire du régime seigneurial* de Benoît Grenier ainsi qu'à la liste des seigneuries qui les suit[2].

On constatera en parcourant le tableau synoptique ci-dessous que le mot *terrier* ne revêt pas le même sens pour tous les chercheurs. S'il fait toujours référence à la nomenclature des terres et de leurs propriétaires à l'intérieur d'une aire déterminée, ce terme est loin de s'appliquer exclusivement pour tous au registre des terres dressé par un commissaire à terrier à l'intention d'un seigneur. Pour la plupart des chercheurs, en fait, il désigne le résultat de leurs recherches en vue de reconstituer la chaîne des titres de propriété d'un territoire donné (seigneurie, partie de seigneurie, municipalité, concession ou rang), c'est-à-dire en vue d'établir l'historique des lots, sur une période plus ou moins longue. En ce sens, « un terrier est, en quelque sorte, le dictionnaire détaillé de la possession du territoire », selon l'expression de Réal Aubin[3]. Les travaux de ce genre sont tous regroupés dans la deuxième catégorie.

Jusqu'à présent, les terres de la rive nord du Saint-Laurent ont retenu l'attention des chercheurs plus que celles de la rive sud, et celles de la région de Québec – la côte de Beaupré et l'île d'Orléans en particulier –, plus que celles des régions de Trois-Rivières et de Montréal. On le doit en grande partie aux efforts de Raymond Gariépy, dont l'œuvre monumentale constitue un apport inestimable à la connaissance de l'histoire de la propriété foncière dans la région de Québec.

La bibliographie qui suit porte sur des publications antérieures au 31 août 2014. Sauf exception (une seule), elle est le fruit de recherches menées à Montréal, dans la Collection nationale, à la Grande Bibliothèque, où, en raison du dépôt légal, toutes les publications québécoises devraient en principe se trouver, ce qui, en pratique, n'est pas tout à fait le cas. Elle résulte de l'interrogation des vedettes-matières suivantes : Cadastres-Québec (Province),

2. Benoît Grenier, *Brève histoire du régime seigneurial*, Montréal, Boréal, 2012, p. 11-15 (cartes) et 16-20 (liste des seigneuries).

3. Réal Aubin, *Le Terrier du « petit Sainte-Anne » à Saint-Norbert, 1845-1998*, Joliette, Éditions Aubin-Lambert, 2004, p. 17.

Concession des terres-Québec (Province), Livres fonciers-Québec (Province), Terriers (Droit), Titres de propriété-Immatriculation et transfert. Une recherche complémentaire, au mot « Terrier », dans le catalogue René-Bureau de la Société de généalogie de Québec – plus complet à ce chapitre que le catalogue de la bibliothèque de la Société généalogique canadienne-française –, a permis d'ajouter quelques titres ; on les reconnaîtra à la mention SGQ dans la colonne Observations. Les titres sont classés d'abord par catégorie (et sous-catégorie, s'il y a lieu), ensuite par ordre géographique (Nouvelle-France, pour commencer ; puis rive nord, de l'aval vers l'amont, et rive sud, en sens inverse). Pour obvier aux inconvénients causés par ce mode de classement, nous avons dressé un index des noms de lieux que l'on trouvera à la suite de notre tableau synoptique. Pour la graphie des noms de lieux, nous avons adopté celle que propose la Commission de toponymie du Québec dans sa Banque de noms de lieux du Québec[4].

Malgré nos efforts, cette bibliographie pourrait ne pas être exhaustive. Elle constitue néanmoins un premier effort de systématisation.

Réal Aubin disait, à propos du terrier du *petit Sainte-Anne* : « C'est une page de la petite histoire de Saint-Norbert offerte comme une humble fleur des champs aux chercheurs qui voudront en faire leur miel[5]. » La même image pourrait s'appliquer aux autres travaux énumérés ci-après. Alors, voici ce bouquet.

4. Commission de toponymie du Québec, [En ligne]. [http://www.toponymie.gouv.qc.ca/ct/accueil.aspx].

5. *Ibid.*

Territoire	Seigneurie(s)	Seigneur	Période	Sources	Envergure	Observations	Référence
Catégorie 1A – Reproductions de documents anciens avec chaînes de titres							
Nouvelle-France	Diverses	Compagnie des Indes occidentales	1667-1668	Papier terrier de la Compagnie	Gouvernements de Québec et de Trois-Rivières	« Ne donne ni les lots contenus dans les seigneuries urbaines, ni les terres en censive des seigneuries rurales » (M. Trudel)	ROY, Pierre-Georges, *Papier terrier de la Compagnie des Indes occidentales, 1667-1668*, Beauceville, L'Éclaireur, 1931, 378 p. En ligne.
Rive nord							
Côte de Beaupré	Côte-de-Beaupré	Mgr de Laval	1680	Censier établi par le notaire Romain Becquet	Depuis la seigneurie de Beauport jusqu'à la rivière du Gouffre	Transcription accompagnée d'un index	LAFONTAINE, André, *Censier général du domaine de la seigneurie de Beaupré dressé au commencement de l'année 1680*, Sherbrooke, A. Lafontaine, 1984, n.p.
Saint-Augustin	Maur	Pauvres de l'Hôtel-Dieu de Québec	1743-1753	Terrier dressé par les notaires Dulaurent et Geneste		Pas de présentation des sources ni de la méthode ; contient un inventaire des concessions de 1665 à 1734.	DORÉ, Raymond, *Extraits du « Terrier général de St-Augustin » (Demaure) par Dulaurent (1743), par Geneste (1753)*, Montréal, Erod, 1994, 59 p.
Batiscan	Batiscan	Couronne (Biens des jésuites)	1825-1829	Terrier dressé par le notaire Louis Guillet, père	509 titres nouvels	SGQ. Abrégé des actes, classés par ordre chronologique. Nomenclature suivie de la liste des terres concédées dans la seigneurie de 1829 à 1834.	VEILLET ST-LOUIS, Françoise, *Papier terrier de la seigneurie de Batiscan rédigé par le notaire Louis Guillet, 1825-1829*, Trois-Rivières, F. Veillet St-Louis, 2013, 211 p.

Territoire	Seigneurie(s)	Seigneur	Période	Sources	Envergure	Observations	Référence
Louiseville, Sainte-Ursule	Rivière-du-Loup-en-Haut et fief Saint-Jean	Ursulines de Trois-Rivières	1838-1841	J.-P. Bureau, arpenteur; Jean-Emmanuel Dumoulin, notaire	Environ 750 titres nouvels	Contient le journal d'arpentage, le plan de la seigneurie et du fief, les déclarations des censitaires et un index.	BELLEMARE, Lucien, *Le terrier des ursulines de Trois-Rivières constituant les bases de l'histoire de Louiseville et de Sainte-Ursule situées dans la seigneurie de la Rivière du Loup et le fief St-Jean*, Saint-Léon, L. Bellemare, 1997, 4 vol.
Montréal	Île-de-Montréal	Sulpiciens	1666-1795	Livre terrier des sulpiciens	225 emplacements originaires	Comporte un index onomastique, une table de concordance des numéros qui figurent sur le plan, des planches et une carte.	« Livre terrier de la seigneurie de Montréal mentionnant les concessions et mutations de terrains compris dans les limites des anciennes fortifications », dans *Les origines de Montréal: Mémoires de la Société historique de Montréal*, Adj. Ménard, Imprimeur et éditeur, 1917, p. 40-364. En ligne.
Rive sud							
Lévis	Lauzon	James Murray	1765	Terrier dressé par le notaire Jean-Antoine Saillant	Est de la rivière Chaudière	Combine les déclarations des censitaires et le résultat des recherches de l'auteure.	BOURGET ROBITAILLE, Gaétane, *Terrier de la seigneurie de Lauzon à l'est de la rivière Chaudière en 1765*, Lévis, Société d'histoire régionale de Lévis, [2005], 342 p.

Territoire	Seigneurie(s)	Seigneur	Période	Sources	Envergure	Observations	Référence
Catégorie 1B – Reproductions de documents anciens sans chaînes de titres							
Nouvelle-France	Toutes	Divers	1723-1745	Aveux et dénombrements	Tout l'œkoumène	« Un portrait sur papier d'une réalité au sol » (p. xxix)	MATHIEU, Jacques, et Alain LABERGE (dir.), *L'occupation des terres dans la vallée du Saint-Laurent : les aveux et dénombrements, 1723-1745*, Sillery, Septentrion, avec la collaboration du Centre de recherche Lionel-Groulx, 1991, xliv, 415 p.
Rive nord							
Rivière-Malbaie (Nord-Est), Cap-à-l'Aigle, Saint-Fidèle, Saint-Siméon	Mount Murray	John Malcolm Fraser	1859	Cadastre abrégé		Transcription modifiée et adaptée ; index.	HARVEY, Christian, *La Seigneurie de Mount Murray et ses habitants : le cadastre abrégé, 1859*, La Malbaie, Éditions Charlevoix, 2008, 54 p.
La Malbaie	Murray Bay	John Nairne	1858	Cadastre abrégé		Transcription modifiée et adaptée ; index.	HARVEY, Christian, *Terres de la Seigneurie de Murray Bay : le cadastre abrégé, 1858*, La Malbaie, Éditions Charlevoix, 2006, 87 p.
Neuville	Neuville		1879	Livre de renvoi officiel		SGQ. Transcription dactylographiée ; compilateur anonyme.	*Livre de renvoi officiel de la paroisse de Pointe-aux-Trembles, comté de Portneuf (1er mars 1879)*, s.l., n.d., 126 p.

Territoire	Seigneurie(s)	Seigneur	Période	Sources	Envergure	Observations	Référence
Sainte-Anne-de-la-Pérade	La Pérade	Héritiers Hale	1861	Cadastre abrégé	576 numéros de référence	Brochure reproduisant le cadastre abrégé, avec présentation et appendice.	*Les Péradiens du siècle dernier : un document officiel*, Trois-Rivières, Éditions du Bien public, 1982, 50 p.
Montréal	Île-de-Montréal	Sulpiciens	1731	Aveu et dénombrement		Transcription accompagnée d'un index.	*Aveu et dénombrement des messieurs de Saint-Sulpice, seigneurs de Montréal*, Publié par Antoine Roy, Québec, Archives de la province, 1943, 176 p.
Montréal	Île-de-Montréal ; Saint-Sulpice ; Lac-des-Deux-Montagnes	Sulpiciens	1781	« Déclaration du fief et seigneurie de L'Isle de Montréal Au Papier terrier du Domaine De Sa Majesté En La Province de Québec en Canada ». Faite le 3 février 1781 par Jean Brassier, p.s.s.		Transcription accompagnée d'un index distinct pour chacune des trois seigneuries.	PERRAULT, Claude, *Montréal en 1781*, Montréal, Payette Radio, [1969], xviii, 495 p.
Rive sud							
La Prairie	Prairie-de-la-Madeleine	Couronne (Biens des jésuites)	1860-1870	Plan de l'arpenteur Jos Riel (1861) ; cadastre abrégé (1864)		Liste alphabétique des quelque 1 300 propriétaires.	*La seigneurie de Laprairie de la Magdeleine, 1860-1870 : liste des habitants*, [La Prairie], [Société historique de La Prairie de la Magdeleine], [1985]. iii, 50 p.

Territoire	Seigneurie(s)	Seigneur	Période	Sources	Envergure	Observations	Référence
La Prairie	Prairie-de-la-Madeleine	Couronne (Biens des jésuites)	1836-1840	Cadastre de Charles Manuel ; déclarations et reconnaissances des censitaires		Listes par côte et par ordre alphabétique des censitaires et plans parcellaires de la seigneurie et du village	SOCIÉTÉ HISTORIQUE DE LA PRAIRIE DE LA MAGDELEINE, *Le Train des retrouvailles*, La Prairie, La Société, 1986, 162 p.
Saint-Nicolas	Lauzon	Couronne	1877	Plan cadastral et livre de renvoi	Paroisse de Saint-Nicolas	Contient un avant-propos, un index, une bibliographie et un plan parcellaire, en plus de la transcription des noms des tenanciers lot par lot.	GINGRAS, Raymond, et Louis-Honoré FILTEAU, *Cadastre de Saint-Nicolas, 1877*, [Saint-Nicolas], Société historique Saint-Nicolas et Bernières, 1985, xi, 26 p.
Saint-Vallier	Saint-Vallier	Héritiers de Lanaudière	1725 et 1880	Aveu et dénombrement de 1725 ; plan cadastral de 1880	Premier rang de la paroisse de Saint-Vallier	Fait le pont entre 1725 et 1880, sans reconstituer la chaîne de titres dans l'intervalle.	BONNEAU, Louis-Philippe, J. CHABOT et G. LAMONDE, *Le terrier du premier rang de la paroisse de St-Vallier*, [Saint-François-de-la-Rivière-du-Sud, Québec], Société de conservation du patrimoine de Saint-François-de-la-Rivière-du-Sud, 1990, 385 p.
Catégorie 2 – Reconstitutions de terriers							
Nouvelle-France	Diverses	Compagnie des Cent-Associés	1663	Diverses	Tout l'œkoumène	Inventaire exhaustif des terres en seigneurie et en censive ainsi que des emplacements des villes et villages	TRUDEL, Marcel, *Le terrier du Saint-Laurent en 1663*, Ottawa, Éditions de l'Université d'Ottawa, 1973, xlv, 618 p.

Territoire	Seigneurie(s)	Seigneur	Période	Sources	Envergure	Observations	Référence
Nouvelle-France	Diverses	Compagnie des Indes occidentales	1674	Diverses	Tout l'œkoumène	Inventaire exhaustif des terres en seigneurie et en censive ainsi que des emplacements des villes et villages	TRUDEL, Marcel, *Le terrier du Saint-Laurent en 1674,* Montréal, Éditions du Méridien, [1998], 2 vol., 919 p.
Rive nord							
Petite-Rivière-Saint-François	Côte-de-Beaupré	Séminaire de Québec	XVIIe-XVIIIe siècles	Diverses	22 terres originelles	Terres n°s 144 à 165. L'auteur se limite aux premiers concessionnaires, sans faire de reconstitution détaillée comme dans ses autres ouvrages.	GARIÉPY, Raymond, *Terres de la Petite-Rivière-Saint-François,* [La Malbaie], Société d'histoire de Charlevoix, 2002, 52 p.
Saint-Joachim	Côte-de-Beaupré	Séminaire de Québec	Des origines au début du XXe siècle	Diverses	34 terres originelles	Terres n°s 110 à 143	GARIÉPY, Raymond, *Les terres de Saint-Joachim (Côte-de-Beaupré), Des origines au début du XXe siècle,* [Sainte-Foy], Société de généalogie de Québec, 1997, 472 p.
Sainte-Anne-de-Beaupré	Côte-de-Beaupré	Séminaire de Québec	Des origines aux années 1980	Diverses	29 terres originelles	Terres n°s 81 à 109	GARIÉPY, Raymond, *Les terres de Sainte-Anne-de-Beaupré : Côte-de-Beaupré,* Sainte-Foy, Société de généalogie de Québec, 1988, i, 578 p.

Territoire	Seigneurie(s)	Seigneur	Période	Sources	Envergure	Observations	Référence
Château-Richer	Côte-de-Beaupré	Séminaire de Québec	Des origines à 1990	Diverses	37 terres originelles	Terres nos 44 à 80	GARIÉPY, Raymond, *Les terres de Château-Richer, 1640-1990*, [Sainte-Foy], Société de généalogie de Québec, 1993, 672 p.
L'Ange-Gardien	Côte-de-Beaupré	Séminaire de Québec	Des origines à 2002	Diverses	43 terres originelles	Terres nos 1 à 43	GARIÉPY, Raymond, *Les terres de L'Ange-Gardien (Côte-de-Beaupré)*, 2e éd. rev., augm. et mise à jour jusqu'en 2002, Sainte-Foy, Société de généalogie de Québec, 2004, xiv, 744 p.
Île d'Orléans	Île-d'Orléans	Divers	1650-1725	Diverses	Saint-Pierre : 68 terres ; Sainte-Famille : 72 terres ; Saint-François : 52 terres ; Saint-Jean : 65 terres ; Saint-Laurent : 67 terres	Comporte un index des terres et un index onomastique ; rien à propos de Sainte-Pétronille.	ROY, Léon, *Les terres de l'île d'Orléans 1650-1725*, 2e édition, édition revue et augmentée par Raymond Gariépy, Montréal, Éditions Bergeron & Fils, 1978, xxxii, 491 p.
Neuville	Neuville		1665-2000	Diverses			ROULEAU, Marc, *Terrier de Neuville (1665-2000) revu et corrigé*, [Neuville]; M. Rouleau, [2001]. Env. 250 p.

Territoire	Seigneurie(s)	Seigneur	Période	Sources	Envergure	Observations	Référence
Les Écureuils et environs	Bélair (des Écureuils)		Des origines à nos jours	Actes notariés	Seigneurie de Bélair		EAST, H. André, *Terrier de la seigneurie de Bélair ou des Écureuils, 1678-1980*, Neuville, Société d'histoire de Neuville, [2005], 393 p.
Champlain	Champlain	Étienne Pezard de Latouche-Champlain	1665	Diverses	Les 34 premiers concessionnaires du 1er Rang longeant le fleuve	Reconstitution, index	CHARTIER, Jean-Pierre, *La grande distribution de terres de 1665 : fief et seigneurie Latouche-Champlain*, Montréal, Éditions Histoire-Québec, [2009], 307 p.
Saint-Norbert	Berthier	Famille Cuthbert	1845-1998	Actes notariés	Petit Sainte-Anne (3e Rang de Sainte-Anne)	8 terres originelles plus trois parcelles détachées du 2e Rang en 1882	AUBIN, Réal, *Le terrier du « petit Sainte-Anne » à Saint-Norbert, 1845-1998*, Joliette, Éditions Aubin-Lambert, 2004, 578 p.
Saint-Norbert	Berthier	Famille Cuthbert	1845-1998	Actes notariés	2e Rang de Sainte-Anne	18 terres originelles	AUBIN, Réal, *Le terrier du 2e Rang de Sainte-Anne à Saint-Norbert, 1845-1998*, Joliette, Éditions Aubin-Lambert, 2005-2006, 2 vol.
Point-du-Jour (Lavaltrie et L'Assomption)	Lavaltrie et Saint-Sulpice		XVIIIe-XIXe siècles	Diverses		Historique des terres nos 67 à 99 et 116 à 142 dans Saint-Sulpice ainsi que des terres nos 167 à 213 et 214 à 275 dans Lavaltrie	MARSAN, Jean-Guy, *Le terrier du Point-du-Jour dans les seigneuries de Saint-Sulpice et Lavaltrie*, Rimouski, J.-G. Marsan, [2009], 177 p.

Territoire	Seigneurie(s)	Seigneur	Période	Sources	Envergure	Observations	Référence
Pointe-aux-Trembles	Île-de-Montréal	Sulpiciens	XVIIe-XVIIIe siècles	Diverses		Reconstitution du terrier des côtes Saint-Léonard (nord et sud), Sainte-Anne et Saint-Jean	MARSAN, Jean-Guy, *Le terrier primitif de Pointe-aux-Trembles dans la seigneurie de l'Île-de-Montréal*, [Rimouski, J.-G. Marsan, 2006], 178 p.
Île Perrot	Île-Perrot	Divers	1672-vers 1830	Diverses	Porte sur les 147 lots des parties Est et Ouest de la seigneurie.	Historique des transactions notariées	CHARTIER, Lise, *L'île Perrot, 1765-1860 : la fin de la seigneurie ; suivi de L'historique du terrier de 1817*, Québec, Septentrion, [2014], 318 p.
Rive sud							
Salaberry-de-Valleyfield	Beauharnois	Famille Ellice	1801-1860	Actes notariés	24 terres originelles	Ne se trouve ni à BAnQ ni à la SGQ, mais à la Société d'histoire et de généalogie de Salaberry.	DOUCET, Marc, *Développement des terres de la région de Salaberry-de-Valleyfield (anciennement Catherinestown) 1801-1860 à partir d'actes notariés*, Salaberry-de-Valleyfield, Société d'histoire et de généalogie de Salaberry, 2001, n.p. [cédérom].

Territoire	Seigneurie(s)	Seigneur	Période	Sources	Envergure	Observations	Référence
Saint-Ours (village de)	Saint-Ours	Famille Saint-Ours	Des origines à 1862	Diverses	Environ 260 terres	But : « dessiner rétroactivement la carte cadastrale correspondant au cadastre abrégé de 1862 » et créer un « répertoire des titres fonciers » (outil de localisation des terres).	LACHAMBRE, Jean-Louis, *Le terrier de Saint-Ours*, [Boucherville], J.-L. Lachambre, [2010], 142 p.
De Saint-Nicolas à Berthier (en bas)	Lauzon, La Martinière, Vitré, Vincennes, Beaumont	Divers	1636-1738	Diverses		Basé sur les travaux de Joseph-Edmond Roy.	ROY, Léon, *Les premiers colons de la rive sud du Saint-Laurent de Berthier (en bas) à Saint-Nicolas, 1636-1738*, Lévis, Société d'histoire régionale de Lévis, 1984, 435 p.
Saint-Romuald-d'Etchemin	Lauzon	Couronne	1652-1962	Diverses	Premier Rang de la paroisse de Saint-Joseph-de-la-Pointe-de-Lévy (25 terres originelles)		SAINT-HILAIRE, Guy, *Le terrier de Saint-Romuald-d'Etchemin 1652-1962*, Montréal, Éditions Bergeron, 1977, xvii, 259 p.
Saint-Joseph-de-la-Pointe-de-Lévy	Fief Beauchamp (La Martinière)	Alexander Fraser	1666-1879	Diverses	Premier Rang de la paroisse de Saint-Joseph-de-la-Pointe-de-Lévy (9 terres originelles)	Contient des plans parcellaires.	POIRÉ, Claudette, *Les occupants des terres de la seigneurie de la Martinière au 1er Rang du fleuve Saint-Laurent*, Victoriaville, C. Poiré, 2006, 189 p.

Territoire	Seigneurie(s)	Seigneur	Période	Sources	Envergure	Observations	Référence
Bellechasse	Saint-Michel (Augmentation de)	Thomas Launière	XIXe siècle	Diverses		SGQ. Photocopie du manuscrit de l'auteur	GOULET, Napoléon. *Seigneurie augmentation de Saint-Michel, côte de Saint-Louis-de-Gonzague ; 2e Rang de Saint-Raphaël comprenant 36 terres de 3 x 40 arpents*, s.l., N. Goulet, 1937, 216 p.
Bellechasse	Saint-Michel (Augmentation de)	Thomas Launière	1834-1844	Titres nouvels		SGQ. Photocopie du manuscrit de l'auteur	GOULET, Napoléon, *Titre nouvel des censitaires de l'augmentation de la seigneurie Saint-Michel*, s.l., N. Goulet, 1937, 133 p.
Saint-Jean-Port-Joli, Saint-Roch-des-Aulnaies, La Pocatière	Port-Joly, Grande-Anse, La Pocatière	Divers	XVIIe-XXe siècles	Diverses			ROY, Léon, *Les Terres de la Grande-Anse, des Aulnaies et du Port-Joly*, Lévis, s.n., 1951, 304 p.
Saint-Arsène	Leparc		1791-1986	Diverses		SGQ. Liste des propriétaires successifs, lot par lot	DIONNE, [André], *Saint-Arsène : les occupants des terres, 1791-1986*, s.l., s.n., 1987, 158 p.

Territoire	Seigneurie(s)	Seigneur	Période	Sources	Envergure	Observations	Référence
Catégorie 3 – Index onomastiques de documents fonciers							
Québec (district de)	Une centaine	Divers	1857-1864	Cadastres abrégés des seigneuries		SGQ. Index onomastique des tenanciers, toutes seigneuries confondues	LAROSE, Paul, *Cadastre abrégé des seigneuries du district de Québec*, Sainte-Foy, Société de généalogie de Québec, 2005, 5 vol.
Rive sud							
Saint-Nicolas	Lauzon	Couronne	1864	Cadastre abrégé			GINGRAS, Raymond, *Index du cadastre abrégé de la seigneurie de Lauzon (partie de Saint-Nicolas et du fief de Saint-Nicolas), 1864*, Saint-Nicolas, Société historique de Saint-Nicolas et Bernières, 1978, 54 p.

BIBLIOGRAPHIE

Sources imprimées

A Collection of the Acts Passed in the Parliament of Great Britain and of Other Public Acts Relative to Canada, Québec, P.E. Desbarats, [En ligne] 1824, 339 p. [http://eco.canadiana.ca/view/oocihm.42695] (Consulté le 6 décembre 2013).

Arrêts et règlements du Conseil Supérieur de Québec, et Ordonnances et Jugements des Intendants du Canada, Québec, E.R. Fréchette, 1855, t. 2.

Cadastres abrégés des seigneuries des districts de Québec, Montréal, Trois-Rivières et de la Couronne, Québec, Derbishire et Desbarats, 1864, 7 vol.

Complément des Ordonnances et Jugements des Gouverneurs et Intendants du Canada, précédé des Commissions desdits Gouverneurs et Intendants et des différents officiers civils et de justice [...], Québec, E.R. Fréchette, 1856, t. 3.

Édits, ordonnances royaux, Déclarations et Arrêts du Conseil d'État du Roi concernant le Canada, Québec, E.R. Fréchette, 1854, t. 1.

Édits, ordonnances royaux, déclarations et arrêts du Conseil d'État du roi, Nouvelle-France, Sainte-Eulalie, éd. du Chardonnet, 1991, 2 vol.

Mémoire de la société historique de Montréal, Montréal, Berthiaume et Sabourin, 1880.

Pièces et documents relatifs à la tenure seigneuriale, demandés par une adresse de l'assemblée législative, Québec, E.R. Fréchette, 1852.

Questions seigneuriales : décisions des tribunaux du Bas-Canada, Québec et Montréal, Lelièvre et Angers, 1856, 2 vol.

Rapport des seigneuries, fiefs et arrière-fiefs de la province de Québec, Québec, Rédempti Paradis, 1930, 98 p.

AUBERT DE GASPÉ, Philippe, *Mémoires*, Ottawa, Desbarats imprimeur-éditeur, 1866, 565 p.

AUBERT DE GASPÉ, Philippe, *Les Anciens Canadiens*, Québec, Imprimerie Auguste Côté, 1877, 240 p.

BEAUBIEN, Henri Des Rivières, *Traité sur les lois civiles du Bas-Canada*, Montréal, L. Duvernay, 1832-1833, 3 vol.

BOUCHARD, Télesphore-Damien, *Le rachat des rentes seigneuriales. Discours prononcé à la Législature de Québec le mercredi 17 février 1926*, Saint-Hyacinthe, Imprimerie Yamaska, 1926, 19 p.

BOUCHARD, Télesphore-Damien, *Mémoires. Vol. 3: Quarante ans dans la tourmente politico-religieuse*, Montréal, Beauchemin, 1960, 254 p.

BOUCHETTE, Joseph, *A Topographical Description of the Province of Lower Canada, with Remarks upon Upper Canada, and on the Relative Connexion of Both Provinces with the United States of America. Embellished by Several Views, Plans of Harbours, Battles & c. London, Printed for the Author and Published by W. Faden, 1815*, Saint-Lambert (Québec), Canada East Reprints, 1973 (1815), 640 p.

BOURJON, François, *Le droit commun de la France et la Coutume de Paris réduit en principe*, Paris, chez Grangé et Rouy, 1747.

CUGNET, François-Joseph, *Traité de la loi des fiefs*, Québec, chez G. Brown, 1775.

DOUGHTY, Arthur G., *Rapport des Archives publiques pour l'année 1921*, Ottawa, F. A. Acland, 1923.

FERRIÈRE, Claude de, *La science parfaite des notaires, ou Le parfait notaire [...]*, nouvelle édition revue et augmentée par le sieur F. B. Devisme, Paris, Saugrain, 1752, t. 1.

FERRIÈRE, Claude de, *Traité des fiefs*, 2e éd., Paris, chez J. Cochart, 1680.

FERRIÈRE, Claude de, *Dictionnaire de droit et de pratique*, Paris, J. Saugrain, 1758.

FERRIÈRE, Claude de, Claude-Joseph FERRIÈRE et Jean LE CAMUS, *Corps et compilations de tous les auteurs anciens et modernes sur la Coutume de Paris [...]*, Paris, chez M. Guignard, 1714, 4 vol.

GREAT BRITAIN PRIVY COUNCIL, *In the Matter of the Boundary between the Dominion of Canada and the Colony of Newfoundland in the Labrador Peninsula*, London, William Cloves and Sons, vol. 7.

GUYOT, Germain Antoine, *Traité des fiefs*, Paris, Chez Saugrain, 1751, 6 vol.

GUYOT, Joseph-Nicolas, *Répertoire universel et raisonné de jurisprudence civile, criminelle, canonique et bénéficiale...*, Paris, Visse, 1784-1785, t. 17.

HERVÉ, François, *Théorie des matières féodales et censuelles...*, Paris, Knapen, 1788, t. 7.

LA POIX DE FRÉMINVILLE, Edme, *La pratique universelle pour la rénovation des terriers et des droits seigneuriaux [...]*, Paris, Morel et Gissey, 1746-1757, 5 vol.

MATHIEU, Jacques, et Alain LABERGE (dir.), *L'occupation des terres dans la vallée du Saint-Laurent: les aveux et dénombrements, 1723-1745*, Sillery, Septentrion et Centre de recherche Lionel-Groulx, 1991, 415 p.

O'CALLAGHAN, Edmund Baily, *The Documentary History of the State of New York. Vol. 1*, Albany, Weed, Parsons & Co., 1849, 786 p.

ROY, Pierre-Georges, *Inventaire des ordonnances des intendants de la Nouvelle-France [1705-1760] conservées aux Archives provinciales de Québec*, Québec, L'Éclaireur, 1919.

ROY, Pierre-Georges, *Inventaire des concessions en fief et seigneurie [...] conservés aux Archives de la province de Québec*, Beauceville, L'Éclaireur, 1927-1929, 6 vol.

SHORTT, Adam, et Arthur G. DOUGHTY (ed.), *Documents relating to the constitutional history of Canada, 1759-1791*, Ottawa, S.E. Dawson, 1907, 2 vol.

SHORTT, Adam, et Arthur G. DOUGHTY, *Canadian Archives Documents relating to the Constitutional History of Canada 1759-1791*, Ottawa, J. de L. Taché, 1918 (1907), 2 vol.

URSULINES DE QUÉBEC, *Constitutions et règlements des premières Ursulines de Québec*, [Nouv.] éd., Québec, [s.n.], 1974, 266 p.

Dictionnaires et ouvrages de référence

Dictionnaire biographique du Canada, Québec et Toronto, Université Laval et University of Toronto, 1966-, 22 vol.

Dictionnaire des parlementaires du Québec de 1792 à nos jours, Québec, Les Publications du Québec, 2009 (1980), 841 p.

Dictionnaire des sciences humaines [En ligne]. [http ://www.puf.com/Dictionnaire :Dictionnaire_des_sciences_humaines].

COURVILLE, Serge, et Serge LABRECQUE (avec la collaboration de Jacques FORTIN), *Seigneuries et fiefs du Québec. Nomenclature et cartographie*, Québec, Célat, 1988, 202 p.

Ouvrages généraux

BLAIS, Christian et collab., *Québec, quatre siècles d'une capitale*, Québec, Les Publications du Québec, 2008, 692 p.

CHARBONNEAU, François, Jacques MARCHAND et Jean-Pierre SANSREGRET, *Mon histoire*, Montréal, Guérin, 1985, 524 p.

CHARPENTIER, Louise et collab., *Nouvelle histoire du Québec et du Canada*, Montréal, Centre éducatif et culturel, 1985, 463 p.

COLLECTIF CLIO, *L'histoire des femmes au Québec depuis quatre siècles*, Montréal, Le Jour éditeur, 1992, 649 p.

DICKINSON, John A., et Brian YOUNG, *Brève histoire socio-économique du Québec (quatrième édition)*, Québec, Septentrion, 2009, 464 p.

FILTEAU, Gérard, *Histoire du Canada. Synthèse publiée dans la revue* Mes fiches, Montréal et Paris, Fides, 1964.

GRENIER, Benoît, *Brève histoire du régime seigneurial*, Montréal, Boréal, 2012, 245 p.

HARRIS, Richard C., et Louise DECHÊNE (dir.), *Atlas historique du Canada. Vol. I: Des origines à 1800*, Montréal, Presses de l'Université de Montréal, 1987, 198 p.

LACOURSIÈRE, Jacques, Jean PROVENCHER et Denis VAUGEOIS, *Canada-Québec: 1534-2010*, Québec, Septentrion, 2011 (1968), 604 p.

LINTEAU, Paul-André et collab., *Histoire du Québec contemporain. Tome II. Le Québec depuis 1930*, Montréal, Boréal, 1989, 834 p.

MATHIEU, Jacques, *La Nouvelle-France: les Français en Amérique du Nord, XVIe-XVIIIe siècle*, Québec, Presses de l'Université Laval, 2001 (1991), 271 p.

TRUDEL, Marcel, *Le régime seigneurial*, Ottawa, Société historique du Canada, 1956 (nombreuses rééditions), 20 p. [Désormais accessible en ligne : http ://www.collectionscanada.gc.ca/cha-shc/008004-119.01-f.php?&b_id=H-6&ps_nbr=1&brws=y&&PHPSESSID=a2oh69sbepm4eir0ul3ls1j0k2].

TRUDEL, Marcel, *Initiation à la Nouvelle-France*, Montréal, Les Éditions HRW, 1968, 323 p.

TRUDEL, Marcel et collab., *Canada : unité et diversité*, Toronto, Holt, Rinehart et Winston, 1971.

Études

ANGERS, Denise, *Le terrier de la famille d'Orbec à Cideville (Haute-Normandie), XIVe-XVIe siècles*, Montréal, Presses de l'Université de Montréal et Société de l'histoire de Normandie, 1993, 300 p.

ANNAERT, Philippe, « Monde clos des cloîtres et société urbaine à l'époque moderne : les monastères d'ursulines dans les Pays-Bas méridionaux et la France du Nord », *Histoire, économie et société*, 24, nº 3, 2005, p. 329-341.

ASSMANN, Jan, et Tonio HÖLSCHER (dir.), *Kultur und Gedächtnis*, Francfort-sur-le-Main, Suhrkamp, 1988, 371 p.

AUBIN, Gérard, *La seigneurie en Bordelais au XVIIIe siècle d'après la pratique notariale, 1715-1789*, Rouen, Publications de l'Université de Rouen, 1989, 473 p.

BACKOUCHE, Isabelle, « Histoire et oubli », *Genèses*, vol. 61, nº 4, 2005, p. 2-4.

BAILLARGEON, Georges-E., *La survivance du régime seigneurial à Montréal. Un régime qui ne veut pas mourir*, Ottawa, Le Cercle du livre de France, 1968, 310 p.

BART, Jean, *Histoire du droit privé de la chute de l'Empire romain au XIXe siècle*, Paris, Montchrestien, 1998, 534 p.

BARIBEAU, Claude, *La seigneurie de la Petite-Nation, 1801-1854 : le rôle économique et social du seigneur*, Hull, Éditions Asticou, 1983, 166 p.

BASTIER, Jean, *La féodalité au siècle des lumières dans la région de Toulouse : 1730-1790*, Paris, Bibliothèque nationale, 1975, 312 p.

BAUDOUIN, Louis, « Essai critique sur la substitution fidéicommissaire dans le droit québécois », *The McGill Law Journal*, vol. 3, nº 2, 1957, p. 133-169.

BEAULIEU, Alain, *Convertir les fils de Caïn. Jésuites et Amérindiens nomades en Nouvelle-France, 1632-1642*, Québec, Nuit blanche, 1990, 177 p.

BEAULIEU, Alain, *L'arpentage des terres seigneuriales au Canada : la pratique générale et un cas particulier : la limite entre La Prairie et la terre du Sault-Saint-Louis*, Québec, Rapport préparé pour le ministère des Affaires indiennes et du Nord Canada, 1996, 108 p.

BEAULIEU, Alain, *Les Iroquois, les Jésuites et le roi : la terre du Sault-Saint-Louis dans le régime seigneurial canadien (1680-1854)*, Neuchâtel, Rapport de recherche préparé pour le ministère des Affaires indiennes et du Nord Canada, 1996, 144 p.

BEAULIEU, Alain, *La question des terres autochtones au Québec, 1760-1860*, Rapport de recherche déposé au ministère de la Justice et au ministère des Ressources naturelles du Québec, 2002, 569 p.

BÉCHARD, Denise, *Concept préliminaire de mise en valeur du moulin seigneurial de Pointe-du-Lac*, s.l., 1991, s.p.

BÉCHU, Philippe, *Plaisir d'archives. Recueil de travaux offerts à Danielle Neirinck*, Mayenne, La Manutention, 1997, 564 p.

BÉDARD, Éric, « Duplessis, ressuscité. Genèse et réception d'une série télévisée controversée », dans Xavier Gélinas et Lucia Ferretti (dir.), *Duplessis, son milieu, son époque*, Québec, Septentrion, 2010, p. 367-388.

BÉGUIN, Katia, « Introduction », *Hypothèses*, n° 1, 2006, p. 269-377.

BÉLANGER, Raymond, *François Bellenger, seigneur de L'Islet-de-Bonsecours*, Québec, Presses de l'Université Laval, Québec, 2010, 470 p.

BELLAVITIS, Anna, Jean-François CHAUVARD et Paola LANARO, « De l'usage du fidéicommis à l'âge moderne. État des lieux », *Mélanges de l'École française de Rome – Italie et Méditerranée modernes et contemporaines*, [En ligne], n° 124-2, 2012. [http://mefrim.revues.org/650] (Consulté le 21 novembre 2013).

BERNIER, Gérard, et Daniel SALÉE, *Entre l'ordre et la liberté. Colonialisme, pouvoir et transition vers le capitalisme dans le Québec du XIXe siècle*, Montréal, Boréal, 1995, 266 p.

BERNIER, Marc-André, et Claude LA CHARITÉ (dir.), *Philippe Aubert de Gaspé mémorialiste*, Québec, Presses de l'Université Laval, 2009, 242 p.

BERTHOLD, Étienne, *Patrimoine, culture et récit : l'île d'Orléans et la place Royale de Québec*, Québec, Presses de l'Université Laval, 2012, 221 p.

BILSON, Geoffrey, *A Darkened House : Cholera in Nineteenth-Century Canada*, Toronto, University of Toronto Press, 1980, 222 p.

BLANCHET, Renée, et Georges AUBIN, *Lettres de femmes au XIXe siècle*, Québec, Septentrion, 2009, 288 p.

BLOCH, Marc, « Cadastres et plans parcellaires », *Annales d'histoire économique et sociale*, vol. 1, n° 1, janvier 1929, p. 60-70.

BONENFANT, Jean-Charles, « La féodalité a définitivement vécu... », dans *Mélanges d'histoire du Canada français offerts au professeur Marcel Trudel*, Cahiers du Centre de recherche en civilisation canadienne-française, n° 14, Ottawa, Éditions de l'Université d'Ottawa, 1978, p. 14-26.

BONNEAU, Louis-Philippe, *Histoire de la seigneurie Bellechasse-Berthier. Saint-François-de-la-Rivière-du-Sud*, Société de conservation du patrimoine de Saint-François-de-la-Rivière-du-Sud, 1983, 459 p.

BOUDREAULT, Léon, *Faits nouveaux sur la seigneurie de Matane (1677-1870)*, Matane, Publications de la Société d'histoire de Matane, 1982, 278 p.

BOURGEOIS, Ève, et Jean-François GODBOUT, « La genèse et le développement des partis politiques au Bas-Canada (1792-1838) », *Canadian Political Science Association*, [En ligne], présentation du 28 mai 2014. [http://www.cpsa-acsp.ca/2014event/Godbout-Bourgeois.pdf] (Consulté le 15 août 2014).

BRADBURY, Bettina, *Wife to Widow : Lives, Laws, and Politics in Nineteenth-Century Montreal*, Vancouver, University of British Columbia Press, 2011, 502 p.

BRAUDEL, Fernand, « Histoire et sciences sociales : la longue durée », *Réseaux*, vol. 5, n° 27, 1987, p. 7-37.

BRISSETTE, Emmanuel F., *Pointe-du-Lac. Au pays de Tonnancour*, Pointe-du-Lac, Imprimerie Saint-Joseph, [1977], 152 p.

BRIÈRE, Amélie, et collab., *La Maison Lamontagne : une architecture, un héritage*, Rimouski, Site historique de la Maison Lamontagne, 2010, 64 p.

BRUCHÉSI, Jean, *Histoire du Canada pour tous*, Montréal, Lévesque, 1933.

BRUCHET, Max, *L'abolition des droits seigneuriaux en Savoie (1761-1793)*, Marseille, Laffitte Reprints, 1979 (1908), 638 p.

BRUN, Henri, « Le droit québécois et l'eau (1663-1969) », *Les Cahiers de droit*, vol. 1, nº 1, 1970, p. 7-45.

BRUN, Henri, *La formation des institutions parlementaires québécoises, 1791-1838*, Québec, Presses de l'Université Laval, 1970, 281 p.

BRUNEL, Ghislain, Olivier GUYOT-JEANNIN et Jean-Marc MORICEAU (dir.), *Terriers et plans-terriers du XIIIe au XVIIIe siècle : actes du colloque de Paris, 23-25 septembre 1998*, Rennes et Pris, Association d'histoire des sociétés rurales et École nationale des Chartes, 2002, 465 p.

BURGUIÈRE, André, et François LEBRUN, « Les cent et une familles de l'Europe », dans André Burguière, et collab., *Histoire de la famille*, Paris, Armand Colin, 1986, vol. 2, p. 66-76.

BURKE, Bernard, *A Selection of Arms Authorized by the Laws of Heraldry*, London, Harrison, 1860, 420 p.

BUTLER, Judith, *Gender Trouble : Feminism and the Subversion of Identity*, New York, Routledge, 1990, 272 p.

CAMERON, Christina, *Charles Baillairgé : Architect and Engineer*, Montréal, McGill's University Press, 1989, 201 p.

CAMPEY, Lucille H., *Les Écossais : the Pioneer Scots of Lower Canada, 1763-1855*, Toronto, Natural Heritage Books, 2006, 312 p.

CARON, Ivanhoé, *La colonisation de la province de Québec. Tome 1 : Débuts du régime anglais, 1760-1791*, Québec, L'Action sociale, 1923, 339 p.

CASGRAIN, Henri-Raymond, *Une paroisse canadienne au XVIIe siècle*, Québec, Léger Brousseau, 1880.

CASTONGUAY, Jacques, *Philippe Aubert de Gaspé : seigneur et homme de lettres*, Sillery, Septentrion, 1991, 204 p.

CAUX, Arthur, « Les colons allemands de Saint-Gilles et leurs descendants de Lotbinière », *Bulletin des recherches historiques*, vol. LVII, nº 1 (1951), p. 50-60.

CHABOT, Richard, « Les terriers de Nicolet : une source importante pour l'histoire rurale du Québec au début du XIXe siècle », *Les Cahiers nicolétains*, vol. 6, nº 3, septembre 1984, p. 114-126.

CHARLAND, Thomas M., *Histoire de Saint-François-du-Lac*, Ottawa, Collège dominicain, 1942.

CHARTIER, Lise, *L'Île Perrot 1672-1765*, Québec, Septentrion, 2009, 272 p.

CHARTIER, Lise, *L'Île Perrot, 1765-1860*, Québec, Septentrion, 2014, 324 p.

CHASSÉ, Béatrice, *La seigneurie des Aulnaies*, Québec, ministère des Affaires culturelles, 1984, 16 p.

CHASSÉ, Béatrice, *Rimouski et son île : les seigneurs Lepage, l'île Saint-Barnabé*, UQAR-GRIDEQ et Société d'histoire du Bas-Saint-Laurent, coll. « Cahiers de L'Estuaire », nº 2, 2003, 101 p.

CHOUINARD, André, *Le manoir Aubert de Gaspé, son histoire, son architecture*, La Pocatière, Société historique de la Côte-du-Sud, 1986.

COATES, Colin M., *Les transformations du paysage et de la société au Québec sous le régime seigneurial*, Sillery, Septentrion, 2003 (2000), 255 p.

COATES, Colin M., et Cecilia MORGAN, *Heroines and History: Representations of Madeleine de Verchères and Laura Secord*, Toronto, University of Toronto Press, 2002, 368 p.

COMMEND, Susanne, *Histoire de raconter le Vieux Saint-Vincent-de-Paul*, Laval et Québec, Route du patrimoine de Laval et Villes et villages d'art et de patrimoine, 2010, 48 p.

COMMISSION DES BIENS CULTURELS DU QUÉBEC, *Les chemins de la mémoire. Monuments et sites historiques du Québec*, Québec, Les Publications du Québec, 1990, 2 vol., 540 et 565 p.

COOLIDGE, Guy Omeron, *The French Occupation of the Champlain Valley from 1609 to 1759*, Harrison (New York), Harbor Hill Books, 1979 (1938), 175 p.

CÔTÉ, François-X., *Le manoir Philippe-Aubert-de-Gaspé: vers un Musée de la mémoire vivante*, Québec, ministère de la Culture et des Communications du Québec, 2004.

COUILLARD-DESPRÉS, Azarie-E., *Histoire de la seigneurie de Saint-Ours*, Montréal, Imprimerie de l'Institut des sourds-muets, 1917, 474 p.

COURVILLE, Serge, « Les caractères originaux de la conquête du sol dans les seigneuries de la Rivière-du-Chêne et du Lac-des-Deux-Montagnes, Québec », *Revue de géographie de Montréal*, vol. XXIX, nº 1, 1975, p. 41-60.

COURVILLE, Serge, « Rente déclarée payée sur la censive de 90 arpents au recensement de 1831, méthodologie d'une recherche », *Cahiers de géographie du Québec*, vol. 27, nº 70, 1983, p. 43-61.

COURVILLE, Serge, *Entre ville et campagne: l'essor du village dans les seigneuries du Bas-Canada*, Québec, Presses de l'Université Laval, 1990, 335 p.

COURVILLE, Serge, et Normand SÉGUIN, *Le coût du sol au Québec. Deux études de géographie historique*, Sainte-Foy, Les Presses de l'Université Laval, 1996, 196 p.

COUTU, Jean-Claude, *Le millionnaire de Mascouche: le manoir seigneurial de 1930 à 1954*, Mascouche, SODAM, 2006, 96 p.

CROCKETT, Walter Hill, *A History of Lake Champlain: The Record of Three Centuries, 1609-1909*, Burlington (Vermont), H. J. Shanley & Co., 1909, 335 p.

DALINE, Victor, *Gracchus Babeuf*, Moscou, Éditions du Progrès, 1987 (1976), 673 p.

DALLAIRE, Micheline, *L'Hôpital général de Québec 1692-1764*, Fides, Montréal, 1971, 254 p.

DE BLOIS, Solange, « Les moulins de Terrebonne (1720-1775) ou les hauts et les bas d'une entreprise seigneuriale », *Revue d'histoire de l'Amérique française*, vol. 51, nº 1, été 1997, p. 39-70.

DECHÊNE, Louise, « L'évolution du régime seigneurial au Canada. Le cas de Montréal aux XVIIe et XVIIIe siècles », *Recherches sociographiques*, vol. 12, nº 2, 1971, p. 143-183.

DECHÊNE, Louise, « La rente du faubourg Saint-Roch à Québec, 1750-1850 », *Revue d'histoire de l'Amérique française*, vol. 34, nº 4, mars 1981, p. 569-596.

DECHÊNE, Louise, *Habitants et marchands de Montréal au XVIIe siècle*, Montréal, Boréal, 1988, 532 p.

DECHÊNE, Louise, *Le peuple, l'État et la guerre au Canada sous le Régime français,* Montréal, Boréal, 2008, 664 p.

DECHÊNE, Louise, « William Price », dans Andrew Smith et Andrew Ross (dir.), *Les Entrepreneurs canadiens. Du commerce des fourrures au krach de 1929*, Québec, Presses de l'Université Laval, 2011, p. 228-235.

DECROIX, Arnaud, « Le conflit juridique entre les Jésuites et les Iroquois au sujet de la seigneurie du Sault-Saint-Louis : analyse de la décision de Thomas Gage (1762) », *Revue juridique Thémis,* vol. 41, n° 1, 2007, p. 279-297.

DELÂGE, Denys, « Les Iroquois chrétiens des "réductions", 1667-1770. I- Migration et rapport avec les Français », *Recherches amérindiennes au Québec,* vol. XXI, n°s 1-2, 1991, p. 59-70.

DELÂGE, Denys, « Modèles coloniaux, métaphores familiales et changements de régime en Amérique du Nord aux XVIIe et XVIIIe siècles », *Cahiers des Dix,* n° 60, 2006, p. 19-78.

DEMERS, Frédéric, « La ville, la campagne, l'Anglais, *Les filles de Caleb* et la mémoire historique : notes sur quelques liens difficiles à démêler », *Francophonies d'Amérique,* n° 21, 2006, p. 67-81.

DÉPATIE, Sylvie, « La transmission du patrimoine au Canada (XVIIe-XVIIIe siècles) : qui sont les défavorisés ? », *Revue d'histoire de l'Amérique française,* vol. 54, n° 4, printemps 2001, p. 558-570.

DÉPATIE, Sylvie, Mario LALANCETTE et Christian DESSUREAULT, *Contributions à l'étude du régime seigneurial canadien*, LaSalle, Hurtubise HMH, 1987, 292 p.

DESCHÊNES, Gilles, *Quand le vent faisait tourner les moulins. Trois siècles de meunerie banale et marchande au Québec*, Québec, Septentrion, 2009, 313 p.

DESCIMON, Robert, « Les chemins de l'inégalité menaient-ils à la pérennité des lignages ? Réflexions sur les procédés juridiques qui permettaient de s'émanciper des normes égalitaires dans la coutume de Paris (XVIe-XVIIe siècles) », Mélanges de l'École française de Rome – Italie et Méditerranée modernes et contemporaines, [En ligne], n° 24-2, 2012. [http://mefrim.revues.org/723] (Consulté le 10 novembre 2013).

DESMEULES, Claire, *Concept d'aménagement des pièces du rez-de-chaussée au manoir de Saint-Roch-des-Aulnaies*, s.l., Corporation touristique de la seigneurie des Aulnaies, 1993, 49 p.

DESSUREAULT, Christian, « Industrie et société rurale : le cas de la seigneurie de Saint-Hyacinthe des origines à 1861 », *Histoire sociale/Social History*, vol. 28, n° 55, mai 1995, p. 99-136.

DEVINE, Edward James, *Historic Caughnawaga*, Montréal, Messenger Press, 1922, 443 p.

DICKINSON, John A., *Justice et justiciables. La procédure civile à la prévôté de Québec, 1667-1759,* Québec, Les Presses de l'Université Laval, 1982, 289 p.

DOLAN, Claire (dir.), *Événement, identité et histoire,* Sillery, Septentrion, 1991, 280 p.

DORION, Nicole, *Inventaire des sites industriels patrimoniaux au Québec,* Montréal, Association québécoise pour le patrimoine industriel, 1996, 110 p.

DOUVILLE, Raymond, *Les premiers seigneurs et colons de Sainte-Anne-de-la-Pérade, 1667-1681,* Trois-Rivières, Éditions du Bien public, 1946, 165 p.

DOUVILLE, Raymond, «Trois seigneuries sans seigneurs», *Cahiers des Dix*, n° 16, 1951, p. 135-150.

DUCHARME, Michel, *Le concept de liberté au Canada à l'époque des révolutions atlantiques*, Montréal et Kingston, McGill-Queen's Press, 2010, 360 p.

DUFOUR, Anaïs, *Le pouvoir des «Dames». Femmes et pratiques seigneuriales en Normandie (1580-1620),* Presses universitaires de Rennes, Rennes, 2013, 173 p.

DUGRÉ, Alexandre, *La Pointe-du-Lac*, Trois-Rivières, Les Éditions du Bien public, 1934, 90 p.

DUMONT, Micheline, *Les religieuses sont-elles féministes?*, Montréal, Éditions Bellarmin, 1990, 204 p.

ECCLES, William J., *France in America*, Michigan, Michigan State University Press, 1990 (1972), 312 p.

EKBERG, Carl J., *French Roots in the Illinois Country: The Mississippi Frontier in Colonial Times*, Urbana et Chicago, University of Illinois Press, 1998, 359 p.

ETHNOSCOP, *Évaluation patrimoniale du domaine de Mascouche, rapport d'expertise*, Montréal, ministère des Affaires culturelles et Ville de Mascouche, 1987, 3 t., 169 p.

FISCHER, David Hackett, *Champlain's Dream,* New York, Simon & Schuster, 2008, 834 p.

FLAMAND-HUBERT, Maude, «La Maison Louis-Bertrand: lieu de mémoire et d'histoire», dans Karine Hébert et Julien Goyette (dir.), *Histoire et idées du patrimoine, entre régionalisation et mondialisation*, Québec, Éditions MultiMondes, 2010, p. 141-160.

FOURCADE, Marie-Blanche (dir.), *Patrimoine et patrimonialisation – Entre le matériel et l'immatériel*, Québec, Presses de l'Université Laval, 2007, 347 p.

FOURNIER, Philippe, *Les seigneuries du lac Champlain, 1609-1854,* Bedford, P. Fournier, 2004, 274 p.

FOURNIER, Robert, *Seigneurie de Matane: une tranche de l'histoire au pays de Matane*, Matane, Société d'histoire de Matane, 1978, 184 p.

FOSSIER, Robert, *Polyptyques et censiers*, Turnhout, Brepols, 1978, 70 p.

FRÉGAULT, Guy, *La civilisation de la Nouvelle-France. 1713-1744,* Montréal, Fides, 1969, 242 p.

FRÊLON, Élise, *Les pouvoirs du Conseil souverain de la Nouvelle-France dans la création de la norme*, Paris, L'Harmattan, 2003, 236 p.

FRENETTE, Jacques, *Odanak et le régime seigneurial (1662-1863),* Québec, 2003.

FYSON, Donald, «Domination et adaptation: les élites européennes au Québec, 1760-1841», dans Claire Laux, et collab., *Au sommet de l'Empire. Les élites européennes dans les colonies (XVIe-XXe siècles)*, Berne, Peter Lang, 2009, p. 167-196.

FYSON, Donald, *Magistrats, police et société: la justice criminelle ordinaire au Québec et au Bas-Canada, 1764-1837*, Montréal, Hurtubise, 2010, 592 p.

FYSON, Donald, et Brian YOUNG, « Origines, richesse et travail », dans Pamela Miller et collab., *La famille McCord : une vision passionnée*, [s.l.], Musée McCord d'histoire canadienne, 1992, p. 26-53.

GADOURY, Lorraine, *La noblesse de Nouvelle-France : familles et alliances*, LaSalle, Hurtubise HMH, 1992, 208 p.

GAGNON, Pascal, « Les mystérieuses origines de la Maison Perron », *L'Estuaire*, nº 71, 2011, p. 44-48.

GAGNON, Serge, *Mariage et famille au temps des Papineau*, Sainte-Foy, Presses de l'Université Laval, 1993, 302 p.

GALLICHAN, Gilles, « Pierre Bédard : le devoir et la justice : 1re partie – La liberté du Parlement et de la presse », *Cahiers des Dix*, nº 63, 2009, p. 101-160.

GARNEAU, François-Xavier, *Histoire du Canada (première édition)*, Québec, Aubin, 1845, 4 vol.

GARNEAU, Jean-Philippe, « Gérer la différence dans le Québec britannique : l'exemple de la langue (1760-1840) », dans Lorraine Derocher et collab., *L'État canadien et la diversité culturelle et religieuse, 1800-1914*, Sainte-Foy, Les Presses de l'Université du Québec, 2009, p. 21-48.

GAUTHIER, Raymonde, *Les manoirs du Québec*, Montréal, Éditeur officiel du Québec et Fides, 1976, 244 p.

GAUVREAU, Charles-Arthur, *Nos paroisses : L'Isle-Verte (St Jean Baptiste)*, Lévis, Mercier et Cie (Libraires et imprimeurs), 1889, 250 p.

GETTLER, Brian, « En espèce ou en nature ? Les présents, l'imprévoyance et l'évolution idéologique de la politique indienne pendant la première moitié du XIXe siècle », *Revue d'histoire de l'Amérique française*, vol. 65, nº 4, printemps 2012, p. 409-437.

GILBERT, Anne, Michel BOCK et Joseph Yvon THÉRIAULT (dir.), *Entre lieux et mémoire. L'inscription de la francophonie canadienne dans la longue durée*, Ottawa, Presses de l'Université d'Ottawa, 2009, 367 p.

GILLES, David, « Les acteurs de la norme coloniale face au droit métropolitain : de l'adaptation à l'appropriation (Canada XVIIe-XVIIIe s.) », *Clio@Thémis*, [En ligne], nº 4, 2011. [www.cliothemis.com].

GOURDEAU, Claire, *Les délices de nos cœurs, Marie de l'incarnation et ses pensionnaires amérindiennes, 1639-1672*, Sillery, Septentrion, 1994, 132 p.

GRAVEL, Denis, *Histoire de Saint-Henri-de-Mascouche*, Montréal, Société de recherche historique Archiv-histo, 2000, 500 p.

GRAY, Colleen, *The Congrégation de Notre-Dame, Superiors, and the Paradox of Power, 1693-1796*, Montréal, McGill-Queen's University Press, 2007, 272 p.

GREENWOOD, Frank Murray, *Legacies of Fear : Law and Politics in Quebec in the Era of the French Revolution*, Toronto, University of Toronto Press, 1993, 392 p.

GREER, Allan, *Habitants et patriotes. La rébellion de 1837 dans les campagnes du Bas-Canada*, Montréal, Boréal, 1997, 386 p.

GREER, Allan, *Habitants, marchands et seigneurs. La société rurale du bas Richelieu, 1740-1840*, Sillery, Septentrion, 2000, 358 p.

GREER, Allan, *Catherine Tekakwitha et les Jésuites: la rencontre de deux mondes*, Montréal, Boréal, 2007, 368 p.

GRENIER, Benoît, « Le seigneur est mort… Vive la seigneuresse: regard sur le veuvage des épouses de seigneurs », dans Ana Lucia Arajo, Hélène Lévesque et Marie-Hélène Vallée (dir.), *Actes du 2e colloque étudiant du Département d'histoire de l'Université Laval,* Québec, Artefact et Célat, 2003, p. 7-19.

GRENIER, Benoît, *Marie-Catherine Peuvret, 1667-1739: veuve et seigneuresse en Nouvelle-France*, Québec, Septentrion, 2005, 257 p.

GRENIER, Benoît, « "Gentilshommes campagnards" : la présence seigneuriale dans la vallée du Saint-Laurent (XVIIe-XIXe siècle) », *Revue d'histoire de l'Amérique française*, vol. 59, no 4, 2006, p. 409-449.

GRENIER, Benoît, *Seigneurs campagnards de la Nouvelle France. Présence seigneuriale et sociabilité rurale dans la vallée du Saint-Laurent à l'époque préindustrielle,* Rennes, Presses universitaires de Rennes, 2007, 409 p.

GRENIER, Benoît, « Réflexion sur le pouvoir féminin au Canada sous le Régime français », *Histoire sociale*, vol. 42, no 84, novembre 2009, p. 297-324.

GRENIER, Benoît, « Pouvoir et contre-pouvoir dans le monde rural laurentien aux XVIIIe et XIXe siècles: sonder les limites de l'arbitraire seigneurial », *Bulletin d'histoire politique*, vol. 18, no 1, automne 2009, p. 143-163.

GRENIER, Benoît, « "Le dernier endroit dans l'univers" : à propos de l'extinction des rentes seigneuriales au Québec, 1854-1974 », *Revue d'histoire de l'Amérique française*, vol. 64, no 2, automne 2010, p. 75-98.

GRENIER, Benoît, « Élites seigneuriales, élites municipales. Le pouvoir seigneurial à l'heure de l'abolition », dans Thierry Nootens et Jean-René Thuot (dir.), *Les figures du pouvoir à travers le temps. Formes, pratiques et intérêts des groupes élitaires au Québec, XVIIe-XXe siècles*, Québec, Presses de l'Université Laval, 2012, p. 57-64.

GRENIER, Benoît, « L'Église et la propriété seigneuriale au Québec (1854-1940) : continuité ou rupture », *Études d'histoire religieuse*, vol. 79, no 2, 2013, p. 21-39.

GRENIER, Benoît (en collaboration avec Michel MORISSETTE), « Les persistances de la propriété seigneuriale au Québec. Les conséquences d'une abolition partielle et progressive (1854-1970) », *Histoire et sociétés rurales*, vol. 40, 2e semestre 2013, p. 61-96.

GROULX, Lionel, *Histoire du Canada français depuis la découverte*, Montréal, L'Action nationale, 1950, 4 vol.

GROULX, Patrice, *Pièges de la mémoire. Dollard des Ormeaux, les Amérindiens et nous,* Gatineau, Asticou, 1998, 436 p.

GRYNBERG, Anne, « Les camps français, des non-lieux de mémoire », dans Dimitri Nicolaïdis (dir.), *Oublier nos crimes,* Paris, Autrement, 2002, p. 43-59.

GUILHAUMOU, Jacques, « Autour du concept d'agentivité », *Rives méditerranéennes*, 41, 2012, p. 25-34.

GUILLET, Yves, « Les propriétés seigneuriales des Augustines », *Cap-aux-Diamants*, no 118, été 2014, p. 10-13.

GUTTMAN, Frank M., *Le diable de Saint-Hyacinthe. Télesphore-Damien Bouchard*, Montréal, Hurtubise, 2013 (2007), 520 p.

GUTTON, Jean-Pierre, « Commissaires feudistes en Lyonnais et en Beaujolais au XVIIIe siècle », dans *Populations et cultures. Études réunies en l'honneur de François Lebrun*, ouvrage publié par les Amis de François Lebrun, avec le concours de l'Université de Rennes II Haute-Bretagne et de l'Institut culturel de Bretagne, Rennes, 1989, p. 187-194.

HADDAD, Élie, « Les substitutions fidéicommissaires dans la France d'Ancien Régime : droit et historiographie », Mélanges de l'École française de Rome – Italie et Méditerranée modernes et contemporaines, [En ligne], n° 124, 2012. [http :// mefrim.revues.org/690] (Consulté le 8 octobre 2013).

HAMELIN, Jean, et Marcel HAMELIN, *Les mœurs électorales dans le Québec de 1791 à nos jours*, Montréal, Éditions du Jour, 1962.

HARE, John, « L'Assemblée législative du Bas-Canada, 1792-1814 : députation et polarisation politique », *Revue d'histoire de l'Amérique française*, vol. 27, n° 3, 1973, p. 361-395.

HARE, John, *Le développement des partis politiques à l'Assemblée législative du Bas-Canada, 1792-1814*, Ottawa, Fontenay, 1997, 137 p.

HARLOW, Vincent, *The Founding of the Second British Empire, 1763-1793*, Londres, Longmans, 1952 et 1964, 2 vol., 664 et 820 p.

HARRIS, Richard C., « Of Poverty and Helplessness in Petite-Nation », *Canadian Historical Review*, vol. 52, n° 1, mars 1971, p. 23-50.

HARRIS, Richard C., *The Seigneurial System in Early Canada. A Geographical Study*, Kingston et Montréal, McGill-Queen's University Press, 1984 (1966), 247 p.

HARRIS, Richard C., *Le pays revêche : société, espace et environnement au Canada avant la Confédération*, Québec, Presses de l'Université Laval, 2012, 489 p.

HAVERCROFT, Barbara, « Quand écrire, c'est agir : stratégies narratives d'agentivité féministe dans *Journal pour mémoire* de France Théoret », *Dalhousie French Studies*, n° 47, été 1999, p. 93-113.

HÉBERT, Karine, « Entre champ d'intérêt et objet de pression, le patrimoine. Les luttes pour la conservation du Château Ramezay, 1893-1932 », dans Stéphane Savard et Jérôme Boivin (dir.), *De la représentation à la manifestation. Groupes de pression et enjeux politiques au Québec, XIXe et XXe siècles*, Québec, Septentrion, 2014, p. 342-365.

HÉBERT, Karine, Julien GOYETTE et Manon SAVARD, « La Maison Louis-Bertrand, laboratoire d'histoire et d'archéologie », *L'Estuaire*, n° 66, juin 2006, p. 10-13.

HLADIK, Murielle, « Trace(s) du paysage. Monuments et "lieux de mémoire" au Japon », *Sociétés et représentations*, vol. 22, n° 2, 2006, p. 104-119.

IMBEAULT, Sophie, *Les Tarieu de Lanaudière : une famille noble après la Conquête, 1760-1791*, Québec, Septentrion, 2004, 276 p.

IMBEAULT, Sophie, « Que faire de tout cet argent de papier ? Une déclaration séparée au traité de Paris », dans Sophie Imbeault, Denis Vaugeois et Laurent Veyssière (dir.), *1763 : le traité de Paris bouleverse l'Amérique*, Québec, Septentrion, 2013, p. 142-183.

JARNOUX, Philippe, « La colonisation de la seigneurie de Batiscan aux 17e et 18e siècles : l'espace et les hommes », *Revue d'histoire de l'Amérique française*, vol. 40, n° 2, 1986, p. 163-191.

JAUMAIN, Serge, et Matteo SANFILIPPO, « Le régime seigneurial en Nouvelle-France : un débat historiographique », *The Register*, vol. 5, nº 2, 1980, p. 226-247.

JETTEN, Marc, *Enclaves amérindiennes : les « réductions » du Canada, 1637-1701*, Sillery, Septentrion, 1992, 160 p.

JEWSIEWICKI, Bogumil, et Jocelyn LÉTOURNEAU (dir.), *L'histoire en partage. Usages et mises en discours du passé*, Paris, L'Harmattan, 1996, 232 p.

JOUTARD, Philippe, et Thomas WIEN (dir.), *Mémoires de Nouvelle-France. De France en Nouvelle-France*, Rennes, Presses universitaires de Rennes, 2005, 386 p.

KELLER-LAPP, Heidi, et Caroline McKENSIE, « Devenir des Jésuitesses : les missionnaires ursulines du monde atlantique », *Histoire, monde et cultures religieuses*, 2010, vol. 4, nº 16, p. 19-51.

KENNEDY, Gregory M., *Something of a peasant paradise ? : Comparing Rural Societies in Acadie and the Loudunais, 1604-1755*, Montréal et Kingston, McGill-Queen's University Press, 2014, 272 p.

KOLISH, Evelyn, *Nationalismes et conflits de droits : le débat du droit privé au Québec, 1760-1840,* LaSalle, Hurtubise, 1994, 325 p.

LABELLE, Marcel, *L'insurrection des patriotes à Beauharnois en 1838 : une révolte oubliée. Récit*, Québec, Septentrion, 2011, 300 p.

LABERGE, Alain, « État, entrepreneur, habitants et monopole : le "privilège" de la pêche au marsouin dans le Bas-Saint-Laurent, 1700-1730 », *Revue d'histoire de l'Amérique française*, vol. 37, nº 4, mars 1984, p. 543-556.

LABERGE, Alain, « Seigneur, censitaires et paysage rural : le papier-terrier de la seigneurie de la Rivière-Ouelle de 1771 », *Revue d'histoire de l'Amérique française*, vol. 44, nº 4, printemps 1991, p. 567-587.

LABERGE, Alain (avec la collaboration de Jacques MATHIEU et Lina GOUGER), *Portraits de campagnes : la formation du monde rural laurentien au XVIIIe siècle*, Québec, Presses de l'Université Laval, 2010, 155 p.

LABERGE, Alain, « 1897. Joseph-Edmond Roy, *Histoire de la seigneurie de Lauzon* », dans Claude Corbo (dir.), *Monuments intellectuels de la Nouvelle-France et du Québec ancien. Aux origines d'une tradition culturelle*, Montréal, PUM, 2014, p. 363-371.

LABERGE, Alain, et Benoît GRENIER (dir.), *Le régime seigneurial au Québec 150 ans après : bilans et perspectives de recherches à l'occasion de la commémoration du 150e anniversaire de l'abolition du régime seigneurial*, Québec, Centre interuniversitaire d'études québécoises (CIEQ), 2009, 100 p.

LANDRY, Nicolas, *Plaisance (Terre-Neuve), 1650-1713 : une colonie française en Amérique*, Québec, Septentrion, 2008, 406 p.

LANGLOIS, Gabriel, « Le manoir des seigneurs Lepage », *L'Estuaire*, vol. XXI, nº 1 (nº 52), janvier 1998, p. 3-5.

LAPORTE, Gilles, *Patriotes et loyaux : leadership régional et mobilisation politique en 1837 et 1838,* Sillery, Septentrion, 2004, 416 p.

LARIN, Robert, et Marie-Joëlle LARIN-LAMPRON, *Le Manoir Rioux-Belzile à Trois-Pistoles. Histoire d'une maison, d'une famille, d'une société et d'un village*, Québec, Septentrion, 2013, 255 p.

LAROCQUE, Paul, et collab., *Rimouski depuis ses origines,* Rimouski, Société d'histoire du Bas-Saint-Laurent et GRIDEQ, 2006, 411 p.

LAROSE, André, « Objectif : commutation de tenure. Edward Ellice et le régime seigneurial (1820-1840) », *Revue d'histoire de l'Amérique française*, vol. 66, n°s 3-4, hiver-printemps 2013, p. 365-393.

LAROSE, Jean-François, *Le moulin de Pointe-du-Lac : plan d'interprétation et d'aménagement*, Montréal, Corporation du moulin seigneurial de Pointe-du-Lac, 1993, 75 p.

LAVALLÉE, Louis, *La Prairie en Nouvelle-France, 1647-1760, étude d'histoire sociale*, Montréal et Kingston, McGill-Queen's University Press, 1992, 303 p.

LAVALLÉE, Robert, *Petite histoire de Berthier*, La Pocatière, Société historique de la Côte-du-Sud, 1973, 216 p.

LAVOIE, Michel, *C'est ma seigneurie que je réclame. La lutte des Hurons de Lorette pour la seigneurie de Sillery, 1650-1900*, Montréal, Boréal, 2010, 568 p.

LEBEL, Alyne, « Les propriétés foncières des Ursulines et le développement de Québec », *Cahiers de géographie du Québec*, vol. 25, n° 64, 1981, p. 119-132.

LEBRUN, François, et Normand SÉGUIN (dir.), *Sociétés villageoises et rapports villes-campagnes au Québec et dans la France de l'Ouest,* XVIIe-XXe *siècles*, Trois-Rivières, Université du Québec à Trois-Rivières et Presses universitaires de Rennes 2, 1987, 416 p.

LE GLAUNEC, Jean-Pierre, et Geneviève PICHÉ (dir.), *Quand le passé ne passe pas. Histoires et mémoires de l'esclavage : Québec, États-Unis, France et Afrique*, Sherbrooke, Éditions GGC, 175 p.

LEMARCHAND, Guy, « Le féodalisme dans la France rurale des Temps modernes. Essai de caractérisation », *Annales historiques de la Révolution française*, vol. 41, n° 1 (janvier-mars 1969), p. 77-108.

LEMARCHAND, Guy, *La fin du féodalisme dans le pays de Caux : conjoncture économique et démographique et structure sociale dans une région de grande culture de la crise du* XVIIe *siècle à la stabilisation de la Révolution, 1640-1795*, Paris, Éditions du CTHS, 1989, 661 p.

LEMAY, Roger, *Saint-Roch-de-l'Achigan. 200 ans de souvenirs, 1787-1987*, Saint-Roch-de-l'Achigan, s.n., 1987, 423 p.

LERNER, Gerda, *The Creation of Patriarchy*, New York, Oxford University Press, 1986, 368 p.

LERNER, Gerda, *The Creation of Feminist Consciousness : from the Middle Ages to Eighteen-Seventy*, New York, Oxford University Press, 1993, 395 p.

LESSARD, Pierre, *Trois démarches de sensibilisation et d'animation d'un milieu amorcées par un groupe de travail autour d'un élément de patrimoine bâti : le vieux moulin Marcoux de Pont-Rouge, le vieux presbytère de Deschambault, la seigneurie des Aulnaies*, Québec, Conseil de la culture de la région de Québec, 1981, 93 p.

LESSARD, Rénald, « Retrouver les propriétés de nos ancêtres : l'apport des papiers terriers seigneuriaux », *L'Ancêtre*, vol. 29, n° 262, printemps 2003, p. 247-249.

LITTLE, Jack I., *Patrician Liberal. The Public and the Private Life of Sir Henri-Gustave Joly de Lotbinière, 1829-1908*, Toronto, Buffalo, London, University of Toronto Press, 2013, 400 p.

LYTWYN, Victor P., « A dish with One Spoon : the Shared Hunting Grounds Agreement in the Great Lakes and St. Lawrence Valley Region », *Papers of the Twenty-Eighth Algonquian Conference,* Winnipeg, Université du Manitoba, 1997, p. 210-227.

MACPHERSON LE MOINE, James (édité par Roger LE MOINE, Michel GAULIN et Louise CANTIN), *Souvenirs et réminiscences / Glimpses & Reminiscences*, Québec, Presses de l'Université Laval, 2013, 600 p.

MALCHELOSSE, Gérard, « L'aventure extraordinaire d'une frontière et d'un fort », *Cahiers des Dix*, n° 26 (1961), p. 177-196.

MARIEN, Laurent, « Les arrière-fiefs au Canada de 1732 à 1760. Un maillon socioéconomique du régime seigneurial », *Histoire et sociétés rurales*, n° 19, premier semestre 2003, p. 159-191.

MARQUIS, G.-E. (chef du Bureau des statistiques), *Le régime seigneurial au Canada*, Québec, s.e., 1931.

MARQUIS, Paul-Yvan, *La tenure seigneuriale dans la province de Québec*, Montréal, Chambre des notaires, 1987, 255 p.

MARTEL, Claude, *Lachenaie : du fort à la ville,* Terrebonne, Presses de litho Mille-Îles ltée, 1994.

MARTIN, François-Olivier, *Histoire de la coutume de la prévôté et vicomté de Paris*, Paris, Cujas, 1972 (1922), 2 vol.

MARTIN, Roland, *Saint-Roch-des-Aulnaies. Les seigneurs, le manoir, le moulin banal, les maisons de pierre*, La Pocatière, Société historique de la Côte-du-Sud, Cahier n° 10, 1975, 159 p.

MASSÉ, Jean-Claude, *Malcolm Fraser. De soldat écossais à seigneur canadien, 1733-1815*, Québec, Septentrion, 2011 (2006), 360 p.

MASSON, Henri, *La seigneurie de Terrebonne sous le Régime français,* Montréal, s.e., 1982, 205 p.

MATHIEU, Jacques, et Jacques LACOURSIÈRE, *Les mémoires québécoises*, Québec, Presses de l'Université Laval, 1991, 383 p.

MAYER, Arno, *La persistance de l'Ancien Régime. L'Europe de 1848 à la Grande Guerre,* Paris, Aubier, 2010 (1981), 351 p.

MENSION-RIGAU, Éric, *La vie des châteaux. Mise en valeur et exploitation des châteaux privés dans la France contemporaine. Stratégies d'adaptation et de reconversion*, Paris, Perrin, 1999, 359 p.

MINER, Horace, *Saint-Denis, un village québécois*, Chicoutimi, Jean-Marie Tremblay, 2008 (1939).

MOREL, André, « L'enfant sans famille. De l'ancien droit au nouveau code civil », dans René Joyal (dir.), *L'évolution de la protection de l'enfance au Québec : des origines à nos jours,* Sainte-Foy, Presses de l'Université du Québec, 2000, p. 7-34.

MORIN, Michel, « "Manger avec la même micoine dans la même gamelle" : à propos des traités conclus avec les Amérindiennes au Québec, 1665-1760 », *Revue générale de droit,* vol. 33, 2003, p. 93-129.

MORIN, Victor, « La féodalité a vécu… », *Cahiers des Dix*, n° 6, 1941.

MORIN, Victor, *Seigneurs et censitaires, castes disparues*, Montréal, Éditions des Dix, 1941.

MORISSET, Lucie K., et Luc NOPPEN, « Édifier une mémoire de lieux en recyclant l'histoire. Usages et fonctions du passé dans l'architecture actuelle », dans Jacques Mathieu (dir.), *La mémoire dans la culture*, Québec, Presses de l'Université Laval, 1995, p. 203-233.

MORISSETTE, Michel, « L'abolition des droits seigneuriaux : une affaire d'argent », *Cap-aux-Diamants*, n° 112, hiver 2013, p. 27-30.

MORISSETTE, Michel, et Olivier LEMIEUX, « Le régime seigneurial : un regard historiographique (1re partie) », *Traces*, vol. 51, n° 1 (hiver 2013), p. 32-35.

MORISSETTE, Michel, et Olivier LEMIEUX, « Le régime seigneurial : un regard sur les manuels (2e partie) », *Traces*, vol. 51, n° 2, printemps 2013, p. 38-42.

NELLES, H. V., *L'histoire spectacle. Le cas du tricentenaire de Québec*, Montréal, 2003, 432 p.

NICOLAS, Jean, « La fin du régime seigneurial en Savoie (1771-1792) », dans CNRS (dir.), *L'abolition de la féodalité dans le monde occidental*, Paris, Éditions du CNRS, 1971, t. 1, p. 27-107.

NIORT, Jean-François, « Aspects juridiques : régime seigneurial en Nouvelle-France », *Revue générale de droit*, n° 32, 2002, p. 443-526.

NOËL, Françoise, *The Christie Seigneuries : Estate Management and Settlement in the Upper Richelieu Valley, 1760-1854*, Montréal et Kingston, McGill-Queen's University Press, 1992, 248 p.

NOEL, Jan, *Along a River : The First French-Canadian Women*, Toronto, University of Toronto Press, 2013, 356 p.

NOOTENS, Thierry, « "Je crains fort que mon pauvre Henri ne fasse pas grand-chose…" : les héritiers "manqués" et les querelles de la succession Masson, 1850-1930 », *Revue d'histoire de l'Amérique française*, vol. 59, n° 3, 2006, p. 223-257.

NOOTENS, Thierry, *Fous, prodigues et ivrognes : familles et déviance à Montréal au XIXe siècle*, Montréal et Kingston, McGill-Queen's University Press, 2007, 308 p.

NOPPEN, Luc, et Lucie K. MORISSET, *Les églises du Québec : un patrimoine à réinventer*, Québec, Presses de l'Université du Québec, 2005, 434 p.

NORA, Pierre, « Le retour de l'événement », dans Jacques LeGoff et Pierre Nora (dir.), *Faire de l'histoire*, Paris, Gallimard, 1974, t. 1, p. 210-228.

NORA, Pierre (dir.), *Les lieux de mémoire*, Paris, Gallimard, 1984, vol. 1, 694 p.

NORMAND, Sylvio, « Confection du cadastre seigneurial et du cadastre graphique », *La Revue du notariat*, vol. 91, nos 3-4, novembre-décembre 1988, p. 184-199.

NORMAND, Sylvio, « François-Joseph Cugnet et la reconstitution du droit de la Nouvelle-France », *Cahiers aixois d'histoire des droits de l'Outre-Mer français*, n° 1, 2002, p. 127-145.

OUELLET, Fernand, « L'abolition du régime seigneurial et l'idée de propriété », *Hermès*, vol. 4, n° 2, 1955, p. 14-36.

OUELLET, Fernand, *Histoire économique et sociale du Québec, 1760-1850*, Montréal, Fides, 1966, 639 p.

OUELLET, Fernand, *Éléments d'histoire sociale du Bas-Canada*, Montréal, Éditions Hurtubise HMH, 1972, 379 p.

OUELLET, Fernand, *Le Bas-Canada 1791-1840: changements structuraux et crise,* Ottawa, Éditions de l'Université d'Ottawa, 1976, 541 p.

OUELLET, Fernand, « Propriété seigneuriale et groupes sociaux dans la vallée du Saint-Laurent (1663-1840) », *Revue de l'Université d'Ottawa,* vol. 47, n° 1-2, 1977, p. 183-213.

OURY, dom Guy-Marie (o.s.b.), *Les Ursulines de Québec, 1639-1953,* Sillery, Septentrion, 1999, 378 p.

PARENT, France, et Geneviève POSTOLEC, « Quand Thémis rencontre Clio : les femmes et le droit en Nouvelle-France », *Les Cahiers de droit,* vol. 36, n° 1, 1995, p. 293-318.

PARINI, Lorena, *Régulation sociale et genre,* Paris, L'Harmattan, 2006, 260 p.

PATAULT, Anne-Marie, *Introduction historique au droit des biens,* Paris, Presses universitaires de France, 1989, 336 p.

PELLETIER, Antoine, « Babeuf feudiste », *Annales historiques de la Révolution française,* 37e année, n° 179, janvier-mars 1965, p. 29-65.

PELLETIER, Louis, *La seigneurie de Mount Murray. Autour de La Malbaie, 1761-1860,* Québec, Septentrion, 2008, 400 p.

PICARD, Philippe, et Alain PRÉVOST, *Site du manoir Dénéchaud à Berthier-sur-Mer (CfEq-3). Intervention de sauvetage,* s.l., ministère de la Culture et des Communications du Québec, 1994.

PLAMONDON, Lilianne, « Une femme d'affaires en Nouvelle-France : Marie-Anne Barbel, veuve Fornel », *Revue d'histoire de l'Amérique française,* vol. 31, n° 2, septembre 1977, p. 165-185.

POSTOLEC, Geneviève, « L'exclusion de la succession par exhérédation ou par substitution au Canada aux XVIIe et XVIIIe siècles », dans Gérard Bouchard et collab., *Les exclus de la terre en France et au Québec (XVIIe-XXe siècles),* Sillery, Septentrion, 1998, 388 p.

PROST, Antoine, « Les dates, les notes et le sens », dans Alain Corbin (dir.), *1515 et les grandes dates de l'histoire de France revisitées par les grands historiens d'aujourd'hui,* Paris, Seuil, 2005, p. 527-530.

RAMEAU DE SAINT-PÈRE, Edme, *La France aux colonies, études sur le développement de la race française hors de l'Europe,* Paris, A. Jouby, 1859, 560 p.

RICARD, François, *Gabrielle Roy. Une vie,* Montréal, Boréal, 1996, 680 p.

RICŒUR, Paul, *L'histoire, la mémoire, l'oubli,* Paris, Seuil, 2000, 689 p.

ROY, Christian, *Histoire de L'Assomption,* L'Assomption, Commission des fêtes du 250e anniversaire, 1967, 540 p.

ROY, Gabrielle, « Mort d'extrême vieillesse », *Le Bulletin des agriculteurs,* février 1941, p. 33-35.

ROY, Joseph-Edmond, *Histoire de la seigneurie de Lauzon,* Lévis, [s. n.], 1900, 5 vol.

ROY, Pierre-Georges, *Vieux manoirs, vieilles maisons,* Québec, Commission des monuments historiques de la province de Québec, 1927, 376 p.

ROY, Pierre-Georges, « Le moulin banal dans la Nouvelle-France », *Bulletin des recherches historiques,* n° XLIX, 1943.

ROY, Pierre-Georges, *Hommes et choses du fort Saint-Frédéric*, Montréal, Éditions des Dix, 1946, 351 p.

SAINT JACOB, Pierre de, *Les paysans de la Bourgogne du Nord au dernier siècle de l'Ancien Régime*, Paris, Société des Belles-Lettres, 1960, 643 p.

SAINT JACOB, Pierre de, « La rénovation des terriers en Bourgogne à la fin de l'Ancien Régime », dans Jean-Jacques Clère (dir.), *Des terroirs et des hommes. Études sur le monde rural et le pays bourguignon (XVIe-XVIIIe siècle)*, Dijon, Éditions universitaires de Dijon, 2008, p. 207-212.

SAINT-MARIE (mère), SAINT-THOMAS (mère) et George Louis LEMOINE, *Les Ursulines de Québec depuis leur établissement jusqu'à nos jours*, Québec, Des Presses de C. Darveau, 1864, 4 vol.

SALONE, Émile, *La colonisation de la Nouvelle-France*, Paris, E. Guilmoto, 1970 (1906), 505 p.

SALOMON DE FRIEDBERG, Barbara, *Le manoir Dénéchaud, Berthier-sur-Mer : recueil de photographies et de textes*, Québec, ministère des Affaires culturelles, Direction de l'inventaire des biens culturels, 1977, s.p.

SAMSON, Roch (dir.), *Histoire de Lévis-Lotbinière*, Québec, Institut québécois de recherche sur la culture, 1996, 812 p.

SANFILIPPO, Matteo, *Dalla Francia al Nuovo Mondo : feudi e signorie nella valle del San Lorenzo*, Viterbo, Sette Città, 2008.

SANFILIPPO, Matteo, *Il feudalesimo nella valle del San Lorenzo : un problema storiografico*, Viterbo, Sette Città, 2008.

SAVARD, Julie-Rachel, « L'intégration des autochtones au régime seigneurial canadien : une approche renouvelée en histoire des Amérindiens », dans Alain Beaulieu et Maxime Gohier (dir.), *La recherche relative aux autochtones. Perspectives historiques et contemporaines*, Montréal, Chaire de recherche du Canada sur la question territoriale autochtone, 2007, p. 169-184.

SAVARD, Rémi, *L'algonquin Tessouat et la fondation de Montréal; diplomatie franco-indienne en Nouvelle-France*, Montréal, L'Hexagone, 1996, 236 p.

SAVOIE, Sylvie, « Trois-Rivières, un lieu de passage », *Cap-aux-Diamants,* n° 62, été 2000, p. 32-35.

SÉGUIN, Maurice, « Le régime seigneurial au pays du Québec, 1760-1854 », *Revue d'histoire de l'Amérique française*, vol. 1, n° 3 (1947), p. 382-402.

SELLAR, Robert, *The History of the County of Huntingdon and of the Seigniories of Chateaugay and Beauharnois from their First Settlement to the Year 1838,* Huntingdon, Canadian Gleaner, 1888, 584 p.

SOBOUL, Albert, « De la pratique des terriers à la veille de la Révolution », *Annales. Économies, sociétés, civilisations*, 19e année, n° 6, novembre-décembre 1964, p. 1049-1065.

SOBOUL, Albert, « La Révolution française et la féodalité », *Annales historiques de la Révolution française*, vol. 40, n° 193 (juillet-septembre 1968), p. 190-198.

SOBOUL, Albert, *Problèmes paysans de la Révolution (1879-1848)*, Paris, François Maspéro, 2001 (1976), 442 p.

SOCIÉTÉ HISTORIQUE DE LA PRAIRIE DE LA MAGDELEINE, *Le Train des retrouvailles,* La Prairie, La Société, 1986, 162 p.

ST-GEORGES, Lise, *Étude historique du moulin à farine et de la maison du meunier du domaine seigneurial de Mascouche*, Montréal, ministère des Affaires culturelles, 1990.

ST-HILAIRE, Marc et collab., *Les traces de la Nouvelle-France au Québec et en Poitou-Charentes,* Québec, Presses de l'Université Laval, 2008, 309 p.

ST-PIERRE, Louise, *Le complexe Philippe-Aubert-de-Gaspé : étude de marché*, Saint-Jean-Port-Joli, Mémoire vive, 2004.

SULTE, Benjamin, *Histoire des Canadiens français, 1608-1880 : origine, histoire, religion, guerres, découvertes, colonisation, coutumes, vie domestique, sociale et politique, développement, avenir*, Montréal, Wilson & cie, 1882-1884, 8 vol.

SWEENY, Robert, « Paysans et propriété : la commutation à Montréal, 1840-1859 », dans Christian Dessureault, John A. Dickinson et Joseph Goy (dir.), *Famille et marché, XVIe-XXe siècles,* Sillery, Septentrion, 2003, p. 161-166.

TASCHEREAU, Louis-Alexandre, « La noblesse canadienne-française », *La Revue moderne* (juillet 1930), p. 9.

TESSIER, Albert, « Deux enrichis : Aaron Hart et Nicolas Montour », *Cahiers des Dix*, n° 3, 1938, p. 217-242.

TÊTU, Henri, *Histoire des familles Têtu, Bonenfant, Dionne, Perrault*, Québec, Dussault et Proulx, 1898, 636 p.

THUOT, Jean-René, *Parcours de bâtisseurs à Saint-Roch-de-l'Achigan. Les lieux de mémoire revisités*, Montréal, Société de recherche Archiv-histo, 2006, 416 p.

THUOT, Jean-René, « L'évolution du paysage bâti de Lachenaie, XVIIIe-XXe siècles : statuts élitaires et architecture domestique dans les campagnes laurentiennes », *Journal de la Société pour l'étude de l'architecture au Canada/Journal for the Study of Architecture in Canada*, vol. 39, n° 1, 2014, p. 71-86.

TOBIAS, John L., « Protection, Civilization, Assimilation : An Outline History of Canada's Indian Policy », dans James R. Miller (ed.), *Sweet Promises, A Reader on Indian-White Relation in Canada*, Toronto, University of Toronto Press, 1991, p. 127-144.

TREMBLAY, Alex, « Gabriel-Elzéar Taschereau », dans Gaston Deschênes et Denis Vaugeois (dir.), *Vivre la Conquête : à travers plus de 25 parcours individuels*, Québec, Septentrion, 2014, tome II, p. 240-251.

TRUDEL, Marcel, « Les obligations du censitaire à l'époque des 100 associés », *Revue d'histoire de l'Amérique française*, vol. 27, n° 1, 1973, p. 3-41.

TRUDEL, Marcel, *Les débuts du régime seigneurial au Canada*, Montréal, Fides, 1974, 313 p.

TRUDEL, Marcel, *Histoire de la Nouvelle-France. Vol. III : La seigneurie des Cent-Associés (1627-1663)*, Montréal, Fides, 1983, 489 p.

TRUDEL, Marcel, *Histoire de la Nouvelle-France. Vol. X : Le régime militaire et la disparition de la Nouvelle-France, 1759-1764*, Montréal, Fides, 1999, 612 p.

TRUDEL, Marcel, *Deux siècles d'esclavage au Québec*, Montréal, Bibliothèque québécoise, 2009 (1960), 372 p.

TURGEON, Laurier, et Louise SAINT-PIERRE, « Le patrimoine immatériel religieux au Québec : sauvegarder l'immatériel par le virtuel », *Ethnologies*, vol. 31, nº 1, 2009, p. 201-233.

VAN DE WATER, Frederic Franklyn, *Lake Champlain and Lake George*, New York, Bobbs-Merrill, 1946, 381 p.

VAUGEOIS, Denis, *Québec 1792. Les acteurs, les institutions et les frontières,* Montréal, Fides, 1992, 172 p.

VAUGEOIS, Denis, *Les Premiers Juifs d'Amérique, 1760-1860 : l'extraordinaire histoire de la famille Hart*, Québec, Septentrion, 2011, 392 p.

VIGER, Denis Benjamin, *Mémoire de Denis Benjamin Viger, écuyer, et de Marie Amable Foretier, son épouse*, Montréal, Cour d'appel, 1827.

WALES, Benjamin Nathaniel, *Memories of Old St. Andrews, and Historical Sketches of Seigniory of Argenteuil*, Lachute, Watchman Press, 1934.

WALLOT, Jean-Pierre, « Le régime seigneurial et son abolition au Canada », *Canadian Historical Review* (1969), p. 367-393.

WALLOT, Jean-Pierre, *Un Québec qui bougeait : trame socio-politique du Québec au tournant du XIXe siècle,* Montréal, Boréal, 1973, 348 p.

WIEN, Thomas, « Les conflits sociaux dans une seigneurie canadienne au XVIIIe siècle : les moulins des Couillard », dans Gérard Bouchard et Joseph Goy (dir.), *Famille, économie et société rurale en contexte d'urbanisation (XVIIe-XXe siècles)*, Montréal et Paris, Université de Montréal et École des hautes études en sciences sociales, 1990, p. 225-236.

WIEN, Thomas, Cécile VIDAL et Yves FRENETTE (dir.), *De Québec à l'Amérique française. Histoire et mémoire*, Québec, Presses de l'Université Laval, 2006, 403 p.

WILSON, J. Roy, *Les belles vieilles demeures du Québec*, Montréal, Éditions HMH, 1977, 125 p.

WRONG, George M., *A Canadian Manor and its Seigneurs : The Story of a Hundred Years, 1761-1861*, Toronto, The MacMillan Company of Canada Limited, 1908.

YOUNG, Brian, *In Its Corporate Capacity. The Seminary of Montreal as a Business Institution, 1816-1876*, Montréal et Kingston, McGill-Queen's University Press, 1986, 295 p.

YOUNG, Brian, *Les sulpiciens de Montréal. Une histoire de pouvoir et de discrétion, 1657-2007*, Québec, Fides, 2007, 618 p.

YOUNG, Brian, « Revisiting Feudal Vestiges in Urban Quebec », dans Nancy Christie (ed.), *Transatlantic Subjects. Ideas, Institutions, and Social Experience in Post-Revolutionary British America,* Montréal, McGill-Queen's University Press, 2008, p. 133-156.

YOUNG, Brian, *Patrician Families and the Making of Quebec, The Taschereaus and McCords*, Montréal et Kingston, McGill-Queen's University Press, 2014, 472 p.

ZOLTVANY, Yves F., « Esquisse de la Coutume de Paris », *Revue d'histoire de l'Amérique française*, vol. 25, nº 3, 1971, p. 365-384.

Mémoires et thèses

BENOÎT, Jean, *La question seigneuriale au Bas-Canada, 1850-1867*, Mémoire (M.A.), Université Laval, 1978, 215 p.

BLANCHARD, David, *Patterns of Tradition and Change : the Re-creation of Iroquois Culture at Kahnawake*, Thèse (Ph. D.), University of Chicago, 1982, 478 p.

BOILY, Maxime, *Les terres amérindiennes dans le régime seigneurial : les modèles fonciers des missions sédentaires de la Nouvelle-France*, Mémoire (M.A.), Université Laval, 2006, 240 p.

CARITEY, Christophe, *L'apport du manuel d'histoire et ses limites dans la formation de la mémoire historique*, Thèse (Ph. D.), Université Laval, 1992, 367 p.

DEMERS, Frédéric, *La mise en scène de l'imaginaire national et historique du Québec francophone dans la télésérie* Les filles de Caleb, Thèse (Ph. D.), Université Laval, Québec, 2005, 395 p.

DÉPATIE, Sylvie, *L'évolution d'une société rurale : l'île Jésus au XVIIIe siècle*, Thèse (Ph. D.), Université McGill, 1988, 464 p.

DESLANDRES, Dominique, *Le modèle d'intégration socio-religieuse, 1600-1650. Missions intérieures et premières missions canadiennes*, Thèse (Ph. D.), Université de Montréal, 1990.

DESSUREAULT, Christian, *La seigneurie du Lac-des-Deux-Montagnes*, Mémoire (M.A.), Université de Montréal, 1979.

DESSUREAULT, Christian, *Les fondements de la hiérarchie sociale au sein de la paysannerie : le cas de Saint-Hyacinthe, 1760-1815*, Thèse (Ph. D.), 1985.

GARDETTE, Joëlle, *Le processus de revendication huron pour le recouvrement de la seigneurie de Sillery, 1651-1934*, Thèse (Ph. D.), Université Laval, 2008, 635 p.

GOHIER, Maxime, *La pratique pétitionnaire autochtone sous le Régime britannique : le développement d'une culture politique moderne dans la vallée du Saint-Laurent (1760-1860)*, Thèse (Ph. D.), Université du Québec à Montréal, 2014, 641 p.

GOUGER, Lina, *Le peuplement colonisateur de Détroit, 1701-1765*, Thèse (Ph. D.), Université Laval, 2002, 229 p.

GRENIER, Benoît, *« Gentilshommes campagnards de la Nouvelle-France » : présence seigneuriale et sociabilité rurale dans la vallée du Saint-Laurent à l'époque préindustrielle*, Thèse (Ph. D.), Université Laval, 2005.

IMBEAULT, Sophie, *Le destin des familles nobles après la Conquête : l'adaptation des Lanaudière au régime britannique (1760-1791)*, Mémoire (M.A.), Université Laval, 2002, 258 p.

LABERGE, Alain, *Propriété et développement des seigneuries du Bas-Saint-Laurent : 1656-1790*, Mémoire (M.A.), Université York, 1981.

LABERGE, Alain, *Mobilité, établissement et enracinement en milieu rural : le peuplement des seigneuries de la Grande Anse sous le Régime français, 1672-1752*, Thèse (Ph. D.), Université York, 1987.

LAMBERT, Serge, *La stratégie foncière des religieuses de l'Hôpital général de Québec (1846-1929)*, Mémoire (M.A.), Université Laval, 1985, 118 p.

LAROSE, André, *La seigneurie de Beauharnois, 1729-1867 : les seigneurs, l'espace et l'argent*, Thèse (Ph. D.), Université d'Ottawa, 1987. [http ://hdl.handle.net/10393/5171].

LAVALLÉE, Jean-Sébastien, *Sillery, terre huronne ? : étude de la première revendication territoriale des Hurons de Lorette (1791-1845)*, Mémoire (M.A.), Université du Québec à Montréal, 2003, 390 p.

LEBEL, Alyne, *Les propriétés foncières des Ursulines de Québec et le développement de Québec (1854-1935)*, Mémoire (M.A.), Université Laval, 1980, 173 p.

LECOMPTE, Lucie, *Les seigneuries dans le territoire de l'Ontario*, Mémoire (M.A.), Université d'Ottawa, 2002, 136 p.

LOZIER, Jean-François, *In each other's arms : France and the St. Lawrence mission villages in war and peace, 1630-1730*, Thèse (Ph. D.), Université de Toronto, 2012.

MORISSETTE, Michel, *Les persistances de l'« Ancien Régime » québécois : seigneurs et rentes seigneuriales après l'abolition (1854-1940)*, Mémoire (M.A.), Université de Sherbrooke, 2014, 161 p.

NICOLINI-MASCHINO, Sylvette, *Michel Chartier de Lotbinière : l'action et la pensée d'un canadien du 18e siècle*, Thèse (Ph. D.), Université de Montréal, 1978, 242 p.

PARENT, France, *Entre le juridique et le social : le pouvoir des femmes à Québec au XVIIe siècle*, Mémoire (M.A.), Université Laval, 1991, 211 p.

PEACE, Thomas, *Two Conquests : Aboriginal Experiences of the Fall of New France and Acadia*, Thèse (Ph. D.), York University, 2011, 436 p.

PÉPIN, Karol, *Les Iroquois et les terres du Sault-Saint-Louis : étude d'une revendication territoriale (1760-1850)*, Mémoire (M.A.), Université du Québec à Montréal, 2007, 129 p.

THUOT, Jean-René, *D'une assisse locale à un réseau régional : élites et institutions dans la région de Lanaudière (1825-1865)*, Thèse (Ph. D.), Université de Montréal, 2008, 275 p.

TOUSIGNANT, Pierre, *La genèse et l'avènement de la constitution de 1791*, Thèse (Ph. D.), Université de Montréal, 1971.

WEIN, Thomas, *Peasant Accumulation in a Context of Colonization, Rivière-du-Sud, Canada, 1720-1775*, Thèse (Ph. D.), Université McGill, 1988.

Sites Internet

ASSEMBLÉE NATIONALE DU QUÉBEC, [En ligne]. [http ://assnat.qc.ca].

COMMISSION DE TOPONYMIE DU QUÉBEC, [En ligne]. [http ://www.toponymie.gouv.qc.ca/ct/accueil.aspx].

Dictionnaire biographique du Canada, [En ligne]. [http ://www.biographi.ca/fr/index.php].

Encyclopédie du patrimoine culturel de l'Amérique française, [En ligne]. [http ://www.ameriquefrancaise.org/fr/].

RÉPERTOIRE DU PATRIMOINE CULTUREL DU QUÉBEC, [En ligne]. [http ://www.patrimoine-culturel.gouv.qc.ca/].

PRÉSENTATION DES AUTEURS

Jessica Barthe, M. A. Histoire, Université de Sherbrooke.

Isabelle Bouchard, candidate au doctorat en histoire, Université du Québec à Montréal.

Jean-Michel Daoust, candidat à la maîtrise en sciences de l'information et bibliothéconomie, Université de Montréal.

Jonathan Fortin, candidat à la maîtrise en histoire, Université de Sherbrooke.

Joseph Gagné, candidat au doctorat en histoire, Université Laval.

David Gilles, professeur à la Faculté de droit, Université de Sherbrooke.

Benoît Grenier, professeur au Département d'histoire, Université de Sherbrooke.

Alain Laberge, professeur au Département des sciences historiques, Université Laval.

Katéri Lalancette, candidate à la maîtrise en histoire, Université Laval.

André LaRose, historien, chercheur autonome.

Michel Morissette, candidat au doctorat en histoire, Université de Sherbrooke.

Jean-René Thuot, professeur au Département des lettres et humanités, Université du Québec à Rimouski.

Alex Tremblay Lamarche, candidat au doctorat en histoire, Université Laval et Université libre de Bruxelles.

TABLE DES MATIÈRES

CET OUVRAGE EST COMPOSÉ EN ADOBE GARAMOND PRO CORPS 12
SELON UNE MAQUETTE DE PIERRE-LOUIS CAUCHON
ET ACHEVÉ D'IMPRIMER EN JANVIER 2016
SUR LES PRESSES DE L'IMPRIMERIE MARQUIS
À MONTMAGNY
POUR LE COMPTE DE GILLES HERMAN
ÉDITEUR À L'ENSEIGNE DU SEPTENTRION